Turbulente Europe
et nouveaux mondes
1914-1941

René Girault
Robert Frank

Turbulente Europe
et nouveaux mondes
1914-1941

« Relations internationales contemporaines »/Tome 2

2e édition

ARMAND COLIN

© S.E.S.J.M./Armand Colin, Paris, 1988, 1998

ISBN : 2-200-21877-X

Armand Colin Éditeur – 34 bis, rue de l'Université - 75007 Paris

TABLE DES MATIERES

Troisième partie
Les relations internationales en crises et en guerres 1929-1941

Nouvel avant-propos

Pour aller d'une guerre européenne à une autre guerre européenne, il a fallu seulement vingt années, à peine le temps d'une génération. Alors que le premier conflit mondial avait paru insupportable par sa dureté et sa longueur, d'où le slogan « Plus jamais ça ! », vingt ans après, la « guerre civile européenne » reprenait. Pourquoi, comment, pareil retournement, pareil aveuglement ?

Le retour sur un passé proche commença très tôt, dès les premières années de l'après-Seconde Guerre mondiale tant les citoyens et les intellectuels des pays européens, marqués dans leur chair et dans leur conscience, voulaient comprendre les raisons de tant de barbaries. L'ouverture exceptionnellement rapide des archives nazies saisies par les Alliés à la fin de la guerre, les procès d'après-guerre, notamment celui de Nuremberg contre les « dignitaires nazis », facilitèrent la recherche historique, puis l'abaissement à trente ans de la durée de non-communicabilité des archives dans la plupart des Etats. Aujourd'hui, même si les interrogations demeurent sur certains points, même si certaines archives restent closes, l'ampleur des sources disponibles et des documents publiés, dont les mémoires de nombreux acteurs, rend possible des explications globales ou détaillées de cette « période noire » de l'histoire des relations internationales. Comme avant 1914, mais plus qu'avant 1914, cette histoire doit englober les continents extérieurs à l'Europe ; toutefois le vieux continent continue de susciter les principales interrogations.

En Europe, les nationalismes s'exaspèrent, les idéologies paraissent mener les conduites politiques, racisme et antisémitisme s'affirment, les dictatures prolifèrent. N'est-ce point alors que le continent européen, si longtemps maître absolu des relations internationales, s'enfonce dans une « guerre civile » qui le conduira à la dépendance et à la cassure ? N'est-ce pas en ces temps que les transformations économiques et technologiques déterminées par la Première Guerre mondiale et amplifiées par la grande crise des années trente détruisent les équilibres construits pendant le dix-neuvième siècle, avant d'accoucher d'un nouveau système international où les monnaies sont manipulées, où de puissants flux de capitaux sont capables de perturber les économies nationales, où semble triompher le principe de l'ouverture des frontières aux échanges de marchandises ? N'est-ce pas le moment où les idéaux culturels du XIXe siècle paraissent remis en question au profit de valeurs nouvelles ? Un nouveau monde, né avec la révolution d'octobre, ne se veut-il pas diamétralement opposé au vieux monde et destiné à l'emporter dans le futur ? Singulières mutations qui ébranlent les structures établies depuis des lustres.

Les relations entre les hommes séparés par des frontières ont donc été bouleversées pendant ces terribles années de guerres et de crises à peine séparées par un bref répit. On retrouvera dans ce livre les périodes noires : Première Guerre mondiale 1914-1918, difficile après-guerre 1919-1924, crise mondiale économique, sociale, culturelle, politique 1929-1936, marche à la guerre 1936-1939, guerre européenne 1939-1941. Seule une brève période, 1924-1929, a pu laisser croire aux contemporains, un temps, qu'ils pourraient respirer calmement.

Le découpage chronologique suivi dans cet ouvrage peut surprendre, au moins par son terminus. Pourquoi 1941 ? Notre objectif doit être clairement présenté. L'histoire des relations internationales peut souvent être confondue avec une histoire du monde, tant il importe de suivre un déroulement multiforme, complexe, où interviennent Etats, peuples et cultures divers, distincts, antagonistes. En réalité, la mondialisation croissante des interrelations humaines impose cette vision élargie. Mais pour nous qui avons l'ambition, téméraire, de dégager les lignes de force, « les forces profondes », des relations internationales au-delà des péripéties quotidiennes, nous avons voulu insister sur l'essentiel : d'un monde où l'Europe était reine, on passe progressivement à un monde où les nouveaux venus, U.S.A., U.R.S.S., Japon viennent troubler le jeu traditionnel. Les peuples colonisés restent encore seconds, délaissés, dominés, même si des frémissements s'y font parfois sentir. La turbulente Europe, où paradent les Puissances (Allemagne, France, Italie, Royaume-Uni) mésestime ces nouveaux venus jusqu'au moment où ceux-ci interviennent dans un conflit circonscrit jusque-là à l'Europe (et à sa façade méditerranéenne-africaine) : en 1941, la Seconde Guerre mondiale commence vraiment. C'est une autre histoire qui débute.

Les relations internationales face à l'épreuve de la Première Guerre mondiale

Première partie

Introduction

L'étude historique des relations internationales pendant la Première Guerre mondiale appelle quelques remarques préliminaires. Tout d'abord, une guerre d'une telle ampleur, qui, peu à peu, va entraîner presque toute l'Europe et des parties essentielles des continents asiatique, américain, africain dans une vie nouvelle, constitue un accélérateur de l'histoire. Des phénomènes déjà existants se développent plus rapidement, de nouvelles perspectives imprévues surgissent ; ainsi la course aux armements, déjà sensible avant 1914, atteint un rythme de développement effrayant ; les déficits publics, limités en temps de paix, s'élargissent dans de telles proportions que les monnaies les plus solides chancellent. Les sociétés des pays en guerre voient les relations familiales bouleversées, la place de la femme modifiée, les transferts de population s'accentuent, des chocs de civilisation interviennent. Comment, dans ces conditions, la nature même des relations internationales n'en serait-elle pas modifiée ? Il conviendra donc de mesurer ces changements.

Toutefois, l'historien, qui bénéficie du recul du temps et qui dispose, aujourd'hui, de sources nombreuses, notamment de presque toutes les archives conservées, ne doit pas oublier que les contemporains, acteurs de l'événement, vivent au jour le jour un conflit qui n'en finit pas de durer. Entrés en guerre pour un temps bref, tant chacun est persuadé que les moyens militaires de l'époque sont foudroyants, les hommes et les femmes des Etats belligérants découvrent les vertus et les vices de l'attente interminable de la victoire. Dès lors, l'événementiel, si longtemps décrié par certains historiens, prend une éclatante revanche. On ne peut faire l'économie d'un récit chronologiquement construit, si l'on veut dégager le moment et les causes des mutations. Trois temps principaux semblent marquer l'évolution de cette guerre. En 1914, pendant environ quatre mois, on vit dans les illusions d'une guerre courte ; ensuite on entre dans la guerre longue, sans succès décisifs et sans que les idéaux du début soient vraiment contestés, au moins jusqu'à la fin de l'année 1916. 1917 est une année-charnière où les mutations abondent : la guerre devient vraiment mondiale avec l'entrée en guerre des U.S.A., les révolutions russes secouent le monde, les mentalités collectives connaissent l'incertitude et le désarroi. On aboutit ainsi à de nouveaux rapports de force, à des capacités nouvelles, à des méthodes nouvelles qui conduisent aux victoires de 1918, bases des négociations de paix en 1919.

L'adaptation des humains à cette guerre imprévisible semble conduire l'historien vers une étude détaillée du rôle de ces hommes, avec une attention particulière à l'égard de ceux qui, civils et militaires, détiennent un pouvoir de décision. Lorsqu'il faut agir vite, de manière décisive, a-t-on le temps de s'occuper des opinions publiques ? Le poids des personnalités s'accentue. Des noms de chefs politiques et militaires, qui tiennent le devant de la scène, s'imposent. Convient-il de réduire l'analyse historique au genre biographique et à une nouvelle galerie des hommes illustres ? Comme l'avait déjà souligné Pierre Renouvin, les initiatives des « décideurs » restent « dominées ou limitées par des données de la psychologie collective. » Traditions nationales, cohésion morale, mythes et stéréotypes perdurent. Une arme nouvelle, la propagande, ou pour reprendre l'expression du moment, « le bourrage de crâne », contribue à la fabrication de nouveaux mythes pesant bientôt sur la liberté d'action de ceux-là même qui les ont créés. En outre, la complexité grandissante de la conduite de la guerre, avec des coalitions de plus en plus larges, où l'influence des données économiques et *financières* s'accentue, interdisent à quelques hommes d'agir souverainement.

Dans ces conditions, « les forces profondes » qui forment le soubassement sur lequel s'inscrit l'action des individus, conservent toute leur importance. Nous resterons donc fidèle à la perspective, globale, qui était nôtre dans le premier volume : tenter au-delà de l'événementiel de comprendre où sont les lignes de force qui expliquent les multiples rebondissements d'une vie internationale en profonde transformation. Tâche difficile car la guerre bouleverse les rythmes et les structures de la vie internationale.

1. De la Guerre courte à la Guerre longue

Les illusions de l'été 1914

Les plans prévus

La guerre, qui s'engage en août 1914, sera courte. Tel est l'avis quasi-général des contemporains, depuis les spécialistes militaires formés à l'esprit d'offensive jusqu'aux profanes qui ont été instruits de la formidable puissance des armes modernes. Dans ses lignes générales, le schéma prévu pour la guerre future par les responsables civils et militaires comprend trois phases brèves : la mobilisation et la mise en place aux frontières d'un maximum de troupes aguerries, le choc des armées dans une guerre de mouvements rapides, l'exploitation décisive de la victoire obtenue dans ce choc ; la cause sera entendue dans un délai de six semaines à trois mois au maximum.

L'organisation politique et diplomatique des années de l'immédiat avant-guerre a été réglée à partir de ces perspectives. Les lois militaires votées en 1912-1913 aussi bien en Allemagne qu'en France ou en Russie ont mis l'accent sur la préparation d'une armée « active » importante, ce qui a contribué à l'allongement du service militaire actif, véritable source d'une « armée de métier ». Les plans de l'un ou l'autre camp répondent au schéma de la guerre courte. En Allemagne, le plan du général Schlieffen a été légèrement modifié en 1913 par son successeur, le général Molkte, mais l'esprit demeure : l'action décisive aura lieu en France à l'ouest, après l'invasion de la Belgique (les Pays-Bas resteront inviolés) tandis que l'allié austro-hongrois contiendra le gros des forces russes ; en six semaines environ, la décision sera obtenue à l'ouest, laissant la Russie isolée et la Grande-Bretagne impuissante sur le continent (celle-ci n'a presque pas d'armée de terre). En face, la théorie de l'offensive fait également autorité. En France, le général Joffre, nommé chef d'Etat-major général en 1911, qui fait préparer le plan XVII (terminé fin 1913), et qui a donné les directives essentielles pour la guerre future dans le *Règlement pour la conduite des grandes unités* (octobre 1913) et dans l'*Instruction sur la concentration* (février 1914), soutient l'idée de prendre l'offensive dès que la concentration des forces sera terminée ; la guerre aura lieu dans l'est de la Belgique et au Luxembourg où l'armée française portera l'offensive (après l'invasion, prévisible, de ce pays par l'Allemagne). Dans ces conditions, lors des discussions militaires franco-russes entre 1911 et 1914, il fut décidé que les Russes attaqueraient également en Prusse orientale au plus vite en accélérant même la concentration de leurs troupes grâce à une aide financière française spéciale qui permettra le renforcement du réseau ferré dans l'ouest de l'Empire. En bref, on portera des coups directs à l'adversaire, coups violents et décisifs.

Trois conséquences pratiques découlent de ces plans. Tout d'abord, il faut réussir la mobilisation et la concentration rapide des troupes ; or, une menace sociale plane sur cette entrée en guerre. Des mouvements pacifistes ou d'opposition aux pouvoirs en place seront-ils susceptibles d'entraver ce double mouvement ? Ensuite, puisque la guerre sera courte, on prévoit un effort financier intensif mais mesuré afin d'éviter au maximum tout ce qui pourrait désorganiser la vie sociale et accentuer les troubles politiques. Enfin, la décision devant se faire par un choc frontal entre les grandes Puissances, l'utilité d'alliances ou d'appuis complémentaires venant de petites ou moyennes puissances semble secondaire. Puisque l'Italie reste neutre, ce qui était escompté, après les assurances données à la France par les accords de 1902 et l'oubli volontaire où les Puissances Centrales ont laissé leur « allié » pendant la crise de l'été 1914, il devient inutile d'engager des discussions qui obligeraient à de futures concessions ou à des marchandages difficiles. La vie diplomatique européenne sera donc suspendue aux seules décisions des *Grands* belligérants. Ceux-ci feront dépendre leurs objectifs des résultats obtenus sur le terrain par les militaires.

Une hiérarchie dans les priorités politiques résulte de ces idées. En un premier temps, il faut tout faire pour que l'unité nationale réduise à néant, ou à l'infime, les possibles désertions ou défections. Ensuite, pour vaincre, priorité sera donnée aux volontés des chefs militaires, même si le pouvoir civil doit s'effacer pour un temps. Enfin, prévoyant le règlement final du conflit, il faudra éviter qu'une négociation séparée, dans l'une ou l'autre coalition, permette d'exploiter tel ou tel avantage localisé au seul profit d'*un* des belligérants. Ainsi, même dans la guerre courte, on voit se dessiner trois phénomènes appelés à prendre une grande ampleur dans la suite du conflit, et, d'une certaine manière, capables de peser sur le destin de celle-ci. L'indispensable cohésion nationale sera fonction des impressions ressenties par les opinions publiques et le maintien de cette cohésion devient un impératif primordial. Le pouvoir civil risque de devenir prisonnier du pouvoir militaire avec d'infinies conséquences politiques et sociales. Comment s'en prémunir ? La diplomatie de coalition menacée par les résultats militaires obtenus çà et là, assurant des bénéfices signalés tantôt à l'un, tantôt à l'autre, ne conduit-elle pas vers une rigidité diplomatique excessive et à une réelle incapacité de pouvoir saisir l'instant vraiment propice ?

L'Union Sacrée

Les mobilisations furent partout « réussies ». Non seulement les plans prévus par les autorités militaires s'accomplirent correctement pour l'essentiel, mais surtout, chez tous les belligérants, les dissensions internes cessèrent comme par miracle. Les gouvernements s'attendaient à des résistances de la part des milieux socialistes, puisque la Seconde Internationale avait adopté des positions de principe hostiles à la guerre, notamment lors du Congrès de Stuttgart en 1907 ou à l'occasion du Congrès extraordinaire de Bâle en 1912. Des précautions avaient été prises, comme par exemple en France l'inscription sur une liste (le carnet B) de tous ceux qui devraient être arrêtés dès l'annonce de la mobilisation. Pourtant nulle part, à de très rares exceptions près, il n'y eut de manifestations pacifistes nombreuses et moins encore de refus politiques d'aller au combat. La phrase célèbre de Poincaré sur l'Union Sacrée lue dans son message au Parlement aurait pu être reprise, telle quelle, par tous les autres chefs d'Etat : « Elle (la France) sera héroïquement défendue par tous ses fils, dont rien ne brisera devant l'ennemi l'union sacrée, et qui sont aujourd'hui fraternellement assemblés dans une même indignation contre l'agresseur et dans une même foi patriotique » (4 août 1914).

Est-ce à dire que la mobilisation suscitait l'enthousiasme et que les départs en fanfare, dans l'allégresse, étaient de règle, comme la propagande tendit ensuite à le faire croire ? Comme J.-J. Becker l'a bien démontré pour le cas français, il y eut bien dans les trains de mobilisés des scènes d'effervescence patriotique, ponctuées de cris « à Berlin », mais la masse des Français eut surtout conscience d'un devoir à accomplir « sans forfanterie et sans faiblesse », pour répondre à un agresseur, dans une guerre défensive pour ses causes et sans doute pour sauver la patrie en danger. Partout, le même sentiment de défense nationale s'imposa. En Allemagne et en Autriche-Hongrie, les autorités eurent beau jeu de dénoncer « le danger russe », dont la presse avait si largement parlé dans les mois précédents ; l'armée tsariste, soutien d'un régime ultra-réactionnaire, envahissant la Prusse orientale, pouvait apparaître comme un dangereux ennemi pour les socialistes de ces pays ; il fallait aussi briser « l'encerclement » des ennemis qui, depuis plusieurs années, préparaient l'asservissement de l'Allemagne. En Russie, le « danger allemand » était devenu proverbial, symbolisant la menace étrangère de sujétion pour une jeune nation russe en plein renouveau (1,7 million d'Allemands vivaient dans l'Empire, occupant souvent des places enviées parmi les cadres administratifs ou économiques). En Grande-Bretagne, où la conscription n'existait pas et dans laquelle, de ce fait, le peuple entrait moins directement dans la guerre, l'invasion de la petite Belgique, neutre, fournissait un motif d'indignation suffisant pour faire taire les traditionnels scrupules pacifistes. Ainsi, pour chaque nation jetée dans la guerre, il existait des motifs puissants, immédiats, de *réponse* à une menace ou à une agression (tel était bien le sentiment des Français devant l'invasion allemande, « répétition » de la guerre de 1870-1871). Comment, dès lors, s'opposer à un devoir patriotique ?

Plus tard, pendant et après la guerre, les socialistes de gauche vont accuser les dirigeants de l'Internationale ou les responsables des partis socialistes d'avoir trahi la cause internationaliste et pacifiste, tant glorifiée avant cette guerre. Le fait demeure qu'en cet été 1914, aucun responsable socialiste, dans aucun pays, n'a pu vraiment élever la voix (pas même Lénine), tant il était évident à tout observateur lucide que les conditions de la crise finale et de l'entrée en guerre interdisaient tout espoir de soulever les masses ouvrières contre la guerre : rapidité et brutalité du passage de l'état de paix à celui de guerre, surprise du moment, impression de « répondre à une agression », et surtout conscience patriotique profondément ancrée dans le conscient et l'inconscient de chacun après des années de formation patriotique à l'école, à l'armée, dans la presse, voire même dans le sport (cf. tome 1, chapitre 3). Dans *l'Armée Nouvelle*, livre conçu en 1910, Jean Jaurès, première victime de la guerre, écrivait ces lignes prophétiques : « Malgré l'abus des formules paradoxales, il (le prolétariat) a beau, pour protester contre les formules bourgeoises et capitalistes de la patrie, jeter l'anathème à la patrie elle-même, il se soulèverait tout entier le jour où réellement l'indépendance de la nation serait en péril ». Dans une Europe où la constitution des nations a dominé son évolution au xixe siècle, comment ne pas répondre à ce que l'on croit être partout une agression ? On peut expliquer ainsi le vote des crédits militaires par les députés sociaux-démocrates allemands ou S.F.I.O. français, ralliés à la défense de la patrie en danger. Seuls les députés sociaux-démocrates russes refusent de voter les crédits militaires : en août 1914 la patrie russe n'est pas en danger. L'idéal patriotique l'emporte de beaucoup sur l'internationalisme.

Il faut ajouter que personne ne prévoyant une guerre longue, la conception d'Union Sacrée ou de Burgfriede (mot utilisé en Allemagne) correspond seulement à l'idée d'une *trêve* dans l'action politique ou sociale (le terme allemand rend bien compte de cette idée) ; en France, à cette époque, on utilisera beaucoup plus l'expression de trêve que celle d'Union Sacrée. Pour un moment, et parce que la Nation paraît en danger, la cohésion est assurée dans chaque pays. Durera-t-elle dans le cas d'une guerre longue ?

Ce sont sans doute les mêmes motifs qui ont empêché les séparatismes nationaux de se faire alors vraiment sentir à l'intérieur des deux grands Empires multi-nationaux, l'Autriche-Hongrie et la Russie. Dans le premier, trois groupes ethniques pouvaient poser des problèmes dans un conflit contre la Russie et la Serbie : Tchèques, Slovaques et Polonais de Galicie, tous Slaves, sont enrôlables dans l'armée austro-hongroise ; veulent-ils accepter la conscription ou s'y opposer ? En fait, dans les premières semaines de la guerre, tous les responsables des mouvements nationaux dans ces régions manifestèrent leur loyalisme ou se turent. Les uns, tel le Polonais Pilsudski, voyaient dans la Russie l'ennemi à combattre pour acquérir l'indépendance (ses Légions se joignirent volontairement aux troupes autrichiennes). Les autres, réticents à l'égard du danger autocratique et réactionnaire symbolisé par le tsarisme, comme les socialistes tchèques ou un Thomas Mazaryk, préféraient obtenir une éventuelle transformation interne du régime dualiste (la monarchie en Autriche-Hongrie a deux têtes depuis le compromis de 1867), à l'instar de Kramar, leader des Néo-Slavistes tchèques, affirmant en juillet 1914 que, « véritable Slave », il n'a aucun désir de quitter l'Empire. Dès l'annonce de la guerre, le Comité National Slovaque assurait l'Empereur de sa loyauté et suspendait ses activités. Quelques mesures de police suffisaient donc pour conserver la cohésion nationale. La future dislocation de cet Empire n'est pas à l'ordre du jour en 1914.

Dans l'Empire russe, les germes d'insoumission pouvaient provenir surtout des Polonais incorporés dans l'armée impériale, puisque les Finlandais ne sont plus recrutés pour le service militaire depuis 1902-1903, (les autres Nationalités désirent surtout obtenir une réelle égalité de droits avec les Russes, plutôt que de sortir de l'Empire tsariste). Or, à la veille du conflit, Nicolas II envisageait une autonomie administrative assez large pour le royaume de Pologne, sans doute pour complaire à ceux qui, en Pologne, tel Dmowski, envisageaient de satisfaire le nationalisme polonais par la reconstitution d'un grand royaume polonais, intégré à l'Empire tsariste (le panpolonisme se colorait de russophilie). Si l'administration tsariste avait rejeté encore en juillet 1914 un projet favorable aux Polonais, dès le 14 août 1914, le Grand-Duc Nicolas, généralissime des armées russes, dans un manifeste à la nation polonaise, annonçait un programme de réunification de toutes les provinces polonaises prévoyant l'octroi d'une autonomie administrative. Ce geste habile, joint à l'antagonisme qui opposait les Polonais de l'Empire allemand au gouvernement de Berlin depuis la loi d'expropriation des terres en 1909, rendait improbable une éventuelle insubordination polonaise.

A court terme, partout les minorités nationales dans les pays belligérants se taisent, même en Irlande où l'Irish National Party accepte de suspendre ses activités lorsque « l'occupant » britannique s'engage dans la guerre sur le continent. Ici, toutefois, la trêve sera de brève durée. Néanmoins les unités nationales l'emportent au début de la guerre.

La diplomatie de coalition et les buts de guerre

Tout est donc suspendu au sort des batailles engagées. Rappelons quelques épisodes importants dans le déroulement des combats, entre août et novembre 1914. A l'ouest, l'offensive allemande a d'abord remporté la bataille des frontières et celle de Charleroi (20-24 août), puis elle a atteint l'Aisne et la Marne ; là, dans une bataille d'ensemble, entre le 5 et le 9 septembre, l'initiative et le succès passent du côté français. Le 10 septembre, le général Joffre lance un ordre de poursuite des armées allemandes en retraite, mais si la Marne, puis l'Aisne sont refranchies, vers le 25 septembre il faut abandonner l'espoir d'en finir rapidement avec l'armée allemande. Pendant le mois d'octobre, des batailles indécises stabilisent la ligne de front. En novembre, la guerre de mouvement cesse à l'ouest. Les combattants s'enterrent dans les tranchées. On entre nécessairement dans la guerre longue.

Sur le front Est, l'offensive accélérée des troupes russes en Prusse orientale a inquiété le généralissime allemand Molkte, qui, le 25 août, a prélevé des divisions à l'ouest pour renforcer ce front. Dès la fin août (27-30), le général Hindenburg à Tannenberg détruit une des armées russes, puis, les 8-9 septembre aux lacs Mazures une seconde armée russe. Cependant, comme par réciprocité, l'offensive austro-hongroise en Galicie a été anihilée fin août par une brillante contre-offensive russe, qui rejette les Austro-Hongrois vers les Carpathes. En septembre et en octobre, une guerre de mouvement oppose en Pologne centrale les trois armées engagées ; les deux camps alternent succès et déboires sans qu'une décision puisse vraiment intervenir. Dans l'ensemble, les Russes tiennent bien le choc, toutefois, dès le mois de novembre, une crise des munitions commence à se faire sentir au sein de l'armée russe. Sans que l'on en soit déjà arrivé à une guerre de tranchées comme à l'ouest, il est évident que la guerre, ici aussi, va durer. En somme, après trois mois de guerre, nul ne l'emporte ; à tour de rôle et comme avec une symétrie parfaite, les Empires Centraux ont cru triompher à l'ouest, tandis que l'Entente pouvait s'illusionner sur le sort des armes à l'Est.

La diplomatie porte la marque de ces vicissitudes militaires, au moins dans deux domaines essentiels : d'une part, les grandes Puissances combattantes fixaient ou esquissaient leurs buts de guerre, d'autre part, puisque la guerre durait, elles allaient commencer à élargir leurs alliances en sollicitant les neutres.

La question des buts de guerre des belligérants est l'un des problèmes qui ont récemment le plus attiré les historiens (notamment après les travaux de l'historien allemand Fritz Fischer). Le mythe doit être, en ce cas, soigneusement dissocié de la réalité. Dans tous les camps, les gouvernants ont proclamé qu'il fallait d'abord défendre la Patrie et lutter pour le Droit, la Justice. En bref, la propagande des Etats a très vite joué des « bons sentiments ». Toutefois, à côté de ces vues morales, les gouvernants devaient préciser les raisons de ce combat et fixer les objectifs à atteindre au moment de la victoire. Dans certains cas, il était à peine besoin d'expliquer ces raisons : rétablir l'indépendance de la Belgique, sauver la Serbie de la vassalité, pour les Français retrouver l'Alsace et la Lorraine, paraissaient des évidences. Mais étaient-ce bien là les buts recherchés ? En vérité, dès que la victoire parut être proche, au moins dans le secret des cabinets, on se mit à préparer la note à faire payer par les adversaires.

Le chancelier allemand Bethmann-Hollweg fut l'un des premiers à définir le règlement futur du conflit. Dès le 9 septembre 1914, après avoir consulté ou reçu communication de divers projets élaborés soit par des associations privées, soit par des personnalités politiques ou du monde des affaires, Bethmann-Hollweg établit un programme concret d'action à l'ouest (la bataille de la Marne fait alors rage, et une victoire allemande définitive à l'ouest est encore crédible). La France vaincue sera amputée du bassin ferrifère de Briey ; elle paiera une lourde indemnité de guerre lui interdisant de réarmer pendant quinze à vingt ans. Economiquement, elle ne pourra plus rivaliser avec une Allemagne, qui prendra la tête d'une vaste organisation pan-européenne (Mittel-Europa), regroupant derrière l'Allemagne, l'actuel Bénélux, le Danemark, l'Autriche-Hongrie, la Pologne ressuscitée et, le cas échéant, l'Italie et les Etats scandinaves. La Belgique perdra des terres à l'est, au profit de l'Allemagne et du Luxembourg, rattaché à la Confédération allemande ; sans être annexée, la Belgique, agrandie de la Flandre française, sera soumise à l'autorité allemande. Ni le sort de la Russie, ni celui des colonies africaines ne sont alors vraiment réglés. Faut-il envisager de se garder une marge de manœuvre pour une éventuelle négociation avec la Grande-Bretagne et la Russie, mais que pourraient faire ces Etats pour s'opposer à une Allemagne victorieuse ? (De son côté, le ministre des colonies, Solf, a déjà prévu un vaste Mittel-Afrika).

Selon l'historien ouest-allemand, F. Fischer, la diplomatie allemande maintiendra pendant toute la Première Guerre mondiale ce programme qui vise à établir une hégémonie allemande sur l'Europe continentale et à faire de l'Allemagne une puissance mondiale. Peut-être faut-il, comme le suggère G. Soutou, nuancer ces affirmations, car les milieux politiques et surtout les milieux d'affaires allemands ne sont pas unanimes quant à l'ampleur de ces revendications, ni même tous désireux de créer des blocs à tendance autarcique hors du marché mondial. Cependant, un point essentiel de la stratégie allemande paraît déjà fixé, et pour longtemps : la Belgique entrera dans l'orbite allemande. Elle ne restera plus un Etat-tampon coincé entre les trois Grands occidentaux ; son insertion dans la mouvance allemande marquera l'avancée vers l'ouest de la Puissance (Macht) allemande. Compte tenu de cette intention, on conçoit la difficulté persistante pour le gouvernement impérial de négocier avec la Grande-Bretagne, garante de la neutralité belge. L'abaissement définitif de la France devait assurer la sécurité allemande pour une longue durée, mais l'hégémonie allemande pouvait-elle être supportée par le reste de l'Europe ? Certains historiens ouest-allemands ont contesté le rôle attribué par F. Fischer au chancelier Bethmann-Hollweg qui reste en fonction jusqu'en juillet 1917 ; sans doute la personnalité même du chancelier pose problème, mais au moins lorsque la victoire sur la France était en vue, à l'automne 1914, son programme ralliait une vaste majorité des responsables allemands. L'idée de Mittel-Europa, conçue comme une base économique indispensable à la puissance politique germanique, était populaire parmi les hommes d'affaires, les militaires et chez bon nombre de politiciens ; les modalités techniques, pratiques, pouvaient varier, mais un principe fondamental allait durer : la victoire militaire devait fonder l'hégémonie politique allemande sur l'Europe continentale.

Dans le camp adverse, la définition des buts de guerre fut moins précisée, sinon moins rapide. Dans l'Entente, la suprématie d'une puissance était impossible, alors que les Empires Centraux avaient, de fait, une tête unique, l'Allemagne. Grande-Bretagne, France et Russie parviendraient-elles à s'entendre sur des buts de guerre communs ? Dès la fin août 1914, du côté russe, on évoqua le règlement futur du conflit, au moins à titre exploratoire ; mais, comme il fallait alors organiser effectivement la coalition, le premier accord passé entre les trois gouvernements, le 5 septembre 1914, marqua seulement l'engagement de ne conclure aucune paix séparée (assurance mutuelle contre la défection d'un des trois) ; en outre, les conditions de paix devaient être présentées après un accord préalable entre les trois (sorte de droit de veto réciproque).

Cependant, dès le 14 septembre, après la victoire de la Marne et alors que les armées russes avançaient en Galicie, le ministre russe des Affaires étrangères, Sazonov, présenta le « programme russe ». La puissance allemande sera supprimée et les changements territoriaux suivront le principe des nationalités. En réalité, le remaniement envisagé de la carte devait surtout servir les desseins de sécurité de la Russie, (par des acquisitions nouvelles en Prusse et en Galicie) et de la France (dans la région rhénane), entraîner la reconstitution d'un vaste royaume de Pologne, axé plus à l'ouest, modifier les frontières dans les Balkans, surtout au profit de la Serbie, et créer une Triple Monarchie au centre de l'Europe, avec la constitution d'un royaume tchèque. Les colonies allemandes seraient partagées entre France, Grande-Bretagne et Japon (sur les conditions de l'entrée en guerre du Japon, voir page 23). Un véritable « ordre nouveau » en Europe était ainsi prévu.

Le 20 septembre, le gouvernement français en s'engageant à continuer la lutte contre le militarisme prussien, même après la reconquête du territoire national, Alsace-Lorraine compris, approuva l'idée d'instituer en Europe un état nouveau « qui garantisse pour de longues années la paix du monde ». Londres, sans armée de terre à ce moment et dont le gouverne-

ment libéral était encore indécis sur les moyens de la participation à la guerre, put tout au plus
freiner l'ardeur de ses alliés par sa passivité. Cependant, toujours optimiste et ambitieux, le
gouvernement de Petrograd (on a alors russifié le nom trop germanique de Saint-Pétersbourg)
revint à la charge, fin septembre, en ajoutant au précédent « programme » la neutralisation
de Constantinople, le libre passage des Détroits et l'établissement d'un point fortifié russe sur
le Bosphore. Bien que l'Empire ottoman fut encore neutre à ce moment, on mesure l'ampleur
des visées russes. Le ministre français des Affaires étrangères, Delcassé, pourtant bien disposé à l'égard de l'allié russe, préféra répondre avec retard et de manière sympathiquement
évasive, tout en prenant bonne note de la bonne volonté russe vis-à-vis d'éventuelles
annexions françaises. Ainsi, en France comme en Russie, on envisageait le règlement du conflit bien au-delà d'un simple retour à la situation antérieure. Un ordre nouveau devait naître
en Europe, même si les puissances occidentales demeuraient encore réservées quant à ses
modalités.

L'élargissement des enjeux : la guerre au Proche-Orient

Un ordre nouveau doit-il aussi naître en Asie Mineure ? Autrement dit, faut-il en finir avec
le vieux dogme de l'intégrité de l'Empire ottoman ? Depuis plus ou moins longtemps, les puissances européennes ont abandonné le principe de l'intégrité, pour des raisons diverses ; mais
comme il est très délicat de mettre en place le système qui devrait lui succéder, notamment par
un partage de l'Empire ottoman en zones d'influence, c'est par une évolution graduelle que ce
partage s'esquisse pendant l'immédiat avant-guerre. Au demeurant, le relatif sursaut de
« l'homme malade » sous l'impulsion du mouvement des Jeunes-Turcs, au pouvoir depuis
1909, en réveillant le nationalisme turc, ne facilite pas les choses, même si la guerre contre
l'Italie en 1911-1912, puis la première guerre balkanique en 1912-1913 ont montré la faiblesse
de l'armée ottomane (cf. volume 1, chapitre 11). Les impérialismes européens paraissent tout
de même se diriger vers une solution générale, négociée, à la veille de la Première Guerre
mondiale. Les puissances européennes, usant et abusant de la criante dette de l'État ottoman,
imposant technologie et puissance financière, sont presque parvenues à un partage en juillet
1914. Seul un accord germano-turc manque encore pour que la nouvelle construction soit
achevée. L'Empire ottoman, déjà pratiquement exclu d'Europe, paraît à la veille de se disloquer en Asie.

Pourtant, certains facteurs de renouveau existent. Les gouvernements et les administrations, bien que gangrenés par les prévarications et les divers « bakchichs », manifestent à leur
façon le désir ressenti par les intellectuels et les bourgeoisies locales de redevenir indépendants, souverains. En particulier, des cadres militaires rêvent d'émancipation réelle. Le
moyen d'y parvenir dépend d'une modernisation de l'armée, qui relève elle-même de moyens
financiers et technologiques. Or, où trouver une meilleure « école » militaire qu'auprès de la
puissante armée allemande ? Des généraux et des officiers allemands servent dans l'armée
ottomane jusqu'aux plus hauts postes ; peut-être cette intervention allemande est-elle liée au
rôle personnel d'Enver-Pacha, l'homme fort du régime, très bien disposé vis-à-vis de l'Allemagne ? Toutefois, comme le suggère J. Thobie, le recours à l'aide allemande n'est-il pas dû
au choix par les Jeunes-Turcs d'un moindre mal, puisque le camp adverse, celui de l'Entente,
rassemble les deux plus gros créanciers, France et Grande-Bretagne, et le voisin direct le plus
dangereux pour l'Empire ottoman, la Russie qui avait tant contribué à son recul en Europe ?
L'indépendance ottomane semble plus facile à maintenir grâce au concours allemand.

En tout cas, dans les derniers jours de paix, une entente politique germano-ottomane a pu se nouer secrètement. Le 2 août, une alliance contre la Russie a été signée ; pourtant lorsque la guerre éclate vraiment, l'Empire ottoman, dont les forces militaires ne paraissent pas prêtes, évite d'entrer dans le conflit. Au surplus, l'Allemagne, comme on l'a vu, estime parvenir à la décision sans avoir besoin de cet appui ottoman ; il s'agit plutôt d'une assurance pour le futur. Aussi, pendant quelques semaines, les dirigeants de Constantinople peuvent-ils laisser monter les offres venues de l'Entente (bon moyen également pour une éventuelle pression sur Berlin). En réalité, la Russie n'éprouve aucune envie « d'acheter » la collaboration ottomane par des concessions ; simplement, la neutralité de l'Empire ottoman lui permet de dégarnir sa frontière du Caucase au moment de l'offensive en Prusse orientale ; à court terme, l'opération est payante, mais tout le monde sait bien en Russie que le règlement favorable de la question des Détroits sera facilité par l'entrée en guerre contre les Ottomans.

Les Britanniques et les Français sont plus résolus à obtenir l'aide ottomane ou, à tout le moins, le maintien de la neutralité. Outre la menace d'une « guerre sainte » musulmane qui risquerait d'embraser les colonies d'Afrique du Nord, les premiers craignaient une attaque contre la zone du canal de Suez alors que les troupes des Indes y faisaient mouvement ; les seconds, forts de leur considérable présence financière (54 % des investissements étrangers dans l'Empire) n'avaient-ils pas à redouter une rupture suivie d'éventuels séquestres ? Mieux valait causer, tolérer la vente fictive à l'Empire ottoman de deux croiseurs allemands pourchassés en Méditerranée et réfugiés à Constantinople. Fin août, dans la crainte d'une alliance entre Constantinople et Berlin, malgré les réserves russes, l'Entente propose de garantir l'intégrité de l'Empire ottoman pour prix de sa neutralité. Assuré de ces bonnes dispositions, le 1er octobre, le Sultan notifie aux autres puissances l'abrogation des « Capitulations » qui permettaient aux étrangers installés dans le territoire ottoman de jouir de droits extraordinaires. Premier succès sur la voie de la « décolonisation ». La tentation est cependant forte pour Enver-Pacha de se joindre à l'Allemagne car une intervention contre la Russie pourrait être payante. Les minorités turques et musulmanes du Caucase pourraient être réunies à la mère-patrie, tandis que les « hérétiques » Arméniens, traditionnels soutiens de l'Empire russe dans cette région, seraient définitivement réduits à l'obéissance. Lorsque l'Allemagne pousse à l'intervention après ses désillusions militaires de septembre-octobre, les dés sont jetés. La flotte ottomane bombarde par surprise les ports russes en mer Noire (fin octobre). Le 1er novembre, la guerre est officiellement déclarée. Un projet allemand d'attaquer l'Egypte afin d'immobiliser l'effort de guerre anglais paraît possible. Du coup, la guerre se mondialise en débordant de l'Europe.

Ainsi, à partir de novembre 1914, la situation s'est éclaircie dans le Proche-Orient. L'Empire ottoman, désormais allié des Empires Centraux, est condamné pour conserver son intégrité à une victoire militaire. Dans le cas contraire, son éclatement est largement prévisible. Dès le 5 novembre 1914, l'île de Chypre est annexée par la Grande-Bretagne, qui l'occupait depuis 1878 tout en la considérant officiellement comme partie du territoire ottoman. Le seul problème de l'Entente sera de répartir des zones territoriales parmi les différents vainqueurs. Ceux-ci n'ont d'ailleurs pas attendu longtemps pour en discuter : dès le 20 novembre, la Grande-Bretagne et la Russie s'entendent pour que la première annexe l'Egypte, contre le consentement britannique de trancher la question des Détroits et de Constantinople dans le sens des vues russes. Le 21 novembre, le tsar Nicolas II envisage la neutralisation de Constantinople et la russification des rives du Bosphore avec en outre l'annexion de toute l'Arménie devant l'ambassadeur de France, Paléologue, qui, en réponse, évoque le patrimoine et les intérêts français en Syrie et en Palestine. Le partage s'esquisse, mais il reste à vaincre.

Le cas japonais ou la guerre en Asie

Ce ne sont certainement pas les efforts du seul nouvel allié de l'Entente, le Japon, qui contribuent à la victoire totale. Celui-ci, en effet, est bien entré volontairement dans la guerre contre l'Allemagne dès le 23 août 1914, mais son intervention concerne exclusivement les théâtres d'opérations en Asie et en Océanie.

Le traité anglo-japonais de 1902 (cf. livre 1, page 190) avait prévu une coopération en Extrême-Orient seulement en cas d'une attaque d'un des deux Etats par une coalition ; l'interprétation par le gouvernement japonais de sa participation au conflit fut des plus restrictives. Les dirigeants des deux grands partis japonais, tout comme les milieux d'affaires n'envisagèrent pas de se mêler d'un lointain affrontement européen. Alors que le Japon est affaibli par des difficultés intérieures (crise politique entre les deux plus grands partis), seule une politique extérieure active, limitée et efficace, était opportune. L'ocassion était bonne de continuer la politique de grignotage colonial qui avait permis, en 1910, d'annexer discrètement la Corée pour l'exploiter résolument.

Depuis 1898, l'Allemagne possédait en Chine une base navale (le port de Qingdao [T'sing Tao]), des concessions et des voies ferrées qui lui assuraient une certaine autorité sur la presqu'île du Shandong (Chantoung). Dès le 8 août 1914, le gouvernement Okuma proposa son aide à la Grande-Bretagne pour triompher de l'Allemagne en Extrême-Orient ; puis, le 15 août, Tokyo lança un ultimatum à Berlin pour obtenir la cession immédiate au Japon des concessions allemandes en Chine, « en vue de leur retour éventuel à la Chine » (*sic*). Cette dernière phrase visait à rassurer les U.S.A. champions du principe de « la porte ouverte » en Chine, et aussi la Grande-Bretagne, sans doute inquiète de ce trop grand empressement à élargir le domaine impérial nippon. Peut-être visait-elle à rassurer l'opposition intérieure japonaise ?

Le siège de la garnison allemande de Qingdao dura jusqu'au 7 novembre. Les Allemands capitulèrent. Dans le même temps, puisque le Japon était en guerre contre l'Allemagne, la conquête des îles possédées par l'Allemagne dans l'océan Pacifique fut entreprise : les archipels des Marannes, des Carolines et des îles Marschall élargirent un domaine impérial japonais déjà imposant. Avant les puissances européennes, le Japon tirait parti de la guerre. Celle-ci ne servirait-elle pas à la satisfaction des impérialismes ? En tout cas, très vite, on fut fixé sur l'aide à attendre du Japon dans la guerre : la flotte japonaise continua à remplir des missions de surveillance dans le Pacifique, ce qui justifiait d'ailleurs l'augmentation des forces navales japonaises, bien vue des milieux militaires nippons, tandis que les espoirs européens d'une contribution terrestre dans la guerre en Europe furent rapidement déçus. Dès le 19 décembre 1914, le ministre des Affaires étrangères, le baron Kato, déclara catégoriquement que la volonté japonaise était de garder toutes ses forces en Asie, pour la défense du territoire national, et que les soldats japonais ne serviraient jamais de « mercenaires ». Le gouvernement japonais était franc : il faisait *sa* guerre, la seule admise par tous les responsables politiques japonais.

En somme, à l'automne 1914, la guerre change de visage : d'européenne elle devient mondiale ; les coalitions s'élargissent et surtout l'incapacité de conclure rapidement oblige à la révision des buts de guerre et des moyens de la guerre.

L'interminable guerre européenne : le passage à la guerre totale

Vers une diplomatie nouvelle

A la fin de l'année 1914, les illusions sur la guerre courte se sont dissipées. On a l'impression d'entrer dans un autre type de guerre, imprévu, imprévisible, dont le seul caractère indéniable est la durée. La situation initiale n'a guère changé au bout de six mois de guerre ; d'un côté, la coalition des Empires Centraux, renforcée de l'Empire ottoman, tient de solides gages territoriaux à l'Ouest ; de l'autre côté l'Entente c'est-à-dire la France et son Empire colonial, la Grande-Bretagne et son Empire, Dominions compris, la Russie, la Serbie, le Monténégro, la Belgique et le Japon, a marqué des points à l'Est (la Galicie austro-hongroise a été conquise). Les affirmations réciproques de lutter jusqu'à la victoire finale sont sincères, nombreuses, les rares tentatives d'intermédiaires plus ou moins officieux pour négocier des paix séparées relèvent seulement d'initiatives individuelles sans signification politique réelle. Toutefois, si la volonté de vaincre subsiste, on commence à s'interroger sur les moyens de parvenir à abattre l'ennemi. Tant sur le plan militaire que sur le plan diplomatique, on doit à la fois utiliser les enseignements du passé et improviser au jour le jour. D'où le double caractère que prennent les relations internationales dans la guerre longue : tantôt la diplomatie a recours aux activités « classiques » d'élargissement des alliances et d'essai de diviser la coalition adverse ; tantôt les gouvernements, pour mieux entraîner l'effort de guerre, élaborent de nouveaux procédés de lutte, soit en usant de la propagande pour motiver les citoyens en suscitant la haine de l'ennemi, soit en élargissant la guerre aux domaines économique, commercial, financier, jusque dans des implications qui touchent les Etats neutres. Peu à peu, souvent inconsciemment, les Européens entrent dans la *guerre totale.*

La guerre totale signifie la mobilisation et l'engagement de toutes les forces disponibles en vue d'un succès total sur l'adversaire ; à terme, elle mène vers *une paix « dictée » et non vers une paix « négociée ».* Les forces disponibles comportent non seulement les forces militaires classiques (hommes mobilisés au front, usines d'armement à l'arrière), mais englobent encore les moyens qu'apporte la puissance économique, commerciale, financière, et l'influence idéologique ou culturelle. Le combat contre l'ennemi prend les formes de la guerre de tranchées, de la guerre idéologique comme celui de la guerre sous-marine ou de la guerre économique. Dès lors, les relations internationales vont se trouver fortement et durablement affectées.

Puisqu'on mène une guerre économique, les intérêts économiques et les atouts économiques vont jouer un rôle singulier dans ce conflit : n'en arrivera-t-on pas à mener la guerre *pour* des objectifs économiques ? Quelle place tiendront les préoccupations économiques dans les rapports entre adversaires et même entre alliés ? Puisqu'on combat sur le plan idéologique, voire culturel, en essayant d'entraîner les opinions publiques, de quels poids pèseront celles-ci lorsqu'il faudra nouer des alliances ou faire des offres de paix ? En bref, la marge de manœuvre des « décideurs » ne sera-t-elle point amoindrie par les effets que suscite dans les opinions une propagande uniforme, domestiquée par la censure ?

La propagande, même patriotique, est une arme à double tranchant, car elle érige en dogmes des idées simplistes ; il n'est pas aisé ensuite de s'en défaire, à moins de recourir à une diplomatie ultra-secrète, en dehors des organismes représentatifs des populations, c'est-à-dire

- L'Europe en guerre 1914-1917

MER BALTIQUE

MER DU NORD

NORVÈGE

SUÈDE

DANEMARK

Copenhague

Pétrograd

Moscou

EMPIRE RUSSE

LITHUANIE

1917

1915

PRUSSE ORIENTALE

1914

1915

POLOGNE

1917

Berlin

EMPIRE ALLEMAND

1915

GALICIE

1914

1916

La Haye

PAYS-BAS

1914

BELGIQUE

Bruxelles

Rhin

ROYAUME-UNI

Londres

Paris

Verdun

1916

RÉPUBLIQUE FRANÇAISE

SUISSE

Vienne

Danube

Budapest

EMPIRE

D'AUTRICHE - HONGRIE

1915

1917

1916

ROUMANIE

Bucarest

1917

1914

Belgrade

SERBIE

Danube

BULGARIE

1915

Sofia

Constantinople

EMPIRE OTTOMAN

ITALIE

Rome

MONTENEGRO

ALBANIE

Salonique

GRÈCE

Athènes

ROYAUME D'ESPAGNE

0   250 km

AFRIQUE DU NORD FRANÇAISE

Anglo-Français 1915

MER   MÉDITERRANÉE

Etats neutres

Etats neutres jusqu'en 1915

Etats neutres jusqu'en 1916

Offensives

Zone de fronts

★   Gallipoli

des Parlements. Les gouvernements des divers belligérants tendront à agir sans rendre vraiment des comptes aux élus de la nation. Les contraintes de l'obéissance aux pouvoirs en place, notamment au pouvoir militaire, à cause de l'état de guerre, semblent justifier ce type de diplomatie. Partout, il laisse le champ libre aux individualités dominantes, aux intermédiaires, aux « bureaux », aux groupes de pression, aux comités spéciaux, secrets, et surtout aux représentants des grands Etats-majors. La diplomatie y gagne peut-être en souplesse ; elle n'en est que plus inquiétante pour le profane.

Pourtant les responsables demeurent prisonniers de forces profondes qu'ils peuvent difficilement évacuer dans leurs tactiques. Trois variables essentielles constituent des leviers indispensables : la force des armées, la puissance économique, les ressorts des mentalités collectives. On mesure facilement l'influence des vicissitudes militaires sur le cours de la stratégie diplomatique et on en verra plus loin de nombreux exemples. L'étude de la guerre économique qui occupe une place de plus en plus dominante au fur et à mesure que le conflit s'éternise, permettra de mesurer la seconde contrainte. Quant au rôle des stéréotypes et des mythes, trop longtemps absents de l'historiographie, il apparaît clairement maintenant que les « idées implicites »[1] marquent tout autant les responsables que les opinions publiques. Les hommes politiques et les administrateurs sont tous des hommes élevés bien avant 1914 avec des idéaux et des éducations propres à cette fin du XIXe siècle. Si la guerre longue bouleverse les données classiques de la politique internationale, cela ne veut pas dire que les responsables aient une faculté similaire de penser différemment. L'adaptation au monde en gestation est difficile, partielle, tant on a été habitué à raisonner, calculer, agir sur et dans un monde relativement stable. D'une certaine manière, avec la guerre longue, les relations internationales reposent sur le connu et entrent dans l'inconnu.

1915 : Guerre et diplomatie en Méditerranée

Les manœuvres des chefs militaires en 1915-1916 vont, d'une certaine manière, conduire la diplomatie des divers belligérants. En 1915, le généralissime allemand Falkenhayn comprenant les difficultés techniques et les inévitables hécatombes humaines en cas d'une attaque frontale sur le front Ouest, où les belligérants se sont enfoncés dans la guerre des tranchées, décide de faire porter l'effort principal sur le front russe. En mai 1915, une forte offensive allemande, épaulée par les Austro-Hongrois, perce les lignes russes en Galicie ; puis, en juillet, c'est la Pologne centrale qui est conquise ; enfin, en août-septembre, un nouveau recul russe porte la ligne de front en Lithuanie et en Russie Blanche. La moitié des effectifs combattants russes a été mise hors de combat, mais envahir l'immense Empire russe est une tâche énorme. Où faire la décision ?

De leur côté, les Alliés occidentaux, surtout les Britanniques, pensent à une stratégie périphérique pour vaincre. Tout en cherchant à obtenir des succès locaux sur le front français (ces coups de boutoir coûtent fort cher en vies humaines, sans résultats décisifs), les Alliés, sur l'initiative de W. Churchill, alors Premier Lord de l'Amirauté, tentent de se débarrasser de l'adversaire ottoman par une expédition dans les Détroits ; en cas de succès, qui réouvrirait la liaison maritime entre la Russie et les Occidentaux, on pourrait ensuite mieux soutenir l'allié

---

1. L'historien britannique James Joll a bien montré l'influence des habitudes de pensée et des genres de vie sur les capacités de s'adapter ou d'innover chez les responsables. On demeure souvent prisonnier des raisonnements de son époque.

serbe par un débarquement de troupes dans les Balkans. Or, l'expédition des Dardanelles, sous direction britannique, commencée en février 1915, se transforme peu à peu en une inutile et coûteuse boucherie ; la politique des « petits paquets » envoyés au combat dans la presqu'île de Gallipoli témoigne surtout de l'obstination et de l'inefficacité alliées. L'été se passe sans résultat stratégique. Les Détroits restent fermés. La Russie demeure isolée.

Les adversaires pensaient pourtant qu'une décision pouvait se faire en Europe orientale et méditerranéenne ; l'obtention de nouveaux appuis dans cette zone devenait précieuse pour les belligérants. Quatre Etats encore neutres offraient de ce point de vue un réel intérêt : l'Italie, la Grèce, la Bulgarie et la Roumanie.

L'Espagne et le Portugal, en effet, étaient trop excentriques pour les combats. En 1914, l'Espagne avait montré sa volonté de rester hors du conflit. Cette neutralité s'avérait vite payante pour les Espagnols et pour l'économie espagnole. Bénéficiant de ventes accrues, notamment dans le secteur des minerais (pyrites, cuivre), l'Espagne pouvait profiter de la guerre pour se reconstituer après la grave crise intérieure qui avait suivi sa débâcle à Cuba en 1898 (cf. livre 1, p. 180). Mais cette relance intérieure artificielle contribue à une poussée inflationniste qui accentue les différences sociales ; la hausse des prix touche fortement le prolétariat urbain et rural, tandis que les exportateurs et commerçants font fortune. L'Espagne n'acquiert pas pour autant un grand lustre de sa neutralité : son souverain Alphonse XIII, qui tente de jouer le rôle de médiateur entre les belligérants, n'obtient pas la satisfaction d'être mieux considéré ; au fond, les puissances européennes continuent de considérer cet Etat comme un autre « homme malade » de l'Europe. On ne modifie pas facilement une image de décadence chez les autres.

Parmi les pays neutres en Europe, l'Italie apparaissait comme l'enjeu majeur. Ses forces militaires étaient appréciées, comme appoint, tout comme ses capacités économiques. Sa situation géographique, centrale en Europe, dominante en Méditerranée, imposerait l'ouverture d'une nouvelle zone de combats à tout futur adversaire. Les trois autres Etats Balkaniques peuvent simplement servir d'appoint secondaire. Vers Rome se portent donc les espoirs d'une alliance efficace, et à Rome se multiplient les tractations diplomatiques. Celles-ci sont exemplaires dans la mesure où, d'une part, elles montrent le prix des marchandages et les méthodes des manipulations qui ont abouti à la belligérance italienne, et où, d'autre part, elles éclairent l'orientation générale que prend la Première Guerre mondiale, puisque les deux camps doivent eux-mêmes définir à cette occasion les raisons *réelles* de leur combat.

La neutralité de l'Italie au début de la guerre correspondait au sentiment quasi-général des Italiens, à l'exception de bruyants petits groupes ultra-nationalistes, qui voyaient dans la guerre le moyen de réaliser les aspirations italiennes vers les terres « irrédentes » (Trentin, Trieste, côte dalmate), et d'imposer la puissance italienne sur l'Adriatique. Les dirigeants italiens, aussi bien le Premier ministre Salandra que le leader incontesté du moment Giolitti, étaient persuadés de l'intérêt majeur de la neutralité italienne. « L'égoïsme sacré » prôné par Salandra en faveur de la patrie italienne commandait la réserve actuelle, quitte à préparer habilement le futur. Deux éventualités étaient à prévoir : soit le maintien dans la neutralité, soit l'intervention aux côtés de l'Entente. En effet, après avoir observé la neutralité en août 1914, il serait trop tardif et peu rémunérateur de se joindre aux Empires Centraux ; une bonne partie des revendications italiennes devait, en effet, être satisfaite par de larges concessions autrichiennes et on pouvait s'attendre à une extrême mauvaise volonté du gouvernement de Vienne ; en outre, l'Autriche-Hongrie alarmait Rome par sa politique ambitieuse dans les Balkans. Aussi, au mieux, par une neutralité bienveillante à l'égard de Berlin, pouvait-on obtenir que l'Allemagne fasse pression sur son allié afin d'obtenir pacifiquement quelques concessions ; les bénéfices escomptables paraissaient minces. Au contraire, en s'engageant militairement avec l'Entente, non seulement celle-ci serait facilement disposée à dépouiller l'Autriche-Hongrie, mais puisque l'Empire ottoman se condamnait lui-même en s'alliant aux Empires Centraux, l'Italie en profiterait pour élargir encore le prix de son intervention. Sans doute la France et surtout la Russie seraient réservées à l'égard d'une expansion italienne en Méditerranée, mais le moment était opportun pour obtenir l'alliance britannique ; la menace d'intervention de la flotte britannique, valable dans le monde entier, poussait, en outre, Rome à rechercher cette alliance. De son côté, Londres n'était sans doute pas mécontent de soutenir certaines prétentions italiennes en Méditerranée orientale contre les ambitions russes.

Lorsqu'il fut acquis qu'aucune décision militaire n'interviendrait bientôt pour l'un des deux camps, l'Italie fut l'objet de « pressions amicales » venues de Berlin, de Paris et de Londres. En décembre 1914, à la veille d'une nouvelle offensive austro-hongroise contre la Serbie, l'Italie réclama des « compensations » à Berlin, bien disposé, mais Vienne opposa un net refus de composer. En janvier-février 1915, Sonnino, ministre italien des Affaires étrangères, décidé à obtenir le maximum d'avantages, et déjà convaincu, comme le général Cadorna, chef de l'Etat-major italien, que le meilleur prix sera payé par l'Entente, élargit les demandes présentées à l'Allemagne. Naturellement le gouvernement austro-hongrois resta intraitable.

Au début mars 1915, l'expédition des Dardanelles poussa l'Italie à une action rapide : ne risquait-elle pas d'arriver trop tard pour la curée dans l'Empire ottoman ? Le 4 mars, un memorandum en 16 points fut présenté par les Italiens au gouvernement britannique ; les prétentions italiennes étaient considérables : le Trentin, le sud Tyrol jusqu'au col du Brenner, Trieste, l'Istrie, la Dalmatie jusqu'à la Narenta, le port de Valona en Albanie étaient exigés sans oublier des compensations éventuelles, en Asie Mineure (région d'Adalia) et en Afrique (surtout vers la Somalie-Erythrée). Grey à Londres et Delcassé à Paris admirent assez vite ces revendications, à l'exception de quelques retouches concernant l'Albanie et la côte dalmate. Etaient-ils si désireux d'obtenir l'alliance italienne ?

En réalité, non seulement celle-ci est en jeu, avec tout ce qu'elle comporte d'aide militaire effective et de retentissement moral pour les combattants, mais les Occidentaux espèrent du même coup entraîner la Grèce, la Roumanie, peut-être même la Bulgarie à leurs côtés. Le sort des Balkans peut s'en trouver changé, au moment même où la Russie, inquiète de constater la présence militaire anglo-française dans les Détroits, cherche à obtenir une solution définitive pour Constantinople et les Détroits. Un vaste marchandage commence. Dans la première quinzaine de mars 1915, une négociation secrète, serrée, se déroule entre Sazonov, Grey et Delcassé. Le ministre russe, en « défenseur » des intérêts slaves (Serbie-Monténégro) repousse les prétentions italiennes sur la côte dalmate, tandis que les seconds freinent les nouvelles ambitions russes, encore élargies : les Russes revendiquent non seulement Constantinople « exigé par le peuple russe tout entier » et la côte européenne des Détroits, mais aussi une partie de la côte asiatique et les îles de Lemnos et Imbros.

Au fond, à cette occasion, le partage de l'Empire ottoman d'Asie est nettement envisagé, de même que le destin des Balkans et, d'une certaine manière, celui de l'Autriche-Hongrie. Lorsque les puissances occidentales admettent les revendications italiennes, elles commencent un remaniement territorial important dans la péninsule balkanique selon le principe des nationalités. Ne devront-elles pas ensuite étendre ce principe aux revendications de la Serbie et du Monténégro, alliés déjà en guerre, puis à la Roumanie qui réclame la Transylvanie pour prix de son éventuelle intervention ? Du même coup, ces puissances condamnent déjà l'Empire d'Autriche-Hongrie à ne plus avoir d'accès à la mer et à perdre toute influence dans les Balkans, le réduisant ainsi à devenir une puissance de second rang.

Finalement, Sazonov se rallia à la position anglo-française vis-à-vis de l'Italie, car il obtint de son côté le ralliement embarrassé de ses deux alliés aux propositions formulées par les Russes à propos des Détroits. Cette fois, c'était la carte du Proche-Orient qui allait être bouleversée, en cas de victoire militaire de l'Entente.

Le partage du Proche-Orient

Dans deux notes, datées des 12 mars et 20 avril 1915 adressées à Sazonov, les gouvernements britannique et français s'engageaient à satisfaire les revendications russes pour autant que, la guerre étant gagnée par l'Entente, leurs propres revendications seront satisfaites en Orient et ailleurs. A propos de l'Empire ottoman, Grey avait déjà exprimé quelques « principes », admis par Petrograd le 20 mars 1915. La zone britannique en Perse sera agrandie de la zone « neutre » (cf. tome 1, p. 217) ; mais surtout les pays de population arabe seront séparés de l'Empire ottoman pour devenir indépendants. Ainsi s'esquisse une politique destinée à transformer profondément le Moyen-Orient.

Dans les mois qui suivent, les Britanniques vont accélérer le processus de transformation en concluant un accord avec le chérif de la Mecque, Hussein, chef de la famille Hachémite, reconnu par les nationalistes arabes de Damas et de Bagdad, comme le futur guide d'un Etat arabe unique et indépendant (échange des lettres entre Hussein et le commissaire britannique au Caire, Mac-Mahon, le 14 juillet et le 24 octobre 1915). Londres admet la constitution d'un Etat arabe, mais se fait reconnaître par les Arabes un régime préférentiel en matière économique et des droits spéciaux sur les zones côtières. La configuration future de cette zone, où le pétrole a déjà commencé à attirer les convoitises, s'ébauche avec, à la base, une difficile et conflictuelle entente arabo-britannique. Pour le moment, les Arabes vont se soulever contre les Turcs (mai 1916). La dislocation de l'Empire ottoman se fait par les armes, sous l'influence britannique. Qu'en pensent les deux autres grands alliés ?

Les Russes ont montré l'ampleur de leurs ambitions territoriales (côtes de la Turquie, Arménie encore sous contrôle turc). Le point de vue français paraît moins déterminé car les bureaux au Quai d'Orsay sont encore réticents devant l'idée d'un partage de l'Empire ottoman. Du coup, une active campagne de presse animée par des groupes de pression coloniaux (groupe de l'Asie française, Comité de l'Orient dirigé par P.E. Flandin) commence à préconiser la constitution d'une Grande Syrie au profit de la France. Cette campagne portera ses fruits, un peu plus tard, lorsque les gouvernements anglais et français, ralliés à l'idée du partage (Poincaré, président de la République, en est un chaud partisan) délimitent en mai 1916 leur « zone d'influence » réciproque. Les accords Sykes-Picot, du nom des négociateurs envoyés sur place, préparent les partages de l'après-guerre. Prenant prétexte des traditionnels intérêts économiques et culturels français au Liban et en Syrie, la France se fait reconnaître une vaste zone privilégiée (cf. carte n° 2).

Ainsi les négociations pour l'entrée en guerre de l'Italie ont abouti à un effet curieux : avant même que le sort des armes en ait décidé, les Alliés de l'Entente ont préparé la dislocation de l'Empire ottoman et le démembrement partiel de l'Autriche-Hongrie. On est bien loin des réflexes défensifs de l'été 1914. L'appel aux nationalismes pour aider à la satisfaction des revendications guerrières suscite d'ailleurs l'exaspération de certaines rivalités ancestrales. En 1915, les autorités ottomanes sous le prétexte de s'assurer de la loyauté des populations arméniennes incluses dans leur Empire, considérées par eux comme pro-Russes, réalisent un gigantesque transfert de populations dans l'Empire, en l'accompagnant de massacres si nombreux

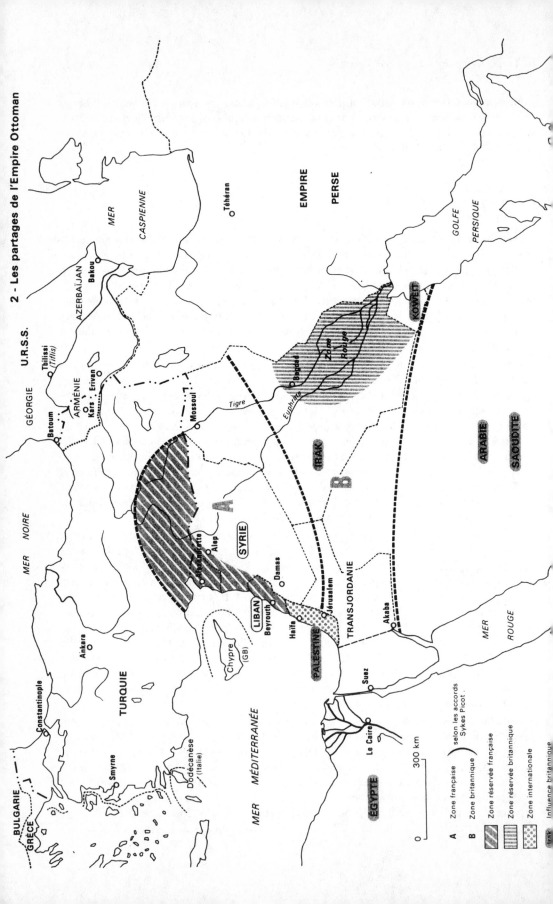

2 - Les partages de l'Empire Ottoman

que l'accusation de « génocide » a pu être retenue par les Arméniens, créant par là-même un terrible et durable ressentiment. La guerre marque la conscience collective des peuples pour le long terme, pour le long 20ᵉ siècle.

L'Italie entre en guerre

Ayant obtenu satisfaction sur toute la ligne, le gouvernement Salandra signa avec ses trois alliés un traité secret à Londres le 26 avril 1915. Un mois plus tard, selon l'une des clauses de ce traité, l'Italie déclarait la guerre à l'Autriche-Hongrie ; elle se contentait de rompre ses relations diplomatiques avec l'Allemagne. Il faudra attendre le 21 août 1915 pour que l'Italie déclare la guerre à l'Empire ottoman et c'est seulement le 28 août 1916 qu'elle entrera en guerre contre l'Allemagne. Curieuse solidarité entre Alliés ! En réalité, comme le ministre des Affaire étrangères Sonnino n'allait pas manquer de le souligner, l'Italie faisait *sa* guerre pour réaliser *ses* objectifs nationaux ; tout comme le Japon, le gouvernement de Rome aurait-il pu emporter autrement l'adhésion populaire des Italiens ?

Il restait, en effet, à obtenir le soutien des Italiens à cette politique extérieure secrète, entraînant le recours à la guerre, alors que disparaissent les illusions des contemporains sur la nature réelle de cette guerre. En fait, si l'opinion italienne est réticente, les partis, eux-mêmes divisés, sont indécis, ce qui va faciliter la tâche du gouvernement Salandra. Utilisant des groupes ou partis nationalistes, qui peuvent rassembler des manifestants nombreux et décidés *dans les villes,* on donne l'impression d'une forte poussée populaire favorable à l'intervention. Des campagnes de presse bien orchestrées font le reste ; l'argent français n'a pas coulé à flots par carence budgétaire et parce que l'ambassadeur français Barère, depuis longtemps en poste à Rome, connaissait bien les dangers et les limites de ce moyen d'action. En outre, en face, l'ambassadeur allemand Bulow dispose de moyens supérieurs. Gabrielle d'Annunzio, chantre du nationalisme italien, est pourtant « miraculeusement débarrassé de ses dettes » (P. Milza), et Benito Mussolini, ex-leader socialiste, lance un journal interventionniste grâce à des fonds versés par la France et par des industriels italiens intéressés par les commandes de guerre. Au début mai 1915, Giolitti, toujours neutraliste, paraît capable de rassembler derrière lui une large majorité du parlement italien, mais d'habiles manœuvres parlementaires (démission refusée de Salandra) et une menace de subversion venue de la rue réduisent à néant la volonté de bien des députés neutralistes. De toute manière, l'occasion de satisfaire les aspirations nationales fait taire les scrupules de beaucoup de responsables.

Peut-être même cette opportunité a-t-elle justifié la position adoptée par certains industriels et banquiers locaux qui considéraient avec envie et hostilité la position dominante occupée en Italie par le capitalisme allemand. Toutefois, ni les quelques tentatives de pénétration économique française en Italie, ni les profits escomptables dans l'industrie de guerre n'ont vraiment été déterminants dans le choix politique fait par le gouvernement Salandra. Les hommes d'affaires italiens étaient divisés comme leurs autres compatriotes ; la neutralité ne leur permettait-elle pas de réaliser de bonnes affaires ? Ils allaient pourtant vite s'adapter à cette décision politique d'entrer en guerre, qu'ils n'avaient pas directement suscitée.

L'entrée des Etats balkaniques dans la guerre (automne 1915-1916)

Le choix italien provenait pour une large part de la capacité dont disposait l'Entente de « récompenser » l'aide italienne par des cessions de territoires ennemis. A l'inverse, *la Bulgarie* pouvait trouver une réelle satisfaction pour ses aspirations nationales seulement grâce à une alliance avec les Empires Centraux. En effet, la principale revendication bulgare portait sur la Macédoine et la Thrace, territoires possédés par la Serbie et la Grèce, anciennes adversaires de la seconde guerre balkanique de 1913 (cf. livre 1, p. 237). Comment les alliés de la Serbie pourraient-ils jamais obtenir de celle-ci, victime de l'agression austro-hongroise en juillet 1914, une renonciation à des terres qu'elle jugeait profondément siennes ? En outre, en Grèce, le retour au pouvoir de E. Venizelos, après des élections générales en août 1915, paraissait signifier le ralliement de ce pays à l'Entente, seule capable de satisfaire les aspirations grecques vis-à-vis de l'ennemi héréditaire turc, mais rendant impossible la satisfaction du vœu bulgare d'un accès à la mer Egée (région de Cavalla). Au fond, point n'est besoin de suivre dans le détail les négociations secrètes menées par les Alliés à Sofia : malgré la russophilie des Bulgares, elles ne peuvent aboutir, tant la localisation géographique des zones revendiquées par la Bulgarie s'y oppose.

Simplement le gouvernement de Sofia tarde à choisir en attendant le moment le plus favorable. Lorsque les armées russes ont subi de graves revers en Pologne et lorsque l'échec de l'expédition des Dardanelles est patent, le roi Ferdinand traite avec l'Allemagne, l'Autriche-Hongrie et la Turquie (5 septembre 1915). Au début d'octobre 1915, les troupes bulgares attaquent la Serbie aux côtés de leurs alliés. La lutte est inégale militairement, à moins d'un effort massif des Alliés pour sauver les Serbes. Mais ceux-ci peuvent-ils le réaliser sans la participation grecque ? Voici à nouveau que stratégie militaire, situation géographique, idéaux nationaux se mêlent intimement pour expliquer les décisions prises dans le domaine des relations internationales. En temps de guerre, ce sont là des nécessités impérieuses.

Logiquement, puisque la Bulgarie et la Turquie se retrouvaient dans le même camp, on aurait pu s'attendre à ce que *la Grèce*, compte tenu de ses revendications et de ses précédentes conquêtes accomplies lors de la seconde guerre balkanique, se porte résolument du côté de l'Entente. Tel était bien le calcul du Premier ministre Venizelos. Or, il n'en fut rien, car la situation intérieure grecque et les fluctuations militaires conduisirent la Grèce à rester officiellement neutre. Le roi de Grèce Constantin, parent de Guillaume II, germanophile, s'oppose au « libéral » Venizelos, car il est peu désireux d'orienter son royaume vers la réalisation de la « Grande Idée » grecque, c'est-à-dire le rêve d'une Grande Grèce englobant Constantinople et les deux rives de la mer Egée. Les revers militaires alliés dans les Dardanelles, en Serbie, le poussent également à ne pas choisir le camp qui paraît alors chancelant.

Aussi, lorsque les Franco-Anglais débarquent des troupes à Salonique, le 2 octobre 1915, pour tendre la main aux Serbes, assiste-t-on à un véritable imbroglio politico-militaire. Le gouvernement Venizelos approuvé par le parlement grec, opte pour le soutien à l'Entente, mais le roi Constantin désavoue son ministre ; il confirme la neutralité grecque tout en reconnaissant qu'il n'est pas en mesure de chasser le corps expéditionnaire, commandé par le général français Sarrail. Dans ces conditions, les Alliés de l'Entente « occupent » une partie de la Grèce, puisque celle-ci n'entre pas en guerre à leur côté, mais pour autant le gouvernement grec ne réclame pas la « libération » de son territoire par les adversaires de l'Entente.

Du coup, les troupes des Empires Centraux, qui ont écrasé l'armée serbe, n'ont aucune raison d'entrer en Grèce (au grand désappointement bulgare), ce qui permet au général Sarrail d'organiser un camp retranché. Fin 1915, la situation dans la péninsule balkanique est ainsi clarifiée et indécise. Seule la Roumanie reste encore neutre et indépendante. Militairement les Alliés occidentaux conservent un point d'appui à Salonique, fort discuté par les Britanniques, mais soutenu par les Français pour des raisons de tactique militaire et de politique... intérieure (l'éloignement du général « républicain » Sarrail divise les hommes politiques français). Cependant, globalement, les Empires Centraux ont obtenu les meilleurs résultats. Une liaison facile existe entre les armées allemande, austro-hongroise, bulgare et ottomane. La guerre qui s'est étendue à tout le sud-est européen, peut désormais se développer dans le Moyen-Orient. La carte de guerre allemande paraît solide.

Apparemment, le contexte militaire dans lequel se situent les relations internationales en 1916, ne diffère guère de celui de 1915. Les vicissitudes des combats continuent d'influencer les réactions des neutres et les buts de guerre des puissances combattantes. A vrai dire, la continuation de la lutte, le caractère indécis des batailles engagées, notamment avec cette « guerre d'usure » symbolisée par l'hécatombe de Verdun (515 000 tués entre février et juin 1916), incitent plutôt les neutres à la prudence. Ni les Etats-Unis (leur politique sera analysée dans le chapitre 2), ni les neutres européens n'envisagent de sortir de l'attentisme, à l'exception du Portugal (vieux « client » des Britanniques, il espère sans doute obtenir des avantages coloniaux) qui rejoint l'Entente en mars 1916 et surtout de la *Roumanie*.

La Russie, dès octobre 1914, les alliés occidentaux ensuite, avaient promis à Bratianu le Premier ministre, « libéral » attentiste prudent, de satisfaire à toutes les revendications « nationales » roumaines, c'est-à-dire de céder à la Roumanie la Transylvanie, le Banat et la Bukovine, territoires austro-hongrois en cas d'une intervention aux côtés des Alliés. Négligeant les aspirations nationalistes de l'opposition et adepte d'une politique réaliste, Bratianu, qui attendait son heure, avait préféré conserver la neutralité pendant près de deux ans. Fin août 1916, le gouvernement roumain, toujours dirigé par Bratianu, pense l'occasion favorable pour intervenir aux côtés de la Russie alors victorieuse dans une offensive lancée en Galicie-Bukovine. Les calculs de Bratianu vont se révéler fort médiocres, car l'intervention militaire roumaine survient trop tard : les Russes sont à bout de souffle et les Franco-Anglais de Salonique sont incapables d'un réel soutien. En outre, les Roumains entrent en guerre sans aucun enthousiasme patriotique. Le désastre militaire ne tarde pas. Trois mois après son entrée en guerre, la Roumanie est aux deux tiers occupée par les Allemands, les Austro-Hongrois et les Bulgares. La situation militaire dans les Balkans reste toujours favorable aux Empires Centraux. La Roumanie paraît désormais étroitement tributaire de l'évolution de la Russie.

On conçoit que dans de telles conditions les buts de guerre allemands soient restés élevés. Fin août 1915, les idées de Mittel-Europa continuent à dominer la stratégie du chancelier Bethmann-Hollweg comme celle du généralissime Falkenhayn. Lors de négociations avec Burian, ministre des Affaires étrangères d'Autriche-Hongrie, en novembre 1915, le dessein général des plans allemands est précisé : à l'ouest, la Belgique sera fermement tenue, la Russie sera repoussée le plus largement possible à l'est, la Pologne unifiée pourra être entièrement intégrée à l'Empire d'Autriche-Hongrie sous réserve que des avantages économiques et des assurances militaires soient donnés à l'Allemagne ; une consolidation de l'alliance germano-austro-hongroise dans tous les domaines rendra possible une hégémonie de la race allemande sur l'Europe continentale. La Grande-Bretagne considérée comme la véritable et la plus dangereuse ennemie devra entendre raison. On se prépare d'ailleurs à l'affronter en temps de paix par une organisation encore plus rationnelle de la production industrielle et du commerce extérieur. La victoire demandera du temps, mais maintenant on est installé dans la logique de la guerre longue et mondiale.

La Guerre Economique

Lors de l'entrée en guerre, personne n'avait pensé à user de mesures d'ordre économique durables à l'exception d'un moratoire pour les dettes privées. Ensuite, la durée de la guerre imposa d'envisager une véritable stratégie économique. Il fallut intensifier la production d'armements (la « consommation » triple ou quadruple en 1916 par rapport à 1914), assurer le ravitaillement des fronts et de l'arrière. Peu à peu, chez tous les belligérants, *l'Etat prit en main la direction générale de la vie économique* pour répondre à ces besoins. Certes ce dirigisme gouvernemental sauvegarda la propriété privée, mais un tournant considérable fut accompli.

En particulier, la collaboration entre les autorités administratives et politiques, d'une part, et les hommes d'affaires, d'autre part, déjà notable en temps de paix, notamment en matière d'action à l'étranger, est devenue beaucoup plus étroite en ce temps de guerre. Les commandes de l'Etat pour assurer l'effort de guerre priment dans toutes les productions industrielles ; les possibilités d'importer ou d'exporter dépendent des instructions gouvernementales et de capacités de financement mixte, avec intervention directe de l'Etat. Le recours aux emprunts d'Etat devient régulier, presque partout, en usant sans mesure du patriotisme pour récolter les fonds (« Ils donnent leur sang, donnez votre or ! »). L'Etat devient banquier, commerçant, industriel même. Dans la très libérale Angleterre, en avril 1915, l'Etat fournit la moitié du capital d'une société de colorants (British Dyes) afin de suppléer à l'insuffisance de la production nationale (en fait, cette société produira surtout des explosifs). Lorsque les gouvernements veulent préparer les conditions de paix ou, lorsqu'à plus court terme, ils cherchent à mener la guerre économique, ils doivent tenir compte des comités, associations, syndicats représentatifs des intérêts privés. Plus qu'avant-guerre des liens étroits se nouent entre les administrations de l'Etat et ces derniers, même si aucune association ne peut prétendre à représenter l'ensemble des intérêts privés, car des divergences sectorielles, de firmes, d'individus même, existent toujours ; le rôle du Comité de guerre de l'Industrie allemande, ou celui du Comité des Forges en France, ou celui du Comité central des Industries de guerre en Russie est important, dépassant même son objectif initial pour émettre des « vœux » précis sur les buts de guerre, les modifications territoriales futures, les clauses économiques de la paix.

En outre, comme les belligérants sont rangés dans deux coalitions, ils doivent agir solidairement en matière de guerre économique, sous peine d'inefficacité. Là encore, une novation apparaît : la concertation et la négociation entre alliés dans les domaines économiques préparent à de futures conférences internationales, dont on verra le poids dans l'après-guerre. Des équipes de spécialistes se constituent, créant l'embryon des fonctionnaires internationaux de demain. Certes, avant la guerre, des conférences internationales avaient eu lieu souvent sur des problèmes spécifiques (conférences postales, conférences sur les sucres), mais il s'agit désormais de régler *ensemble* des politiques financières ou économiques globales. Une conséquence importante se dessine : dans les appareils d'Etat, l'influence des secteurs relevant directement des domaines économiques s'élargit aux dépens de ceux qui se voulaient de « purs » politiques. Dans les années d'avant-guerre, le rôle des attachés commerciaux était encore assez faible dans les ambassades ; pendant la guerre et à cause de la guerre, se constituent dans tous les pays importants des missions d'achat, de gestion (souvent intitulées missions militaires, car pour les besoins de la cause on gratifie les membres de ces missions de grades militaires) qui aboutiront après guerre au renforcement des secteurs économiques dans la diplomatie. Les travaux d'une commission anglaise en 1916 aboutissent à la création d'un Département du Commerce extérieur ; la création des attachés financiers par la France en

1919 doit son origine aux habitudes nées pendant la guerre. Parallèlement les ministres économiques (Finances, Commerce, Industrie) commencent à disposer d'agents à l'étranger ou bien jouent un rôle non négligeable dans les discussions internationales. Octave Homberg et André Tardieu, chargés des négociations commerciales et financières aux U.S.A. entre 1915 et 1918 sont des personnalités importantes dans les relations franco-américaines. Ainsi, s'esquisse une véritable mutation de la vie internationale.

La guerre économique commença pendant l'année 1915. L'initiative venait des Etats de l'Entente. Ceux-ci voulaient réaliser le blocus des Empires Centraux. Le but recherché était d'empêcher les Empires Centraux de se ravitailler en nouriture et en matières nécessaires aux équipements militaires. Les moyens de parvenir à ce résultat étaient variés. Tout d'abord, il fallait nuire au commerce maritime entre l'Allemagne et les neutres par l'arraisonnement et la saisie des cargaisons destinées à ce pays, mais ce blocus maritime, qui violait les conventions internationales existantes, était difficile à réaliser en mer, en particulier sur la mer Baltique (la Suède est un gros fournisseur de l'Allemagne) ; il soulevait partout des difficultés juridiques qui risquaient de pousser les neutres vers l'Allemagne. Toutefois, celle-ci indisposait à son tour les neutres par la guerre sous-marine (limitée cependant jusqu'en janvier 1917) destinée à couper les communications entre la Grande-Bretagne, la France et leurs sources de ravitaillement extra-européennes. Les puissances de l'Entente utilisèrent donc une seconde méthode qui consistait à acheter chez les neutres le maximum possible de denrées et de matières premières stratégiques afin de priver leurs adversaires de ces sources d'approvisionnement. Ce procédé était onéreux et, en bien des pays, il eut surtout pour résultat de faire grimper des prix devant cette « raréfaction » artificielle des ressources. Il fallut aussi obtenir l'accord des neutres qui, souvent, avaient été obligés pour répondre aux buts de l'Entente de constituer en Europe des sociétés organisant le contingentement à l'échelle nationale (Suisse, Pays-Bas, Danemark). Seront-ils dès lors, et resteront-ils après guerre, des « clients » des Alliés ?

Pour mener cette tactique économique, il faut en détenir les moyens financiers. Le champ de la guerre économique s'élargit au financement, interne comme externe, du conflit. Où trouver des ressources nécessaires au paiement d'achats massifs chez les autres ? En outre, la guerre économique suppose de produire plus que l'ennemi dans le domaine des armements. Il importe de le surclasser sur le plan industriel. Or, l'équipement industriel nouveau réclame des investissements considérables et la possibilité future d'un amortissement rationnel. En d'autres termes, l'expansion née de la guerre industrielle suppose pour obtenir un après-guerre rémunérateur, de conserver un haut niveau de consommation. Ne faudra-t-il pas alors pouvoir exporter facilement en écartant la concurrence des pays vaincus ? Ainsi la guerre économique imprime sa marque sur les relations internationales présentes et futures (création de clientèles, expansion future, préservation de sources d'approvisionnement et de marchés). Le financement de cette nouvelle forme de guerre suppose, soit l'existence de considérables réserves en capitaux, soit l'obtention de crédits externes, autre facteur important des relations internationales. Parmi les belligérants, qui a les moyens de cette guerre longue, totale ?

La Grande-Bretagne occupe une place à part dans le système économique des Alliés. Elle est, en effet, la seule puissance qui soit en mesure de financer (partiellement) la guerre économique. Elle disposait avant-guerre du stock de capitaux extérieurs le plus élevé au monde (environ quatre-vingt quinze milliards de francs-or, contre quarante-trois à la France et vingt-neuf à l'Allemagne) ; la vente d'une partie de ses avoirs lui permettait donc de payer l'augmentation de ses achats externes. Contrairement à la vision longtemps présentée d'un pays en déclin industriel, la Grande-Bretagne avait amorcé, avant la guerre, une mutation remarquable de son équipement industriel faisant apparaître deux secteurs distincts dans son industrie : d'un côté, des industries en perte de vitesse (textile, charbon, construction navale), de l'autre côté, des industries en rapide expansion (chimie, électricité, automobile, mécanique de précision). Ce second secteur pouvait rivaliser avec les concurrents européens à condition d'être quelque peu protégé, soit par une protection tarifaire, soit par des mesures discriminatoires. La guerre ne permettrait-elle pas d'éliminer la concurrence allemande au nom de la défense nationale ? Ainsi le conflit mondial fournissait l'occasion d'une révision du dogme du Free Trade, tout en conduisant à un combat décidé contre la trop ambitieuse Allemagne : aussi bien par des enquêtes menées par le Board of Trade que lors de débats à la Chambre des Communes (en janvier 1916 notamment), il apparaissait qu'une majorité de responsables politiques et des hommes d'affaires avait décidé d'abandonner le libéralisme manchestérien au profit d'une tactique discriminatoire vis-à-vis du rival germanique, s'appuyant également sur la solidarité impériale. Déjà se profile la stratégie qui aura son plein effet à la fin des années vingt.

De plus, le commerce britannique demeurait dominant dans le monde en guerre ; certes la guerre sous-marine coûtait cher à la flotte commerciale (38 % du tonnage britannique de 1914 fut coulé) mais le système mondial du commerce britannique, fondé sur des échanges intenses entre les Iles Britanniques, l'Empire, l'Amérique du nord et du sud, fonctionnait encore comme le régulateur du commerce international, même si des concurrents dangereux profitaient de la conjoncture (Japon, Etats-Unis). L'aide financière et commerciale de l'Empire permettait également à la monnaie britannique de demeurer vaillante, sinon solide, jusqu'en 1916, bien que les emprunts à l'étranger aient tendance à peser sur la livre. Aussi, conserve-t-on pendant près de deux ans l'impression que la Grande-Bretagne mène une guerre économique en proportion de ses moyens. Au demeurant, jusqu'en mars 1915, en Grande-Bretagne, la règle pour les affaires restait le « *business as usual* », c'est-à-dire le maintien des habitudes antérieures, comme par exemple de réexporter vers les neutres européens des marchandises importées des continents extra-européens, même au risque de voir certaines de ces marchandises finir leur périple dans le camp allemand. Dans ces conditions, la Grande-Bretagne pouvait financer l'effort de guerre de l'Entente, grâce à des prêts accordés aux Alliés avec de faibles intérêts (taux de 5 % minimum). La Russie avait reçu jusqu'en mars 1917 pour plus de 2,9 milliards de dollars, la France environ neuf cents millions, l'Italie plus de sept cents millions. La Grande-Bretagne était bien le banquier de l'Entente jusqu'au début de 1917.

Pourtant, à ce moment, à leur tour, les Britanniques sont dans l'embarras, réduits à solliciter une aide financière américaine. La puissance financière britannique est alors à bout de souffle. Elle va suivre la voie française. Depuis 1915, la France avait subi la contrainte d'un déséquilibre commercial, onéreux sur le plan financier. Comment payer les énormes besoins de ravitaillement et de matières premières ? Les Français ont fait appel au crédit américain pour colmater leur énorme déficit commercial avec les Etat-Unis ; en 1915 et 1916, le déficit commercial global français dépassait vingt-et-un milliards de francs-or contre trois milliards en 1913-1914, dont huit milliards avec les seuls U.S.A. En 1916, la valeur des marchandises américaines importées en France a sextuplé par rapport à 1913 ; elle représente près de 30 % des importations françaises contre 10,6 % en 1913. Dèjà se dessinent des dépendances, des moyens de pression mais aussi des contestations pour le futur.

Qui, au bout du compte, payera cette coûteuse guerre économique ? Une paix victorieuse sera le moyen de faire payer ces frais généraux par l'adversaire. De même que certains Allemands pensent à une Mittel-Europa où leur hégémonie économique serait indéniable, ce qui les mettrait en excellente posture pour lutter sur le plan mondial contre la Grande-Bretagne ou contre les U.S.A., de même, on en vient du côté français à bâtir des plans de paix où les préoccupations économiques pèsent fortement. Sans doute l'annexion de l'Alsace-Lorraine qui reste le but principal du combat d'un bout à l'autre de la guerre, a des raisons nationales, mais dès qu'il s'agit de la Sarre ou de la rive gauche du Rhin, revendications soutenues dès 1915 par Poincaré, Delcassé, et par la majorité du Comité des Forges, les vues sur le développement économique futur de la France sont à l'arrière-plan de ces idées, au moins autant que les notions de sécurité militaire. Pour les mêmes raisons, certains envisagent également la réunion à la France du Luxembourg (« un des points de rencontre mondiaux du charbon et du fer, c'est-à-dire de la domination du monde » écrit un des responsables du Quai d'Orsay Philippe Berthelot).

En juin 1916, sous l'influence personnelle d'Etienne Clémentel (qui sera ministre du Commerce d'octobre 1915 à novembre 1919), un plan d'ensemble est proposé par la France aux Alliés lors d'une Conférence Economique Interalliée. Il s'agit non seulement d'organiser la solidarité économique des Alliés pendant la guerre, mais de maintenir « une politique d'entr'aide et de collaboration » après-guerre. Pour ce faire, les Alliés adopteront un système basé sur les préférences commerciales, destiné à assurer leur indépendance financière, maritime, commerciale. En fait, en obtenant le ralliement de la Grande-Bretagne à ce plan, la France, qui au même moment propose à la Belgique et à l'Italie des accords commerciaux visant à une véritable union douanière, tente d'assurer une meilleure situation commerciale à son industrie rénovée et renforcée, tandis que la Grande-Bretagne, abandonnant de fait le libre-échange, envisage surtout de se prémunir contre la future concurrence allemande. Les industriels et les banquiers de chaque puissance belligérante préparent l'après-guerre par des prises de participation, des achats ou des créations à l'étranger. « Un autre ordre économique, différent de celui d'avant-guerre » (G. Soutou) est ainsi préparé. Mais pour le faire triompher, une victoire totale est nécessaire.

Propagande et cohésion nationale

Dans ces conditions, les discrets sondages pour une paix de compromis sont voués à l'échec. Dans les deux camps, on veut encore dicter la paix à l'adversaire. Le maintien de la cohésion nationale est donc nécessaire. Dans ce but, comme la guerre s'éternise, on intensifie la propagande, on maintient la censure ; il s'agit surtout de soutenir le « moral » de l'arrière ; en Grande-Bretagne il faut en plus accélérer les engagements volontaires (campagne d'octobre 1915 selon le plan de Lord Derby) car la conscription est établie seulement en janvier 1916. Sans entrer dans le détail de la « mobilisation » des moyens d'information ou de loisir, on trouve chez tous les belligérants l'emploi de la même argumentation et des formes semblables de propagande, au théâtre, au cinéma, dans la chanson populaire, dans l'imagerie. Les Allemands sont des « Boches » ou des « Huns » en France et en Angleterre. L'adversaire est fondamentalement barbare, inculte, sauvage, fourbe (même la sage *Revue Historique* pourfend la vilaine Prusse avec des arguments primaires), tandis que les alliés sont peuples et races de qualité, créant parfois de savoureux renversements de valeurs. On aboutit à susciter des images des autres singulièrement déformées, bien que les lignes de force traditionnelles soient parfois malaisées à modifier. L'allié italien est jugé avec hauteur par les Français de même que l'autrichien par les Allemands ; la fraternité franco-polonaise gêne les relations franco-russes. Par contre les Britanniques « découvrent » la valeur du soldat français et de la population française. Avant la guerre, la vision traditionnelle de la France en Grande-Bretagne reposait sur l'idée de deux France antithétiques ; d'un côté, « la France conservatrice, d'un républicanisme sobre, travailleuse, thésaurisante, responsable. De l'autre côté, il y avait la France de la surface, tourmentée, irréfléchie, désordonnée, scandaleuse » (Colin Lucas). La résistance opiniâtre des soldats français, l'unité nationale évidente des Français portent les Britanniques à privilégier la première vision ; une certaine francophilie se développe Outre-Manche.

Au fond, la forme prise par l'imaginaire collectif à propos de tel ou tel peuple compte moins que l'influence globale de cette opinion collective déformée sur les futures relations internationales. La propagande suscite des haines de peuple à peuple, qui seront demain des ferments actifs pour les nationalismes militants. En outre, comme on veut parer les raisons de son combat par des vertus cardinales, chacun prétend lutter pour le Droit, la Justice, les Nations opprimées, le Droit à l'existence. Ces appels vibrants à l'idéal peuvent-ils se concilier aisément avec des buts de guerre fort prosaïques et le plus souvent secrets ? Le décalage entre les deux risque un jour de coûter cher.

En attendant ces lendemains incertains, déjà en 1916 des craquements sont perceptibles, moins chez les combattants du front obligés à la discipline qu'à l'arrière. Non seulement presque partout les Unions Sacrées sont fissurées ou éclatées (remaniements ministériels en Grande-Bretagne, France, Russie, Italie, etc.), mais l'audace des milieux socialistes de gauche réclamant, soit des négociations, soit des buts de guerre clairs et limités, grandit. Il ne faut pas exagérer l'influence immédiate sur les masses des conférences qui ont rassemblé des « extrémistes de gauche », à Zimmerwald en septembre 1915 et à Kienthal en avril 1916, et qui ont abouti au mot d'ordre « Réclamez un armistice immédiat », puis à un appel au refus des crédits de guerre par les députés socialistes (en Italie, en France et surtout en Russie de fortes minorités socialistes manifestent en ce sens). L'idée de trouver par la négociation une paix à cette guerre qui dure depuis plus de deux ans, est certainement partagée par un grand nombre de gens. Toutefois, jusqu'en 1916, il semble bien que l'opinion publique, même si elle subit des privations, en particulier dans les centres urbains, n'a pas encore abandonné l'état d'esprit qui prévalait en 1914 : faire son devoir avec l'espérance d'une victoire proche (quoique reportée de mois en mois). C'est semble-t-il, le cas français (cf. les analyses de J.-J. Becker). La lassitude est plus grande en Russie où le coût humain élevé n'incite pourtant pas le tsarisme à accorder des concessions politiques à une bourgeoisie de plus en plus portée à réclamer sa participation au pouvoir aux dépens des notables traditionnels. L'autocratie est bien plus en cause que la patrie.

De même, les minorités nationales qui s'étaient tues pendant l'été 1914, recommencent à se manifester. En Autriche-Hongrie, les fractures apparaissent. Les Slaves du sud sont déçus par les promesses faites à l'Italie par l'Entente ; chez les Tchèques, la désobéissance passive prend des formes subtiles comme le refus de souscrire aux emprunts de guerre ; elle suscite les arrestations de dirigeants nationalistes comme Kramar (mai 1915). En Pologne, pratiquement aux mains des Empires centraux, les divers groupes nationalistes sentent bien que les occupants ont besoin de renforts en hommes et qu'ils sont prêts à de larges concessions afin de réaliser ce but : faut-il rester passif devant les propositions de Berlin et de Vienne ? Le 5 novembre 1916, une décision de Guillaume II et de François-Joseph crée un royaume constitutionnel, héréditaire, polonais, mais le recrutement immédiat de troupes polonaises au sein de l'armée allemande est fort mal accueilli (en réponse, Nicolas II évoque une Pologne libre dans un ordre du jour du 25 décembre 1916).

En Russie, les peuples allogènes réagissent comme tous les Russes qui sont fatigués d'une guerre coûteuse à tous égards, mal gérée militairement ou économiquement (voir chapitre 2). Une ligue des peuples étrangers de Russie, financée par l'Allemagne, a pu tenir un Congrès à Lausanne en juin 1916, mais son audience demeure encore limitée. Toutefois, les discussions sur les droits des minorités en Russie reprennent vigoureusement.

En Irlande enfin, la révolte armée de Dublin, en avril 1916, manifestait avec éclat le regain du nationalisme irlandais. Décidés à obtenir l'indépendance, même au prix de collusions avec l'ennemi, les nationalistes irlandais ont signé un véritable accord d'assistance avec Berlin en décembre 1914. L'insurrection, préparée avec le soutien logistique allemand, ensanglantant la semaine pascale (3 000 morts) est suivie d'une répression sévère. Un flot de haine sépare désormais Irlandais et Britanniques, Catholiques et Protestants.

La fatigue des peuples, « l'inquiétude de l'esprit public », (Pierre Renouvin) sont des réalités que la propagande combat de plus en plus difficilement à la fin de l'année 1916. Se dirige-t-on vers une paix dictée ou vers une paix négociée ?

2. Nouveaux mondes et vieilles nations

Les tournants de l'année 1917

Les craquements chez les belligérants

Le 12 décembre 1916 les gouvernements des Empires Centraux proposent d'ouvrir des négociations avec les Etats de l'Entente, tout en précisant les conditions minimales à remplir pour discuter. Le 20 décembre 1916, le Président des Etats-Unis, W. Wilson, demande aux divers belligérants de faire connaître leurs conditions de paix afin de trouver une possibilité de négocier. Après avoir rejeté les offres austro-allemandes, publiquement le 10 janvier 1917, les Etats de l'Entente répondent à Wilson ; fin janvier 1917 le gouvernement allemand notifie sa réponse au gouvernement américain. Dans l'un et l'autre cas, les positions affirmées, loin de correspondre à une volonté de compromis marquent clairement des « programmes annexionistes » (Pierre Renouvin). De part et d'autre, les responsables demeurent fermement attachés à la conception de la « paix dictée » ; les buts de guerre sont toujours aussi imposants au début 1917 qu'ils pouvaient l'être dix-huit mois auparavant. On devrait donc conclure à la solidarité des deux coalitions malgré la durée des combats.

En fait, bien des signes montrent que la tension subie depuis des mois dans les deux camps a suscité des fissures, préludes à des fractures plus profondes. Non seulement les opinions publiques sont partout lasses de la guerre interminable, mais au sein des Etats-majors, des gouvernements et des parlements s'affirment des oppositions et des divergences.

Les chefs militaires des armées allemande et française Falkenhayn et Joffre, ont été remplacés après les échecs de leur tactique de décision frontale (à Verdun pour le premier et sur la Somme pour le second). Leurs successeurs, H. Hindenburg et Ludendorff d'une part, Nivelle d'autre part, s'affirment capables de provoquer « la rupture ». Mais dans le premier cas, une condition politique essentielle est exigée par les militaires, la subordination du pouvoir civil (celui du chancelier Bethmann-Hollweg) au pouvoir du Quartier-général, y compris pour les implications diplomatiques des choix stratégiques. Lorsque le 9 janvier 1917, Guillaume II prend la décision de la guerre sous-marine à outrance contre les avis de son chancelier, le pas est franchi : désormais en Allemagne, la politique extérieure dépend des orientations des chefs militaires. Pari audacieux qui suscite des oppositions politiques marquées au Reichstag ; dès l'été 1917, malgré des résultats appréciables (la guerre sous-marine paraît presque gagnée, la Russie est pratiquement hors de combat), la cohésion nationale vole en éclat : la droite nationaliste, « le parti de la patrie », accuse de défaitisme les socialistes, les catholiques du Zentrum et les libéraux, favorables à une paix de compromis. Bethman-Hollweg démissionne le 13 juillet 1917.

En France, un gouvernement présidé par A. Briand a déjà dû accepter, fin novembre 1916, que la Chambre des Députés, réunie en Comité secret, critique profondément la conduite des opérations, contribuant à la mise à l'écart de Joffre ; lorsque le successeur de Joffre, Nivelle, démontre la vanité de ses conceptions tactiques (échec de l'offensive d'avril 1917), le pouvoir civil trouve une possibilité de réaffirmer son autorité sur le pouvoir militaire ; le ministre de la Guerre du gouvernement Ribot impose un nouveau généralisme des armées françaises, Pétain, partisan d'une autre tactique (défensive et réservée). En fait, comme depuis des mois la vie politique française est dominée par les médiocres rapports entre le Parlement et l'Etat-major (d'où la démission de Briand en mai 1917), les difficultés rencontrées sur le front aboutissent à la fin de l'Union Sacrée. La propagande officielle a de plus en plus de mal à soutenir le moral des populations : « la littérature héroïque », où s'illustrait M. Barrès doit céder le pas aux auteurs réalistes (G. Duhamel), voire pacifistes (H. Barbusse obtient le Prix Goncourt pour son roman *Le Feu, journal d'une escouade*). Si les mutineries du printemps 1917 dans l'armée française n'ont pas eu l'ampleur et encore moins le destin tragique que la légende plus tard leur attribuera (environ 30 à 40 000 mutins, 3 427 condamnations en cour martiale, dont 554 à la peine de mort et 49 exécutées), elles témoignent de la profondeur de la lassitude au sein des troupes. Quant au moral de l'arrière, on peut retenir la conclusion nuancée de J.J. Becker, fondée sur l'étude des enquêtes menées à l'époque par le contrôle postal : une majorité de Français frappée par le renchérissement du prix de la vie, inquiétée par la vague de grèves, aspirent à la fin du printemps 1917, à ce que la guerre se termine même si elle n'est pas victorieuse. Il y a donc une mutation profonde d'une opinion jusqu'alors massivement patriote et confiante. Peut-on vraiment finir la guerre par la seule victoire militaire ?

Peut-on encore la mener sur le terrain économique alors que le principal banquier de l'Entente, la Grande-Bretagne, atteint en ce printemps la cote d'alerte sur le plan financier ? Jusqu'au milieu de l'année 1916, le financement de la guerre dans le camp des Alliés de l'Entente avait paru relativement facile. D'un côté, la Grande-Bretagne conservant une balance des paiements courants positive pouvait prêter à ses Alliés malgré un déficit commercial accru. Russie, Italie, France, Dominions, Belgique trouvaient du crédit à Londres sous forme de prêts ou d'avances. De l'autre côté, aux Etats-Unis, la solidité de la fortune britannique avait poussé les banques locales, le plus souvent menées par la Banque Morgan, à pratiquer des avances, parfois même à enfreindre l'interdiction de ne pas admettre d'emprunts d'Etat étrangers sur le marché new yorkais (exemple des 500 millions de $ de l'emprunt anglo-français en octobre 1915 souscrits finalement à un taux convenable sans nantissement). Mais pendant l'année 1916 les contraintes financières grandissent considérablement. Dès octobre 1916, les responsables financiers britanniques prévoient une crise financière majeure pour les Alliés en avril 1917. Malgré l'extraordinaire regain d'activité économique suscité aux Etats-Unis par les commandes de guerre alliées, les banques de ce pays commencent à se sentir dangereusement engagées par leurs prêts antérieurs ; pour agir, elles ne cessent d'augmenter leurs conditions de prêt (taux plus élevé, nantissement, marges bénéficiaires accrues, pratique de l'emprunt lié), ce qui pousse les Alliés à pratiquer une politique du chacun pour soi (en contradiction avec un accord signé en juillet 1916 avec la France, les Anglais n'hésitent pas dès août 1916 à contracter un emprunt public à leur seul profit). Les relations franco-britanniques deviennent médiocres sur le plan économique à l'automne 1916. Fin septembre 1916, le ministre français des Finances, Ribot, constate que la Maison Morgan se déclare incapable de dire, comme banquier, comment pourront être financés les ordres immenses qu'elle place aux Etats-Unis comme agent commercial des Alliés. Bien plus, le 28 novembre 1916, le Federal Reserve Board, véritable tête de file du système bancaire yankee, avertit publiquement les banques privées qu'il n'est pas de l'intérêt du pays, en ce moment, qu'elles fassent des placements en bons du trésor étrangers (ce qui vise essentiellement les Alliés). Sans doute certains responsables de l'économie yankee sont-ils inquiets de l'augmentation des prix suscitée par les demandes externes, mais, comme le fait remarquer Y.-H. Nouailhat, Wilson a voulu exercer une pression sur les Alliés par l'intermédiaire d'une restriction de crédits, à la veille de l'envoi de la note sur la paix. Les Américains espèrent-ils profiter de ces circonstances pour influencer le nouveau gouvernement britannique ?

Au début décembre 1916, après une semaine de discussions-manœuvres de « complexité byzantine », le libéral Lloyd George succédait au libéral Asquith comme Premier ministre. En réalité, l'union de toutes les forces politiques britanniques cessait, car Lloyd George, ex-ministre des Munitions, s'appuyait désormais sur les Conservateurs, une partie seulement des Libéraux et une partie des Travaillistes. Les clivages entre les deux groupes n'étaient pas généraux (mêmes conceptions sur les relations avec l'Empire, sur la protection des industries nouvelles) mais sur un point essentiel, celui de la continuation de la guerre, deux options distinctes les séparaient. Asquith et Grey qui tendaient à vouloir maintenir dans le monde la suprématie financière de la £ et de la place de Londres, semblaient résignés à une paix de compromis devant la montée du péril financier, ne jugeant pas possible d'accepter une sorte de condominium anglo-saxon en matière économique. Au contraire, Lloyd George et les conservateurs Bonar Law et Balfour, tout en s'affirmant opposés aux propositions de paix négociée avancées par Wilson, avaient déjà en vue de poursuivre la guerre jusqu'à la victoire finale. Cette coalition jusqu'au-boutiste, « mélange intransigeant de populisme anglais, des nouveaux maîtres de l'industrie et de nationalisme Tory » (D. Watt), allait se passer du Parlement pour mener la lutte. Concevant les U.S.A. comme une sorte de Dominion, inévitablement lié à l'ancienne métropole, le gouvernement Lloyd George était résolu à poursuivre victorieusement le combat grâce à une alliance étroite avec la puissance américaine. Reconnaissance d'une perte de puissance ou vision d'une solidarité atlantiste dominante ?

Or, de l'autre côté de l'Atlantique, il semble bien que les banquiers avaient tous jugé le moment venu de prendre le relais de la traditionnelle suprématie financière britannique, mais, soit en s'associant aux intérêts de Londres (c'est, semble-t-il, la tendance de la Banque Morgan), soit en développant de manière autonome la puissance industrielle yankee et en forçant ensuite Londres à suivre New York (tendance de F. Vanderlip et de la firme Rockefeller). L'entrée en guerre des Etats-Unis se ferait donc, soit dans le cadre d'une véritable alliance, soit comme une simple association. Or la place de la Grande-Bretagne conservait-elle encore le moyen de peser sur son ancienne colonie, alors qu'en avril 1917 le découvert britannique auprès de la Banque Morgan atteignait 420 millions de $, que les effets de la guerre sous-marine dépassaient les espérances allemandes (840 000 tonnes coulées en avril) et que la Russie nouvelle semblait se désagréger ?

De la Russie ancienne à la Russie nouvelle

La Russie tsariste était la plus atteinte de tous les belligérants au printemps 1917. La détérioration de la situation avait commencé dès l'année 1916. Si l'offensive du général Broussilov en Bukovine en juin-juillet 1916 avait semblé donner de bons résultats, ce sursaut ne devait pas masquer la décrépitude générale. Financièrement aux abois depuis 1915, malgré les crédits et avances de ses alliés anglo-français (accords de février et octobre 1915), le gouvernement tsariste se révélait incapable de résoudre le double problème des munitions et des transports. Bien plus, l'incurie de son administration, sa légendaire cupidité, suscitait bien des scandales, même au sommet de l'Etat où des ministres et des généraux étaient accusés de prévarication et de trahison, avec, coiffant le tout, le pouvoir « satanique » du pope Raspoutine, favori du tsar et de la tsarine, mais détesté des notables et des cadres. La hausse vertigineuse des prix, la conscription de plus en plus lourde, la lassitude devant des assauts meurtriers et inutiles, entraînaient des grèves de plus en plus nombreuses dans les villes, (plus d'un million de grévistes pendant l'année 1916) et un malaise profond à la campagne touchée par une mauvaise récolte en 1916. Au début de l'année 1917, le tsarisme, jugé incapable de mener la guerre, était impopulaire parmi toute la société russe.

Ses alliés occidentaux en sont partiellement conscients, même si le gouvernement français est mal renseigné par son ambassadeur Paléologue. Mais faut-il lâcher Nicolas II ? D'une part, les circonstances paraissaient favorables pour un renforcement de l'emprise économique étrangère en Russie (vastes plans de trusts métallurgiques, de banques d'affaires, d'équipements ferroviaires et urbains) malgré l'accentuation du nationalisme russe dans la bourgeoisie. D'autre part, par peur d'une paix de compromis avec l'Allemagne, tant la guerre est devenue impopulaire en Russie, ne fallait-il pas se raccrocher à un Tsar qui demeure déterminé à la lutte dans l'espoir d'acquérir enfin Constantinople, vieil objectif de l'impérialisme russe ? C'est ce dernier calcul qui prédomine en France et qui explique l'envoi d'une mission française (Doumergue, Général de Castelnau), fin janvier 1917, habilitée à signer un accord secret (hors de l'allié britannique) donnant à la Russie « la liberté de fixer à son gré ses frontières occidentales » contre la reconnaissance par celle-ci des revendications françaises sur la rive gauche du Rhin (13 février 1917). Or, peut-on se raccrocher à une branche pourrie ?

En une petite semaine (du 8 au 15 mars) le tsarisme s'effondra. Incapable de réprimer des manifestations à Pétrograd, en butte à l'hostilité de la Douma (Chambre élue en 1912), abandonné par l'Etat-major et par les notables, Nicolas II abdiqua laissant les apparences du pouvoir à un gouvernement provisoire, incertain, divisé et surveillé par un autre pouvoir, celui du Soviet de Pétrograd (conseil municipal de la ville). Ce changement de régime dans un pays en guerre signifie t-il la naissance d'une autre politique extérieure, donc d'une autre vision de la conduite de la guerre ?

En apparence, le nouveau gouvernement paraît décidé à maintenir ses alliances, donc à continuer la lutte : c'est l'orientation marquée par le nouveau ministre des Affaires étrangères, Milioukov, membre d'un parti (les K-D), adepte d'une politique d'expansion nationale ; aussi les Alliés reconnaissent facilement le nouveau régime (23 mars 1917). Mais en réalité, de quelle marge de manœuvre dispose Milioukov alors que trois facteurs décisifs poussent vers la solution d'une paix de compromis ? Tout d'abord, l'armée russe n'est plus en état de se battre, tant par déficience des équipements que par lassitude morale. En outre, le territoire national n'étant pas envahi (la Pologne et les pays baltes sont terres extérieures) aucun réflexe de sursaut patriotique n'est prévisible (contrairement aux illusions des Occidentaux qui assimilent à tort la révolution russe à la révolution française, capable du sursaut de l'an II devant la patrie en danger) ; la revendication officielle sur Constantinople et les Détroits est impopulaire et ne justifie pas la continuation d'une lutte difficile. Or, la politique extérieure du tsarisme pouvait être élaborée dans le secret des chancelleries avec une presse soumise, destinée à transmettre consignes et mythes ; la chute du tsarisme, suivie de l'établissement d'un gouvernement faible, donne un nouveau pouvoir, considérable, aux forces de l'opinion publique, des partis et des masses plus ou moins organisées (les paysans, les ouvriers, les soldats). Voici un exemple typique où la politique extérieure dépend étroitement de la situation intérieure ; la possession de la terre ou la vie à l'usine valent beaucoup plus que le respect des traités et les revendications externes pour l'immense majorité du peuple russe. Ceux qui ne comprennent pas cette situation neuve, auront vite à en subir d'amères conséquences.

Malgré l'envoi de nombreuses missions en Russie, gouvernementales (Albert Thomas, ministre français des Munitions, ou Henderson, ministre britannique) ou partisanes (socialistes français, italiens, belges), l'Occident allié comprend mal la rapidité et l'ampleur des changements intervenus en Russie. On veut croire en la solidarité combattante, on espère même user de la faiblesse grandissante du nouveau régime pour obtenir sur place de nouveaux avantages économiques ; on croît surtout à la force de la dépendance pour obliger les Russes à rester un allié fidèle. C'est se leurrer. Par contre, l'insistance des Alliés est de plus en plus mal supportée, même par les responsables (Milioukov, désavoué, a dû céder sa place au début mai à un industriel situé plus à gauche, Tereščenko) ; elle aboutit à poser de manière abrupte le problème des rapports entre Alliés et Russie. A côté de ses orientations politiques et sociales la révolution russe n'est-elle pas aussi une tentative pour affirmer l'indépendance nationale ? Sortir de la guerre, ce serait être enfin libre de son destin.

En un premier temps, une solution de compromis parut possible. Puisqu'aucun territoire national n'avait été envahi, la proposition d'une paix sans annexions et sans indemnités, formulée dès la mi-avril 1917 par le Soviet de Petrograd, assortie d'un souhait d'une négociation publique et d'une défense de la liberté nationale contre toute ingérence étrangère, pouvait être suivie d'un effet rapide pourvu qu'une conférence internationale dégage les premiers éléments d'une négociation générale. Le 5 mai 1917, sous l'influence du leader menchevik I. Čeretelli, nouvel animateur de la politique extérieure russe, le gouvernement provisoire remanié annonçait son intention de poursuivre une politique extérieure fondée sur la recherche d'une paix sans annexions ni indemnités, et sur le principe du droit des peuples à disposer d'eux-mêmes ; il rejetait encore l'idée d'une paix séparée, mais soutenait la préparation d'une conférence internationale des mouvements socialistes prévue pour juin 1917 à Stockholm. Pendant plus de deux mois, gouvernement et soviet tentèrent de fléchir l'opposition ou les réticences des socialistes occidentaux à l'égard de cette conférence ; finalement en Italie, en France, en Allemagne, en Autriche-Hongrie, la majorité des sociaux-démocrates se rangeait, avec des nuances, dans le sillage des socialistes russes modérés (Lénine, Trotski et les Bolchéviks sont alors hostiles à toute paix de compromis dans l'espoir de voir la guerre déboucher sur la révolution généralisée). Pourtant la conférence de Stockholm ne se réunit jamais : certains groupes socialistes (belges, britanniques, américains) refusaient toute négociation avec les socialistes allemands (dont certains étaient manipulés par le gouvernement de Berlin) tant que ceux-ci n'auraient pas publiquement désavoué la « Burgfriede » ; en outre, les gouvernements alliés, surtout à Londres, refusèrent leurs passeports aux futurs délégués socialistes. Ainsi l'espoir d'une solution négociée s'évanouissait au début de l'été 1917.

Le gouvernement provisoire russe n'avait pas su faire la paix ; il ne pouvait plus faire la guerre. Malgré l'action enflammée du ministre de la guerre, Kerenski, capable de redonner, pour un moment, un moral de combattant à une armée gangrenée par les désertions (offensive de la mi-juin 1917), il fallait se rendre à l'évidence : les paysans mobilisés étaient désormais préoccupés par le partage des terres, prêts à tout faire pour être au village lors de ce partage. Alexandre Kerenski, devenu chef du gouvernement après l'échec d'un coup de force prématuré des Bolchéviks en juillet 1917, tentait en vain de galvaniser les troupes, non sans risquer de redonner force à des généraux factieux décidés à ramener l'ordre. (On le vit lors du putsch manqué du général Kornilov en septembre). L'armée russe était totalement incapable de se battre.

Du coup, l'action des Alliés, exigeant de plus en plus durement la remise en ordre de la Russie, la rentrée effective dans la guerre, apparaissait comme de plus en plus insupportable aux Russes, y compris aux responsables politiques. Lors de la tentative de putsch de Kornilov, les ambassadeurs de l'Entente en Russie avaient entrepris une démarche de médiation entre les deux camps ; elle fut jugée déplacée par la presse russe. Le 9 octobre, une note conjointe des Alliés était transmise au gouvernement de la République russe (la République a été enfin proclamée le 16 septembre) ; cette note, rédigée par l'ambassadeur de France, Noulens, ex-député radical, fortement influencé par les milieux d'affaires français établis en Russie, demandait de manière instante au gouvernement russe de rentrer pleinement dans la guerre en ajoutant que « les gouvernements alliés comptent que le gouvernement russe ne manquera pas à sa tâche ». Kerenski répondit de sa bonne volonté, tout en maugréant : « La Russie est tout de même une grande puissance ! ».

En vérité, dès ce moment, un fossé considérable séparait les révolutionnaires russes, même modérés, des Alliés ; ceux-ci donnaient l'impression d'être uniquement préoccupés de leurs propres intérêts. L'indépendance de la Russie passait par une rupture avec les Alliés. Les Alliés se préparaient d'ailleurs à l'éventualité d'un changement radical en Russie. Leurs calculs, divers selon la nature de leurs propres intérêts, procédaient d'une même prémisse : l'anarchie va durer en Russie, aucun gouvernement central n'étant à même de s'imposer. Il faut, dans ces conditions, créer des pôles de résistance régionaux s'appuyant sur les minorités allogènes, prises en mains par les Alliés ; au fond un démembrement de l'Empire russe est envisagé, il est même préparé par des discussions, en septembre 1917, entre Français, Britanniques, Américains et Japonais à propos d'une répartition du contrôle des voies ferrées de l'Empire. Finalement Tereščenko informé de ces projets préféra obtenir le seul soutien « technique » américain, mais la dépendance vis-à-vis de l'étranger était patente (début novembre, le gouvernement de Kérenski finit par accepter la supervision de l'économie russe par le syndicat allié des créanciers, prévue depuis la conférence inter-alliée de juin 1916). « Devant l'anarchie de l'administration et le chaos politique, pourquoi ne rêverait-on pas d'une tutelle semi-coloniale à l'image de l'Empire ottoman ou de la Chine ? » (A. Hogenhuis-Seliverstoff).

La révolution bolchévique : diplomatie nouvelle, négociations anciennes

L'un des premiers actes majeurs du gouvernement bolchévik lors de sa prise du pouvoir est le décret sur la paix (8 novembre 1917). Ce texte comporte à la fois des propositions concrètes pour mettre fin aux combats (armistice de trois mois pour tous les belligérants afin de tenir une conférence internationale) et surtout des considérations générales sur les formes que la diplomatie devrait désormais adopter. Pour le court terme, la paix devrait être conclue selon la formule déjà « classique » — « sans annexions, ni indemnités » — mais avec d'importantes précisions à propos du mot annexion : c'est la conquête ou l'incorporation violente, sans plébiscite, d'un territoire étranger, quel que soit la date ou le lieu de cette annexion ; du coup, les annexions anciennes (Alsace-Lorraine, territoires allogènes des Empires centraux, Pologne, etc.) ou coloniales sont *toutes* discutables et réglables selon le principe affirmé du droit des peuples à disposer d'eux-mêmes. Pour le futur, les traités devraient être discutés publiquement, sous le contrôle des peuples, ratifiés par des « assemblées autorisées des représentants populaires de tous les pays et de toutes les nations » ; cette diplomatie « ouverte » sera d'ailleurs immédiatement appliquée en Russie par la publication des traités secrets conclus entre avril et octobre 1917 (bon moyen de discréditer les adversaires politiques de l'ex-gouvernement provisoire). En filigrane de ce texte, on prévoit enfin que la révolution prolétarienne, initiée en Russie « maillon le plus faible de la chaîne capitaliste », va s'étendre chez les belligérants et que l'ordre nouveau fera naître une diplomatie nouvelle.

En attendant cette révolution générale, comment appliquer la stratégie nouvelle ? Trotski a été nommé commissaire du peuple aux Affaires étrangères dans le gouvernement présidé par Lenine. Le 21 novembre 1917, deux semaines après le décret sur la paix, il adresse une première note aux ambassadeurs étrangers pour signifier la proposition d'armistice. Avant de rédiger cette note, il a fallu s'assurer du pouvoir, y compris à l'intérieur du ministère des Affaires étrangères abandonné par ses fonctionnaires habituels. Ni les ambassadeurs, ni les gouvernements étrangers ne reconnaissent le nouveau pouvoir ; le Grand Quartier Général russe (la Stavka) étant encore en place, c'est à lui que Clemenceau s'adresse pour maintenir des relations avec la Russie. Il en résulte une situation diplomatique curieuse, car même après le coup de force bolchévik contre la Stavka (fin novembre), les seules relations officieuses entre les Alliés et les Bolchéviks passeront par ce canal « militaire », donnant des pouvoirs inhabituels aux missions militaires alliées en Russie. Le maintien de la Russie dans le conflit est toujours chose primordiale. De leur côté, les Empires Centraux ont finit en effet par accepter (27 novembre) la proposition bolchévique d'armistice, prévoyant de profiter du droit reconnu aux peuples de disposer d'eux-mêmes pour détacher les Pays baltes, la Pologne, l'Ukraine de la Russie enfin de pouvoir largement se ravitailler. Dès lors, les Bolchéviks sont contraints de mener une négociation bilatérale, en dehors des alliés de la Russie qui tentent d'éviter l'irréparable sans reconnaître le nouveau pouvoir. Trotski lui-même accepte le maintien de ces contacts afin de ne pas être réduit à une négociation trop inégale. En fait, chacun des deux camps s'efforce, en la fin d'année 1917, de préserver, voire d'augmenter les avantages d'une situation anarchique avec la conviction partagée que l'on assiste à la fin de l'ancienne puissance russe.

La réalité russe paraît, en effet, conduire inévitablement à cette conclusion. L'armée russe n'existe plus, la démobilisation effective répondant à la massive désertion des soldats, au demeurant très politisés et énergiquement hostiles à toute prolongation de la guerre. L'administration, les cadres techniques ou économiques pratiquent l'absentéisme ou la passivité devant des ordres gouvernementaux jugés dangereux ou inapplicables. La désorganisation des transports dans l'immense Russie contribue à renforcer les divisions régionales ; les volontés de séparatisme vis-à-vis de Moscou (devenue capitale le 14 mars 1918) peuvent désormais se fonder sur le droit des peuples à l'autodétermination. Enfin, coiffant le tout, la multiplicité des petits pouvoirs locaux (Soviets ou Comités) avant tout préoccupés par le sort de la terre, du travail en usine et du ravitaillement en ville conduit à un affaiblissement momentané du patriotisme à l'échelle globale ; l'Empire russe a bien cessé d'exister. Dès le printemps 1918, les débuts de la guerre civile en marqueront les premières fractures.

Ce contexte permet de mieux comprendre le jeu mené par les autres puissances vis-à-vis des terres de l'ex-Empire pendant l'hiver 1917-1918. En apparence, les négociations de Brest-Litovsk entre les délégués des Empires Centraux, placés sous l'autorité du général allemand Hoffmann et la délégation soviétique conduite en décembre par Ioffé, en janvier-février par Trotski lui-même, semblent devoir régler le destin de la Russie (et du même coup le sort de la guerre). Pendant près de trois mois, les discussions de Brest-Litovsk paraissent enlisées dans des déclarations de pure propagande bolchévique sur la fraternisation, les principes nouveaux (les populations concernées par les annexions devraient pouvoir décider de leur sort librement, sans présence de troupes étrangères sur leur sol) et dans des manipulations des représentants des nationalités non-russes par les délégués des Empire Centraux (surtout vis-à-vis de la Rada ukrainienne). Cette façade, qui dure, dépend des calculs allemands : ceux-ci préparent la carte de guerre par des discussions gouvernementales avec les industriels, les partis, les militaires et surtout par des négociations interalliées avec les Austro-Hongrois et les Ottomans. Lorsque l'accord est réalisé au sein des Empires Centraux, le général Hoffmann tape sur la table (ultimatum du 18 janvier 1918), puis, après avoir « toléré » un temps de réflexion chez les Bolchéviks, pendant lequel il conclut un accord décisif avec les nationalistes ukrainiens, il revient à la charge brutale le 10 février 1918 : ou bien les Bolchéviks admettent la séparation de l'Ukraine, de la Pologne, des pays Baltes, de la Finlande d'avec la Russie, plus des rectifications de frontières en Biélorussie, la perte de Kars, Batoum et Ardahan sur les frontières turques, donc un recul territorial considérable, ou bien les armées allemandes reprennent le combat.

Les Bolchéviks sont divisés sur la réponse à apporter à cet ultimatum : Lénine, conscient de l'impuissance militaire russe, est prêt à l'accepter afin de gagner du temps et d'attendre ainsi l'inévitable révolution prolétarienne en Allemagne ; à l'inverse, Bukharin et l'aile gauche veulent reprendre le combat en procédant à une levée en masse, première étape d'une véritable guerre révolutionnaire en Europe ; enfin, Trotski, également conscient de l'impuissance militaire russe, donc prêt à une démobilisation générale, mais comptant sur une fraternisation des troupes, propose de répondre par un retrait du conflit, sans faire ni la paix ni la guerre. La majorité des Soviets est portée à suivre la voie tracée par Bukharin ; le gouvernement de Lénine tente de gagner du temps, tout en sondant les intentions des Alliés, pour le cas d'une reprise du conflit ; mais le 18 février, décidé à en finir, l'Etat-major allemand fait avancer les troupes allemandes en direction de Petrograd. C'est pour l'armée allemande une promenade militaire en chemin de fer ; le sursaut révolutionnaire n'a pas lieu. Aussi, le Comité Central du parti bolchévik finit par se ranger à l'avis de Lénine (7 voix contre 6 et 1 abstention), Trotski lui-même l'ayant rejoint. Les exigences allemandes, encore accentuées, sont acceptées le 23 février. Le 3 mars 1918, une délégation soviétique menée par Sokolnikov (Trotski ayant démissionné de son poste aux Affaires étrangères) revient à Brest-Litovsk pour signer le traité qui consacre la défaite militaire russe. Ainsi, au lieu d'une diplomatie nouvelle, on aboutit à la conclusion « classique » d'une guerre : le vainqueur impose sa dure loi au vaincu.

Naturellement, en façade, les gouvernements alliés considèrent ce « honteux traité » comme nul et non avenu. Les « traîtres » bolchéviks, à la solde de l'Allemagne depuis longtemps, ont jeté le masque ; aucun compromis ne peut plus officiellement intervenir avec ceux, qui, en outre, fin janvier 1918, avaient décidé de répudier les dettes de l'ancien régime tsariste. En réalité, la stratégie des Alliés en Russie demeure beaucoup plus complexe. Deux objectifs majeurs sont recherchés :

1. empêcher l'Allemagne et ses alliés de se ravitailler en blé, bois, chevaux, pétrole, avec, si possible, la reconstitution d'un second front ;

2. poursuivre la politique de démembrement de l'ex-Empire tsariste en appuyant certains mouvements nationaux décidés à quitter la tutelle russe.

L'application concrète de ces objectifs est délicate, car il faut faire des choix entre les divers groupements, partis, gouvernements, chefs militaires, chefs de bande, aventuriers qui profitent de l'anarchie générale pour essayer d'imposer leur autorité ici où là. De plus, les missions militaires alliées et les ambassades ne suivent pas toujours les mêmes vues, tout en gardant une large autonomie d'action par rapport au pouvoir central, tant il est difficile d'entretenir des relations (même télégraphiques) avec ce dernier. D'où une multiplicité d'initiatives qui finissent par rendre incompréhensible la stratégie globale de chacun.

A s'en tenir aux lignes générales qui paraissent avoir marqué la volonté des gouvernements alliés, on peut retenir trois faits essentiels :

1. La rupture avec les Bolchéviks intervient vraiment en avril 1918, et la préparation des interventions alliées en Russie débute en mai ; auparavant, on se demandait si un certain soutien aux Bolchéviks ne permettrait pas de faire peser une certaine menace sur les adversaires allemands.

2. L'appui aux groupes politiques anti-bolchéviks s'est fait progressivement, sans que l'on distingue clairement entre les diverses tendances des « Blancs », quitte à être pris dans la contradiction d'une aide équivalente envers ceux qui veulent reconstituer la Grande Russie au nom du nationalisme russe, et envers ceux qui entendent scinder l'ex-Empire en territoires autonomes, voire indépendants.

3. La sauvegarde des intérêts économiques a conduit à privilégier le « découpage » de la Russie en zones d'influences ; une convention de partage est signée le 23 décembre 1917 à Paris entre Français et Britanniques à l'issue d'une brève discussion (zone anglaise : territoires du Caucase et territoires Cosaques, zone française : Bessarabie, Ukraine, Crimée). Elle oriente une répartition des tâches futures, élargies aux Américains et Japonais, prêts à l'intervention en Sibérie ; elle marque surtout la volonté réciproque des Anglo-Français d'implanter leur toute puissance économique, qui dans le Caucase (pétrole, cuivre), qui en Ukraine (mines du Donetz, hauts fourneaux et métallurgie).

Les impérialismes économiques sont plus que jamais vivants en Russie. Ils s'inscrivent dans la tradition des rapports de force entre la Russie et les grandes puissances. La diplomatie du gouvernement bolchévik voulait créer un monde nouveau. En avait-elle les moyens ?

L'intervention américaine dans la guerre

Le 31 janvier 1917 l'Allemagne a annoncé son intention de mener la guerre sous-marine à outrance. Le 3 février les Etats-Unis rompent leurs relations diplomatiques avec l'Allemagne. Trois mois plus tard, le 2 avril 1917, le Congrès américain vote la déclaration de guerre à l'Allemagne à la demande du Président W. Wilson, réélu en novembre 1916, sur le slogan : « Il nous a maintenu en dehors de la guerre »[1]. La masse américaine, réputée pacifiste dans sa majorité, approuve une décision qu'elle eut trouvée scandaleuse six mois plus tôt. Pourquoi un tel renversement d'opinion et une telle décision ?

La guerre sous-marine à outrance qui coûte trois bateaux de commerce à la flotte américaine en mars 1917, avait sans aucun doute ulcéré l'opinion d'outre-Atlantique, fournissant à Wilson une bonne occasion d'intervention. Déjà en 1916 le budget naval en très forte augmentation afin de renforcer la sécurité du commerce américain avait marqué la volonté du pays de se faire respecter. Mais il a fallu davantage pour obtenir la décision de Wilson. Le 24 février 1917, l'Intelligence Service britannique transmet au Président Wilson le texte d'un télégramme officiel allemand, qu'il a déchiffré, adressé par le ministre allemand Zimmerman à l'ambassade allemande à Mexico. Le Mexique est alors déchiré par la guerre civile (cf. p.51), mais le désir mexicain de récupérer des territoires conquis par les Yankees en 1845 est général. En offrant son aide aux Mexicains pour réaliser cet objectif, l'Allemagne entend faire peser une menace sur les Etats-Unis et les inciter ainsi à garder l'Amérique centrale comme pivot de leur politique extérieure, donc à s'écarter d'une intervention en Europe. La publicité donnée par Wilson à ce télégramme, le 1er mars, a un effet contraire à celui escompté par les Allemands, car la menace germano-mexicaine frappe l'orgueil américain notamment dans l'Ouest, et pousse l'opinion publique américaine à réagir violemment.

---

1. La guerre avec l'Autriche-Hongrie sera votée seulement en décembre 1917. L'Empire Ottoman et la Bulgarie ne seront jamais en guerre avec les Etats-Unis.

Enfin et surtout, le contexte financier et commercial conduit vers l'intervention. Même si la presse américaine n'a pas été « payée » par certaines banques (dont la banque Morgan) pour déclencher une campagne de presse interventionniste, de même que les efforts des ambassades alliés pour obtenir un semblable effet ont été limités (l'ambassadeur de France à Washington, Jusserand, habile, suggère de laisser l'opinion américaine évoluer d'elle-même), il reste que la solidarité financière entre les Alliés et les Américains incite les créanciers à soutenir leurs débiteurs ; d'autant plus que le moment paraît venu pour se servir de la dépendance alliée à des fins politiques et économiques. De plus, le marasme des affaires qui semble suivre l'engorgement des ports américains devant les risques accrus de la guerre sous-marine, affecte aussi bien les exportateurs des céréales du Middle-West que les planteurs de coton du sud. En bref, la payante neutralité antérieure oblige désormais à aller plus loin dans le soutien aux alliés : il faut s'associer à leur destin, sinon à leurs buts de guerre. On le peut d'autant mieux que la Russie tsariste ayant, à cette date, laissée la place à une Russie démocratique, l'engagement américain peut se parer d'une auréole de vertu : l'Amérique rejoint la croisade des démocraties contre les régimes agressifs et autoritaires. Dans un pays où la morale se mêle souvent à la politique, un tel idéalisme a du poids.

Le secours que les Etats-Unis peuvent alors apporter à leurs Alliés, se situe à quatre niveaux différents. Moralement, l'effet psychologique est considérable car la puissance américaine redonne espoir à des peuples fatigués. Physiquement, comme force militaire, l'impact demeure limité puisque l'armée américaine compte environ 200 000 hommes, qu'il faut pouvoir transporter en Europe, pour partie seulement (environ 50 000 hommes, peu entraînés) ; seule la flotte de guerre peut immédiatement collaborer avec la flotte britannique. L'organisation d'un efficace corps expéditionnaire, décidée au moment de la mission du maréchal Joffre aux Etats-Unis (fin avril-mi-mai 1917, en compagnie du ministre R. Viviani) dépend de la conscription (qui n'existait pas), des moyens techniques en armement, des transports et de l'instruction à donner à ces troupes ; il faudra *au moins* six mois pour combler les criants vides d'effectifs dans l'armée française. Aussi sont-ce surtout les appuis économique et financier qui apporteront rapidement leurs effets. De fait, au bout de six mois, le bilan de ces appuis est considérable : par exemple, la France qui avait emprunté 650 millions à 6 % ou 7 % d'intérêt entre août 1914 et mars 1917, a obtenu en huit mois un milliard au taux de 4 1/2 % ; « elle a reçu plus qu'elle n'avait le droit d'espérer » déclare à un journal français, André Tardieu, chargé des achats français aux Etat-Unis. Mais le même homme écrit à son gouvernement des lignes autrement importantes : « Les Américains sont d'une bonne foi absolue dans leur désir d'aider les Alliés et spécialement nous. Mais ils entendent être les maîtres de cette aide. En toute matière, finances, tonnage, blocus, ils ont le sentiment exact de l'énormité du concours qui leur est demandé par nous, les Alliés, et ils veulent avoir un rôle correspondant. C'est pour cela qu'à défaut d'une organisation interalliée, ils refusent de prendre des engagements pour l'avenir au sujet de leurs avances de fonds aux Alliés. » (fin octobre 1917) (cité par A. Kaspi). Les Européens commencent à mesurer la signification réelle du concours de ce jeune et lointain concurrent.

En juillet 1917, Wilson écrit au colonel House, secrétaire d'Etat aux Affaires étrangères : « l'Angleterre et la France n'ont aucunement les mêmes vues que nous sur la paix. Quand la guerre sera finie, nous pourrons les forcer à suivre notre manière de penser, car à ce moment, ils seront parmi d'autres choses, financièrement dans nos mains ». Wilson et les Etats-Unis ne sont donc pas entrés en guerre pour soutenir les buts de guerre des Alliés, mais pour répondre à leur propre stratégie.

Les Etats-Unis en Amérique latine

Depuis le début du siècle, celle-ci peut être caractérisée par la formule de D. Artaud, « L'Aigle déploie ses ailes ».

L'impérialisme yankee[1] a véritablement commencé à se développer avec et après la guerre contre l'Espagne à propos de Cuba (cf. livre I, p. 180). Dans le Pacifique et surtout en Amérique centrale des territoires « protégés » marquent une extension rapide de la puissance américaine qui peut compter, en outre, sur une flotte en constante progression (6e rang mondial en 1899, 2nd rang en 1907 derrière la Grande-Bretagne). L'influence de l'amiral Mahan, persuadé que l'avenir des grandes puissances dépend de leur potentiel naval (*The Influence of Sea Power upon History*), est large sur les dirigeants politiques de son pays. Entre 1907 et 1914, 16 à 19 % des dépenses de l'Etat sont consacrées à la flotte. Mais les intérêts économiques et financiers contribuent encore plus fortement à la politique du « big stick » préconisée par le président Th. Roosevelt en 1903-1904. « La destinée manifeste des Etats-Unis » (expression utilisée en 1912 par le secrétaire d'Etat E. Root) étant de « contrôler le destin de toute l'Amérique », pour réaliser cette « mission », tantôt la diplomatie est employée (conférences des Etats d'Amérique à intervalles plus ou moins réguliers entre 1889 et 1910), tantôt on recourt à l'usage de la force. Celle-ci est spécialement appliquée à la zone de l'Amérique centrale et des Caraïbes. Détenteurs d'une large façade maritime sur la « Méditerranée américaine » (zone comprise entre l'arc des îles Caraïbes à l'est, les côtes vénézuelienne et colombienne au sud, Amérique centrale et Mexique à l'ouest), les Etats-Unis considèrent comme une zone vitale de leur sécurité ces eaux sur lesquelles passent des routes maritimes essentielles, surtout depuis que le canal de Panama a été achevé par leurs soins (au moment même des débuts de la guerre en Europe, le 3 août 1914). La géostratégie tout comme les investissements des compagnies américaines dans les mines, les cultures de plantations (bananes, canne à sucre, café) ou les prêts financiers aux Etats endettés d'Amérique latine, explique le recours de plus en plus fréquent aux actions de police, punitive ou préventive, des « marines ». « Le corps des fusiliers marins était devenu le corps des professionnels de la géographie politique pratique dans la zone des Caraïbes » (L. Manigat).

Jusqu'en 1912 ces actions étaient ponctuelles et limitées en durée. Ensuite le procédé devient permanent, au moins dans trois cas, au Nicaragua, en Haïti, à Saint-Domingue. Les interventions se font de la même manière et pour les mêmes causes : des troupes yankees sont débarquées pour rétablir l'ordre dans des Etats à pouvoir politique faible et contesté, pour protéger les vies et les intérêts des ressortissants américains ; puis elles demeurent en permanence pour assurer une certaine légalité et une exploitation certaine du sol et du sous-sol. Ainsi le Nicaragua entre juillet 1912 et 1924, Haïti entre décembre 1914 et 1934, la République dominicaine entre mai 1916 et 1924, deviennent de fait des « colonies » des Etats-Unis, même si des pouvoirs locaux sont tolérés pourvu qu'ils obéissent à Washington. Ces interventions suscitent des réactions nationalistes un peu partout en Amérique latine ; la « yankeephobie » est fort répandue sur ce continent car il s'y mêle frustration, humiliation, intérêt matériel, ressentiment social, politique et même rejet culturel par des Latins d'une américanisation à l'anglo-saxonne. Cependant ce malaise inter-américain est impuissant pour empêcher les liens politiques et économiques de se renforcer entre les « Gringos » (surnom donné aux Yankees par les Mexicains) et les Etats au sud du Rio Grande.

---

1. Nous utilisons ce terme pour éviter la confusion rendue possible par l'usage du mot « américain », qui peut s'appliquer aussi bien aux U.S.A. qu'au continent américain.

Le Mexique lui-même, plus vaste, plus peuplé, a dû subir l'humiliation de deux interventions militaires, à Vera Cruz en 1914, dans le nord du pays en 1916 (colonne du général Pershing en réponse à une provocation du chef révolutionnaire Pancho Villa). Malgré sa révolution, qui exalte les fibres patriotiques, l'emprise du capitalisme yankee s'accentue au Mexique pendant la guerre. Il semble exister une singulière contradiction entre les réactions humaines des révolutionnaires mexicains vis-à-vis des Gringos et le renforcement des investissements américains dans ce pays. D'un côté, la formule « Le Mexique aux Mexicains » est un mot d'ordre général chez tous les révolutionnaires, qu'ils suivent le « vainqueur » de 1911, Madero, son successeur-assassin le général Huerta, ou le nouveau vainqueur le général Carranza (1914-1920) ; plus de 500 Yankees sont assassinés au Mexique entre 1910 et 1919, soit 2,7 % de la colonie yankee ; manifestations sanglantes d'un sentiment populaire qui trouve sa logique politique tant dans le plan prévu en février 1915 pour reprendre aux U.S.A. les provinces perdues en 1845 (Texas, sud-californien, Nouveau-Mexique), que dans les articles de la Constitution, promulguée en 1917 à Queretaro, selon lesquels le sous-sol national est propriété directe et inaliénable de l'Etat qui peut accorder des concessions aux seuls, nationaux (on comprend pourquoi le gouvernement allemand pouvait mieux envisager un accord avec les révolutionnaires mexicains). Les investisseurs yankees qui avaient fait du Mexique leur principale zone de placements externes avant 1914, notamment pendant le gouvernement autoritaire du général Porfirio Diaz, continuaient d'y placer des capitaux (1,44 milliard de dollars en 1914, 1,55 milliard en 1919). Certes le rythme des investissements faiblissait par comparaison avec le rythme des placements plus au sud en Amérique latine et aux Caraïbes (la part du Mexique dans les investissements externes américains passe de 41 % en 1914 à 35 % en 1919), mais cette situation provenait surtout de l'accélération rapide des investissements sud-américains en général (2 929 millions de dollars placés en 1914 dans toute l'Amérique latine, soit 83,3 % de tous les investissements externes yankees, 4 394 millions en 1919, soit 63,1 % du même total). Partout, malgré la yankeephobie et la volonté proclamée de développer l'économie nationale, au Brésil, en Argentine, au Chili, le capitalisme venu du grand voisin du nord renforçait son emprise. La guerre mondiale accentuait le phénomène de la dépendance économique.

Les avantages de la neutralité américaine à l'échelle du continent renforçaient en effet les liens entre le nord et le sud de l'Amérique. Les puissances européennes, empêtrées dans la guerre, n'ont plus la même capacité de peser vraiment sur ces pays ; même la toute puissante Angleterre doit solder des achats massifs de nourriture par des ventes de titres et, *a fortiori,* ne peut plus y investir. Les profits considérables des exportations de céréales, viandes, cuivre, plomb, textiles, permettent une relance de l'industrialisation dans certains Etats d'Amérique du sud, mais les capitaux locaux demeurent insuffisants ; seuls les investissements yankees sont en mesure de répondre aux besoins de l'Amérique latine. En même temps, les circuits commerciaux de cette région se réorganisent au profit des Etats-Unis qui, par leur flotte agrandie, leur solide monnaie, leur système bancaire plus ouvert, s'imposent partout. En mai 1915, une Conférence financière pan-américaine se tient à Washington ; elle consacre la nouvelle orientation de la banque yankee, désormais présente dans tout le continent et mieux adaptée au commerce international. Les résultats sont éloquents :

TABLEAU 1

Commerce de l'Amérique latine	en % (par rapport au total)		Investissements externes venus des U.S.A.				
	1913	1919		1914		1919	
Venant des U.S.A.	25 %	48,7 %					
Allant aux U.S.A.	30,7 %	44,5 %	Directs	1 281	M. $	1 984	M. $
Venant des 3 Grands*	49,2 %	18,8 %	Portefeuille	1 648	M. $	2 410	M. $
Allant vers les 3 Grands*	41,5 %	30 %	Total	2 929		4 394	

* Les 3 grands européens : G.B., Allemagne, France. (M. = millions).

Au total, lorsque les Etats-Unis entrent dans la guerre, ils ont déjà pu assurer une réelle hégémonie sur le continent américain et partiellement sur le Pacifique. Incontestablement ils sont devenus une grande puissance impériale, *régionale*. Vont-ils et veulent-ils devenir une grande puissance *mondiale*?

En 1917, le président W. Wilson a déjà bien compris le rôle de leader du nouveau monde qu'il aura à jouer en Europe, et ailleurs, après la guerre. S'il se refuse encore à trancher dans le règlement futur des litiges territoriaux (y compris sur l'Alsace-Lorraine), en bornant le conflit contre l'Allemagne à une lutte contre le gouvernement impérial qu'il juge inspiré par le militarisme prussien, le Président, fort préoccupé par les événements de Russie, est déjà résolu à être le champion d'une nouvelle politique internationale fondée sur de grands principes moraux. L'idée d'une Société des nations existe : « elle sera le résultat d'une évolution plus que d'une création par une convention formelle » écrit-il.

La guerre va-t-elle faire accoucher d'une autre diplomatie ?

La victoire et la paix — 1918-1919

La Diplomatie Wilsonienne

Le 8 janvier 1918, le Président Wilson adresse un message public au Congrès. Ce message constitue une réponse aux déclarations des porte-paroles des Empires Centraux sur les buts de la guerre et les bases d'une paix générale ; il est prononcé alors que les négociations de Brest-Litovsk se déroulent et que « les représentants de la Russie ont insisté fort justement, fort sagement et dans le véritable esprit de la démocratie moderne, pour que les conférences qu'ils tenaient avec les hommes d'Etat allemands et turcs eussent lieu toutes portes ouvertes et non à huis clos ». Aussi le Président insiste-t-il pour que « la procédure de paix, une fois ouverte, soit conduite au grand jour, qu'elle ne comporte ni ne tolère désormais aucun accord secret d'aucune sorte ». Non sans grandiloquence, Wilson énumère ensuite les 14 conditions qui constituent le programme de la paix du monde, « le seul possible selon nous ».

Sans vouloir énumérer « les 14 points », il est indispensable de citer, dans l'ordre, les propositions wilsoniennes élaborées sans consultations réelles avec ses « associés », les Alliés. D'abord 5 points généraux, de principe : diplomatie ouverte et au vue de tous, liberté absolue de navigation sur mer en temps de paix comme en temps de guerre, suppression des barrières économiques et conditions commerciales égales pour tous, réduction des armements à un minimum compatible avec la sécurité intérieure, arrangement de toutes les revendications coloniales selon le principe d'un intérêt égal pour les populations concernées et pour les titres à faire valoir par les gouvernements protecteurs. Suivent ensuite 8 points précis concernant des sujets de litiges : évacuation de toute le territoire russe en vue de laisser la Russie décider souverainement, « en pleine indépendance », de son organisation nationale et de ses institutions (à noter que le point 6 traitant de la Russie, est le plus long), restauration de la Belgique comme Etat souverain, « acte réparateur » et « armature du droit international », libération de tout le territoire français y compris de l'Alsace-Lorraine rendue à la France, rectification des frontières italiennes selon les données du principe des nationalités, possibilité d'un développement autonome des peuples d'Autriche-Hongrie dont il faut assurer la place parmi les nations, reconstitution comme Etats indépendants de la Roumanie, de la Serbie (avec un accès libre à la mer) et du Monténégro, souveraineté et intégrité aux régions turques de l'Empire ottoman avec un libre passage dans les Dardanelles tandis que les autres « nations » de cet Empire se verront garantir leur existence et un développement autonome, création par un accord international d'un Etat polonais rassemblant les territoires habités par des populations indiscutablement polonaises (avec un libre accès à la mer). Le dernier point a trait à la constitution d'une « association générale des nations » pour garantir les indépendances politiques et les intégrités territoriales des petits comme des grands Etats. Le principe qui a fait « la trame de tout ce « programme » est celui d'une justice pour tous les peuples et toutes les nationalités.

A plusieurs reprises, plus tard, en février, en juillet, en septembre 1918, publiquement Wilson revient sur ces principes ou ces grands buts de la « nouvelle diplomatie ». En particulier le 4 juillet 1918, expliquant les quatre grands buts des peuples alliés (suppression de tout pouvoir arbitraire, règlement de toute question sur la base d'une libre acceptation des intéressés, règle de la loi juste et honorable dans les relations internationales, organisation de la paix devant un tribunal de l'opinion) Wilson en vient à opposer l'objectif de la diplomatie future avec celle d'hier : « Ce que nous poursuivons, c'est le règne de la loi basée sur le consentement des gouvernés et soutenue par l'opinion organisée de l'humanité. Ces grands buts ne peuvent être atteints par des discussions et des tentatives de conciliation et d'accommodements, d'ambitions d'hommes d'Etat, traçant à leur manière des projets d'équilibre des forces et de possibilités nationales ». Même en faisant la part nécessaire à la « propagande » alliée pour détacher les peuples des adversaires de leur gouvernement respectif, force est de constater que Wilson imprime un ton nouveau à la diplomatie, Clemenceau, avant de devenir chef du gouvernement français et futur négociateur de la paix de Versailles, ironisait en janvier 1917 sur l'idéalisme wilsonien : « il s'élance, d'un magnifique essor, par delà le temps et l'espace pour planer dans le vide au-dessus des choses qui ont l'infériorité d'être ».

En réalité, Wilson n'est pas un rêveur, prisonnier de chimères. A sa manière, il incarne et il exprime la puissance d'un Etat neuf, porté par sa situation géographique, par son développement économique et financier, par la composition bigarrée de sa forte population à jouer désormais un rôle mondial. Depuis des lustres, les puissances européennes avaient mené leur diplomatie vers la recherche d'équilibres plus ou moins stables entre elles, en fonction de leurs moyens en Europe, sans réelle perspective mondialiste puisque l'Europe était le centre du monde ; les menaces de guerre, les invasions, les occupations, les transferts de territoires, suscitaient des réactions immédiates (patrie en danger, provinces perdues ou retrouvées) sans que les peuples eussent besoin d'idéaux généraux pour être convaincus de leur devoir. Seule compte la grandeur de la Nation à laquelle ils appartiennent. Pour les citoyens du Nouveau Monde, il fallait d'autres raisons pour accepter d'aller se battre au loin, même si les principes avancés recoupaient, de fait, l'intérêt de leur propre nation.

Mais comment construire la paix sur des principes généraux alors que les succès et les défaites sur le terrain constituent les atouts majeurs ?

La conduite de la guerre en 1918

Au printemps 1918 la carte de guerre paraît toujours favorable aux Empires centraux.

Dans l'est de l'Europe, la Russie a été mise hors de combat et par voie de conséquence, la Roumanie a dû, elle aussi, signer l'armistice, non sans avoir profité de l'effondrement russe pour s'emparer militairement de la Bessarabie. Le 9 décembre 1917, l'armée roumaine cesse de combattre contre les Empires centraux (armistice de Foczani), mais le 10 janvier 1918, avec l'accord tacite des Allemands, la même armée occupe tout un territoire réuni à l'Empire russe depuis 1812 et considéré par les Roumains comme de peuplement purement roumain. Ce n'est pas le corps expéditionnaire franco-anglo-russo-italo-serbe installé au nord de la Grèce, de l'Albanie à la région de Cavalla, qui peut renverser la situation, malgré quelques petits succès locaux et la constitution progressive d'une nouvelle armée grecque, tant les enjeux politiques immobilisent les Alliés, aux vues divergentes quant au futur de cette région ; le général Sarrail remplacé en décembre 1917 par le général Guillaumat manquait sans doute de souplesse pour diriger une coalition assez hétéroclite, mais la faiblesse des moyens mis en œuvre, face à la solide armée bulgare et aux austro-allemands expliquait la démoralisation de l'armée d'Orient.

Le moral en Italie ne va guère mieux, car la guerre d'usure menée sur le front des Alpes est meurtrière tandis qu'à l'arrière, les restrictions pèsent lourdement sur des Italiens entrés souvent à contre cœur dans la guerre. La lassitude a conduit à la débandade lorsqu'une forte offensive austro-allemande a enfoncé fin octobre 1917 l'extrêmité orientale du front (désastre de Caporetto). Certes, les renforts franco-britanniques envoyés sur le front de la Piave ont marqué la solidarité alliée envers l'Italie, qui se reprend pendant l'hiver 1917-1918, mais qui reste sur la défensive.

Dès lors, le sort de la guerre dépend essentiellement du front établi en France. Trois facteurs semblent avoir été décisifs pour expliquer, d'une part, l'échec de l'offensive allemande, qui a débuté le 21 mars 1918 pour se trouver définitivement enrayée en juillet (non sans avoir obtenu des succès marqués, notamment en mai-juin), d'autre part, la capacité des Alliés de reprendre l'initiative des opérations pendant l'été 1918, aboutissant à une offensive généralisée au début de l'automne. Tout d'abord, grâce à l'arrivée de plus en plus forte des troupes américaines (300 000 hommes début avril, 618 000 au 1er juin, 1,2 million d'hommes le 10 août, 1,8 million début novembre) et malgré le transfert de troupes allemandes de la Russie vers l'occident, le rapport numérique des forces en présence a changé au profit des Alliés pendant l'été 1918. A l'automne 1918, le général Ludendorff conscient de l'incapacité allemande à engager de nouveaux renforts, en tire argument pour proposer à son gouvernement de rechercher une solution négociée au conflit. Ensuite, la guerre de matériel est gagnée par les Alliés, capables d'acquérir une supériorité décisive en avions et en blindés, et sur le long terme, assurés d'un meilleur ravitaillement, grâce à leur victoire dans la guerre sur mer (à partir d'avril 1918 les pertes alliées sont inférieures aux constructions nouvelles). Enfin, et surtout, la mise sur pied d'une véritable centralisation dans la direction des opérations, sous la conduite du général Foch et du Conseil de guerre interrallié, a permis de donner une organisation commune à la coalition alliée. En fait, ce sont les deux crises militaires majeures (effondrement de Caporetto, fin octobre 1917, rupture du front franco-britannique, fin mars 1918) qui ont contraint les Alliés à rationaliser leur effort de guerre. A Rapallo, le 7 novembre 1917, est créé un Conseil Supérieur de guerre, puis sur la proposition du ministre français du commerce, Clémentel, un Conseil Allié des Transports Maritimes (novembre 1917) après de délicates négociations inter-alliées. La coalition prend vraiment forme, mais il faut encore la terrible menace allemande pour que le général Foch, nommé le 1er février président d'un Comité Exécutif sans réelle autorité, reçoive à Doullens le 26 mars le commandement conjoint des armées britannique et française, le 3 avril à Beauvais la direction stratégique du front occidental (donc y compris l'armée américaine, restée autonome) ; le 2 mai à Abbeville les pouvoirs sont étendus au front italien. Désormais la coalition militaire a une tête.

A-t-elle une âme ? Les apparences sont trompeuses. Dans les quatre grands Etats en guerre, la direction politique du pays a été confiée à des responsables également décidés à mener une guerre victorieuse.

On a vu dans quelles conditions, en décembre 1916, David Lloyd George est devenu Premier ministre ; à son autoritarisme renforcé par la concentration des pouvoirs au sein d'un War Cabinet de 5 membres, répond celui de Georges Clemenceau, appelé par le Président de la République Poincaré à former le gouvernement le 16 novembre 1917. Comme Lloyd George, Clemenceau concentre l'action gouvernementale entre ses mains, à la tête d'une poignée de collaborateurs ; il sait se créer une réelle popularité chez les Français par la manifestation d'une volonté farouche. Celle-ci semble se retrouver en Italie chez Vittorio Orlando, le chef du gouvernement formé au moment du désastre de Caporetto (30 octobre 1917), qui lutte avec énergie contre les pacifistes et les neutralistes. Enfin Woodrow Wilson lui-même répète volontiers qu'il entend mener la guerre à son terme et qu'il n'acceptera ni compromis, ni marché avec l'adversaire. Donc il existe une volonté commune de gagner. Mais pour réaliser quelle paix ?

On a déjà analysé la stratégie wilsonienne. Les trois autres chefs de gouvernement ont des conceptions opposées ; aux yeux des Américains, ce sont des « cyniques » ou des « réalistes » avant tout décidés à assurer à leur pays « la domination sur le monde » et non une « paix démocratique ». En vérité, les divergences ne proviennent pas seulement des différences de caractère de ces personnalités, mais tout à la fois des concepts dominants chez des Européens formés à la vie internationale à la fin du XIXe siècle[1], des traditions de politique extérieure de leur Etat et surtout du maniement récent du principe des nationalités pour obtenir la victoire.

Hommes politiques et diplomates européens ont sans doute compris certains effets de la guerre, mais leur stratégie et leur tactique obéissent toujours à quelques principes antérieurs dominants : sécurité nationale par la force militaire, primauté des données géostratégiques sur mer et sur terre, confusion des intérêts économiques avec les intérêts politiques, cohésion de l'opinion publique. En outre, chaque dirigeant garde l'idée que le destin de son pays repose sur un ou deux axiomes évidents : suprématie maritime et Empire colonial pour les Britannique (d'où l'hostilité de Lloyd George envers la proposition wilsonienne de « liberté des mers »), sécurité sur le Rhin pour le Français (d'où le problème de la rive gauche du Rhin), réalisation complète de l'unité nationale pour l'Italien (d'où le délicat problème des rives de

---

1. En 1918, Clemenceau a 77 ans, Wilson 62 ans, Orlando 58 ans, Lloyd George 55 ans.

l'Adriatique). Ce « conservatisme » se double enfin d'une forte contrainte : la victoire de 1918 est autant due à la capacité militaire des Alliés qu'à leur exploitation du puissant sentiment nationaliste en Europe et au Moyen-Orient.

Le détonateur nationaliste

Trois Empires étaient entrés en guerre avec des profonds germes de discorde nationale : l'Autriche-Hongrie, la Russie, l'Empire ottoman. Certes, en un premier temps, l'unité avait parue sauvegardée, soit volontairement (cf. les Slaves de l'Empire Austro-Hongrois, les Musulmans, Finlandais, Ukrainiens, de la Russie) soit par contrainte (cf. la terrible répression ottomane contre les Arméniens en 1915). Mais, peu à peu la durée de la guerre avait modifié cette situation ; dès 1915 la Grande-Bretagne jouait la carte « arabe » dans le sud-Ottoman (cf. p. 29), tandis que tous les belligérants concernés s'efforçaient d'obtenir l'adhésion des Polonais à leur camp par des promesses d'indépendance pour l'après-guerre. Cependant, au centre de l'Europe, jusqu'en 1917, le problème des minorités nationales ne semblait guère avoir progressé : les gouvernements de Vienne et de Budapest restaient hostiles à tout changement, les Alliés toléraient plus qu'ils n'approuvaient les déclarations d'indépendance d'émigrés tchèques, serbes, croates, polonais etc., au demeurant divisés au sein même de leur propre minorité.

Les révolutions russes de 1917 devaient profondément modifier cette situation. D'une part, comme on l'a vu, les principes d'auto-détermination admis par les révolutionnaires russes permettaient à de nombreux allogènes de se libérer de la tutelle russe ; d'autre part, la guerre civile, qui débutait au printemps 1918, allait conduire les belligérants étrangers à user des mouvements d'indépendance en Russie dans leur propre intérêt. Ainsi les Finlandais, les Baltes, les Ukrainiens, les Géorgiens, les Musulmans du Caucase recevaient en 1918 le soutien politique et militaire des Allemands ou des Turcs. Cette politique favorable aux minorités n'empêchait pas Berlin de mener une autre politique favorable (avec modération) aux Bolchéviks, marquée par de nouveaux traités (accord du 28 août 1918 qui consacre la séparation définitive de nombreux territoires allogènes d'avec la Russie, impose à la Russie bolchévique une indemnité de guerre de 6 milliards de roubles, mais garantit l'intégrité du reste du territoire russe et amorce un rapprochement germano-russe). De leur côté, les Alliés jouaient les cartes ukrainienne, géorgienne, cosaque, arménienne, sibérienne lorsqu'ils décidaient d'intervenir aux côtés des Blancs, malgré les réserves de Wilson, fort inquiet de l'intervention japonaise dans l'Extrême-Orient sibérien. Mais, à jouer ainsi avec les tendances centripètes des diverses minorités, ne risquait-on pas de susciter de redoutables conflits dans le futur ?

L'exemple du double soutien britannique aux Arabes et aux Juifs de Palestine (lettre de Balfour à Lord Rothschild, le 2 novembre 1917, envisageant favorablement l'établissement en Palestine d'un « foyer national pour le peuple Juif ») est typique de ce « maniement » dangereux d'aspirations nationales antagonistes. A court terme, on cherche à acquérir des concours, à long terme, on se lie les mains.

L'exemple de l'Autriche-Hongrie est particulièrement éclairant à cet égard. Jusqu'en fin 1917, les Alliés avaient été prudents vis-à-vis des revendications des allogènes de cet Empire (sauf pour les Polonais). En préservant le dualisme austro-hongrois, les Alliés espéraient faciliter les offres de paix séparée qui semblaient pouvoir l'emporter dans cet Empire, au bord de la famine. Si les propositions de paix du nouvel Empereur Charles (il a succédé à François-Joseph en novembre 1916) transmises par un parent, le prince Sixte de Bourbon-Parme (mars-avril 1917) ont échoué, elles ne marquent pas la fin de discrets sondages entre l'Empereur Charles et les Alliés (août et décembre 1917, février 1918). En définitive, le choix des Alliés intervient seulement au printemps 1918 lorsque l'Empereur, pressé par les responsables autrichiens et hongrois, finit par refuser de satisfaire aux revendications nationales dans son Empire. Désormais les gouvernements alliés vont accorder leur soutien aux groupements « indépendantistes », réfugiés à l'étranger. Ceux-ci en effet ne se contentent plus d'une autonomie, mais instruits par l'exemple russe, ont décidé d'obtenir la constitution d'Etats indépendants.

L'exemple de l'évolution des respondables tchèques est typique. Jusqu'au printemps 1917, Thomas G. Mazaryk et Edouard Bénès qui prônaient l'indépendance, avec l'appui anglo-français, n'étaient pas soutenus par la majorité de la Ligue tchécoslovaque, et encore moins par les députés tchèques au Reichstag de Vienne, qui en mai 1917 évoquent seulement un nouveau statut à l'intérieur de l'Empire. Pendant l'année 1917, l'entente se fait peu à peu au sein des diverses tendances tchèques, depuis les écrivains jusqu'aux leaders sociaux-démocrates longtemps inspirés par les positions théoriques des « penseurs viennois » (Otto Bauer ou Karl Renner). Les ex-prisonniers de guerre tchèques, libérés par la révolution russe, constituent même une nouvelle armée capable de jouer un certain rôle militaire et sont donc « courtisés » par les Alliés (en réalité, ils mettront des mois à quitter la Russie, via la Sibérie et Vladivostock !). En janvier 1918, la revendication d'une Tchécoslovaquie indépendante devient la loi pour tous. Soutenus par des intellectuels français, comme Ernest Denis ou Emmanuel de Martonne, appuyés par une presse occidentale « orientée » (cf. *Le Temps*), encouragés par les anti-cléricaux qui voient dans l'Empire austro-hongrois le principal soutien du catholicisme en Europe (le rôle de la Franc-maçonnerie semble avoir été important), les « nationaux » tchèques préparent l'opinion à la désagrégation de l'Autriche-Hongrie.

En juillet 1918, un Comité National est constitué avec à sa tête Kramař, héros de l'indépendance (en fait, pendant longtemps celui-ci a suggéré la solution d'un Empire pan-slave constitué par l'Empire russe et des Royaumes slaves en Europe orientale) ; sous l'impulsion de Mazaryk, qui a obtenu le ralliement des émigrés slovaques établis aux U.S.A. à l'idée d'une Tchécoslovaquie unie (mai 1918), la constitution géographique du nouvel Etat est préparée sans trop se soucier des réelles limites ethniques puisqu'il est prévu d'englober des minorités allemandes, hongroises, polonaises, ruthènes (3 millions dans un Etat de 13 millions). L'argument essentiel qui est martelé auprès des Alliés par Bénès pour obtenir la reconnaissance du Comité comme gouvernement légal, consiste à souligner le caractère de stabilité qu'un tel Etat aura dans une Europe menacée par la révolution. Le 30 juin 1918 la France reconnaît le Comité National comme un gouvernement allié, imitée par la Grande-Bretagne en août, par les Etats-Unis et le Japon en septembre. Lorsque les armistices interrompent la guerre, le gouvernement tchécoslovaque « sans tapage » et « sans combat » (instructions de Bénès) fait occuper les territoires convoités afin de placer les Alliés devant des faits accomplis. Ainsi, avant même que les négociations de paix aient abouti à des décisions légales, le destin de cette partie centrale de l'Europe est fixé selon les vœux des « nationalistes » indépendantistes.

Tchèques et Slovaques ne sont pas seuls à agir. Ils sont rejoints par les Serbes, les Croates, les Slovènes, qui ont fini par surmonter leurs divisions ethniques à travers le projet d'un Etat yougoslave (compromis de Corfou entre Serbes et Croates en juillet 1917, ralliement slovène en mars 1918). Le destin de l'Autriche-Hongrie est ainsi scellé avant la fin du conflit. Fin mai 1918 Clemenceau, puis Wilson avait annoncé leur soutien aux aspirations nationales des peuples opprimés. Comment ensuite faire la paix sans tenir compte de ces choix ?

Le cas de la Roumanie est tout aussi éclairant. Battue militairement, la Roumanie a dû signer le 7 mai 1918 le « honteux » traité de Bucarest, qui instituait sur les pétroles et les communications du pays un véritable protectorat économique allemand, renforcé par un accord financier conclu le 8 août ; toute l'économie roumaine est liée aux Empires Centraux (esquisse d'un Mitteleuropa à tendance autarcique). Mais cette excessive intransigeance des vainqueurs suscite évidemment une réaction nationaliste chez les Roumains dont le sort dépend désormais des victoires alliées. Le Comité National Roumain formé par les émigrés est reconnu par les Alliés. Lorsque les armées bulgare, autrichienne et turque signent des armistices, les responsables politiques roumains organisent un peu partout des manifestations spectaculaires d'union nationale entre Roumains de Bessarabie, de Transylvanie, du Banat (novembre-décembre 1918) afin, eux aussi, de créer le fait accompli. Foch et les chefs militaires français placés à la tête des armées d'Orient les soutiennent, car seuls les Roumains paraissent capables de former une base solide contre le bolchévisme russe et l'effervescence révolutionnaire qui se développe dans les Etats vaincus. En outre, en satisfaisant les Roumains, on espère se créer un solide appui pour le futur ; « nous aurons dans la Roumanie une véritable colonie de plus de 15 millions d'habitants où nous nous retrouverons comme chez nous » écrit bravement le général Berthelot (janvier 1919). C'est augurer curieusement de l'avenir.

Comment également se débarasser du bouillant Vénizelos, porté au pouvoir par un véritable coup de force allié en juin 1917 ? Pour en finir avec l'imbroglio grec, en avril 1917 les Alliés avaient décidé de déposer le roi Constantin. En juin 1917 un débarquement allié à Athènes, écarta le roi et imposa le retour de Vénizelos. Nul n'ignorait les grands desseins de cet homme vis-à-vis des côtes turques de la mer Egée, peuplées de Grecs. L'énergique action de Vénizelos permit ensuite à l'armée grecque de compter 200 000 hommes en 1918 et donc de contribuer efficacement au succès décisif de l'armée d'Orient en septembre-octobre 1918. Or, ensuite, il faudra accorder donner aux Grecs des satisfactions territoriales. Vénizelos se contentera-t-il des limites purement ethniques, pour répondre aux ambitions nationales, d'autant plus que les Italiens donnent l'exemple d'ambitions nationales considérables dans la même zone (îles du Dodécanèse) ?

Avant même la signature des armistices qui mettent fin à la guerre dans le sud-est de l'Europe et dans le Moyen-Orient (Salonique le 29 septembre 1918 avec les Bulgares, Moudros le 30 octobre avec les Turcs, Villa Guisti le 3 novembre entre Italiens et Autrichiens), le réveil des nationalités est une des conséquences majeures de la Première Guerre mondiale. Les rivalités nationales qui avaient été à l'origine même du conflit, vont peser encore lourdement sur le règlement de la paix.

La paix de Versailles

L'Allemagne signa l'armistice de Rethondes le 11 novembre 1918. Depuis le début octobre, suivant les incitations du général Ludendorff, qui cherchait visiblement à dégager le pouvoir militaire des conséquences politiques d'une véritable défaite militaire, le gouvernement allemand s'était efforcé d'obtenir une fin honorable des combats grâce à une « médiation » de Wilson. Pendant un mois, Berlin et Washington échangèrent des notes diplomatiques qui consacrèrent finalement le rôle d'arbitre du président américain et l'obligation pour l'Allemagne de sacrifier « les autocrates monarchistes ». Les Alliés acceptèrent de conclure l'armistice sur la base des 14 points de Wilson, non sans arrières pensées et équivoques, à Londres, à Paris ou à Rome. Les clauses militaires de l'armistice (occupation de toute la rive gauche du Rhin, livraisons importantes de matériel de guerre, de tous les sous-marins, maintien du blocus) étaient très dures et laissaient sans puissance militaire réelle le nouveau gouvernement

allemand issu de la défaite et des mouvements de révolte internes (la République fut proclamée le 9 novembre et Guillaume II abdiqua). Aucune véritable négociation ne se déroula
donc entre les vainqueurs et les vaincus. Pour la première fois dans l'histoire, c'est à travers les
discussions entre puissances victorieuses que s'élaborera le traité de paix. *La paix est dictée
aux vaincus ; elle est négociée entre vainqueurs.*

Cela ne signifie point pour autant que les négociations qui s'ouvrent à Paris en janvier 1919
en furent plus faciles. Plusieurs obstacles rendaient *a priori* les discussions délicates. Tout
d'abord comment aboutir à des conclusions pratiques alors que la coalition réunissait vingt-
sept Etats ? Ici la solution adoptée fut simple : tandis que les « experts » étaient réunis au sein
de 52 commissions, les séances utiles se déroulèrent seulement entre délégués des 5 Grands
(Etats-Unis, France, Grande-Bretagne, Italie, Japon). *La victoire appartenait d'abord aux
Grandes Puissances.*

Ensuite se posait la question d'une « diplomatie ouverte », si vivement soutenue par les
« nouveaux » Etats : comment éviter les « marchandages » discrets entre hommes d'Etat ?
Non seulement on n'évita pas les suspicions car la presse fut largement éconduite, mais, de
fait, à partir de fin mars 1919, trois hommes discutèrent des choses essentielles en petit
comité : Wilson, Lloyd George et Clemenceau jouèrent un jeu personnel comme rarement
diplomates ou hommes d'Etat purent le faire[1]. Les Parlements furent écartés d'une participation réelle aux négociations, telle la Chambre des Députés française à laquelle Clemenceau
demanda, à l'avance, sa confiance (30 décembre 1918) ou le Sénat américain trop lointain
pour être vraiment efficace. Même les gouvernements furent désaisis de leur autorité au profit
de quelques uns (Tardieu, Loucheur, Klotz dans le cas français, Balfour, Curzon aux côtés de
Lloyd George, Sonnino doublant Orlando) ; le généralissime Foch finit par rompre avec Clemenceau et Poincaré, président de la République, eut des entretiens orageux avec le Président
du Conseil (« ce fou dont la France a fait un Dieu », « insolent », menteur »). Dès lors, le
poids des personnalités a vraiment pesé sur les conclusions des traités.

Sans vouloir suivre le déroulement des négociations entre Alliés qui aboutirent à formuler,
le 7 mai 1919, des conditions de paix que les Allemands doivent accepter (ou refuser) en bloc,
on peut s'attarder sur le « style » des trois négociateurs et sur leur tactique. Les trois hommes
sont populaires ; mais fortement épiés par les milieux politiques de leur pays, ils savent que
leur action doit rencontrer l'adhésion de leur opinion publique pour pouvoir être acceptée par
le pouvoir parlementaire ; d'où leur souci évident de « coller » à la mentalité nationale dominante. Woodrow Wilson, au sommet de sa popularité lorsque la conférence débute, sait parfaitement jouer des déclarations de principe qui tendent à fonder la paix sur le droit et l'avenir
pacifique des peuples sur l'existence de la « Ligue des Nations » ; cette auréole de « justicier »
ne lui interdit pourtant pas de s'intéresser aux détails pour le profit de son pays. David Lloyd
George, esprit subtil, volontiers persuadé que Wilson et les Américains sont encore des
« débutants » en politique internationale, assume une vision très « impériale » des responsabilités britanniques, tout en accordant une place importante aux conditions économiques et
financières du futur (Keynes fait partie des négociateurs britanniques jusqu'au début juin
1919) ; comme la plupart des responsables britanniques, il redoute surtout la puissance hégémonique de l'armée française en Europe, ce qui le conduit à modérer l'écrasement de l'Allemagne, notamment en matière économique. Georges Clemenceau, « le Père la Victoire »,

---

1. Orlando, le Premier ministre italien, fut formellement associé aux trois Grands, mais il se can-
tonna dans la défense des intérêts italiens et n'ayant pu obtenir satisfaction sur le sort de Fiume, il
quitta la conférence le 24 avril 1919. On parle cependant du « Conseil des Quatre » pour caractériser ces rencontres personnelles où seuls un interprète français et un secrétaire anglais furent également admis.

3 - L'Europe en 1919-1921

NORVÈGE
Oslo
Stockholm
FINLANDE
(R)
Pétrograd

SUÈDE

ESTHONIE
(R)

DANEMARK
LETTONIE
(R)
Riga
A
Copenhague
Memel
LITHUANIE
(R)

ROYAUME-
UNI
Dantzig
B

Londres
Berlin
U.R
La Haye
PAYS-BAS
Varsovie
Brest-Litovsk
Bruxelles
Berlin
POLOGNE
Ligne
Curzon
BELGIQUE
3
ALLEMAGNE
D
2
Prague
C
Teschen
Paris
1
TCHÉCO-
Dniestr
Versailles
Danube
Vienne
SLOVAQUIE
BESSARA
FRANCE
Rhin
Budapest
TRANSYLVANIE
Lausanne
Berne
TYROL
AUTRICHE
Locarno
SUISSE
HONGRIE
ROUMANIE
TRENTIN
ISTRIE
Gênes
Trieste
Fiume
Bucarest
Zara
ROYAUME DES SERBES-
Belgrade
ITALIE
DALMATIE
CROATES-
Danube
SLOVÈNES
Rome
Sofia
BULGARIE
ESPAGNE
Istan
THRACE
ALBANIE
TU
GRÈCE
Dodécanè
(Italie)
Athènes

0   250 km

I L'Allemagne nouvelle

Territoires perdus dès 1919
ou
Territoires perdus après plébiscites

Territoires conservés après plébiscites

① Sarre   A - Schleswig

② Zone occupée   B - Prusse orientale
   par les Alliés

③ Ruhr   C - Silésie

                           D - Eupen Malmédy

II Les pertes de l'Empire austro-hongrois

Territoires cédés à l'Italie, à la R.S.C.S. et à la Pologne

Territoires (souvent de langue hongroise)
cédés à la Roumanie, à la R.S.C.S.

III Les zones contestées des petits Etats

Territoire de la Lithuanie donné à la Pologne

Territoire de la Roumanie contesté par l'U.R.S.S.

Territoire de la Bulgarie donné à la Grèce

Zone sous contrôle militaire grec (1919-1923)

ESTHONIE Nouvel Etat formé sur l'ex-Empire russe
(R)

bon connaisseur du monde anglo-saxon, est conscient des rêves français de victoire « défini-tive » et des réalités internationales ; assurer la sécurité de la France par la seule force de son armée et par une politique d'alliances de revers avec les nouveaux Etats-clients de l'est-euro-péen (Pologne, Tchécoslovaquie, Roumanie, Yougoslavie) lui semble insuffisant, même si l'on « tient » la rive gauche du Rhin. Il tente donc, avant tout, d'obtenir l'engagement des Anglo-Saxons de protéger la France contre toute revanche allemande, quitte pour y parvenir à leur faire des concessions hors d'Europe, à associer la France à une Ligue des Nations, à laquelle il ne croit pas. Il accepte même de transiger sur la durée de l'occupation de la rive gauche du Rhin, contre l'avis de Foch, de Poincaré et de nombreux responsables français, bra-qués sur l'absolue nécessité de conserver longuement la rive gauche du Rhin.

Clemenceau considère que la « paix est faite » lorsqu'il obtient l'occupation de cette région pour 15 ans et l'engagement anglo-saxon de garantir la France contre toute agression alle-mande « non provoquée » (15 avril 1919). Des précautions importantes existent contre la pos-sibilité d'une revanche allemande. Selon les clauses militaires du traité, l'armée allemande n'aura plus que 100 000 hommes, sans aviation, ni chars d'assaut, ni artillerie lourde ; elle ne pourra *jamais* stationner sur la rive gauche du Rhin et dans une bande de 50 km le long de la rive droite du Rhin. En revanche, la Sarre, que réclamaient de nombreux parlementaires fran-çais et qui a suscité d'interminables controverses au Conseil des Quatre, reste hors du terri-toire français ; elle sera administrée pendant 15 ans par la S.D.N., avant un prébiscite des populations locales sur leur destin futur. Réaliste, Clemenceau a fini par transiger : la paix de Versailles contient et comprime l'Allemagne ; elle ne la réduit pas. Clemenceau était sans aucun doute résigné à ce « compromis », car il comprenait la victoire de 1918 comme celle d'une coalition, alors que la majorité des Français, marqués par l'ampleur de l'effort humain et économique consenti pendant plus de quatre ans contre « les Boches », entendait faire payer *leur* victoire à l'Allemagne.

« Le Boche paiera ». La question des Réparations était également fondamentale, même si elle occupait davantage le temps des experts que celui des chefs de délégation. Lors des dis-cussions pour l'armistice, les Alliés avaient exigé que les « frais » de la guerre fussent suppor-tés par l'Allemagne. Dans le traité lui-même, un article spécifique (n° 231) justifiait les Répa-rations en établissant comme une vérité historique la responsabilité de l'Allemagne dans le déclenchement de la guerre, d'où son « devoir » de réparer les torts causés. Mais à quel niveau situer le montant des réparations et la répartition parmi les vainqueurs de ces répara-tions, formule nouvelle pour éviter d'utiliser les vieux mots de « tribut » ou « d'indemnité de guerre » ? On ne put se mettre d'accord en 1919 sur ces deux questions ; on renvoya le soin d'établir le règlement financier de la guerre à une autre conférence spécifique. D'un côté, les pays meurtris, dont le territoire avait servi de lieu de combat comme la France, la Belgique, l'Italie, la Serbie réclamaient de fortes indemnités, tandis que, moins touchés, mais détermi-nants dans le système financier mondial, les Anglo-Saxons (Dominions compris), soulignaient les risques de faillites dans les relations économiques internationales, en cas d'exigences exa-gérées face aux capacités allemandes de paiement. Le traité de Versailles laissait ainsi le règle-ment financier de la guerre au futur et en pointillé.

En revanche, un véritable « projet sidérurgique français » (J. Bariéty) ressortait des clauses économiques du traité. Non seulement l'Allemagne perdait les mines et les installations sidé-rurgiques implantées en Lorraine et en Alsace, mais les mines de charbon de la Sarre deve-naient propriété de l'Etat français ; d'importantes livraisons de charbon allemand étaient immédiatement imposées au titre de réparations pour les destructions subies par les mines du nord de la France ; les produits industriels fabriqués en Alsace-Lorraine entreront désormais en franchise en Allemagne pendant cinq ans. Un bel avenir semblait ainsi assuré pour la sidé-rurgie française en Europe.

Mais la France aurait-elle la capacité financière nécessaire pour investir largement hors de ses frontières, alors que ses débiteurs russe et ottoman font défaut et que, rupture décisive, les Américains décident, dès avril 1919, de ne plus soutenir le cours des monnaies « alliées » ? La puissance industrielle existera-t-elle sans puissance financière ? Les Européens endettés, vainqueurs comme vaincus, ont besoin des riches Yankees ; toute reconstruction dépend du bon vouloir des Américains, qui doivent alors accepter de jouer un rôle moteur dans le système international ; ceux-ci en profiteront-ils pour imposer leur « philosophie », fondée sur l'ouverture des frontières, la liberté de circulation et la coopération internationale ? La Société des Nations, née des traités de 1919, peut-elle servir de cadre à cette entente internationale ? Les opinions publiques l'espèrent ardemment, ce qui rend Wilson fort populaire en Europe. Dans une large mesure les nouvelles donnes de la diplomatie dépendent des réponses américaines aux questions précédentes.

La réponse vint, inattendue pour beaucoup : malgré les efforts obstinés d'un Wilson malade, affaibli, mais trop peu manœuvrier, le Sénat américain refusa de ratifier le traité de Versailles à la majorité indispensable des deux tiers (19 mars 1920). Les Etats-Unis semblaient abandonner l'Europe à elle-même, la S.D.N. perdait son inspirateur. Les vieux démons nationalistes demeuraient plus que jamais vivants en Europe (et ailleurs). Ils inspiraient largement les remaniements territoriaux inscrits dans les cinq traités signés entre les Alliés et les Etats vaincus :

à Versailles, le 28 juin 1919, avec l'Allemagne ;
à Saint Germain, le 10 septembre 1919, avec l'Autriche ;
à Neuilly, le 27 novembre 1919, avec la Bulgarie ;
à Trianon, le 4 juin 1920, avec la Hongrie ;
enfin, à Sèvres, le 10 août 1920, avec l'Empire Ottoman.

Les cartes des pages 25 et 60 permettent de mesurer l'ampleur des changements, les points encore en litige, les liens entre situation militaire à la fin de 1918 et les novations. On se bornera à souligner ici combien la fragmentation des territoires européens paraissait accentuée pour satisfaire au principe de l'auto-détermination des peuples. Le vieux mouvement des nationalités européennes trouvait alors son point d'orgue : l'Europe comptait vingt-deux Etats en 1914, vingt-neuf en 1921 [1]

Par contre, hors d'Europe, ce même principe du droit des peuples à disposer d'eux-même continuait à être nié. Si l'Empire ottoman était démembré, c'était surtout au bénéfice des Puissances européennes ; le transfert des colonies allemandes aux Etats victorieux marquait un changement de maître et non un changement de statut, même si, formellement, la S.D.N. par le biais des Mandats, était considérée comme tutrice légale de peuples destinés à être émancipés. La colonisation sortait intacte de la vague « révolutionnaire » de la guerre ; de ce point de vue, les nouveaux principes avancés par les nouveaux mondes restaient lettre morte. Certaines réactions violentes aux Indes, en Indochine, dans le Proche-Orient, témoignaient pourtant de l'« impatience » chez certains colonisés, souvent enrôlés dans les armées alliées (475 000 soldats venus de l'Empire servaient dans l'armée française en novembre 1918 et 1,5 million d'Hindous dans l'armée britannique).

Allaient-ils suivre les exemples turc et russe ? Dès 1919 la réaction nationale turque, menée par le Général Mustapha Kemal contre les ambitions des Puissances européennes usant de la faiblesse du sultan, exprimait la volonté de libération d'un peuple (elle aboutira à l'annulation du traité de Sèvres). Plus importante encore parce que plus symbolique d'un monde nouveau,

---

1. Turquie comprise, petits Etats minuscules exclus (ex. Saint-Marin).

la Russie révolutionnaire posait en 1919 un grave problème aux vieilles Puissances et leur imposait des tactiques militaires de répression. Intervenant directement aux côtés des forces « blanches » pour lutter contre la « lèpre bolchéviste », Américains, Japonais, Britanniques et surtout Français prolongeaient la stratégie de dépècement de l'Empire russe esquissée dès 1918. En réalité, sous les déclarations idéologiques de lutte contre les bolchéviks, il s'agissait surtout d'achever la reconstruction européenne par la réalisation complémentaire de nouveaux Etats nationaux parmi lesquels les Puissances européennes pourraient ensuite se constituer des « clients ». Finlande, Etats Baltes, Pologne, Roumanie, Ukraine, Géorgie, Arménie devenaient ainsi des partenaires privilégiés. Mais du même coup, les Etats vaincus, démembrés, souvent secoués par des fièvres révolutionnaires (en Allemagne, en Autriche, en Hongrie) ne seraient-ils pas enclins à rechercher un allié dans le régime révolutionnaire soviétique, quitte à oublier la nature idéologique du pouvoir en place à Moscou ?

Certains historiens ont vu dans la « Paix de Versailles » la mise en place d'un ordre contre-révolutionnaire, car si la Russie est absente de la table des négociations, et même si aucune clause des traités ne l'affecte directement, ce nouveau régime inspire alors une « croisade » militaire des Alliés contre le bolchévisme. C'est peut-être accorder trop de place aux effets de la vague issue des révolutions russes, face aux raports des forces purement militaires ou économiques. Il n'en reste pas moins que certaines revendications du sentiment national furent récompensées pour autant qu'elles apparaissaient comme stabilisatrices : Bénès, Bratianu, Pilsudski, Mannerheim ont habilement joué de ce rôle face aux secousses révolutionnaires en Tchécoslovaquie, en Roumanie, en Pologne, en Finlande. En définitive le nouvel « ordre versaillais » se fonde beaucoup plus sur les principes de la diplomatie traditionnelle où l'Etat-nation est souverain, que sur des principes nouveaux, avancés les années précédentes par les représentants des nouveaux mondes. La Société des Nations pourrait incarner un esprit et une pratique différents ; mais peut-elle s'imposer dans un monde où la force armée reste le principal moyen d'une diplomatie, où le nationalisme, victorieux ou défait, justifie la stratégie d'un Etat ? En 1919 la vie internationale semble se reconstruire sur les bases de l'avant-guerre : de combien de divisions, de chars, d'avions, etc. disposent les Grands pour assurer leur Puissance ?

TABLEAU 2

LES ARMÉES ALLIÉES À LA FIN DE LA GUERRE

	Effectifs en ligne (en milliers)					
	Total	dont aux Balkans	au Moyen-Orient	flotte de guerre [1]	Avions	Chars
France	2 834	191	5	600	3 600	2 300
Grande-Bretagne	2 310	137	398	2 714	1 700	610
Etats-Unis	1 800	—	—	1 282	740	90
Italie	2 200	144		415		
1. en milliers de tonnes.						

Les relations internationales dans l'après-guerre

Deuxième partie

Introduction

Le 11 novembre 1918, le grand conflit mondial s'achève. Pourtant, ici et là, le sang coule encore pendant quelques années : au centre, au sud, à l'est, à l'extrême-occident de l'Europe, dans l'Orient asiatique proche ou lointain, guerres civiles, insurrections nationales, luttes révolutionnaires, interventions étrangères et contre-révolutionnaires prennent le relais des violences officielles, déclarées et inter-étatiques. En déclenchant, et surtout, en prolongeant la Grande Guerre, les Etats ont joué avec le feu, imposé à leurs peuples d'insupportables sacrifices, déchaîné ou réveillé des forces qui ont jailli des profondeurs des nations et des sociétés, allumé des brasiers qu'ils ont peine à éteindre. Certes les Alliés et associés, grâce à leur victoire, ont gagné une meilleure position dans le monde, mais ce monde, ils ont du mal à le reconnaître et à le comprendre, tant il sort transformé et déstabilisé de l'épreuve : ce n'est pas seulement « l'ordre international » qui a changé, avec un nouvel équilibre entre les puissances et son cortège d'humiliations pour les vaincus et de frustrations pour certains vainqueurs déçus, mais c'est tout « le système des relations internationales » qui est affecté par le contrecoup des mutations qui a l'intérieur de chaque pays, à des degrés divers, touchent les attitudes sociales, les cadres psychologiques, les rapports économiques, les pratiques voire les institutions politiques. Même si les traités de paix ont tenu compte de quelques uns-de ces bouleversements, satisfait certaines revendications nationales, ils n'ont pu répondre à toutes les nouvelles aspirations collectives. Bien plus, ils ont créé d'autres injustices et laissé nombre de problèmes en suspens. Après une guerre si traumatisante et porteuse de tant de germes révolutionnaires, la paix ne pouvait être que fragile, et l'ordre dicté éphémère. Dans les pays qui refusent celui-ci, le rejet n'est pas seulement le fait des hommes d'Etat ou des militaires, mais la réaction profonde de toute une société, car aux insatisfactions vécues à l'intérieur des frontières se mélangent là, de manière explosive, celles qui sont imposées de l'extérieur.

Combien de temps dura cette double instabilité, due à la fois aux conditions de la guerre et à celles de la paix ? A cette grande question historique, les réponses possibles sont nombreuses, sans être nécessairement contradictoires entre elles. Première hypothèse : le système de Versailles — au sens large du terme, c'est-à-dire le cadre mis en place par tous les traités de la banlieue parisienne, création de la S.D.N. comprise —, avec ses contradictions, ses failles et ses vices, peut être considéré comme une des causes principales des désordres qui mènent à la Seconde Guerre mondiale. Sa décomposition commence avant 1939. Il est sérieusement entamé dès 1931, du fait de l'impuissance de la S.D.N. face à l'agression japonaise en Mandchourie, il souffre de la suppression des réparations allemandes en 1932, puis il vole en éclats sous les premiers coups de boutoir hitlériens en pleine paix (rétablissement du service militaire en Allemagne en 1935, remilitarisation de la Rhénanie en 1936, annexions de 1938). De toute façon, dans cette première série d'hypothèses, qu'il soit mort lentement, par saccades ou brusquement, ce système s'avère inapte à créer un ordre international viable. Une seconde hypothèse, plus indulgente pour les traités de 1919-1920, prend en compte la conjoncture : après une période de difficultés économiques qui nourissent les tensions, le nouveau système international profite à partir de 1924 de la prospérité et réussit parfaitement à se stabiliser ; il faut pour le détruire toute la violence de la crise mondiale des années 1930 et surtout celle d'Adolf Hitler, autre produit de la grande dépression. Les recherches historiques les plus récentes permettent d'avancer une troisième série d'hypothèses. La chronologie en trois temps reste valable ; mais le tournant de 1924 est mieux mis en lumière : c'est à cette date que l'ordre versaillais est démantelé, qu'un *autre* ordre international lui succède, un peu mieux adapté aux forces profondes et aux rapports de puissance dans le monde. Même s'il conserve certains traits essentiels des traités de 1919-1920, il annonce quelques aspects du système international de l'après 1945. Mais — on retrouve là un argument déjà cité — il est trop fragile pour résister à la tourmente économique et sociale des années 1930.

Quoi qu'il en soit, la faillite de la paix — pour reprendre l'expression de Maurice Baumont — a de multiples causes. Parmi elles, il en est une importante et générale : une insuffisante prise de conscience par les contemporains des changements dans les structures internationales. Deux choses ont été assez mal perçues : le renouveau des « forces profondes » et le bouleversement des rapports de puissance. C'est peut-être ce qui explique l'échec de la « nouvelle diplomatie ».

3. La mutation des forces profondes

Conceptions géopolitiques et réalités démographiques

La guerre a d'abord considérablement transformé la géopolitique européenne et mondiale, et la vision des hommes d'Etat et des stratèges ne s'est pas toujours adaptée à cette nouvelle réalité. En transportant sur les champs de batailles de France des soldats australiens, américains ou africains, en donnant l'occasion à des diplomates égyptiens, indiens et japonais de côtoyer les grands décideurs européens à la Conférence de Paris, elle a contribué à rendre les relations internationales véritablement mondiales. Rien d'étonnant que le Président Wilson ait proposé une nouvelle diplomatie confiée non plus au concert européen mais à une organisation qu'il espérait universelle. La grande Guerre et les Etats-Unis avaient prouvé que le sort du monde, politiquement et militairement, ne pouvait plus dépendre de la seule Europe.

L'Europe au centre du monde ?

Mais voilà que le Sénat des Etats-Unis prend une décision historique le 19 mars 1920 : il refuse de ratifier le traité de Versailles. Beaucoup d'Américains le jugent trop dangereux pour l'indépendance du pays, à cause du Pacte de la Société des Nations qui y est incorporé. Quelques voix ont manqué pour que la majorité des deux-tiers exigée par la Constitution soit obtenue. Ce repli diplomatique américain fausse la perception des rapports de force, et *l'Europe reste malgré tout le centre de gravité des relations internationales*. D'autant qu'elle est le théâtre des litiges territoriaux, créés par les nouveaux traités de 1919-1920, et le nœud principal de l'imbroglio diplomatique : les Etats « satisfaits », comme la France (sa satisfaction est d'ailleurs toute relative , après la non-ratification par les Anglo-Saxons des traités de garantie), la Tchécoslovaquie ou la Yougoslavie, nouvellement créées, la Roumanie, considérablement agrandie, ou la Pologne, restaurée après une si longue absence de la scène historique, entendent « conserver » les acquis de la victoire et raisonnent principalement en termes de « sécurité ». Les Etats « mécontents », vaincus, comme l'Allemagne, l'Autriche, la Hongrie, la Bulgarie, la Turquie, ou victorieux, comme l'Italie, qui se sent insuffisamment récompensée, entendent « obtenir » une « révision » des frontières à leur profit. Ils retournent l'argument du principe des nationalités qui leur avait été souvent opposé et jouent avec la nouvelle carte des minorités nationales. Si la guerre mondiale a détruit le concert européen, paradoxalement, chez la plupart des décideurs européens, l'eurocentrisme semble aussi affirmé qu'avant 1914.

En France, l'obsession géopolitique est essentiellement continentale, nourrie par un besoin impérieux de sécurité et une volonté de prévenir toute revanche allemande. Le Rhin est redevenu l'horizon sacré. Mais l'équilibre du système diplomatique français d'avant 1914, dirigé contre l'Allemagne, a été rompu par la révolution bolchévique : l'alliance russe devenant impossible, d'autres alliances de revers doivent être recherchées. Elles seront conclues à l'est avec les autres Etats « bénéficiaires » de la paix, Pologne, Tchécoslovaquie, Roumanie, Yougoslavie. L'avantage semble triple : l'encerclement du Reich est à nouveau obtenu, le « cordon sanitaire » contre la Russie révolutionnaire est formé, et l'économie française peut aisément bâtir une aire d'expansion toute neuve sur ces territoires clients et alliés. Dans cette nouvelle vision géopolitique française, se mêlent intimement les nécessités de la sécurité, les pulsions de l'idéologie et les ambitions de l'impérialisme. Même si les Français ne négligent pas leurs autres positions dans le monde, s'attachent à défendre leurs nouvelles acquisitions au Moyen-Orient, redécouvrent à la faveur de la guerre l'intérêt militaire et économique de leurs colonies et de leurs coloniaux (nous aurons l'occasion d'en reparler) en se laissant bercer par le mythe rassurant de la « force noire », leur perception reste plus européenne que planétaire. Il en est de même chez les Italiens dont les yeux sont à la fois rivés sur l'Adriatique où ils regardent de loin les terres promises par leurs alliés en 1915 et refusées par Wilson en 1919, sur le Danube où ils cherchent une zone d'influence compensatrice, et sur leur nouvelle frontière des Alpes dont ils se félicitent qu'elle ne soit plus menacée par le voisinage dangereux d'un Grand Empire. Chez les Allemands aussi, qui, privés de leurs colonies et de leur marine, doivent par définition renoncer à la Weltpolitik du temps de Guillaume II et revenir à des considérations plus platement continentales pour tenter de sortir de leur situation d'infériorité.

Quant aux Russes soviétiques, leur manière de regarder une carte est pour longtemps marquée par les conditions douloureuses de l'enfantement du nouveau régime : la guerre civile et la guerre étrangère (débarquement des Anglais et des Français sur les côtes de la mer Baltique, de la mer Blanche, de la mer Noire, de la mer Caspienne, des Japonais et des Américains sur la rive du Pacifique de la Sibérie, attaque polonaise de 1920 à travers les plaines de l'Ukraine) leur donnent le complexe d'assiégés, menacés de tous les côtés par les ennemis de l'extérieur et les « traîtres » de l'intérieur. Mentalité obsidionale, terreur, renonciation progressive à l'assaut du monde par la révolution, repli et politique russocentriste, ne peuvent certes pas s'expliquer par ces seules conditions originelles, mais ces attitudes et ces stratégies trouvent là des arguments justificatifs. En ce sens, la nouvelle géopolitique a aussi sa part dans le triomphe du stalinisme. De même, elle peut imposer sa logique sur les considérations de l'idéologie : l'Allemagne capitaliste et la nouvelle Russie communiste sont tentées de s'entendre, comme au temps de Bismarck, dans un contexte évidemment différent, non seulement parce qu'elles souhaitent toutes deux la révision des traités, mais parce qu'elles pourraient prendre en tenaille le double cordon sanitaire tissé contre elles et encercler les encercleurs.

La vision anglo-saxonne

C'est chez les Anglo-Saxons qu'il faut chercher une perception géopolitique à dimension planétaire. Pour les Britanniques, l'Europe constitue certes un enjeu important ; conformément à leurs conceptions traditionnelles de « balance of power », ils se donnent pour mission d'empêcher sur le continent toute position hégémonique d'une quelconque puissance. A ce titre, ils sont entrés en 1914 dans la bataille contre Guillaume II, et à partir de 1919, l'Allemagne abattue, ils s'ingénient à contenir les ambitions de leur allié français, dont ils ont tendance d'ailleurs à surestimer la force. Mais l'Europe, où ils cherchent à nouveau à jouer un rôle d'arbitre économique et politique plutôt que de protagoniste engagé, est loin d'être la seule pièce sur leur échiquier mondial. Il leur faut préserver leur suprématie maritime, défendre encore la route des Indes et leur Empire étalé sur tous les continents, renforcer leurs nouveaux intérêts au Moyen-Orient, prendre l'avis des Dominions qui sont désormais en mesure de marchander leur appui militaire, de même que celui des Américains, avec lesquels ils sont en état paradoxal de concurrence et de coopération. Assurément, leur vision géographique reste à l'échelle du globe, plus globale même que celle des Etats-Unis, pourtant devenus première puissance du monde.

Pour ces cousins d'outre-atlantique, sur leurs cartes murales et mentales, l'Europe demeure petite et lointaine. Un peu moins sans doute, depuis que les « boys » ont foulé et défendu la terre de France. Mais, à partir de 1920, beaucoup d'Américains jugent *a posteriori* que cette implication dans l'imbroglio européen fut funeste et qu'il convient désormais d'éviter tout engrenage similaire. La sécurité de leur pays, loin de s'identifier avec celle de leurs associés européens, est perçue à travers un prisme tout naturellement bi-océanique : la guerre a mis fin au danger sous-marin allemand dans l'Atlantique, la paix doit avant tout servir à limiter l'expansion japonaise sur les rives du Pacifique. Pour le reste, leur vision du monde est alors plus idéologique que géopolitique, mêlant intimement rêve et défi américains, idéalisme et intérêts bien compris : hostiles à la prédilection européenne pour les zones d'influence et les chasses gardées, prêchant les vertus de la Porte ouverte, ils considèrent, wilsoniens ou anti-wilsoniens, que la liberté de circulation des capitaux et des marchandises à travers les frontières sont profitables à l'économie des Etats-Unis, donc à celle du monde, et que cette prospérité générale est pour la paix une bien meilleure garantie que toutes les constructions diplomatiques.

Les Anglo-Saxons, qui sortent de la guerre avec la puissance, la sécurité et la vision la plus large des relations internationales, semblent tout naturellement se placer au-dessus de la mêlée européenne. Mais s'ils acceptent parfois d'arbitrer les querelles de l'univers, ils refusent après un conflit si sanglant d'en être les gendarmes. L'Europe continentale continue donc d'imposer à l'humanité ses sujets de dispute différents de ceux de 1914 mais tout aussi dangereux. L'analyse des nouvelles réalités et des représentations géopolitiques est une assez bonne approche pour décrire la somme des déséquilibres du monde des années 1920 et 1930 : l'historien doit se projeter à l'intérieur des frontières de chaque pays, regarder les cartes en empruntant les yeux de chaque peuple, pour comprendre les égoïsmes nationaux, pour apprécier le sentiment français ou soviétique d'insécurité, les colères allemandes ou hongroises, l'agacement anglais ou l'indifférence américaine. Mais la démarche, nécessaire, est insuffisante : les perceptions géopolitiques ne sont pas toujours cause ou facteur de l'évolution internationale, mais tout simplement parfois reflet d'autres forces profondes.

Une réalité : la redistribution des forces démographiques

La guerre et l'après-guerre bouleversent les équilibres démographiques dans le monde. L'Europe sort du conflit exsangue, avec près de 9 millions de morts ; elle est de surcroît en 1918-1919 la proie d'une épidémie de « grippe espagnole » qui provoque la disparition d'un million supplémentaire de personnes. A cela, il faut ajouter le déficit des naissances de ces années terribles, que le « baby boom » de 1920-1921 est très loin de compenser, et dont les effets se font gravement sentir dans certains pays vingt ans plus tard, à la fin des années 1930 : baisse du nombre des appelés au service militaire (les « classes creuses ») et chute des taux de natalité. L'hécatombe des jeunes a des conséquences plus immédiates, perceptibles dès les années 1920 : les nations européennes vieillissent, ont une mortalité qui diminue moins vite qu'auparavant, font relativement moins d'enfants (la tendance déjà visible en Europe du nord avant la guerre se confirme très nettement et gagne d'autres parties moins riches du continent, comme l'Italie) ; les taux d'accroissement naturel ne retrouvent donc pas leur niveau exceptionnel du début du siècle. Après la guerre, l'Europe n'est plus le moteur démographique du monde.

Pourtant, globalement, la croissance de la population européenne continue. Elle est très inégale selon les pays ; en Europe du centre et du sud, où elle reste forte, les causes de l'émigration ne sont pas éteintes : misère, surpeuplement relatif, faim de terre ou sous-emploi. En 1921, les conditions de transport maritime étant revenues à la normale, 800 000 Européens (Italiens et Slaves pour la plupart) quittent le vieux continent pour l'Amérique. La vague d'avant-guerre (1 200 000 migrants) est sur le point de se reformer. Mais le gouvernement des Etats-Unis, influencé par la réaction nationaliste d'une opinion publique qui se replie sur elle-même, prend alors des décisions drastiques : les lois des quotas de 1921 et 1924 portent un coup d'arrêt à l'immigration européenne et suppriment pour nombre de régions pauvres de l'Ancien monde une soupape de sûreté qui pouvait jusqu'alors soulager la pression de leurs difficultés sociales.

Le cas de la France est tout à fait particulier. La saignée de 1914-1918 a été pour elle d'une sévérité extrême (1,4 million de victimes, soit 10,5 % de la population active masculine) ; elle a considérablement aggravé son déclin démographique, précocement commencé au XIXe siècle. Face à l'Allemagne, dont elle craint la volonté de revanche, le déséquilibre reste flagrant malgré les remaniements territoriaux (39 millions d'habitants contre 59 millions) et risque de se renforcer : en 1925, le taux de natalité n'est que de 18 ‰ contre 28 ‰ outre-Rhin. Quelques années plus tard, l'arrivée à l'âge du service militaire des « classes creuses » du temps de guerre posera à l'armée des problèmes difficiles à résoudre. Les conditions démographiques confirment le sentiment français d'insécurité, et, comme celles de la géopolitique, elle rendent impérieuse la recherche des alliances. De la même façon, elles obligent la France à trouver de la main-d'œuvre à l'extérieur. Seule terre européenne d'immigration — c'était déjà le cas à la fin du XIXe siècle avec les premières vagues belge et italienne —, elle accueille un nombre croissant d'étrangers, dont le nombre passe de 1 159 835 en 1911 à 2 890 000 en 1931, soit 7 % de la population total, à peine moins que la proportion d'aujourd'hui (cf. tableau 3 p. 73). Dès 1919, elle signe des conventions avec les gouvernements de Rome, de Prague et de Varsovie pour organiser une immigration sélective. On voit en particulier le Comité Central des Houillères de France et son secrétaire général, Henri de Peyerimhoff, faire pression sur les autorités françaises pour qu'Italiens et surtout Polonais viennent vite combler le déficit en mineurs. Au flux continu des Transalpins vient donc s'ajouter pendant les années 1920 le courant polonais, que nous connaissons bien grâce aux travaux de Janine Ponty. La difficulté d'intégration des Polonais, souvent traités de « Polaks » voire de « Boches » — car nombre d'entre eux étaient établis depuis longtemps dans la Ruhr — n'a d'égale que celle de leurs prédécesseurs italiens de la fin du siècle dernier ou celle de leurs successeurs maghrébins des années 1960-1980. Les problèmes de scolarisation, certaines réactions xénophobes de la population d'accueil, les stéréotypes qui s'imposent aux mentalités collectives des deux communautés, contrastent fortement avec l'amitié officielle et historique entre la France et la Pologne et empoisonnent les relations entre les deux alliés. Ces recherches récentes incitent l'historien à prendre en compte toutes les implications internationales, diplomatiques, politiques, économiques et psychologiques du fait migratoire.

TABLEAU 3

LES ÉTRANGERS EN FRANCE

		1921	1926	1931	1936
Nombre total d'étrangers		1,55	2,49	2,89	2,45
en millions					
% par rapport à la population					
totale		3,9	6,1	7	5,9
active		4,4	6,6	7,7	
Dont	(%)				
Italiens		29	30,4	27,9	29,3
Espagnols		16,4	12,9	12,1	10,3
Polonais		2,9	12,3	17,5	17,2
Belges		22,5	13	8,7	7,9
Russes		2	2,6	2,4	2,6
Nord Africains		2,3	2,8	3,5	3,4

D'après R. SCHOR, *L'opinion française et les étrangers 1918-1939,* Paris.

Les bouleversements économiques

Les changements que nous venons d'étudier sont importants, mais ils sont finalement moins révolutionnaires que les mutations économiques qui, sur la scène internationale, transforment de fond en comble les rapports de puissance et les contraintes qui pèsent sur les choix gouvernementaux.

La puissance économique des Grands

Il a déjà été question au chapitre précédent de l'extraordinaire transfert de richesses et de puissance économique que la guerre a opéré entre l'Europe et l'Amérique du nord. Enrichis par le conflit, les Etats-Unis, déjà première puissance industrielle en 1914, enlèvent à la Grande-Bretagne la suprématie commerciale et financière. Les causes antérieures de leur infériorité sur les Anglais en matière de négoce international étaient d'ordre naval et bancaire. Elles sont supprimées : entre 1914 et 1920, le tonnage de leur marine marchande triple (de 5 millions de tonnes à 16 millions), pendant que la flotte britannique voit le sien stagner (de 19 à 18 millions de tonnes). Des lois en 1916 et en 1919 favorisent la création d'un véritable réseau bancaire extérieur, comblant ainsi un retard considérable (à la veille de la guerre, les Américains ne possédaient qu'une trentaine de succursales à l'étranger, face aux 2 200 établissements britanniques). Partout dans le monde, les Etats-Unis gagnent des marchés aux dépens des Européens. Ils amassent un énorme stock d'or, et le dollar, qui est pour quelques années la seule monnaie convertible en métal précieux, risque de supplanter la livre-sterling.

Débiteurs nets en 1913, ils atteignent une position créancière en 1919 : leurs investissements extérieurs doublent (sans compter les prêts de guerre accordés par le Trésor), alors que les valeurs américaines détenues par l'étranger diminuent de moitié.

Au même moment, les Européens voient leur capital placé dans le monde diminuer ou fondre, une partie étant liquidée pour couvrir les importations, une autre irrécupérable, telles les valeurs russes après la révolution bolchévique. Les pertes allemandes sont évaluées à 83 % de leurs avoirs à l'étranger (5 milliards de dollars sur 6), les pertes françaises à 58 % (5 milliards sur 8,6), et celles de la Grande-Bretagne à 25 % (4,6 milliards sur 18). En outre, avec leurs créances de guerre proprement dites, les Américains détiennent une arme financière redoutable à double détente : économiquement, ils ont le pouvoir de faciliter ou d'entraver la reconstruction de leurs anciens associés européens ; politiquement, ils sont en mesure d'étendre à l'Europe la diplomatie du dollar, jusqu'alors réservée à leur aire d'influence en Amérique centrale.

Mais comment les Etat-Unis vont-ils exercer leurs responsabilités désormais mondiales ? Même si, comme toute grande puissance, ils mettent tout naturellement leurs forces au service de leurs ambitions, sauront-ils aussi s'en servir pour arbitrer les rivalités politiques et assurer l'ordre mondial ? Là réside la clé de la stabilité des relations internationales des années 1920. Il est tentant de répondre que, dans ce rôle, les Etats-Unis n'ont pas réussi aussi bien qu'au lendemain de la Seconde Guerre mondiale. En raisonnant ainsi, nous devons cependant veiller à ne pas commettre le péché d'anachronisme. Ce qui nous apparaît aujourd'hui évident, fatal, irréversible, à savoir la naissance de la prépondérance américaine, ne l'était pas tout à fait pour les contemporains, trop imprégnés des réalités d'un passé proche. Les grands pays d'Europe, Angleterre en tête, avaient l'espoir et la volonté de reconquérir leurs positions économiques de naguère ; et les Américains, qui surestimaient d'ailleurs les capacités européennes de redressement, redoutaient ce retour en force. Inversement, le déclassement européen des années 1920, tout réel et tout mal perçu qu'il fût à l'époque, ne doit pas non plus être regardé avec des yeux rivés sur les réalités de l'après 1945 : même si le déclin (relatif) du vieux continent est amorcé, la Grande-Bretagne, l'Allemagne et la France, restent de grandes puissances économiques. Dans le domaine du commerce par exemple, en 1928, l'Europe accumule encore 45,5 % des exportations et 51,9 % des importations mondiales, contre 15,4 % et 12,2 % pour les Etats-Unis.

TABLEAU 4

LE POIDS DES PUISSANCES DANS L'ÉCONOMIE MONDIALE

	Part dans la production manufacturière mondiale en %			Part dans le commerce mondial en %					
	1913	1926-1929	1936-1938	1913		1928		1938	
				exp.	imp.	exp.	imp.	exp.	imp.
Etats-Unis	35,8	42,2	32,2	12,4	8,3	15,4	12,2	14	8,7
Allemagne	14,3	11,6	10,7	12,3	11,8	8,7	9,2	9,1	8,3
Grande-Bretagne	14,1	9,4	9,2	13,6	15,5	10,7	14,3	10,3	16,9
France	7	6,6	4,5	6,7	7,4	6,2	5,7	3,9	5,4
Russie	4,4	4,3	18,5						

TABLEAU 5

PLACEMENTS EXTÉRIEURS À LONG TERME EN MILLIONS DE DOLLARS [1]

	1914	1929
Etats-Unis	3 380	14 600
Grande-Bretagne	18 000	16 800
France	8 600	entre 3 800 et 4 000
Allemagne	5 800	entre 1 100 et 2 300

En matière d'investissements à l'étranger, le repli français est sensible, l'appauvrissement allemand certain, mais la Grande-Bretagne a réussi globalement à reconstituer son portefeuille. La supériorité américaine n'est ni écrasante ni encore celle d'une superpuissance. On comprend mieux l'égoïsme national des Etats-Unis et leur acharnement à défendre leur rang qu'ils croient menacé, réflexe défensif qui est à l'origine de certains déséquilibres mondiaux.

Le premier déséquilibre risque de venir de l'augmentation de certaines capacités productives. La guerre et les commandes militaires ont permis le développement de la production de masse dans de nombreuses industries (mécaniques, électriques, chimiques), particulièrement aux Etats-Unis. Le dynamisme de ces secteurs pose la question des débouchés, une fois la paix rétablie et la reconstruction européenne achevée, avec le retour de tous les concurrents sur le marché. Après la crise de 1920-1921, la croissance industrielle reprend son cours ; elle est principalement nourrie par le développement du marché intérieur des grands pays. Il n'en est pas de même pour l'agriculture qui connaît des difficultés permanentes au cours des années 1920. Pour alimenter l'Europe en guerre, les pays neufs, dont l'Amérique, ont considérablement augmenté leurs productions. Les fermiers ont investi et se sont endettés. Quand l'Europe retrouve son niveau d'avant 1914, les excédents s'accumulent, les prix agricoles baissent. Parmi les conséquences sur la vie politique internationale il en est une importante : le farmer du Middle-West qui perd le quart de son pouvoir d'achat depuis 1918, repousse l'annulation des dettes de guerre, car il craint que cet argent emprunté par l'Etat fédéral aux banques ne doive être remboursé, à cause de la défaillance des Européens, par un effort fiscal qui l'appauvrirait davantage.

Le commerce mondial aux prises avec le nationalisme

Pour ce qui est du commerce mondial, force est de constater qu'il ne retrouve pas son dynamisme d'avant-guerre. En volume, il n'a augmenté que de 13 % en 1928 par rapport au niveau de 1913, alors que la production industrielle a eu une croissance de 42 %. Le protectionnisme reste la règle. Il est même renforcé : en fonction de la guerre, chaque Etat a organisé et protégé son économie en poussant les tarifs à la hausse et en créant des prohibitions, tant à l'importation qu'à l'exportation. Après la fin des hostilités, les gouvernements ne se précipitent pas dans la voie du désarmement douanier préconisé, avec grande prudence d'ailleurs, par le troisième des Quatorze points de Wilson : « suppression autant que possible de toutes les barrières économiques... ». Aux Etats-Unis précisément, les républicains revenus au pouvoir établissent en 1922 le tarif Fordney McCumber : les Etats-Unis portent de 21 à 38 % le

---

1. Voir les placements à l'étranger en 1937 page 226 (Tableau 17).

taux moyen de leurs droits de douane et leur Président est désormais autorisé à augmenter les droits de 50 % à l'encontre des pays qui pratiquent à leur égard la « discrimination commerciale » (ce mot devient le leit-motiv américain du siècle), c'est-à-dire leur refusent la clause de la nation la plus favorisée. Cette possibilité de rétorsion, qui vise les ententes douanières dont ils seraient exclus et les tarifs préférentiels dont ils ne bénéficieraient pas, sonne comme un ultimatum lancé à la face du monde : alors que cette clause était d'habitude inscrite dans des traités bilatéraux et assortie de concessions mutuelles entre les contractants, les Etats-Unis en veulent l'application généralisée, ou à défaut, l'application inconditionnelle à leur endroit, sans nécessaire contrepartie de leur part. C'est la nouvelle version de la doctrine de la Porte ouverte, celle des Républicains, qui n'implique aucun ralliement au libre-échange et s'accommode parfaitement à leur philosophie protectionniste : ce qui est revendiqué par les nouveaux dirigeants et reste dans la ligne de Wilson, c'est le principe de la non-discrimination et de l'égalité des puissances devant l'accès à tous les marchés. A terme, les Etats-Unis espèrent démanteler les sphères d'influence, y faire pénétrer leurs produits et trouver ainsi de nouveaux débouchés. Il y a là pour un demi-siècle, quelles que soient les équipes au pouvoir, démocrates ou républicaines, une belle continuité dans les politiques commerciales américaines. En attendant, cette attitude ne favorise pas la fin de la guérilla douanière qui se déroule pendant tout l'entre-deux-guerres.

Les pays européens partagent en effet la fièvre protectionniste. Avant de supprimer le régime d'exception établi pendant la guerre et d'ouvrir leurs frontières à la compétition internationale, ils veulent attendre la fin de la période de reconstruction. En France, les avantages accordés à tel ou tel pays sont quasiment annulés et la loi du 29 juillet 1919 considère le tarif général, c'est-à-dire le tarif maximum, comme de droit commun, les réductions (le tarif minimum ou les tarifs intermédiaires) n'étant accordées qu'après de nouvelles négociations, en fonction des concessions réciproques ; dans une optique contraire à celle des Etats-Unis, les Français envisagent des tarifs différents selon les partenaires et répugnent à accorder la clause de la nation la plus favorisée. Malgré les efforts du Quai d'Orsay qui redoute les représailles contre les exportations françaises et des difficultés diplomatiques avec des pays amis, les droits de douane sont sans cesse augmentés. En 1921, le tarif général est porté à 300 % du tarif minimum ; par deux fois en 1926, il est relevé de 30 % : il faut dire que les droits du tarif français sont « spécifiques », c'est-à-dire à quotité fixe (à l'opposé des droits proportionnels « ad valorem ») ; l'inflation et la dépréciation monétaire rognent donc sérieusement sur leur efficacité.

L'Angleterre, pourtant championne du libre-échange, maintient le tarif McKenna de 1915 et porte à 33,33 % *ad valorem* les droits sur certains produits jugés vitaux pour sa Défense nationale. Le cas de l'Allemagne est particulier : le traité de Versailles réduit sa souveraineté douanière et l'oblige à octroyer à ses vainqueurs, sans réciprocité, la clause de la nation la plus favorisée. Sans réciprocité non plus, les produits d'Alsace-Lorraine et du Luxembourg peuvent entrer en franchise dans le Reich pendant cinq ans, la Pologne bénéficiant du même privilège pendant trois ans. D'une manière générale, c'est tout le marché européen qui est bouleversé par les ruptures de la guerre et les règlements de la paix.

Le commerce intra-européen diminue. Toute une série de flux et de circuits commerciaux nourris et équilibrés avant 1914 par la masse des importations et exportations allemandes sont brisés. La « balkanisation » de l'Europe par les traités de 1919-1920, la création de petits Etats jaloux de leur indépendance, la suppression des solidarités économiques de l'ancien ensemble austro-hongrois, contribuent à ce cloisonnement de l'espace commercial : les 20 000 kilomètres supplémentaires de frontières multiplient le nombre de douaniers, entravent les échanges entre régions industrielles et régions agricoles de l'Europe centrale, rendent inadéquat l'ancien système ferroviaire axé sur Vienne, et rompent l'approvisionnement de certains centres manufacturiers en matières premières, tout en privant celles-ci de débouchés.

Sources d'énergie et relations internationales

D'autres contraintes pèsent sur le commerce, avec des incidences parfois dramatiques sur les politiques extérieures des puissances : l'accès aux sources d'énergie. Ces dernières sont devenues un enjeu important dès le XIXe siècle, avec la révolution industrielle et la révolution des transports qui ont dissocié lieux de production et lieux de consommation : « Du jour où, entre l'un et l'autre de ces lieux, s'est trouvée une frontière, donc deux Etats, le problème de l'approvisionnement en énergie est devenu un problème de la vie internationale » (Jacques Bariéty). Avec la guerre de 1914-1918, ces produits ont nécessairement pris une dimension stratégique. Leur maîtrise devient une affaire « d'Etats », dans lesquels interviennent, avec leurs intérêts parfois contradictoires, industriels, militaires et diplomates.

Aussi le traité de Versailles, avec ses clauses sur le charbon allemand, est-il le premier traité à prendre en considération les questions énergétiques. S'il est intégralement appliqué (perte des mines de la Sarre, cession initialement prévue de la Haute-Silésie à la Pologne, livraisons de charbon au titre des réparations), il fait perdre à l'Allemagne près de la moitié de ses ressources houillères. La France espère remédier ainsi à son déficit charbonnier et fonder sa nouvelle puissance industrielle. Mais, les jeux ne sont pas faits, car, paradoxalement, sa dépendance à l'égard du Reich risque d'être aggravée par le retour à la mère patrie de la Lorraine dont la production sidérurgique était facilement alimentée par le coke de la Ruhr : on trouve là, avec le problème corollaire des réparations, la matière principale de la tension franco-allemande qui, elle-même, tient le devant de la scène internationale jusqu'en 1924.

Le pétrole, jusqu'au milieu de notre siècle, est nettement moins utilisé que le charbon. Mais la guerre et l'utilisation massive des chars, des navires et des avions ont prouvé son importance vitale. Or sauf pour les Etats-Unis, la dissociation entre pays producteurs et pays consommateurs est plus accusée que pour la houille : d'où les nouveaux enjeux qui sont au centre des rivalités franco-anglaises et anglo-américaines, et la nouvelle place du Moyen-Orient dans les relations internationales.

Capitaux en mouvement et monnaies incertaines

La multiplication des querelles en matière d'approvisionnement et des entraves douanières sont probablement à l'origine des difficultés du commerce international des années 1920. Quant à la politique commerciale américaine, beaucoup l'ont jugée sévèrement, y voyant l'inaptitude des Etats-Unis à exercer leurs devoirs de nouvelle puissance économique. Les Britanniques, au temps de leur hégémonie, avaient su pratiquer le libre-échange, ouvrir leur marché au monde, accepter un fort déficit commercial, donnant ainsi à leurs débiteurs les moyens de payer leurs dettes. A l'inverse, les Américains exigent que leurs créances soient remboursées tout en fermant leurs frontières aux exportations qui pourraient financer ce remboursement. Toutes ces critiques doivent être nuancées. D'abord on sait depuis les travaux de Paul Bairoch que les phases de protectionnisme peuvent être pour la croissance au moins aussi bénéfiques que celles de libre-échange. D'autre part, l'équilibre économique du monde ne dépend pas seulement des résultats du commerce extérieur. Il faut prendre en compte les autres échanges de la puissance dominante avec l'étranger. Après tout, le déficit commercial de la Grande-Bretagne a largement été compensé par le solde positif de la balance des revenus et des services. Le fort excédent de la balance des paiements courants qui en a découlé, a exercé le même effet de ponction sur les ressources mondiales que l'excédent américain des années 1920, même s'il a été obtenu par des voies différentes — aux Etats-Unis, le solde des services est au contraire négatif. L'équilibre mondial des échanges dépend donc moins de la nature que de l'emploi de cet enrichissement par la puissance dominante. Les Américains, déjà créanciers, vont-ils remettre dans le circuit ce qu'ils gagnent, en prenant le relais des Britanniques dans le rôle de banquier du monde, ou préférer accumuler de l'or ? Leur attitude est variable selon les années ; en gros l'Amérique est plutôt prêteuse, telle est d'ailleurs la volonté de ses dirigeants politiques, en particulier Herbert Hoover, secrétaire au Commerce, qui espère élargir la diplomatie du dollar. Mais les exportations de capitaux sont parfois loin d'épuiser, comme entre 1921 et 1924, les gains en paiements courants ; l'irrégularité des investissements américains, voilà peut-être la principale différence avec le modèle britannique d'avant 1914.

En fait, on ne peut invoquer la seule fragilité du marché américain pour expliquer ces fluctuations dans les mouvements de capitaux. Investir en Europe comporte des risques depuis qu'y sévit un phénomène tout à fait déconcertant pour les contemporains, créé par la guerre, formant, sans que les contemporains le soupçonnent encore, un des éléments constitutifs de l'économie du xxe siècle : l'inflation et l'instabilité monétaire. Chaque Etat belligérant a dû trouver des ressources pour financer ses dépenses en extraordinaire expansion : l'impôt ne suffisant plus (il ne couvre que 20 % environ des charges publiques), il a fallu faire appel, d'une part aux emprunts intérieurs, surtout aux émissions à court terme qui font augmenter la part de la dette flottante, d'autre part recourir aux avances de la banque centrale, c'est-à-dire à la planche à billets. La masse monétaire s'est enflée d'une façon spectaculaire sans aucune commune mesure avec l'encaisse-or, sauf aux Etats-Unis : elle a été par exemple multipliée par 6 en France et par 9 en Allemagne.

Aussi, les billets, à l'exception du dollar, subissent-ils le régime du cours forcé : ils cessent d'être convertibles en or, pour un temps que l'on croit alors limité à la guerre. En réalité, le processus continue et s'entretient de lui-même après les hostilités, contribuant à affaiblir l'Europe et à renforcer l'Amérique. Les gouvernements européens, surtout ceux du continent, doivent constamment recourir à la création monétaire pour faire face à leurs dépenses encore considérables : reconstruction, service de la dette, pensions militaires, allocations aux veuves et aux orphelins. Alfred Sauvy a calculé que la France supporte lourdement et longtemps ces « charges du passé » (surtout le service de la dette) puisqu'elles hypothèquent encore 52 % du budget de l'Etat en 1931 (et 43 % en 1937). D'où l'importance vitale des réparations allemandes aux yeux des Français : elles devaient leur éviter la contrainte de l'effort fiscal. Les versements par le Reich ayant été insuffisants, on comprend pourquoi les avances de la Banque de France ont constitué le procédé ordinaire de financement public pendant une grande partie des années 1920.

La multiplication des billets et la pénurie en marchandises inhérente à la période de guerre et d'après-guerre conjuguent leurs effets pour lancer en Europe un puissant mouvement de hausse des prix (ils sont multipliés par 2, 3, ou 5 selon les pays), mouvement qui provoque à son tour, mais dans une moindre proportion, l'augmentation des salaires. La spirale inflationniste est en marche et la dépréciation des monnaies en est la conséquence, voire l'expression naturelle : dépréciation interne, puisqu'il y a baisse du pouvoir d'achat de l'unité monétaire par rapport aux marchandises (c'est la hausse des prix) et dépréciation externe par rapport au dollar, encore convertible en or selon une parité fixe. La baisse du franc, de la lire et de la livre-sterling intervient lorsque l'accord de solidarité monétaire entre alliés et associés est dénoncé en mars 1919 par la Grande-Bretagne, en juillet par les Etat-Unis et que les Américains ne soutiennent plus ces devises sur les marchés des changes. En Europe centrale, la situation est pire, l'inflation y prend une allure galopante, et de nombreux Etats assistent à l'effondrement de leur monnaie, tel le mark allemand en 1923 (voir tableau 6 et 6 bis).

TABLEAU 6

COURS MOYENS ANNUELS DU DOLLAR, DE LA LIVRE STERLING
ET DU MARK EN FRANCS (1914-1928)

	Dollar	Livre	Mark (Reichsmark à partir de 1924)
1914	5,18	25,22	1,23
1919	7,26	31,80	0,30
1920	14,30	52,70	0,25
1921	13,49	51,93	0,16
1922	12,33	54,55	0,027
1923	16,58	75,73	0,0004
1924	19,32	85,27	—
1925	21,23	102,59	5,05
1926	31,44	152,70	7,48
1927	25,48	123,87	6,05
1928	25,42	124,04	6,07

TABLEAU 6 bis

COURS DU DOLLAR EN MARKS (1914-1923)

1914	1918	janv. 1919	janv. 1920	janv.1921	janv. 1922	oct. 1922
4,2	8	8,9	64,8	76,7	191,8	4 000

janv. 1923	juill. 1923	sept. 1923	oct. 1923	nov. 1923
18 000	353 000	99 millions	25 milliards	4 200 milliards

Nous aurons l'occasion de revenir sur ces faits et sur la manière dont la stabilisation monétaire s'est opérée en 1924 pour le mark, en 1925 pour la livre et en 1926-1928 pour le franc. Mais il convient dès maintenant de souligner le changement fondamental intervenu : avec l'inflation créée par la guerre de 1914-1918, *la monnaie tient une place nouvelle et centrale dans les relations internationales*. Elle est d'abord enjeu de puissance : dès 1920, la Grande-Bretagne souhaite que « la livre-sterling puisse regarder le dollar en face » ; elle fait tout pour que sa devise revienne à la convertibilité-or selon l'ancienne parité et que Londres retrouve sont rôle de grand centre financier. Elle est source de rivalités : l'instabilité des taux de changes déclenche de vastes mouvements spéculatifs qui se manifestent par la ronde incessante de capitaux flottants, que chaque place, New York, Londres ou Paris (lorsque le franc est stabilisé), essaie d'attirer par tous les moyens. Elle devient aussi une arme pour les impérialismes : la Banque d'Angleterre, le Système Fédéral de Réserve ou la Banque de France fournissent leur aide aux nouveaux Etats d'Europe orientale au moment de la création de leurs monnaies, en échange d'avantages économiques ou politiques. Elle donne un rôle diplomatique de premier plan aux banquiers et particulièrement aux gouverneurs des grandes banques centrales, comme l'Anglais Montagu Norman, le Français Emile Moreau, l'Américain Benjamin Strong ou l'Allemand Hjalmar Schacht. Elle est évidemment au centre des grands débats internationaux nés de la guerre sur les créances américaines et les réparations allemandes. Enfin, elle forme désormais un des liens privilégiés entre politique intérieure, politique économique et politique étrangère. Face à l'inflation et à la dépréciation, les choix possibles sont multiples et les gouvernements de l'époque, déconcertés, en apprennent souvent à leurs dépens les avantages et inconvénients internes ; ils font aussi connaissance, on n'insiste pas suffisamment sur ce point, avec les profits et pertes que les décisions monétaires procurent à leur politique extérieure.

La restauration d'une monnaie, comme celle de la livre-sterling au cours des années 1920, comporte en effet des bénéfices et des risques. A l'intérieur, elle contente les banquiers, mais, à cause des mesures de déflation et de restriction de crédit qu'elle implique, elle fait souvent mauvais ménage avec la croissance, le niveau d'emploi et les ambitions des industriels. Sur le plan international, la monnaie forte attire les capitaux flottants, facilite les prêts extérieurs à long terme, donne des moyens financiers à une diplomatie de grandeur. A une condition cependant, celle de ne point se retrouver par rapport aux autres devises dans un état de surévaluation qui, à la longue, suscite la chute des exportations, les fuites d'or et la dépendance à l'égard de l'étranger. Inversement, la politique inflationniste affaiblit la monnaie, érode l'épargne et la substance bancaire, détériore la balance des paiements, mais peut relancer l'activité économique et faire baisser le chômage. La fonte des réserves d'or et de devises qui en découle, réduit cependant la position internationale du gouvernement, obligé de quémander une aide étrangère. La faiblesse monétaire peut réduire à néant les avantages et les conquêtes de la force militaire : nous verrons comment la France en fait l'amère expérience en 1923-1924. A moins que, la maîtrise des prix étant assurée, un taux de dévaluation bien choisi ne renverse la tendance, en favorisant les exportations ou le retour des capitaux flottants ; elle redonne alors l'autonomie de décision en politique extérieure.

Face à ces problèmes d'un nouveau type, les dirigeants se montrent souvent désemparés. D'autant que leurs choix ont aussi des conséquences sociales : la politique de déflation lèse les fonctionnaires et crée du chômage ; l'inflation ruine les rentiers, appauvrit les salariés dont les salaires augmentent moins vite que les prix, pendant que les spéculateurs, les fournisseurs de l'Etat, les « profiteurs de guerre » se sont enrichis. Dans chaque Etat, à des dégrés divers, ces épreuves financières et monétaires sapent les bases de la société et menacent le consensus national. Les années 1920 sont aussi les années de la grande crise des opinions publiques. Tout responsable de la politique extérieure doit en tenir compte.

L'ébranlement idéologique et psychologique

La guerre a profondément marqué les mentalités collectives, en laissant des traces nombreuses, durables et contradictoires. Le choc sanglant entre les nations, l'engagement total de chacune d'entre elles dans le conflit, la mobilisation des esprits par l'Etat, « l'union sacrée », les joies de la victoire ou les humiliations de la défaite ont fortifié le sentiment patriotique dans la plupart des pays. Mais d'un autre côté, la mort de millions d'hommes, la grande « fatigue des peuples » à partir de 1917, l'espérance ou la peur suscitée par la révolution russe, ont créé des déchirures et des remises en question dans le tissu des consciences nationales. Les difficultés économiques de l'après-guerre et les compromis diplomatiques fragiles imposés par les vainqueurs ajoutent leur part de désarroi et de déceptions. Entre 1914 et 1918, l'engagement physique et moral fut tel, les promesses des gouvernants si imprudentes, que les fruits de la paix ne pouvaient qu'être amers. Pour comprendre l'évolution de la psychologie collective et son rôle dans les relations internationales, il convient de passer en revue quelques-unes de ses composantes essentielles.

Les *idéologies* (nationalisme, pacifisme, libéralisme, socialisme...) constituent des réservoirs d'idées structurées où s'abreuvent consciemment militants, intellectuels et partis politiques pour influencer leurs contemporains. Les *sentiments collectifs,* tout aussi stables et durables, mais bien plus diffus dans la population jouent aussi car ils puisent dans l'inconscient collectif toute une série d'émotions enracinées, de valeurs morales, d'images religieuses, de préjugés nationaux ou de stéréotypes culturels (on retrouvera là, mais avec une signification différente, le nationalisme et le pacifisme). Les *opinions publiques* enfin, confrontées à une situation concrète, nourries par les idéologies et les sentiments profonds, mais aussi traversées par les impressions fugitives que crée l'événement, sont l'expression plus ou moins claire, plus ou moins forte, de l'état chimique de toutes ces attitudes mentales *à un moment donné.*

Triomphe du libéralisme et de la démocratie ?

La plupart des idéologies existantes en 1914 sortent de la guerre bousculées ou renouvelées. La chute des empires historiques et des dynasties séculaires en Russie, en Autriche-Hongrie, en Allemagne et bientôt dans l'Empire ottoman, consacre le déclin du monarchisme traditionnel. La victoire de 1918 est aussi, semble-t-il, celle du *libéralisme politique et démocratique.* Dans les Etats issus des traités, s'installent, pour un temps du moins, des régimes libéraux et parlementaires. La République est établie en Allemagne. En France, elle se montre triomphante, récupérant les provinces perdues par la faute de Napoléon III, et paraît plus solide que jamais. Les derniers obstacles au suffrage universel disparaissent en Italie et en Grande-Bretagne (où de surcroît le vote des femmes est institué). La démocratisation est supposée s'étendre aux relations internationales elles-mêmes, avec la fin de la diplomatie secrète rêvée par le Président Wilson. Pourtant, cette victoire de l'esprit démocratique est précaire : non seulement comme nous le verrons, il est, sérieusement concurrencé par les idéologies nouvelles nées de la guerre, mais il est menacé par certaines formes du nationalisme.

Nationalismes et mouvements des nationalités

Le *nationalisme,* tant comme idéologie que comme sentiment profond, est renforcé par l'épreuve de la guerre. Il n'a pas la même signification chez les peuples soumis qui combattent pour la reconnaissance de leur identité ou de leur indépendance, et pour lesquels on peut davantage parler de « mouvement des nationalités », que dans les Etats-Nations constitués où il fait appel à des idées et des valeurs ultra-conservatrices. D'ailleurs, dans le premier cas, les nationalistes se réclament des principes wilsoniens, alors que dans le second ils s'accordent plutôt à les rejeter. Les uns demandent l'entrée de leur peuple sur un pied d'égalité dans le concert des nations, les autres affirment les droits supérieurs de leur entité nationale.

Hors d'Europe, la guerre a favorisé l'essor des mouvements nationaux, tantôt grâce à l'appui des grandes puissances, lorsqu'ils servaient les objectifs de leur stratégie militaire et politique, tantôt contre elles. A ce titre, les mois qui suivent immédiatement le conflit sont, dans les pays colonisés, semi-coloniaux ou faussement indépendants, riches en événements annonciateurs de tempêtes (voir p. 110 et suivantes).

Toutes ces résistances nationales ont une intensité, des méthodes, des assises sociales différentes, et leur incidence sur les relations internationales est inégale. Presque nulle à l'époque, pour les mouvements situés à l'intérieur des empires coloniaux où ils sont isolés du monde extérieur, plus considérable pour ceux qui se développent le long des lignes de fracture où s'exercent les rivalités économiques et stratégiques entre grandes puissances : en Extrême-Orient, et au Moyen-Orient.

En Europe au contraire, le mouvement des nationalités, plus ancien, plus enraciné, est globalement vainqueur en 1918-1920, avec la dislocation de l'Empire d'Autriche-Hongrie, la constitution des nouveaux Etats successeurs, la restauration de la Pologne, l'agrandissement de la Roumanie et, à la faveur de la révolution et de la guerre civile russes, l'indépendance de la Finlande et des Etats baltes. En Irlande, l'insurrection née en 1916 prend en 1919 la dimension d'une guerre nationale contre les Anglais. Lloyd George doit se résoudre en 1921 à un compromis qui aboutit à la partition : un Etat libre avec statut de Dominion dans le sud catholique du pays, l'Ulster protestant demeurant dans le Royaume-Uni. Toutes ces nationalités se métamorphosent donc en nations constituées, et, mis à part le cas des Irlandais dont l'unité n'est pas faite, ni l'indépendance acquise (celle-ci est accordée en 1937), leur nationalisme tend à changer de caractère : il ne s'agit plus d'acquérir, mais de conserver l'Etat-nation contre le révisionnisme des vaincus, de soutenir la minorité de compatriotes que les traités de paix ont laissé de l'autre côté d'une frontière, voire de conquérir un morceau de territoire, lorsqu'il y a litige avec un voisin. Les Polonais rêvent de la Grande-Pologne d'avant 1772 et se lancent dans la guerre de 1920-1921 contre la Russie soviétique. Peu à peu, ce type de nationalisme prend, sauf en Tchécoslovaquie, un tour conservateur, militariste, antiparlementaire et anticommuniste.

Le nationalisme des Etats constitués : idéologie et sentiments

Dans les Etats-Nations anciennement établis, *l'idéologie nationaliste* avait déjà pris ce tournant à l'aube du siècle, en rejetant les valeurs positivistes, le libéralisme et le socialisme. Débordant les simples manifestations du patriotisme ordinaire, elle exaltait la force, l'armée et la nation, autant pour affirmer des ambitions extérieures que pour assigner des objectifs de politique intérieure. Au nom de cette mystique, et en se servant d'elle, les nationalistes continuent après la guerre, qui leur a donné de la voix et de l'audience, de condamner autant le parlementarisme jugé faible et corrompu que les socialistes considérés comme des traîtres à la patrie. Ils espèrent séduire les anciens combattants en dénonçant les « embusqués », et tentent de recréer autour de leurs revendications la fraternité des armes et l'esprit de la mobilisation. En Italie, ils exploitent à l'envi le thème de « la victoire mutilée » : en septembre 1919, Gabriele d'Annunzio, en rébellion contre le gouvernement qu'il veut ridiculiser et affaiblir, s'empare avec les *arditi* de la ville de Fiume que le Président Wilson refuse de donner à son pays. En Allemagne, les groupes « nationaux » développent le mythe du « coup de poignard dans le dos », lavant l'armée des responsabilités de la défaite. Ils crient à la trahison des sociaux-démocrates et des nouveaux dirigeants républicains qui ont signé l'armistice de Rethondes, puis le « diktat » de Versailles. Les nationalistes français, derrière Maurice Barrès ou Charles Maurras, entretiennent la peur du bolchévik, la haine du « Boche », et la colère contre les Anglo-Saxons qu'ils accusent de prendre désormais le parti de l'Allemagne contre la France. En Grande-Bretagne, l'idéologie nationaliste, plus impériale, plus coloniale, s'en prend aux ambitions navales et économiques des Etats-Unis et aux prétentions françaises au Moyen-Orient. De l'autre côté de l'Atlantique, elle se réfugie dans le moralisme, le mépris de l'Europe et la défense des valeurs américaines.

Autant il est difficile de distinguer entre idéologie et sentiment lorsqu'on a affaire aux mouvements des nationalités, autant la distinction s'impose pour le nationalisme des vieilles nations. Fait également de chauvinisme et de patriotisme exacerbé, le *nationalisme populaire* ne se réduit pourtant pas au nationalisme des nationalistes. Il s'en imprègne, sans en retenir nécessairement les projets de politique intérieure et l'idéologie autoritaire. Il est entretenu et favorisé par l'extrême droite et la droite, mais il affecte toutes les autres sensibilités après l'épreuve de la guerre, au centre et même à gauche. Certains radicaux français emploient à l'égard des Allemands en 1919-1920 des mots de haine que Charles Maurras ou Léon Daudet ne désavoueraient pas ; la plupart d'entre eux, pourtant attachés à l'idéal de la Société des Nations, prennent garde, jusqu'en 1923 du moins, de ne pas condamner la politique de fermeté contre l'ancien ennemi. C'est Ebert, un social-démocrate, chef provisoire de la République, qui salue le retour de l'armée « invaincue » : ce geste montre comment la plupart des Allemands, tout étourdis par la soudaineté de la défaite, n'ont pas une claire conscience d'avoir été battus militairement, d'où la stupeur nationale devant la dureté des clauses du traité de Versailles, partagée par tous les courants de l'opinion, y compris par ceux qui, à gauche ou au centre, en approuvent tactiquement la signature.

Il convient évidemment d'établir des distinctions. Les attitudes nationalistes n'ont pas la même tonalité aux Etats-Unis et dans les pays qui ont le plus souffert de la guerre, où les sensibilités sont à vif. Quant au réactions à l'intérieur des pays vaincus et des pays vainqueurs, elles sont différentes.

Chez les vaincus, les revendications en matière de révision des traités sont populaires ; le sentiment national est exaspéré par la perte des territoires, et on s'inquiète du sort des compatriotes coupés de la patrie par les nouvelles frontières. Chez tous les vainqueurs, l'opinion publique réclame pour sa nation les fruits de la victoire et la reconnaissance des sacrifices consentis, dont le prix est jugé tel qu'il interdit que les alliés puissent lui demander aucun effort supplémentaire. Le thème de la « victoire mutilée » a du succès dans la plupart des milieux de la société italienne. Les Français, meurtris par la grande saignée, considèrent que les réparations allemandes sont une compensation juste et méritée, qui permet de financer sans contrainte nouvelle les lourdes charges de la recontruction et d'affaiblir un pays dont ils redoutent la puissance presque intacte. Ils trouvent indécent l'acharnement des Etats-Unis, plutôt moins éprouvés, à demander le paiement des dettes de guerre.

Le cas américain

Les citoyens américains, de leur côté, ne voient vraiment pas pourquoi, par le truchement de l'impôt, ils rembourseraient eux-mêmes à leurs banquiers l'argent emprunté par les Européens : ils estiment avoir déjà consenti un engagement militaire décisif pour la victoire commune, et désintéressé, puisque le règlement de la paix ne leur apporte aucun bénéfice particulier. Beaucoup vont jusqu'à remettre en question le bien-fondé de la décision de 1917 : à leurs yeux, l'entrée en guerre n'a profité qu'aux milieux financiers et industriels, et, en Europe, à la Grande-Bretagne. Aussi, toute une réaction se fait-elle jour contre le traité de Versailles, dès qu'il est signé, et contre le pacte de la S.D.N. que le président Wilson y a fait inclure : ce pacte ne risque-t-il pas d'engluer les Etats-Unis dans l'imbroglio des affaires européennes et de les entraîner dans une autre conflit sanglant et inutile pour leurs intérêts ? L'opposition la plus forte vient des Républicains, avec à leur tête pour ce combat, Henry Cabot Lodge, président de la Commission des Affaires étrangères du Sénat. Le groupe de presse de William Hearst, avec sa quarantaine de journaux tirant à trois millions d'exemplaires, entre dans la bataille, menant une campagne anglophobe et dénonçant l'ingratitude des Européens. Malgré les efforts de Wilson qui fait une grande tournée dans l'Ouest pour convaincre l'opinion, le Sénat, après de nombreuses péripéties — premier vote négatif en novembre 1919, adoption de 14 « réserves » obtenue par Cabot Lodge, refus des wilsoniens de voter le nouveau texte —, ne réunit pas le 19 mars 1920 la majorité constitutionnelle des deux-tiers pour ratifier le traité de Versailles. C'est dans ce même climat que le candidat démocrate est battu quelques mois plus tard par le républicain Harding aux élections présidentielles. Il y a donc bien un puissant courant nationaliste aux Etats-Unis, tout à fait original dans sa forme et son contenu, et qu'on appelle l'isolationnisme. Ce terme doit être utilisé avec discernement. Autant la politique extérieure conduite par les républicains pendant les années 1920 n'a rien eu d'isolationniste, nous aurons l'occasion de le démontrer grâce à de nombreux travaux récents, autant l'isolationnisme a été populaire et a imprégné le sentiment public américain. Les décideurs ont été forcés d'en tenir compte et la marge de manœuvre de tous les présidents des Etats-Unis sur la scène internationale en a été singulièrement rétrécie jusqu'en 1941. Le pays devenu le plus puissant n'a pas pu peser de tout son poids dans les affaires du monde et lui donner un équilibre stable. Il est rare qu'un phénomène d'opinion ait une telle portée historique.

Nationalisme de colère et d'humiliation chez les Allemands et les Hongrois, de frustration et de revendication chez les Italiens, de hargne et d'inquiétude mêlées chez les Français, de repli chez les Américains : l'idéologie y joue souvent un moindre rôle que la passion. On le comprend, après la grande boucherie de 1914-1918 : derrière toutes ces clameurs, il y a une part de haine. Il y a aussi une part de peur : la peur que le massacre ne recommence.

Les pacifismes

En effet, si, comme idéologies, nationalisme et pacifisme s'opposent souvent, comme sentiments, ils sont encore moins contradictoires qu'avant la guerre.

Il faut une fois de plus distinguer entre vainqueurs et vaincus. Chez les premiers qui ont tout à perdre dans un nouveau conflit, les mêmes individus peuvent très bien subir l'influence conjointe des deux courants. Le refus de la guerre se trouve au cœur de leurs nationalismes, l'isolationnisme américain par définition, mais également le nationalisme français : il faut éviter la guerre, puisque celle-ci ne serait qu'une guerre de revanche allemande qui risque de remettre en question les acquis de 1918 ; le meilleur moyen de l'éviter, c'est d'empêcher, par la force préventive s'il le faut, que l'Allemagne ne redevienne une grande puissance. Le nationalisme français n'a jamais été aussi fort qu'au temps où le Reich était faible et le risque de vrai conflit inexistant. L'exemple des anciens combattants, si bien étudiés par Antoine Prost, illustre très bien ce mélange complexe. Profondément patriotes, volontiers chauvins, parfois haineux et, du moins dans un premier temps, partisans de l'intransigeance à l'égard des Allemands, ils n'en restent pas moins viscéralement attachés à la paix. Aucun militarisme dans leur comportement : représentant moins l'armée que la nation en armes, ils défilent en civil, célèbrent le culte des morts, et font construire dans toutes les communes de France des monuments qui expriment plus souvent le deuil et la pitié que la puissance et la gloire. « Plus jamais ça ! », tel est le cri de leur conscience meurtrie par la vision du carnage. Derrière le vernis nationaliste, vibre une sensibilité pacifiste plus forte encore, d'autant que ces hommes n'ont plus rien à réclamer pour leur patrie, sinon la sauvegarde des fruits de la victoire. Ce sentiment contraste, semble-t-il, avec le nationalisme virulent, révisionniste et militariste de certains anciens combattants allemands, les Casques d'Acier, par exemple. Ces attitudes différentes sont significatives de la psychologie collective des deux pays : au fond, les Français n'ont pas tout à fait une mentalité de vainqueurs ni les Allemands une mentalité de vaincus.

Ce *pacifisme sentimental* dont l'aspiration à la paix ne préjuge d'aucune mesure précise pour éviter la guerre est loin de s'identifier complètement avec *l'idéologie pacifiste*. Celle-ci propose une philosophie internationaliste en matière de politique extérieure. Pour les pacifistes proprement dits, le désarmement complet de toutes les nations est le meilleur moyen d'empêcher les conflits. Conscients des difficultés qu'implique la mise en œuvre de cette solution idéale, ils font pression sur les gouvernements pour aboutir au moins à la réduction des budgets militaires et poussent à une négociation internationale : le traité de Versailles ne présentait-il pas le désarmement de l'Allemagne comme le prélude à la limitation générale des armements ? A ceux qui pensent que la sécurité du monde est fondée sur la sécurité que se donne chaque pays, sur la capacité de défense militaire de chaque nation, ils opposent le concept de sécurité collective. Le mot apparaît seulement dans les années 1930, mais l'idée est déjà esquissée par l'article 10 du Pacte de la S.D.N. : « Les membres de la Société s'engagent à respecter et à maintenir contre toute agression extérieure l'intégrité territoriale et l'indépendance politique de tous les membres de la Société ». C'est cette solidarité internationale institutionnalisée qui sera pour chaque Etat la meilleure garantie, et non les alliances traditionnelles ni la course aux armements qui ont mené à la déflagration générale de 1914. Dans la ligne des principes wilsoniens, les pacifistes fondent tous leurs espoirs dans la S.D.N. pour réaliser ces objectifs, et demandent que les dispositions du pacte, bien trop vagues en matière d'assistance mutuelle, soient améliorées.

Il existe certainement des différences d'expression entre les sensibilités nationales. En particulier, les pacifistes anglo-saxons, qui n'ont rien à craindre pour la sécurité de leur pays, mettent davantage l'accent sur le thème du désarmement, et leurs gouvernements sont d'autant plus sensibles à leur pression qu'ils ont une grande audience auprès des femmes, à qui le droit de vote vient d'être accordé. En France et dans les pays inquiets du voisinage allemand, c'est la notion de sécurité collective qui est prioritairement mise en avant.

Toutes ces idées sont essentiellement défendues dans les milieux de la gauche européenne qui renoue ainsi avec ses traditions pacifistes de l'avant-guerre : syndicalistes, socialistes et radicaux français, sociaux-démocrates allemands, travaillistes britanniques. Elles sont également exprimées dans les milieux protestants. Le fait nouveau réside dans l'éclosion d'un pacifisme catholique, favorisée par l'action du Saint-Siège. Pendant les hostilités, le pape Benoît XV avait échoué dans ses tentatives de conciliation. Bien plus : chaque Eglise faisait cause commune avec la patrie en guerre, prêchait l'union sacrée, et se montrait hostile aux initiatives pontificales. En 1918-1920, l'opinion catholique était encore très sensible au discours nationaliste. Quelques années plus tard, lorsque s'estompent les passions, les appels du nouveau pape Pie XI en faveur du désarmement et de la S.D.N. provoquent un retournement : ils trouvent un écho favorable dans les Eglises et suscitent dans les mouvements de la jeunesse catholique des vocations militantes pour la cause de la paix. Significative aussi de toute une évolution, la condamnation pontificale de l'Action Française et de la doctrine ultra-nationaliste de Charles Maurras en 1926 ne soulève guère de protestations, sauf dans les milieux d'extrême droite, ni ne rompt l'union de la catholicité.

Evolution, tel est le mot-clé pour expliquer les rapports complexes entre pacifisme et nationalisme dans les opinions publiques après 1918. Celui-ci est prégnant dans les esprits dans l'immédiat après-guerre ; mais celui-là, enfoui dans les consciences pendant le conflit, remonte à leur surface après un temps de latence, puis, au milieu des années 1920, explose en un courant international puissant.

A ces idées et sentiments traditionnels, viennent s'ajouter deux idéologies nouvelles, sécrétées par la guerre, qui bousculent le schéma mental et psychologique européen : le communisme et le fascisme.

Le communisme ou la révolution

La révolution bolchévique a joué un rôle essentiel dans l'évolution du cours de la guerre et dans le changement des données diplomatiques au moment de la conclusion de la paix. En outre, elle semble annonciatrice de temps nouveaux et d'un nouvel ordre international. A ce titre, elle trace dans les mentalités collectives des pays d'Europe et d'Asie une empreinte profonde et durable, aussi bien par les espoirs qu'elle fait naître que par les peurs qu'elle suscite. Nombre d'ouvriers, d'étudiants, d'intellectuels, dégoûtés de la guerre, déçus par l'attitude des socialistes qui l'ont acceptée et même conduite, écœurés par les injustices sociales et la dureté de la vie que le retour à la paix n'a pas atténuées, espèrent voir dans les événements russes le début de la grande épopée révolutionnaire qui changera la face du monde. Dans leurs choix, il y a plus de romantisme et de lyrisme que d'adhésion intellectuelle et idéologique, d'autant qu'ils ne peuvent savoir ce que l'on sait pleinement aujourd'hui : les jalons d'un Etat totalitaire, pratiquant la terreur de masse, sont posés par Lénine dès les débuts de la Russie soviétique. Leur espérance semble se réaliser, lorsqu'en 1919 éclate à Berlin la révolution spartakiste, conduite par Rosa Luxemburg et Karl Liebknecht, qu'une république des conseils s'installe à Munich, que Béla Kun fait flotter le drapeau rouge sur Budapest, et qu'en 1920 un vaste mouvement de grèves atteint la France et surtout l'Italie où les ouvriers occupent les usines. Cette vague révolutionnaire qui déferle sur l'Europe, a secoué plus fortement les pays vainqueurs, où, comme en Russie deux ans plus tôt, la défaite a fait craquer les cadres de l'Etat et de la société.

Elle conforte les bolchéviks dans l'idée que la révolution européenne est possible. Ils étaient déjà convaincus de sa nécessité et la perçoivent non seulement comme un aboutissement, celui de la victoire finale du prolétariat de tous les pays, mais comme un préalable vital pour la défense de l'Etat soviétique : sans elle, le nouveau régime, attaqué de tous les côtés par les Russes blancs et les armées étrangères, isolé politiquement, économiquement et militairement, risque de péricliter. Lénine veut coordonner davantage le mouvement et suppléer les carences de la IIe Internationale qui a abandonné la cause révolutionnaire. Il fonde la IIIe Internationale ou Internationale communiste, dont le premier congrès se tient en mars 1919, et le second en juillet-août 1920. C'est au cours de cette deuxième réunion que sont posées les « 21 conditions » à l'adhésion au Komintern : rupture avec le réformisme, nécessité de la dictature du prolétariat, organisation centralisée des partis membres qui doivent désormais s'appeler « communistes » et pour qui les décisions de l'Internationale sont impératives.

Un mois plus tard, Lénine donne une dimension extra-européenne à l'idéologie révolutionnaire : en semptembre 1920 est convoqués à Bakou, en Azerbaïdjan, le congrès des peuples de l'Orient. Celui-ci rassemble des délégués venus de toute l'Asie qui ne sont pas nécessairement communistes ni même de sensibilité socialiste : il s'agit de trouver une stratégie adaptée aux pays coloniaux ou semi-coloniaux et de faire de la Russie soviétique la championne de la lutte contre les impérialismes.

Mais déjà s'amorce le reflux du courant révolutionnaire en Europe : dès 1919, les insurrections allemande et hongroise étaient écrasées ; les mouvements ouvriers en France et en Italie sont affaiblis par la scission entre communistes qui acceptent et socialistes qui refusent l'adhésion à la IIIe Internationale (Congrès de Tours en décembre 1920 et Congrès de Livourne en janvier 1921). Dès lors, le Komintern et la solidarité idéologique des militants européens sont moins des ferments de la révolution, dont on ne croit plus à l'extension immédiate, que des instruments entre les mains de bolchéviks pour consolider les positions internationales de la patrie du socialisme, devenue en 1922 Union des Républiques Socialistes Soviétiques. Lorsque, sous Staline, le régime socialiste se mue en Etat totalitaire, et qu'il est expressément limité à un seul pays, les partis communistes constituent le relais principal de sa propagande internationale : ils ont pour tâche d'expliquer, de justifier et de célébrer ses réalisations. Idéologie révolutionnaire et défense des intérêts de l'Etat soviétique ne sont plus des objectifs complémentaires, et la seconde exigence prend désormais le pas sur la première.

Qu'il y ait flux ou reflux de la révolution, le phénomène bolchévique et communiste fait aussi très peur, et ce sentiment a de grandes conséquences sur la vie internationale. Outre les interventions étrangères en Russie, il provoque toute une série de réactions en Europe. La violence révolutionnaire déchaîne la violence contre-révolutionnaire en Hongrie où l'amiral Horthy installe un régime autoritaire. Dans les pays voisins de la Russie, la droite et l'extrême droite, relèvent la tête et greffent leur anticommunisme sur le nationalisme antirusse de leurs populations, facilitant la tâche des Occidentaux qui cherchent à isoler le bolchévisme derrière un cordon sanitaire. D'une façon générale, les nouveaux antagonismes idéologiques brouillent et parfois brisent les solidarités géopolitiques : contre le danger allemand, la France républicaine avait accepté de conclure une alliance avec la Russie tsariste ; elle n'y réussit pas vraiment avec la Russie soviétique, se privant ainsi en 1939 d'un atout qu'elle détenait en 1914. Non que les rapprochements contre-nature entre régimes ayant des idéologies opposées soient impossibles : l'Italie fasciste de Mussolini n'hésite pas à nouer des relations diplomatiques avec l'U.R.S.S. en 1924 ; le communisme stalinien consent à conclure un pacte avec le nazisme hitlérien en août 1939.

Les fascismes : la guerre ?

Produit indirect de la guerre et des insatisfactions que celle-ci suscite en Italie, le fascisme est créé au début des années 1920 par Benito Mussolini ; il inspire profondément le nazisme qui accède au pouvoir en Allemagne en 1933 ; et c'est en son nom qu'Adolf Hitler prend l'initiative d'une guerre, qui deviendra elle aussi, et pour la seconde fois, mondiale. C'est dire que l'existence de cette nouvelle idéologie résume presque à elle seule la façon dont les conséquences politiques, sociales et diplomatiques du premier conflit, mal maîtrisées, ont pu être à l'origine du conflit suivant.

Le fascisme emprunte les thèmes du nationalisme d'extrême droite, qui ont d'autant plus de succès qu'ils touchent des pays lésés par les traités de paix : exaltation de la patrie, militarisme, antiparlementarisme et antisocialisme. Il y ajoute cependant une dimension fondamentalement différente : il ne se veut pas une doctrine élitiste, mais une idéologie de masse, à la fois contre-révolutionnaire et révolutionnaire, anticommuniste et anticapitaliste, capable d'intégrer le peuple tout entier dans l'action politique. Pierre Milza distingue trois ou quatre étapes dans son développement. Le « premier fascisme », tirant parti de l'humiliation nationale subie par le pays, organise des manifestations violentes dans la rue, déstabilise le pouvoir libéral en place, combat à la fois l'extrême gauche et les milieux d'affaires pour recruter dans les classes moyennes affectées par la crise sociale. Le « second fascisme », plus sage, se rallie les grands intérêts économiques en vue de la conquête du pouvoir. Une fois installé au gouvernement, de la manière la plus légale du monde (Mussolini en 1922 et Hitler en 1933), et après un certain délai, il forge dans un troisième stade un Etat totalitaire qui, ne se limitant pas à une simple dictature, organise l'embrigadement des masses, leur adhésion à la fois forcée et volontaire au culte du chef, du régime et de la patrie, grâce à la terreur, la propagande, et l'action psychologique : l'objectif final est de créer un « homme nouveau ». Le nazisme allemand ajoute à cette doctrine, qui s'est construite progressivement, sa propre dimension : le racisme.

Sur la scène internationale, le fascisme exerce un pouvoir d'attraction. Ses idées imprègnent les mouvements d'extrême droite, puis les régimes autoritaires qui s'intallent en Europe centrale. Mais ces derniers ne retiennent que certains aspects superficiels du régime mussolinien et, le cas allemand mis à part, restent fidèles à leurs visions traditionalistes. Pourtant mobilisatrice et messianique comme le communisme, l'idéologie fasciste ne suscite pas la création d'une véritable Internationale, pas dans l'immédiat : il faut attendre 1934, après l'arrivée de Hitler au pouvoir, pour qu'un tel organisme soit envisagé. En revanche, elle constitue, dans ses principes au moins, une menace pour l'ordre international : parce qu'elle proclame haut et fort la grandeur de l'Italie, qu'elle implique donc la révision des traités comme un objectif à moyen terme, et qu'elle chante les vertus de la guerre, par laquelle l'homme nouveau se réalisera pleinement. Le mythe de la guerre est au fascisme ce que le mythe de la révolution est au communisme. Cela dit, Mussolini adopte pendant les années 1920 une diplomatie prudente. Là encore l'idéologie est sacrifiée à la raison d'Etat. Mais autant l'élan révolutionnaire peut être canalisé, intériorisé, mobilisé pour l'édification du socialisme dans un seul pays, autant la crédibilité du régime fasciste n'est possible que s'il obtient, à la longue, la grandeur nationale promise. D'où, pour la stabilité du monde, le danger d'une idéologie si dépendante de ses réalisations en politique extérieure.

Culture et nation : le rôle des médias

Idéologies et sentiments brassent des idées, des émotions et des images concurrentes, qui nourrissent le terreau des opinions publiques et modèlent un paysage mental, différent selon les pays, et changeant au fil des années. Ce paysage influe sur les décision des dirigeants, et, inversement, les gouvernements entendent bien rendre l'opinion réceptive à leur politique intérieure et extérieure. Les représentations mentales deviennent un enjeu important pour eux. Ils en sont particulièrement conscients depuis l'expérience de 1914-1918 : contre le défaitisme, il fallait mobiliser les esprits et tendre les énergies. C'est le peuple entier qui était lancé dans la guerre. Dès lors, l'opinion devient pour les responsables un phénomène de masse et non plus seulement un problème d'élites. La paix revenue, il faut sauvegarder ou restaurer la cohésion intérieure, maintenir ou rétablir le prestige extérieur de la nation. Dans cette perspective de psychologie collective, l'image de l'autre, de l'étranger, et l'image de soi prennent une importance accrue.

Depuis la fin du XIXᵉ siècle, la *presse,* devenue une presse de masse, joue un rôle fondamental dans le représentation, la diffusion et parfois la fabrication des stéréotypes. Après 1918, on retrouve les mêmes méthodes : prise en compte du sensationnel, mise en images de l'événement grâce à la place croissante de la photographie, reportages sportifs, aéronautiques ou coloniaux, qui exaltent la fierté nationale. Les récits de guerre et la narration des grandes batailles ajoutent de la matière. Ils emplissent les hebdomadaires illustrés, donnant aux lecteurs des impressions ambivalentes qui font vibrer autant le pacifisme que le patriotisme, car l'horreur le dispute à la gloire. Le public se préoccupe sans doute davantage des problèmes intérieurs et des difficultés de la vie quotidienne, mais l'information internationale, commandée par l'actualité d'un après-guerre mouvementé et d'un règlement de paix difficile, est de plus en plus abondante et s'impose à son attention. Les campagnes de presse sur des sujets diplomatiques peuvent prendre de l'ampleur : nous avons parlé de celle qui a été organisée par le groupe Hearst contre la politique de Wilson en 1919-1920. Les horizons s'élargissent un peu, ce qui est naturel après un tel conflit mondial. L'Américain, ce grand inconnu d'avant 1914, apparaît dans les journaux européens : on en parle à cause de la guerre et de la paix, mais aussi, avec une pointe d'étonnement, pour son jazz, ses automobiles et son mode de vie. Dans la Russie soviétique et l'Italie fasciste, l'information tourne à la propagande. Dans les autres pays, la vénalité de la presse, une maladie déjà ancienne, reste une pratique assez courante ; les Etats « arrosent » avec leurs fonds secrets les publicistes à l'étranger. L'Allemagne achète en France des articles critiquant la politique intransigeante de Raymond Poincaré ; l'Italie paie des journalistes pour qu'ils donnent aux Français une belle et bonne image du régime mussolinien ; la Tchécoslovaquie nouvelle se constitue une image positive en France grâce à de larges subsides. Il est évidemment très difficile de mesurer l'efficacité de ces manipulations sur les opinions publiques.

La *radio* naît comme véritable moyen d'information politique aux Etats-Unis en novembre 1920, lorsqu'une station de Pittsburgh émet un reportage sur l'élection de Harding. Celui-ci est le premier président à prononcer un discours radiodiffusé en juin 1923. Le nombre de postes de réception augmente rapidement dans ce pays : 50 000 en 1921, 60 000 en 1922, 4 millions en 1924, 6,5 millions en 1927 et 10 millions en 1929. Pendant la campagne électorale de 1924, et plus encore celle de 1928, la radio est utilisée par les candidats. Mais la place de la politique est encore très limitée, par rapport à la musique et au sport, qui fait sa grande « première » avec la retransmission du match de boxe Dempsey-Carpentier en juillet 1921. En Europe, les progrès sont plus lents mais réguliers. Le gouvernement britannique crée en 1922 la British Broadcasting Company, qui devient en 1927 la British Broadcasting Corporation, avec un pouvoir de monopole, pour éviter le foisonnement anarchique des stations qui s'était produit en Amérique. La Grande-Bretagne possède 3 millions de postes en 1929, contre 600 000 en France. Celle-ci fait coexister dans le domaine de la « T.S.F. » le service de l'Etat (armée, P.T.T.) et l'entreprise privée, dont la première station *Radiola* (futur *Radio-Paris*) est née en novembre 1922. A partir de 1924, les « journaux parlés » deviennent quotidiens. En Russie, les premiers programmes commencent en 1922, et très tôt Lénine voit dans ce « journal sans papier et sans frontières » un moyen de propagande et d'éducation des masses. Mais dans la plupart des pays, le divertissement l'emporte sur l'information, et celle-ci privilégie nettement les nouvelles de l'intérieur, par rapport à celles venues de l'étranger. Certains rêvent de faire de la radio un trait d'union pacifique entre les peuples, mais la S.D.N. ne crée sa station qu'en 1929. Il faut attendre les années 1930, l'époque de Roosevelt, Blum et Hitler, pour que la révolution radiophonique ait, en matière de politique intérieure et extérieure, une influence réelle sur les opinions publiques. Il en est de même pour le cinéma.

Le *cinéma*, créé en France par les Frères Lumière en 1895 n'est plus une curiosité scientifique. Dès avant la guerre, il est devenu un art grâce à Méliès, une industrie aussi, avec la fondation d'entreprises : Charles Pathé et Léon Gaumont en France, Wiliam Fox et les frères Warner à Hollywood, dont les studios sortent le premier film en 1911. C'est pendant le conflit mondial et les années 1920 que s'affirme la suprématie du cinéma américain : avec *Birth of a Nation* (1915), D.W. Griffith fait de cet art le moyen d'expression privilégié de la jeune Amérique. Tout y est déjà : souffle épique, simplicité de la composition plastique, exaltation de l'espace, fierté d'appartenir à un grand pays. Mais le cinéma ne marque pas seulement les mentalités nationales à l'intérieur des frontières. Muet, il s'exporte facilement puisqu'il n'existe aucun barrage linguistique et contribue à forger en profondeur les images que les peuples ont les uns des autres. Les *westerns* passionnent le public européen et lui donne une image mythique du Nouveau Monde. Charlie Chaplin en donne une autre, comique, tendre et corrosive à la fois, avec son petit personnage, *Charlot,* qui fait le tour de l'univers (son voyage en Europe en 1922 est triomphal). Ce n'est pas un hasard si un autre monde nouveau, l'U.R.S.S., privilégie aussi l'expression cinématographique. Les cinéastes ont pour mission de populariser l'action bolchévique. Eisenstein, influencé par l'art de Griffith, met toute sa fougue créatrice et lyrique dans la glorification de l'épopée révolutionnaire, avec *La grève* (1924), *Le Cuirassé Potemkine* (1926) et *Octobre* (1928) ; Poudovkine (*La Mère* en 1926) et Dovjenko (*La Terre* en 1930) tournent, avec la même inspiration communiste, des films dont la sensibilité est plus populaire et plus russe ; Dziga Vertov, avec des images prises sur le vif, dans la rue, est l'inventeur du *Kino-Pravda,* le cinéma-vérité. En Allemagne, le cinéma s'inscrit dans le mouvement de l'art expressionniste et reflète les angoisses d'une société et d'une nation : *Le cabinet du docteur Caligari,* de Robert Wiene en 1919 ; *Docteur Mabuse* en 1922 et *Metropolis* de Fritz Lang en 1926 ; *Nosferatu, le vampire* de Friedrich Murnau en 1922. En France le souvenir des tueries de la Grande Guerre marque un Abel Gance (*J'accuse,* 1919), par ailleurs génie épique et patriote (*Napoléon,* 1926). Mais une tradition populiste et intimiste semble caractériser le cinéma français : René Clair (*Sous les toits de Paris,* 1930) et Jacques Feyder (*L'Atlantide,* 1921, *Thérèse Raquin,* 1928). Revenons en Amérique : c'est en 1927, que la « révolution du parlant » est déclenchée par la voix d'Al Jolson dans le film musical, *Le Chanteur de jazz.* Le « parlant » s'impose définitivement à partir de 1930, élargissant le champ des possibilités du cinéma. En particulier, les « actualités » cinématographiques en font désormais un puissant et nouveau moyen d'information, capable d'influencer largement les opinions publiques.

Les *livres* contribuent à pérenniser les stéréotypes anciens ou à forger des images nouvelles, en particulier les romans de guerre, écrits avant ou après l'armistice. En France, ils ont une large audience et récoltent un grand nombre de prix littéraires. Ils se classent en plusieurs catégories. Ceux de René des Touches (*Pages de gloire et de misère,* 1917) ou d'Henry Malherbe (*La flamme au poing,* prix Goncourt 1917) se font l'écho des haines populaires contre l'Allemand ; en 1922 encore, dans *Silhouettes de guerre* de René Sauliol, un soldat français est décrit comme beau, uniquement parce qu'il est « couvert de sang boche ». Au contraire, comme on l'a vu, *Le Feu* (prix Goncourt 1916) d'Henri Barbusse est d'inspiration pacifiste, et d'autres auteurs, sans aller aussi loin dans la veine critique, décrivent avec réalisme les horreurs du carnage : Maurice Genevoix dans son témoignage (*Sous Verdun,* 1916), Georges Duhamel avec *Civilisation 1914-1917* qui reçoit le prix Goncourt en 1918, et Roland Dorgelès dont le roman *Les Croix de bois* se voit décerner le prix Femina en 1919, après avoir manqué le prix Goncourt au profit de l'œuvre de Marcel Proust, *A l'ombre des jeunes filles en fleur.* En fait très vite, les écrivains français renouent avec l'image traditionnelle créée au xixᵉ siècle, celle de la double Allemagne, l'une prussienne et militariste, l'autre romantique et libérale. C'est avec la seconde que Pierre Benoît dès 1918 avec *Koenigsmark* et Jean Giraudoux dans *Siegfried et le Limousin* en 1922 veulent célébrer les retrouvailles, devançant de quelques années l'opinion française moyenne. De l'autre côté du Rhin, le livre d'Erich Maria Remarque, *Im Westen Nichts Neues,* paru en 1928 et diffusé à trois millions d'exemplaires, dépeint les absurdités de la guerre immobile et meurtrière, et donne aussi une image plus humaine de l'ennemi français.

Les traductions de livres peuvent contribuer à mieux faire connaître l'étranger. Leur nombre augmente sensiblement en France pendant les années 1920 ; il double pendant les années 1930. Plusieurs collections de livres traduits sont lancées : « Feux croisés » chez Plon en 1927, « Du monde entier » chez Gallimard en 1931. La part des traductions dans la production d'ensemble passe de 3,8 à 13 % entre 1929 et 1938 (contre 2 % environ en Allemagne et en Grande-Bretagne, 11 % en Italie, mais 20 % en Espagne). « Connaître les littératures étrangères n'est plus une simple curiosité, c'est, depuis la guerre, une nécessité vitale », écrit en 1930 Ludmilla Savitzky, la traductrice de Joyce.

Si la littérature prend vite ses distances avec le chauvinisme, il n'en est pas de même avec le *monde scientifique*. En 1914, les savants constituent une communauté internationale harmonieuse et exemplaire, qui vole en éclats dès les premiers coups de canon. La plupart d'entre eux participent avec enthousiasme à l'effort de guerre et mettent leur science au service de la patrie. Leur attitude n'est pas alors différente de celle de nombreux intellectuels, écrivains ou non, qui partent comme volontaires au front. Mais, à la différence des milieux littéraires, les scientifiques gardent, longtemps après la fin des hostilités, une rancœur tenace contre les anciens ennemis. Du côté allié, on accuse les chimistes allemands d'avoir rendu possible l'emploi des gaz de combat, mais on cache à peine les arrière-pensées : l'objectif final est de briser l'hégémonie scientifique que l'Allemagne paraît détenir depuis la fin du siècle dernier. En juillet 1919, est créé le Conseil international de recherches. Le C.I.R. remplace l'ancienne Association internationale des académies et exclut les institutions des puissances centrales. L'historienne spécialiste de ces questions, Brigitte Schroder-Gudehus parle de véritable « quarantaine » décrétée contre les savants allemands. Seul Albert Einstein, connu pour ses positions pacifistes, échappe au « boycott » : dès 1920, il multiplie les tournées à l'étranger ; en 1922 il est invité en France par Paul Langevin pour faire des conférences sur la théorie de la relativité, et, la même année, le Conseil de la S.D.N. le nomme membre de la Commission internationale de coopération intellectuelle. Mais c'est l'exception qui confirme la dure règle imposée par les scientifiques des pays vainqueurs, dont l'attitude provoque un raidissement nationaliste chez leurs collègues germaniques. D'où le paradoxe suivant : au milieu des années 1920, ce ne sont pas les savants qui poussent les gouvernements à la détente internationale, mais les autorités politiques qui font pression sur les organisations scientifiques pour qu'elles sortent de leurs tranchées et renouent entre elles des relations normales. Assurément, l'internationalisme scientifique n'est plus un réflexe spontané.

Il y aurait également beaucoup à dire sur le caractère internationaliste du *sport*. Entre les deux guerres, celui-ci répond rarement à l'idéal de paix formulé par Pierre de Coubertin, le créateur des nouveaux Jeux Olympiques en 1896. Il est devenu lui aussi une affaire d'Etat, une manifestation de la puissance de la nation, quand il n'est pas en outre, comme dans l'Italie fasciste, un moyen d'enrégimenter la jeunesse. Pour préparer ses athlètes aux Jeux Olympiques d'Anvers de 1920, la France ouvre au Quai d'Orsay une Section de tourisme et de sport. L'objectif est clairement souligné par le rapporteur du budget des Affaires étrangères : « Il est absolument indispensable que la France ne perde pas aux yeux du monde athlétique... ce prestige que lui a donné ce sport suprême : la guerre... » (cité par Marcel Spivak). A faire l'amalgame entre compétition sportive et affrontement militaire, on risque de réveiller des souvenirs récents et sanglants. Aussi les pays vaincus ne sont-ils pas représentés à ces premiers Jeux du temps de paix. Aux Jeux de Paris de 1924, les délégations autrichienne, bulgare et turque sont admises sur le nouveau stade de Colombes, mais non les Allemands qui doivent attendre 1928 pour faire leur rentrée olympique à Amsterdam, où se fixe un nouveau rituel : pour la première fois brûle pendant toute la durée des épreuves la flamme allumée au soleil d'Olympie et transportée par des coureurs de toutes les nations. Le football attire des foules de plus en plus nombreuses ; la première rencontre France-Allemagne d'après les hostilités est organisée en 1931 seulement, et elle donne lieu à de vifs incidents entre spectateurs français et supporters allemands.

Le *tourisme international* peut donner une vision plus sereine de l'Etranger. Il se développe d'une façon sensible après la Grande Guerre. Les déplacements touristiques entre anciens pays ennemis reprennent peu à peu leur rythme normal. Aux voyageurs traditionnels, riches ou aisés, aux visiteurs des stations thermales, s'ajoutent des clientèles plus variées, en particulier celles des excursions organisées par les associations de jeunes, d'étudiants ou d'anciens combattants. De plus, la France voit affluer les Anglo-Saxons visitant les champs de bataille ou honorant les tombes de leurs disparus. Entre la « Belle Epoque » et les « années folles », la croissance des recettes nettes du tourisme français est spectaculaire : en francs constants, elles ont été multipliées par 2,5. Mais on est encore loin du tourisme populaire de l'après-seconde guerre mondiale.

Les images des Autres

Les médias, les rencontres internationales de toutes sortes font évoluer les images que les nations se font d'elle-mêmes et des autres, mais les événements aussi (la guerre, les joies et les difficultés de la paix) jouent directement leur rôle dans cette reconstruction mentale. Les visions restent stéréotypées, mais les stéréotypes évoluent.

La révolution change en Occident la manière de voir les Russes : beaucoup considèrent le bolchévik comme le diable et le Russe rouge comme un cosaque au couteau entre les dents, rougi par le sang de ses victimes. En France, on se souvient de la « trahison » de Brest-Litovsk et on ne pardonne pas la non-reconnaissance des dettes. Avec la fin de la guerre civile et l'instauration de la N.E.P., des contacts se renouent, les voyages reprennent et l'image se modifie ou se « normalise », chacun voyant ce qu'il veut voir. Edouard Herriot, de retour du pays des Soviets, livre en 1922 aux lecteurs du *Petit Parisien* son témoignage : à ses yeux, la Russie nouvelle renaît à la vie, à l'économie de marché, et l'embourgeoisement du régime l'éloignera inévitablement du communisme.

La perception des Allemands, nous avons eu maintes occasions de le dire, n'est pas la même chez les Anglo-Saxons, plus bienveillants à leur égard, que chez les Français particulièrement meurtris par la guerre. Cette différence de psychologie collective compte pour beaucoup dans la désunion des anciens alliés et associés pendant les années 1920. Peu à peu, la gauche française suit avec intérêt l'expérience de la République de Weimar, dont elle espère le succès, afin que soit enterré à jamais le spectre de l'autre Allemagne (encore cette double image), l'Allemagne agressive et militariste.

L'Angleterre puissante et impériale n'a pas toujours bonne presse à l'étranger, pas même aux Etats-Unis. Son image en France est tributaire non seulement du passé, lointain et récent, mais également de l'actualité : grâce à la fraternité des armes, « la perfide Albion devient la chère et loyale Angleterre » (François Crouzet) ; mais les rivalités de l'après-guerre et l'indulgence intéressée des Britanniques pour l'ancien ennemi viennent irriter l'opinion française qui garde pourtant le « sentiment confus d'une inévitable solidarité ». On en revient à des clivages dont l'origine *mutatis mutandis* remonte au siècle dernier : l'anglophilie se situe au centre et à gauche, chez les libéraux et les radicaux qui admirent les institutions de la Grande-Bretagne, chez les socialistes qui, avec les radicaux, apprécient sa politique pacifique ; l'anglophobie est partagée par les nationalistes de droite et d'extrême droite et par l'extrême gauche qui dénonce la puissance de la City et de l'Empire, la répression en Inde et en Irlande.

L'image du Français est au contraire transformée par la guerre de 1914-1918, et elle continue d'évoluer très vite dans les années suivantes. Elle sort d'abord grandie de l'épreuve : à la réputation d'intelligence un peu frivole, s'ajoute celle de ténacité guerrière. Mais l'intransigeance de la France à l'égard de l'Allemagne et l'occupation de la Ruhr en 1923 changent encore le tableau : c'est l'épouvantail du Français militariste qui est désormais agité par de nombreux Anglo-Saxons et de l'autre côté du Rhin. En Grande-Bretagne, s'opère dans les milieux politiques un renversement des positions sentimentales. Les conservateurs, longtemps méfiants à l'égard de la République française, s'en accommodent de plus en plus. Avec condescendance ou sympathie, ils la considèrent comme le rempart le plus sûr pour la sécurité britannique : « *Thank God for the French Army* », s'écrie en 1933 Winston Churchill. Au contraire les travaillistes et les libéraux, jusqu'alors francophiles et admirateurs de la France républicaine, se mettent à dénoncer le chauvinisme français, dans lequel ils voient la principale menace pour la paix en Europe. Cette image trouble longtemps la perception britannique et gagne de larges couches de la classe politique qui, pendant les années 1930, se méfie encore des Français, à une époque où le militarisme était pourtant passé de l'autre côté du Rhin. Une réputation peut avoir une vie plus longue que la réalité qui l'a fait naître, et un nouveau danger, trop récent, peut être sous-estimé : Hitler a su en profiter. Les préjugés aussi pèsent d'un certain poids sur le cours des relations internationales...

La politique culturelle, partie intégrante de la politique

Les Etats le savent. Dès le lendemain de la Première Guerre mondiale, ils prennent conscience de l'importance de leur image de marque dans le monde. D'où l'intérêt nouveau qu'ils portent à leur politique culturelle extérieure. En France, le Ministère des Affaires étrangères qui avait déjà créé en 1910 le Bureau des écoles et des œuvres françaises à l'étranger complète son œuvre en 1920 : le Bureau devient le Service des œuvres françaises à l'étranger, avec la mission d'assurer « l'expansion intellectuelle de la France au dehors » ; la même année, est fondé le Service de Presse et d'Information. La Grande-Bretagne suit l'exemple, et fonde, mais en 1934 seulement, le Bristish Council. Désormais, les gouvernements, instruits de leur expérience (parfois malheureuse) de propagande de guerre hors des frontières, prennent le relais des initiatives privées pour diffuser la langue, ouvrir des écoles et des instituts à l'étranger : la pénétration culturelle d'un pays constitue une des armes de l'impérialisme des grandes puissances.

4. La nouvelle vie internationale

L'extraordinaire mutation des forces profondes à l'issue de la Grande Guerre pèse de tout son poids sur les décisions des responsables politiques : émergence de la puissance des Etat-Unis, isolationnisme de l'opinion américaine, déclin économique de l'Europe, eurocentrisme des Européens, irruption du communisme et du fascisme, exaspération des nationalismes, aspiration profonde à la paix. Mais, ces forces exercent des poussées dont les effets sont bien contradictoires et difficiles à mesurer par les décideurs de l'époque. Sur ce nouvel échiquier mondial, les grandes puissances ont de la peine à redéfinir leurs politiques extérieures et à redéployer leurs ambitions.

Le redéploiement des impérialismes

Qu'est-ce qu'une grande puissance ? ou le club des sept

En relations internationales, qu'entend-on par « puissance » ? par « grande puissance » ? Jean-Baptiste Duroselle, s'inspirant de Clausewitz, de Max Weber et de Raymond Aron, donne les meilleures définitions. *La* puissance est « la capacité d'imposer sa volonté aux autres ». *Une* puissance est un Etat qui est « capable, en certaines circonstances, de modifier la volonté d'individus, groupes, ou Etats étrangers ». A la limite, tout Etat, même minuscule, est une puissance, puisqu'il a réussi à imposer au moins une chose aux autres : son existence.

Le concept de grande puissance est plus difficile à cerner. Jean-Baptiste Duroselle, reprenant une idée de Clausewitz, attribue ce label à tout Etat qui, à lui seul, « assure sa sécurité contre toute autre puissance prise isolément ». La notion de sécurité doit être prise dans son sens le plus large, pour deux raisons. Même vaincue, une grande puissance peut subsister comme telle, ainsi la France après 1815 ou 1871. De plus, la puissance n'est pas seulement militaire ou diplomatique. Au XXe siècle surtout, des critères supplémentaires doivent être pris en compte pour la mesurer : potentiel économique, rayonnement culturel, cohésion sociale, consensus national, volonté des dirigeants de faire jouer ou non ces forces sur la scène mondiale, et perception de ces capacités par les autres pays. Finalement, une grande puissance est celle qui, grâce à tous ces moyens, est capable d'imposer, au moins partiellement, sa volonté à n'importe qu'elle autre puissance.

En 1914, huit pays pouvaient prétendre à ce titre : la Grande-Bretagne, l'Allemagne, la France, l'Autriche-Hongrie, la Russie, l'Italie, et, en dehors de l'Europe, les Etats-Unis et le Japon. En 1918, le chiffre est-il ramené à sept ou à cinq ? C'est un des grands enjeux internationaux des années 1920. Une chose est sûre : l'Empire austro-hongrois a disparu ; mais l'Allemagne et la Russie, malgré la défaite et les pertes territoriales, ont la volonté (et les moyens) de rester des grandes puissances, alors que certains vainqueurs, comme la France, ont un moment l'ambition de leur contester ce statut. Il convient donc d'étudier ce *club des sept*, en tenant compte des hiérarchies qui s'établissent entre eux, et en distinguant ceux qui, à l'époque, en sont membres à titre précaire et ceux qui y ont position bien assise. La question essentielle est de savoir comment chacun de ces pays a adapté ses ambitions nationales à l'extraordinaire mutation des forces profondes qui s'est opérée à l'issue de la guerre.

Les puissances vaincues ont-elles des ambitions ?

La *Russie soviétique* connaît dans les années 1920 deux phases dans sa politique extérieure. Jusqu'en 1920-1921, elle est à la fois révolutionnaire, puisque les bolcheviks encouragent la révolution européenne, et défensive, dans la mesure où ils subissent des assauts multiples que nous analyserons dans le chapitre suivant. Pendant cette période où l'utopie reste reine, le nouvel Etat ne se considère pas comme un Etat ordinaire. A partir de 1920-1921, au contraire, avec le reflux révolutionnaire, le réalisme s'impose. L'économie et la géopolitique reprennent leurs droits sur l'idéologie, et une diplomatie tout à fait classique est utilisée pour normaliser les relations, d'abord avec les Etats voisins, puis avec les grands pays capitalistes pour négocier une aide technique et financière. Lénine et Tchitchérine, commissaire du peuple aux Affaires étrangères, inventent un nouveau mot d'ordre, celui de « coexistence pacifique ». Pour obtenir que la Russie soviétique entre dans le concert des nations, voire des puissances, les dirigeants n'hésitent pas à jouer sur les divisions qui opposent celles-ci et à se rapprocher d'un Etat menacé aussi d'être mis en marge du club des Grands : l'Allemagne.

Les ambitions de l'*Allemagne* sont simples à comprendre : briser le carcan du traité de Versailles et retrouver dans le monde, ou en tout cas en Europe, une position qui s'approche de celle de 1914. Autant elle pourrait se résigner à la perte de l'Alsace-Lorraine, de la région d'Eupen et de Malmédy, du Slesvig du nord, autant elle supporte très mal l'amputation de ses territoires orientaux, la limitation de sa souveraineté en Sarre, en Rhénanie et dans le domaine militaire. Or les rapports de force interdisent aux Allemands d'espérer sur tous ces points une révision rapide du traité. En revanche, une action est possible contre le maillon faible du dispositif de paix : les réparations, qui sont l'objet de tant de divergences entre les vainqueurs. En Allemagne, le consensus est complet contre le diktat et contre cet humiliant article 231 qui spécifie sa responsabilité morale dans la guerre et sa responsabilité financière des dommages causés.

Deux tactiques sont alors possibles : ou la politique de résistance (*Widerstandspolitik*) qui refuse tout compromis ; ou la politique d'exécution (*Erfüllungspolitik*) qui consiste à payer pour gagner la bienveillance des Anglo-Saxons et obtenir à terme la révision tant souhaitée. La coalition qui a fondé la République de Weimar (sociaux-démocrates, démocrates et Centre catholique) doit tenir compte de l'agitation de l'extrême droite nationaliste et de l'opposition de droite, celle des nationaux allemands et des populistes. Les milieux industriels et financiers sont partie prenante dans cette affaire, car ils sentent bien que derrière ces clauses se profile une grande ambition française, celle de supplanter l'Allemagne dans la domination économique du continent européen. Aussi, malgré leurs préventions contre le jeune régime, les grands patrons acceptent-ils d'être choisis comme experts dans les négociations internationales : dès lors leur rôle est fondamental dans la conduite de la politique extérieure de leur pays. Tous

d'accord pour déjouer les plans français, pour maintenir leurs positions financières et industrielles en Europe centrale, ils sont moins unis sur la tactique à suivre : la majorité d'entre eux
suivent Hugo Stinnes, le magnat de la sidérurgie, et préconisent la Widerstandspolitik ;
d'autres, comme Walter Rathenau, président de l'A.E.G., sont partisans de l'Erfüllungspolitik. Jusqu'en 1923, dans le climat nationaliste de l'après-guerre, c'est la première attitude qui
prévaut, sauf pendant les quelques mois où Rathenau est ministre des Affaires étrangères.
Mais que les dirigeants choisissent la fermeté ou les concessions, l'analyse stratégique de fond
est la même pour tous : il faut gagner du temps, car celui-ci joue pour l'Allemagne dans la
mesure où son potentiel économique reste presque intact.

Ambitions italiennes et japonaises

L'objectif des pays vainqueurs est évidemment de profiter de la victoire pour accroître leur
puissance. En *Italie*, le mécontentement général contre le règlement de la paix, jugé si frus-
trant en comparaison des promesses reçues et des sacrifices consentis, ne doit pas cacher la
diversité des choix possibles en matière de politique extérieure. Si les anciens « neutralistes »,
ceux qui avaient refusé en 1915 l'intervention dans la guerre (socialistes, « populaires » catholiques, libéraux du clan Giolitti), continuent de demander une paix fondée sur la justice, les
« interventionnistes » se divisent : les « dalmatiens » (libéraux de droite et nationalistes)
demandent l'application intégrale du traité de Londres de 1915, impliquant l'annexion de la
Dalmatie et un protectorat sur une partie de l'Albanie ; les « renonciateurs » (libéraux du clan
Nitti, socialistes indépendants), ainsi appelés par leurs adversaires, acceptent l'abandon de ces
revendications, poussent à une entente avec la Yougoslavie et réclament en échange Fiume,
non inscrite dans les promesses alliées, mais peuplée d'une majorité d'Italiens. On comprend
pourquoi cette ville, lieu géométrique des revendications de l'opinion, a constitué un important abcès de fixation au lendemain de la guerre. Mais peu à peu, entre 1919 et 1922, les gouvernements optent pour la conciliation aussi bien pour Fiume, la Dalmatie, l'Albanie que
pour la zone d'influence dans le sud-ouest de l'Asie Mineure, accordée par les Alliés, mais
remise en question par la révolution turque.

Il faut dire que leurs ambitions n'ont pas que des horizons territoriaux. La dislocation de
l'Empire austro-hongrois, outre la sécurité qu'elle apporte sur la frontière septentrionale,
offre un champ nouveau pour l'expansion économique italienne dans l'Europe danubienne.
Les concessions politiques faites aux gouvernements de Belgrade, de Tirana et d'Ankara peuvent favoriser la progression des intérêts industriels et commerciaux dans les Balkans et la
Turquie. De plus, il reste à consolider les positions coloniales en Afrique. Bref, l'impérialisme
italien peut suivre des voies moins chauvines et moins dangereuses pour la paix. Arrivé au
pouvoir en 1922, Mussolini hésite à imposer la politique d'éclat à laquelle le poussent ses
idées, son tempérament, et sa volonté d'impressionner les masses ; conscient des faiblesses de
l'économie et de l'armée, subissant les pressions des classes dirigeantes, il adopte pendant
quelques années une diplomatie globalement modérée. La prise en compte des forces réelles
de l'Italie l'emporte dans un premier temps sur l'influence de l'idéologie fasciste.

La guerre renforce considérablement la puissance du *Japon*. Elle crée même des conditions
qui l'incitent à une politique d'expansion. L'industrie, très concentrée autour des grands *zaï-
batsu* (Mitsubishi, Mitsui, Yasuda, Sumitomo), a profité de l'éclipse des Européens et des
Américains pour augmenter considérablement ses ventes en Asie, en Océanie et en Amérique
latine. Le retour en force des Occidentaux sur ces marchés casse la croissance nippone et le

pays est particulièrement affecté par la crise de reconversion de 1920-1921. Plus que jamais, le Japon voit dans la Chine la solution à ses problèmes : un réservoir où il peut puiser les matières premières et les produits alimentaires qui lui font défaut, et un immense débouché pour ses produits manufacturés. L'armée, les milieux d'affaires, les deux principaux partis, le parti conservateur (Seiyukai) lié à Mitsui et le parti libéral (Minseito) dépendant de Mitsubishi, s'accordent pour prôner l'expansion de l'Empire du soleil levant. Celui-ci a déjà fait de la Corée un Etat vassal. Il possède depuis 1905 des intérêts importants dans le sud de la Mandchourie. Grâce à la guerre et au traité de Versailles, il conquiert les droits que l'Allemagne détenait dans la province du Shandong. En outre, dans le cadre de la lutte des Alliés contre les bolcheviks, ses troupes sont présentes dans l'Extrême-Orient sibérien. Forts de ces positions, les Japonais espèrent faire appliquer « le traité des 21 demandes » qu'ils avaient arraché à la Chine en 1915 et qui devait rabaisser ce pays au rang de protectorat. Mais les puissances occidentales donnent un « coup d'arrêt » à ces projets lors de la conférence de Washington de 1921-1922. Dès lors, le Japon doit remplacer sa politique d'expansion militaire par une stratégie d'expansion économique et pacifique.

La Grande-Bretagne ou la puissance satisfaite

Des trois grands vainqueurs de 1918, le *Royaume-Uni* est peut-être le principal bénéficiaire, non du conflit lui-même qui a infligé des pertes sévères à sa population et à son économie, mais du règlement de la paix. Ses principaux objectifs sont atteints : la fin de la suprématie économique de l'Allemagne en Europe, le désarmement naval du Reich qui assure sa sécurité, l'influence déterminante que lui donne le concours des Dominions, à la S.D.N., l'acquisition de nombreuses colonies en Afrique, et surtout une situation de prépondérance au Moyen-Orient. La Grande-Bretagne y avait déjà acquis avant 1914 des intérêts pétroliers considérables : l'Anglo-Persian contrôlée par l'Amirauté et la majorité des parts de la Turkish Petroleum sous le contrôle de groupes britanniques. Les accords de San Remo et le traité de Sèvres de 1920 qui procèdent au partage des dépouilles de l'Empire ottoman, lui concèdent les mandats sur la Palestine et la Mésopotamie. Par ailleurs, l'accord du 9 août 1919 signé entre Londres et Téhéran lui permet d'établir une sorte de protectorat sur la Perse. Certains ont pu parler de « Pax britannica ». L'opinion britannique est à peu près la seule à ne pas formuler de revendications après la signature des traités : son indice de satisfaction peut se mesurer par la baisse d'influence du nationalisme et du jingoïsme. En 1921, le général Smuts, Premier ministre de l'Union sud-africaine, déclare lors d'une conférence impériale : « L'Empire britannique est assurément sorti de la guerre comme la plus grande puissance du monde ; seule une politique imprudente et malsaine pourrait lui enlever cette haute position ». Ces propos révèlent sans doute beaucoup d'illusions, car le déclin de la métropole est amorcé : en particulier, les grandes industries traditionnelles du nord qui ont fait la prospérité de l'Angleterre ont un outillage vétuste et perdent des marchés ; malgré le dynamisme de certains secteurs de pointe, la production manufacturière ne retrouve pas en 1929 son niveau d'avant-guerre ; le chômage s'installe dans le pays comme un mal chronique. Pourtant, le vieux lion n'est pas mort. Dans tous les domaines, les gouvernements successifs pratiquent une politique de puissance.

Ils font tout pour que la Grande-Bretagne conserve sa suprématie navale, commerciale et financière. Si la politique monétaire qui aboutit en 1925 à la restauration de la convertibilité-or de la livre entrave l'activité économique interne, elle permet la reconstitution du portefeuille britannique à l'étranger (cf. tableau 5, p. 75). Le flux des exportations de capitaux à long terme reprend vigoureusement et se répartit sur tous les continents. En outre, Leo Amery, secrétaire aux Colonies de 1924 à 1929, donne un coup d'envoi à une politique de développement de l'Empire : en 1927, celui-ci fournit 27 % des importations britanniques (contre 20,5 % en 1913) et absorbe 43,2 % des exportations (contre 37,2 %). Même battu en brèche, l'impérialisme de la Grande-Bretagne, colonial et extra-colonial, est encore dans le monde l'impérialisme dominant. Il conserve les traits spécifiques qui le caractérisaient avant 1914 : poids de l'économie dans les motivations impérialistes, extension mondiale (et non eurocentrée) des investissements et importance des colonies dans le commerce de la métropole.

Sur le plan politique, l'évolution qui, dès la fin du siècle dernier, avait permis l'autonomie interne des *Dominions* de peuplement blanc, est accélérée par le cours de la première guerre mondiale. Les promesses qui leur sont faites en 1917 sont tenues, après de longues discussions et tergiversations : ils reçoivent, lors de la Conférence impériale de 1926, la pleine souveraineté, et forment au sein de l'Empire, à côté des peuples dominés, un « Commonwealth » de nations-sœurs librement associées à la couronne britannique. Le statut de Westminster de 1931 institutionalise ce nouvel état de fait. Ce changement n'affaiblit pas les liens impériaux. Mais ces pays, désormais maîtres de leur politique extérieure, exercent une influence accrue sur la diplomatie britannique. Dès avant la constitution officielle du Commonwealth, les Dominions font comprendre à l'Angleterre qu'ils ne se battront pas à ses côtés pour n'importe quelle cause. Ils refusent en 1922 de suivre Lloyd George, lorsqu'il veut les entraîner dans la guerre contre Mustapha Kémal, font pression (le Canada surtout) pour qu'elle abandonne son alliance avec le Japon dont la politique les menace plus directement dans l'Océan Pacifique, et la détournent de tout projet qui l'engagerait militairement dans les affaires du continent européen.

En Europe néanmoins, la Grande-Bretagne agit. Dans un premier temps, Lloyd George est d'accord avec les Français pour affaiblir au maximum l'Allemagne et écraser le bolchevisme russe. Mais très vite, ces objectifs sont abandonnés. Le pamphlet écrit par Keynes en 1919 sur *Les Conséquences économiques de la Paix* finit par persuader les milieux d'affaires et le gouvernement que la ruine de l'Allemagne, pivot de tout le système commercial européen avant 1914, ne fait décidément pas l'affaire des Britanniques. L'échec de tous les assauts lancés contre le communisme en Russie le convainc de composer avec lui. Les Anglais, espérant l'ouverture du marché russe à leur avantage, sont les premiers à tirer parti de la nouvelle politique de Lénine, la N.E.P. ; dès mars 1921 ils signent un accord commercial avec les Soviétiques. De fait, Lloyd George renoue avec la diplomatie traditionnelle de son pays, la politique de *balance of power*. Son but est de rétablir sur le continent l'équilibre des puissances et d'empêcher qu'aucun pays n'y instaure son hégémonie. Le retour de l'Allemagne et de la Russie dans le concert des nations compenserait le poids excessif de la France et la restauration rapide de l'économie de ces deux Etats favoriserait la reconstruction de l'Europe dont la prospérité britannique dépend. Aux Français, dont il ne faut surtout pas perdre l'amitié, serait proposé un traité qui garantirait leurs frontières, en échange d'une politique plus conciliante de leur part à l'égard de l'Allemagne. L'échec de ce vaste plan sera étudié plus en détail dans le chapitre suivant, mais il convient de souligner la continuité de la ligne entre Lloyd George et ses successeurs. Ceux-ci ont poursuivi le même objectif, en adaptant le projet à leurs propres sensibilités politiques. Il s'agit d'obtenir de la France qu'elle accepte la détente avec l'Allemagne, en l'apaisant avec une quelconque garantie : dans le cadre de la sécurité collective et de la S.D.N. pour le travailliste MacDonald, ou par l'accord multilatéral de Locarno pour le conservateur Austen Chamberlain. Plus que jamais, l'ambition de l'Angleterre est d'imposer ses arbitrages sur presque tous les continents, en s'impliquant le moins possible militairement. Son comportement est bien celui d'un pays qui se considère comme la première puissance politique du monde. Mais peut-être existe-t-il un fossé entre de telles prétentions hégémoniques et l'état réel des forces économiques de la Grande-Bretagne ? Les autres puissances profiteront de cette contradiction.

Le mythe de l'isolationnisme américain

A partir de 1920, le gouvernement des Etats-Unis doit résoudre la contradiction inverse. D'un côté, l'enrichissement de la guerre, la construction d'un formidable arsenal, l'aspiration des milieux industriels et financiers à faire de leur pays l'usine et la banque du monde, devraient permettre aux Américains de s'imposer comme puissance dominante dans les relations internationales : le président Wilson a largement utilisé ces possibilités pour jouer le rôle principal lors de la Conférence de la Paix à Paris. De l'autre, la vague d'isolationnisme qui s'empare de l'opinion publique fait échouer sur le front intérieur les projets wilsoniens. Les nouveaux dirigeants républicains ont tiré les leçons de cette expérience. Aux côtés des présidents Harding (1921-1923) et Coolidge (1923-1929), trois hommes ont bâti la nouvelle diplomatie des Etats-Unis : Hughes, le secrétaire d'Etat, Mellon, le secrétaire au Trésor, Hoover, secrétaire au Commerce avant d'accéder à la Maison blanche (1929-1932). Leurs solutions sont originales et faites de compromis entre les ambitions extérieures et les contraintes de la politique intérieure.

D'abord, conformément à l'esprit qui leur a fait rejeter le traité de Versailles et le pacte de la S.D.N., ils se sont refusés à signer aucun accord qui puisse lier l'Amérique d'une façon permanente et hypothéquer l'indépendance d'action du pays dans le cadre d'une alliance ou d'une institution internationale. Le *non-entanglement* a été leur principe de base. Le traité de paix conclu à Berlin avec l'Allemagne en août 1921 reprend du traité de Versailles les clauses qui ne créent pas d'obligations pour les Etats-Unis. Mais cette rupture avec l'idéal wilsonien ne signifie aucunement que leur politique est isolationniste. La devise de Harding, *America first* marque une affirmation d'égoïsme national et non une volonté d'isolement sur la scène mondiale. De fait, l'action de la nouvelle administration garde une dimension planétaire et vise partout à damer le pion à la puissance britannique.

C'est surtout hors d'Europe que s'exerce la puissance des Etats-Unis. Leur impérialisme est parfois musclé sur le continent latino-américain où il s'agit de préserver et d'étendre les intérêts « yankees ». Leur diplomatie est vigilante et pressante, quand il faut veiller à la sécurité de l'Amérique dans l'Océan Pacifique : Charles Evans Hugues convoque précisément à Washington entre novembre 1921 et février 1922 une conférence internationale, où il persuade l'Angleterre de ne pas renouveler son alliance avec le Japon et oblige celui-ci à renoncer à la province du Shandong (ce que Wilson n'avait pas réussi à obtenir en 1919), de même qu'à ses autres prétentions sur la Chine. A cette même conférence, les grandes puissances se mettent d'accord sur la limitation des armements navals dans le domaine des grands navires de ligne, selon les coefficients suivants : 5 pour les Etats-Unis, 5 pour la Grande-Bretagne, 3 pour le Japon, 1,75 pour la France qui est ravalé dans ce domaine au même rang que l'Italie. Les Américains gagnent là de nombreux avantages. Il se font reconnaître la parité avec les Anglais, c'est-à-dire le principe de la *navy second to none* que Wilson avait formulé dès 1916 lorsqu'il lançait son vaste programme de constructions navales. La Grande-Bretagne doit abandonner la règle du *Two Powers Standard* qu'elle s'était imposée depuis 1889 : avoir une marine de guerre capable à elle seule d'affronter les deux autres flottes les plus puissantes du monde. Elle cède d'autant plus facilement que l'égalité avec les Etats-Unis est presque déjà inscrite dans les faits.

TABLEAU 7

LA RIVALITÉ NAVALE ANGLO-AMÉRICAINE EN 1920
(*millions de tonnes de déplacement*)

	G.-B.	E.-U
Flotte en service	2,4[1]	0,9
En chantier	0,5	1,1
1. Dont un fort tonnage en voie de déclassement.		

Les Etats-Unis, avec une capacité de production double de celle des chantiers britanniques, pouvaient aisément, à condition d'y mettre le prix, continuer et gagner la course aux armements navals. Or l'arrêt de cette course constitue un second avantage : elle ne manque pas de rassurer sur le front intérieur les contribuables, les isolationnistes et les pacifistes américains.

Au Moyen-Orient, le Département d'Etat déploie aussi une grande activité diplomatique. Là encore, il excerce d'énormes pressions sur l'Angleterre, qui s'est taillée la part du lion dans le contrôle des ressources pétrolières, et demande l'égalité de traitement commercial. Grâce aux efforts conjoints du gouvernement et de la Standard Oil, les compagnies américaines ont gain de cause en 1928 : après de difficiles négociations, elles entrent dans la Turkish Petroleum, transformée à l'occasion en Irak Petroleum Company. Les Américains ont désormais un pied au Moyen-Orient.

En Europe, au contraire, il semble bien qu'il y ait repli de la part des Etats-Unis. C'est bien là surtout que les nouveaux dirigeants, forts de l'appui de l'opinion, refusent tout engagement permanent. La non-ratification du traité de Versailles rendait déjà caduc le traité annexe par lequel les Etats-Unis garantissait les frontières françaises ; du coup le traité franco-anglais de même nature qui lui était subordonné, devenait sans portée. De même, l'intransigeance de Washington dans la question des dettes de guerre compromet la reconstruction de l'Europe. Elle aggrave le *dollar gap* qui y sévit dans l'immédiat après-guerre et renforce la tension franco-allemande. Les Français, en effet, n'obtenant des Américains aucune rémission en cas de défaillance de la part du Reich dans le versement des réparations, sont confortés dans l'idée qu'il faut faire payer l'Allemagne jusqu'au dernier pfennig. Il n'en reste pas moins vrai que l'attitude américaine s'explique. Non seulement elle répond à l'attente du Congrès et du « Farmer bloc », hostiles à tout compromis en la matière, mais, comme le démontre Denise Artaud, elle reflète une volonté de puissance face à l'Angleterre. Une annulation des dettes interalliées, demandée par Keynes lors de la Conférence de la paix, équivaudrait à laisser intacte la suprématie financière britannique dans le monde. Une telle opération ferait perdre à l'Amérique les 11 milliards avancés aux Européens par le Trésor et ramènerait sa position créditrice au niveau de ses avoirs privés à l'étranger, soit 7 milliards ; alors que celle des Anglais, même après la perte de leurs créances de guerre (souvent douteuses) atteindrait le double, soit 14 milliards. Tel est l'enjeu : l'hypothèque que les Etat-Unis font peser sur la Grande-Bretagne doit aider la place de New York à rivaliser victorieusement avec celle de Londres. Bien plus, elle leur donne une arme financière, qui leur permettra, le moment venu, avec l'aide des banquiers, d'arbitrer discrètement les querelles européennes et d'ouvrir le vieux continent à leur pénétration économique. Le repli américain est donc tout relatif. En réalité, les objectifs de puissance sont les mêmes que sous Wilson. Ce sont les méthodes qui ont changé : la diplomatie du dollar a simplement succédé à la diplomatie ouverte. En attendant d'être rassuré sur ses positions, le jeune géant se mesure à la vieille Angleterre sur tous les fronts. Cette rivalité dure quelques années ; souvent méconnue, mais bien mise en lumière par les travaux récents, elle contribue au moins autant que la crise franco-allemande à la déstabilisation du monde.

La France entre sécurité et puissance

En 1919, la France est victorieuse, mais affaiblie ; elle est bénéficiaire de la paix, mais insatisfaite. Cette situation paradoxale explique l'ambivalence des objectifs que ses dirigeants poursuivent, tantôt convergents, tantôt contradictoires : la recherche de la sécurité et la politique de puissance.

Au lendemain du conflit, les Français vivent leurs jours de gloire. Dotés de la première armée du monde, ils donnent l'apparence, vus de l'extérieur, d'être confiants et sûrs d'eux-mêmes, face à une Allemagne qui a perdu sa force militaire qui est submergée par l'inflation et l'agitation politico-sociale. Pourtant, la position de la France semble très précaire aux yeux de ses dirigeants. Malgré les amputations de son territoire, le Reich dispose d'une population plus nombreuse et plus jeune, et, n'ayant pas subi de dégâts matériels — « il n'y a pas un carreau cassé » !, remarque Jacques Bariéty —, il garde un potentiel industriel énorme. Assurément, la supériorité que la victoire a donnée à la France, risque de n'être que provisoire, car les forces profondes sont du côté de l'Allemagne. A l'inquiétude s'ajoute la déception, voire la colère : l'attitude du Sénat américain a eu pour résultat d'annuler les traités de garantie que Clemenceau avait obtenus des Etats-Unis et de l'Angleterre au cours des négociations de paix, en échange de concessions françaises sur le Rhénanie. Le dispositif de Versailles est ainsi tronqué et la France se sent trompée. N'ayant obtenu ni la formation d'un Etat tampon sur le Rhin, ni l'assurance d'une aide militaire immédiate des Anglo-Saxons en cas d'attaque allemande, elle se sent ababdonnée face à son ancienne ennemie. Aussi l'objectif de sécurité devient-il prioritaire. Il faut faire jouer toutes les clauses politiques, militaires, économiques et financières du traité, pour maintenir le Reich dans une position d'infériorité qui l'empêche de prendre sa revanche. Jusqu'en 1924, cette politique de force et d'exécution intégrale du traité de Versailles est appliquée par la majorité issue des élections de novembre 1919, le Bloc national, formé des partis du centre et de la droite ; approuvée par les radicaux, dans un premier temps du moins, elle est condamnée par les socialistes et les communistes. Mais la marge de manœuvre des gouvernements Clemenceau, Millerand, Briand et Poincaré est étroite : trop de dureté à l'égard de l'Allemagne risque de donner de la France une image impérialiste et militariste, et de lui faire perdre l'appui des Britanniques et des Américains.

A partir de 1924, s'opère précisément un changement de stratégie dont nous expliquerons les raisons et les conditions dans les deux chapitres suivants. Le Cartel des gauches, dominé par les radicaux, inaugure alors une politique conciliante à l'égard de l'Allemagne. Elle sera poursuivie par Aristide Briand, l'homme qui, à travers les changements de majorité et de gouvernements, est resté sept ans ministre des Affaires étrangères entre 1925 et 1932. Cette nouvelle attitude a aussi la sécurité comme objectif principal, mais avec des méthodes différentes. Il s'agit désormais d'obtenir l'adhésion volontaire des Allemands au nouvel ordre international, quitte à en accepter certains aménagements à leur avantage. Au fond, pendant tout l'entre-deux-guerres, la France n'est pas sortie de son dilemme : ou bien trouver sa sécurité dans l'affaiblissement de l'Allemagne, mais se retrouver isolée face à elle ; ou bien sauvegarder l'alliance britannique, mais contribuer à la renaissance allemande.

A travers ces deux périodes d'intransigeance et de bienveillance, un trait commun caractérise la politique des différents gouvernements français : prendre sous leur protection les autres Etats bénéficiaires du règlement de la paix, la Belgique, la Pologne, la Tchécoslovaquie, la Yougoslavie et la Roumanie, et conclure avec ces pays un système d'alliances visant à encercler l'Allemagne. Cette action des diplomates est d'ailleurs en complète contradiction avec la stratégie des militaires. L'*Instruction provisoire sur l'emploi des grandes unités,* rédigée le 6 octobre 1921, à peine modifiée par l'*Instruction* d'août 1936, prévoit un front défensif sur les frontières françaises. En d'autres termes, la France ne se donne pas l'armée de sa politique étrangère, une armée de mouvement qui puisse voler au secours d'alliés dispersés dans toute l'Europe et incapables de se défendre seuls longtemps, à la différence de l'Empire russe en 1914. Seule la prise en compte de la psychologie collective permet d'expliquer cette incohérence stratégique, dont l'origine remonte au traumatisme démographique et moral qu'a subi le pays. La peur de l'Allemagne qui est à la base de la volonté française de sécurité, se dilue dans une peur plus générale, confuse et inhibante, la peur de la guerre, du « feu qui tue », et de toute offensive coûteuse en hommes.

En dehors de la recherche de la sécurité un autre objectif, bien mis en lumière par les recherches historiques récentes, a servi de ressort à la politique française : une incontestable volonté de puissance et d'expansion économique. Celle-ci a été exprimée tant par les dirigeants politiques que par les milieux industriels et bancaires. L'idée est simple : exploiter tous les acquis de la victoire pour renforcer la puissance de la France dans le plus grand nombre de domaines différents. Quatre grandes ambitions sont ainsi formulées en 1919.

D'abord, un véritable « projet sidérurgique », bien étudié par Jacques Bariéty, a été mis au point par l'administration et approuvé par le patronat. Il s'agit d'utiliser à plein les clauses économiques du traité de Versailles pour construire une industrie puissante de l'acier capable de supplanter les firmes de la Ruhr sur les marchés européens et même sur le marché allemand. En effet, les avantages obtenus sont impressionnants : le Reich doit accepter la mise sous séquestre des entreprises allemandes de la Lorraine désannexée au profit d'acquéreurs français, céder les mines de Sarre à la France, lui livrer près de 27 millions de tonnes de charbon pendant quelques années, lui accorder unilatéralement pendant cinq ans la clause de la nation la plus favorisée, laisser entrer en franchise sur son territoire au cours de la même période les produits alsaciens-lorrains et sarrois. En d'autres termes, la France a cinq ans pour gagner son pari sidérurgique et mettre à profit ce délai pendant lequel elle sera abondamment approvisionnée en énergie et assurée d'avoir des débouchés faciles outre-Rhin. Pour déjouer ce plan, les industriels allemands ont une parade : retarder les livraisons de charbon afin de créer un goulot d'étranglement dans la production de leurs concurrents. On comprend mieux l'enjeu des réparations et la nervosité française en la matière.

En deuxième lieu, comme l'ont bien montré les travaux de Georges Soutou et d'Alice Teichova, la France a une large ambition d'impérialisme économique en Europe centrale. La dislocation de l'Empire d'Autriche-Hongrie, la liquidation, décrétée par les traités, des sociétés allemandes et autrichiennes dans les Etats successeurs, donnent l'occasion aux entreprises et aux banques françaises de s'implanter dans cette région du monde et de prendre des participations dans les établissements des territoires polonais, tchèque, roumain, yougoslave, voire hongrois ou autrichien. La firme Schneider se constitue ainsi un véritable Empire : en Tchécoslovaquie, 73 % des actions de Škoda, la majorité dans les mines d'Ostrawa et les usines métallurgiques de Trinec (bassin de Teschen) ; des participations minoritaires dans les établissements métallurgiques polonais d'Hüta-Bankowa, dans des banques, comme le Bodenkredit autrichien ou la Banque générale de Crédit hongrois... Ces acquisitions ont souvent été effectuées grâce à l'appui d'une banque d'affaires, la Banque de l'Union Parisienne, avec laquelle Schneider a créé en avril 1920, l'Union Européenne industrielle et financière, une société holding chargée de regrouper les actifs conquis sur les ruines de l'Autriche-Hongrie. De son côté, la banque Paribas participe aussi à la curée en devenant majoritaire dans la Länderbank, francisée et transformée en Banque des Pays de l'Europe centrale.

La troisième ambition, analysée par l'historien André Nouschi, est pétrolière. Le sénateur radical, Henry Bérenger, commissaire général aux Essences depuis 1917, tire les leçons de la guerre : il faut mettre fin à la dépendance française dans ce secteur nouveau et vital de l'énergie et garantir au pays un approvisionnement sûr et régulier. Après de longues négociations avec les Anglais, la France obtient, dans le cadre des accords de San Remo d'avril 1920, la part de la Deutsche Bank dans la Turkish Petroleum Company, ce qui lui assure 25 % de la production du pétrole qui pourra être découvert en Mésapotamie (l'or noir y jaillira en 1927). De la même façon, les capitaux français prennent le contrôle des sociétés pétrolières allemandes ou autrichiennes dans la Galicie polonaise. Ici l'opération s'avère décevante, car, après la guerre, l'extraction y est en baisse constante. En Roumanie où la production est bien plus abondante, ils participent pour 12,5 % dans la Steaua Romana, dont la majorité des actions appartenait avant 1918 à la Deutsche Bank, et la B.U.P. acquiert en 1923 la Petrofina avec l'aide d'un groupe belge. La création de la Compagnie Française des Pétroles en 1924 sous l'impulsion directe de Poincaré, les efforts de cette compagnie « privée » mais « inspirée » par l'Etat pour soutenir les prétentions françaises au Moyen-Orient, la volonté d'échapper aux « directives » des « majors » anglo-saxons pendant les années vingt, illustrent aussi l'importance de cette troisième ambition.

La quatrième ambition ne suscite qu'une réalisation timide au cours des années 1920 : un projet d'impérialisme colonial. Avant 1914, l'expansion coloniale française ne s'était guère transformée en impérialisme. Même si, comme le montrent les travaux de Jacques Marseille, le commerce des colonies jouait entre 1880 et 1913 un rôle croissant dans l'économie de la métropole, si son influence était déterminante pour certains secteurs d'activité (cotonnades, savons, bougies), le capitalisme français, à la différence de l'exemple britannique, ne s'intéressait pas vraiment pour son propre développement à l'exploitation des ressources en hommes et en matières premières de l'Empire. L'impérialisme s'exerçait davantage dans des pays dépendants mais non coloniaux : la Russie ou l'Etat ottoman. La guerre fait prendre conscience des bénéfices à tirer d'une plus grande interdépendance entre économies coloniales et métropolitaine. La France dispose là d'un avantage considérable sur l'Allemagne qui vient de perdre ses possessions. En 1921, le ministre des Colonies, Albert Sarraut fait adopter par le Parlement un plan d'outillage de 4 milliards de francs-or à investir en dix ou quinze ans dans l'Empire, pour l'équiper et permettre sa mise en valeur pour le profit de la métropole. En réalité, le plan Sarraut reste sans lendemain. Les dépenses réelles sont très inférieures au programme initial. Il existe bien un engouement colonial pour les capitaux privés, mais les investissements se limitent alors à quelques activités et à quelques régions de l'Empire, en Indochine, en Afrique du Nord (au Maroc surtout) et dans les deux mandats nouvellement acquis, la Syrie et le Liban. En 1928, les importations coloniales représentent seulement 12 % du total des achats français à l'extérieur, à peine plus qu'avant guerre ; si le poids des exportations vers les colonies augmente et atteint 16 % des ventes totales (contre 13 % en 1914), cette proportion est encore nettement inférieure à celle qui caractérise les rapports commerciaux entre la Grande-Bretagne et son Empire. En France, l'impérialisme colonial en est à ses premiers frémissements. Les véritables changements interviennent à la fin des années 1920 et pendant les années 1930.

Le redéploiement de l'impérialisme français

Finalement, on assiste après le premier conflit mondial à un vaste redéploiement de l'impérialisme français. Géographique d'abord : aux horizons perdus, russes ou ottomans, succè-
dent, à la faveur de la victoire, les espaces nouveaux de l'Europe centrale. Pour Schneider par
exemple, « Škoda doit remplacer Poutilov » (Claude Beaud). D'autre part, les rapports de
force entre banquiers et industriels ont changé. Avant 1914, les premiers tenaient la barre
dans l'aventure de l'expansion, et on pouvait parler d'un « impérialisme bancaire » français.
Or ce sont les patrons des grandes industries qui sortent vainqueurs de la guerre, car, grâce aux
commandes militaires, leurs moyens sont considérablement accrus et leurs rapports avec les
instances gouvernementales singulièrement renforcés. Ils recherchent désormais une plus
grande indépendance financière ou, mieux, à mettre sous leur coupe une banque : dans
l'Union Européenne industrielle et financière, c'est Schneider et non la B.U.P. qui joue le
rôle moteur. Ce sont les industriels aussi qui semblent faire prévaloir leurs stratégies dans les
premières années de l'après-guerre : à l'inverse des banquiers, la majorité d'entre eux, Schneider ou Th. Laurent, président de Marine-Homécourt (mais non François de Wendel) accueil-
lent sans déplaisir la baisse du franc, favorable à leurs exportations. Entre les deux stratégies,
« partage du monde » en zones d'influence bien délimitées pour chacune des puissances, ou
« partage des affaires » entre groupes capitalistes étrangers, c'est, jusqu'au milieu des années
1920, la première qui est préférée. Rares sont les *atlantistes* avant la lettre, qui, comme
Clémentel, Jean Monnet ou Henry Bérenger, préconisent la coopération avec les Anglo-
Saxons. Cette voie internationaliste n'est suivie que dans les domaines où l'infériorité française est manifeste, les affaires pétrolières par exemple. Les deux autres tendances fondamentales de l'impérialisme français optent pour l'égoïsme national : le *parti colonial* rêve d'une
Grande Syrie française ; quant *aux partisans de l'expansion en Europe centrale,* plus influents
alors, ils appellent de leurs vœux une aide de l'Etat qui les protège contre les expansions rivales et veulent une concertation étroite avec lui pour faire coïncider la carte des alliances militaires et celle de la pénétration industrielle. Pendant l'immédiat après-guerre, ce caractère
militaro-industrialiste est le trait dominant de l'impérialisme français. Le rôle du Quai d'Orsay
et du ministère des Finances est d'ailleurs primordial dans l'élaboration de ces stratégies : ce
sont les ministres, les diplomates ou les hauts fonctionnaires qui souvent donnent les directives, impulsent les actions jugent les hommes d'affaires trop timides et les pressent à s'engager
et à investir.

A tel point que Georges Soutou parle d'« impérialisme du pauvre », car l'initiative gouvernementale l'emporte sur l'initiative privée, à la différence de l'impérialisme des riches Anglo-
Saxons. Il est vrai que ces derniers, sans une aide aussi importante de l'Etat, dans une région
qui ne se trouve pas au centre géographique de leur expansion et de leur stratégie — l'Europe
—, réussissent aisément à contenir l'influence économique de la France : si les capitaux français tiennent le premier rang en Yougoslavie et en Pologne, ils sont à peine plus nombreux
dans ce dernier pays, pourtant un allié privilégié, que les capitaux américains ; ils se placent en
seconde position, derrière les investissements britanniques, en Tchécoslovaquie et dans les
pétroles roumains (voir tableau 9, p. 56). La « place » de Vienne subit nettement les orientations britanniques.

Cela dit, industriels et banquiers français sont capables d'autonomie dans leur action, et les
heurts entre administration et milieux d'affaires s'expliquent moins par le manque de dynamisme de ces derniers que par les différences de mobiles : pour les uns, le profit et la rentabi-
lité des placements sont une fin, alors que pour les responsables politiques, les intérêts économiques constituent seulement un moyen pour renforcer le système diplomatique français en

Europe. Peut-être s'agit-il moins d'un impérialisme du pauvre que d'un impérialisme mixte de concertation — parfois difficile — entre pouvoirs publics et décideurs économiques. Etant donnée la place particulière de la France sur l'échiquier international et les inquiétudes de l'opinion face à l'Allemagne, c'est bien au gouvernement qu'il incombe de faire la synthèse entre les deux objectifs fondamentaux poursuivis à Paris, que sont la sécurité et la puissance.

Une nouvelle diplomatie ?

Le président Wilson rêvait d'une diplomatie nouvelle, ouverte, déployée au grand jour, et sans alliances secrètes : c'était l'objet du premier de ses quatorze points de janvier 1918. Les nouveaux idéaux de paix, mais aussi la mutation des forces profondes, les nouvelles ambitions nationales, ont effectivement modifié certaines formes de la diplomatie, mais bien plus lentement que ne l'aurait souhaité le père spirituel de la Société des Nations.

Les diplomates : traditions et changements

Après la Première Guerre mondiale, le monde des diplomates doit faire face à un nombre impressionnant de défis : l'écroulement des Empires, l'émergence de nouveaux Etats et de nouvelles idéologies, l'irruption de l'inflation sur la scène mondiale, la pression de l'économie et des finances sur les négociations internationales et la mise en place de la S.D.N. Il n'est pas sûr qu'il se soit pleinement adapté à ce cours des choses, mais il serait tout aussi faux de dire qu'aucune évolution ne s'y est opérée.

L'origine et la formation des diplomates ne connaissent pas de grands changements. Le recrutement au Quai d'Orsay est toujours défini depuis 1877 par le « grand concours » qui ouvre la carrière diplomatique, la « Carrière » par excellence, et le « petit concours » qui destine à la carrière consulaire. Ces concours, préparés à l'Ecole libre des Sciences politiques, accordent une place importante à l'histoire, à la géographie, au droit international, aux langues étrangères (deux sont requises), mais pratiquement pas à l'économie. La « note de stage », donnée pour juger des « bonnes manières » et des qualités de présentation, favorise une sélection « de classe », à tous les sens que l'on veut bien donner à cette expression. Ce système privilégie les candidats issus de l'aristocratie, de la bonne bourgeoisie, et les fils, petits-fils ou neveux de grands diplomates. De véritables dynasties se forment, tels les de Laboulaye, les Seydoux, les de Margerie, les Puaux, les Fouques-Duparc... Comme les traitements versés sont relativement réduits, la fortune personnelle est bienvenue pour pouvoir ouvrir salon et tenir bonne table à l'étranger. Cet attachement aux valeurs traditionnelles ne facilite pas toujours l'adaptation aux changements de société. Dans ses *Confessions d'un vieux diplomate,* le comte de Saint-Aulaire, ambassadeur de France à Londres, décrit quel fut son désarroi en 1924, lorsque pour la première fois de l'histoire britannique les travaillistes arrivèrent au pouvoir : dans le gouvernement MacDonald, il ne connaissait personne ou presque ; en effet, aucun de ces hommes ne fréquentait « le monde », son monde. Il arrive néanmoins que certains grands ambassadeurs ne fassent pas partie du sérail ou de la carrière : Jean Herbette, publiciste (mais fils de diplomate), est le premier ambassadeur de France en U.R.S.S. (1924-1931) grâce à ses relations avec certains milieux soviétiques ; le sénateur Henry Bérenger est nommé aux Etats-Unis (1924-1930) ; André François-Poncet, agrégé d'allemand, journaliste, ancien député et sous-secrétaire d'Etat, proche du Comité des Forges, est choisi pour le poste de Berlin (1931-1938).

Le recrutement au Foreign Office reste également traditionnel. La plupart des diplomates britanniques sortent des public schools et des vieilles universités, Oxford surtout. En 1914, la Commission MacDonald avait envisagé une certaine « démocratisation » du Foreign Office, et en 1916 on avait considéré que les « basses besognes économiques » devraient être mieux appréciées. En réalité, après guerre, la bureaucratie incarnée par les Permanent Under-Secretaries, Charles Mardinge, Eyre Crowe, sait organiser l'enlisement des réformes. Lord Curzon, qui marque la diplomatie britannique, est affecté par le rôle grandissant joué par l'équipe du Premier Ministre Lloyd George (et par son conseiller Maurice Hankey) dans la conduite de la politique extérieure ; il doit partager les responsabilités, mais il demeure à la tête d'un « Office » traditionnel et traditionaliste ! Seule la position politique et sociale des Conseils semble s'améliorer. Sous la République de Weimar, puis à l'époque nazie, l'aristocratie allemande conserve presque toutes ses positions dans les ambassades et à la Wilhelmstrasse. Dans l'Italie mussolinienne, le corps diplomatique garde aussi ses traditions et résiste à l'entrée de quelques militants du parti fasciste : S. Contarini, secrétaire général du ministère des Affaires étrangères depuis 1920, le reste jusqu'en 1926 et veille au grain. En Russie soviétique, les changements sont bien plus profonds, mais c'est à un petit-fils de baron, Tchitchérine, certes ancien menchévik et révolutionnaire, qu'il revient de bâtir une diplomatie relativement classique à la mesure du nouvel Etat. Lénine, qui en mai 1921 propose aux diplomates soviétiques d'être des gens « qui doivent savoir se taire et parler sans jamais rien dire », accorde sa confiance à des personnalités qui, par leur naissance leur éducation et leur culture, ne se distinguent pas de la « bonne société ». V. Voronski, assassiné à Lausanne en mai 1923, A. Ioffé, Ch. Rakovski, L. Krassine, étonnent leurs correspondants tant par leur parfaite maîtrise des langues occidentales que par leur excellente connaissance des cultures « bourgeoises ». Le monde nouveau suit le style ancien.

L'univers des diplomates change moins que leur vie. D'abord, leur rôle de négociateurs diminue, dans la mesure où les chefs de gouvernements et les ministres voyagent davantage, participent directement à des conférences internationales, et nouent entre eux des contacts directs. Mais cette « diplomatie des wagons-lits » n'enlève pas aux ambassadeurs une de leurs fonctions essentielles, celle d'informateurs. Pour cette tâche, ils sont entourés d'un nombre croissant d'experts qui facilitent leur adaptation à la diplomatie moderne : les attachés militaires, déjà nombreux avant 1914, les attachés financiers chargés de démêler les questions difficiles relatives aux dettes de guerre et aux réparations, et les attachés commerciaux. Dans le cas français par exemple, ces derniers augmentent considérablement en nombre, et leurs attributions sont précisées par la loi du 25 août 1919. Leur rôle cadre tout à fait avec les nouvelles ambitions affichées par la France : ils sont considérés comme « les agents à l'étranger de l'expansion du commerce français ».

Les diplomates qui restent dans les bureaux de la capitale, assurent, face aux ministres qui passent, la continuité de la politique étrangère : en particulier le Permanent Under-Secretary du Foreign Office ou le secrétaire général au Quai d'Orsay. Ce poste créé pendant le premier conflit mondial est occupé par quatre personnes seulement entre 1916 et 1940 : Jules Cambon (1916-1920), Maurice Paléologue (1920), Philippe Berthelot (1920-1933 sauf entre 1922 et 1925) et Alexis Léger, alias Saint-John Perse (1933-1940). Les services s'étoffent et doivent s'adapter aux nouvelles réalités, d'autant que d'autres départements ou ministères viennent les concurrencer dans la définition de la politique étrangère. En Grande-Bretagne, le Foreign Office connaît un déclin certain, tant il a du mal à imposer son point de vue face au Board of Trade, à la Treasury ou à la Banque d'Angleterre. Sa position est particulièrement affaiblie jusqu'en 1934, date à laquelle il fonde l'Economic Section. Le Quai d'Orsay a pris de l'avance : dès 1919, il crée la sous-direction des affaires commerciales confiée à Jacques Seydoux ; l'homme maîtrise à merveille les dossiers économiques et s'avère indispensable dans toute négociation relative aux réparations ou à l'Allemagne.

C'est peut-être le secrétaire général, Philippe Berthelot, qui rerésente le mieux la synthèse entre la nouvelle et l'ancienne diplomatie. Attaché à l'entente cordiale avec l'Angleterre, il est, comme ami des jeunes Etats successeurs, l'artisan des alliances de revers ; passionné de littérature, il fait beaucoup pour la promotion des diplomates-écrivains comme Paul Claudel, Jean Giraudoux ou Paul Morand, mais, en même temps, il comprend mieux que d'autres l'importance de l'économie dans les relations internationales ; de même, tout en restant fidèle aux méthodes et aux traditions d'avant 1914, il a su adapter la France à l'ère des grandes conférences et de la S.D.N.

La naissance de la S.D.N.

L'idée de créer une organisation internationale qui puisse trouver des solutions pacifiques aux différends internationaux est ancienne. La conférence de La Haye de 1899 décide la fondation d'une Cour permanente d'arbitrage, dont les compétences restent limitées puisque les Etats sont libres d'avoir recours ou non à sa juridiction. La notion de « société des nations » date aussi d'avant 1914. L'expression apparaît dans le préambule de la convention adoptée par la deuxième conférence de la paix à La Haye en 1907, où elle n'a alors qu'une signification morale : elle sert tout au plus à affirmer une solidarité informelle entre les Etats civilisés. En revanche, elle prend un sens politique et juridique précis dans l'ouvrage écrit en 1910 par Léon Bourgeois : *Pour la Société des Nations*. Cette grande figure du parti radical français appelle de ses vœux la mise au point de règles internationales, défendues par un tribunal et une sorte de police des nations. C'est évidemment le conflit mondial et ses horreurs qui donnent force à l'idée de fonder une organisation mondiale capable d'empêcher la guerre. Dès 1914-1915, fleurissent dans de nombreux pays, alliés ou neutres, des associations réclamant une telle institution. A partir de 1916, le président Wilson en devient un des plus actifs partisans. En janvier 1918, le dernier de ses quatorze points prévoit, on le sait, la formation d'une « association générale des nations », et, la même année, Lord Robert Cecil prend la tête en Angleterre de la League of Nations Union qui regroupe les associations favorables au projet, tandis que Léon Bourgeois fonde l'Association française pour la S.D.N.

Le rêve de ces hommes semble se réaliser le 28 avril 1919, lorsque, grâce à la ténacité de Wilson, le Pacte de la S.D.N. est adopté par la Conférence de Paris. Ce texte, composé d'un préambule et de 26 articles, est incorporé dans tous les traités de paix. Le Conseil tient sa première réunion à Paris le 6 janvier 1920, et l'Assemblée est convoquée en novembre de la même année à Genève, ville qui devient le siège de l'organisation. Dès sa naissance, pourtant, elle reçoit un rude coup. La défection américaine, sanctionnée en mars 1920 par le refus du Sénat de ratifier le traité de Versailles, lui enlève d'emblée efficacité et vocation à l'universalité.

En effet, là se situe la première faiblesse de la S.D.N. : elle apparaît comme une organisation plus européenne que mondiale, reflétant bien la principale contradiction internationale de l'après 1918, à savoir que l'Europe malgré son déclin objectif préside encore aux destinées du monde. De même, la représentativité de la Société est diminuée, dans la mesure où nombre de grands pays sont laissés en marge : outre l'absence des Etats-Unis, première puissance mondiale, il faut noter celle des vaincus, dont l'Allemagne, et celle de la Russie soviétique. Malgré tout, les 42 membres « originaires » (aux signataires vainqueurs des traités se sont joints 13 pays neutres) regroupent les trois-quarts de la population mondiale.

TABLEAU 8

RÉPARTITION DES MEMBRES DE LA S.D.N. PAR CONTINENTS

	Europe	Amérique latine	Amérique du Nord	Océanie	Asie	Afrique	Total
1920	16	16	1^2	2^3	5^4	2^6	42
1934[1]	28	18	1^2	2^3	8^5	3^7	60

1. C'est à cette date, après l'admission soviétique et avant le retrait effectif du Japon et de l'Allemagne hitlérienne (leur retrait annoncé en 1933 prend effet deux ans après le préavis), que la S.D.N. rassemble le maximum d'Etats.
2. Canada.
3. Australie, Nouvelle-Zélande.
4. Japon, Chine, Siam, Inde britannique, Perse (Iran à partir de 1935).
5. Outre les cinq de 1920, la Turquie et l'Irak en 1932, l'Afghanistan en 1934.
6. Afrique du Sud, Libéria.
7. Outre les deux de 1920 : l'Ethiopie en 1923 (l'Egypte entre en 1937).

La faible importance de la représentation asiatique et africaine est le simple reflet de la carte coloniale de l'époque. Après 1920, le trait s'accuse : la S.D.N. reçoit peu de nouveaux membres d'Amérique, d'Asie ou d'Afrique ; et l'entrée des vaincus (la plupart entre 1920 et 1922, l'Allemagne en 1926), celle de la Finlande et des Etats Baltes en 1920-1921, de l'Irlande en 1923, de l'U.R.S.S. en 1934, ne fait qu'accroître le caractère européen de l'organisation. A cette dernière date, toute l'Europe est en principe représentée (pour peu de temps, car Hitler a déjà annoncé le retrait de l'Allemagne), et elle compte alors 28 membres sur un total de 60.

Les autres faiblesses de la S.D.N. résident dans ses institutions et son mode de fonctionnement. Outre la Cour permanente de justice internationale qui siège à La Haye, trois organismes principaux la composent : le *Secrétariat*, avec à sa tête une secrétaire général (Sir Eric Dummond jusqu'en 1932, puis Joseph Avenol), qui prépare les documents, les rapports et les réunions, le *Conseil* et l'*Assemblée*. Entre ces deux dernières instances, le partage des fonctions n'est pas clairement défini. L'article 5 prévoit que les décisions doivent être prises à l'unanimité. En d'autres termes, chaque membre, petit ou grand, a un droit de veto, ce qui force au compromis et menace considérablement l'efficacité de l'organisation. Cette règle, significative de l'esprit de l'époque, montre bien que la S.D.N. n'a aucun pouvoir supranational, qu'elle est une simple alliance, une « ligue » de nations (League of Nations, tel est son nom en anglais) qui restent souveraines. Le Conseil comprend des membres permanents et non permanents. Les premiers, au nombre de cinq d'après le Pacte, les cinq grands vainqueurs, sont réduits à quatre du fait de la défection américaine (France, Grande-Bretagne, Italie et Japon) ; l'Allemagne, en entrant à la S.D.N. en 1926, se joint à eux, de même que l'U.R.S.S. en 1934. Les membres non permanents (quatre à l'origine, six à partir de 1922, neuf à partir de 1926) sont élus par l'Assemblée. Celle-ci se réunit chaque année à Genève en septembre, pendant une session de trois à quatre semaines.

Le rôle principal de ces organes politiques est d'inciter au désarmement et de veiller au maintien de la paix, sur la base de l'article 10 dont nous avons déjà parlé et qui prévoit la garantie mutuelle de la sécurité entre les membres de la Société. Mais le Pacte, dont le texte a été le résultat d'un compromis, reste ambigu sur les actions collectives à entreprendre contre toute agression. Lors de la conférence de la paix à Paris, la proposition de Léon Bourgeois de doter la S.D.N. d'une force militaire internationale avait été refusée par les Anglo-Saxons. L'article 16 prévoit bien des sanctions contre tout Etat qui aurait recours à la guerre et viole-rait les règles du Pacte. Mais si les sanctions économiques sont obligatoirement et automati-quement appliquées par tous les membres, les sanctions militaires ne sont que facultatives : elles doivent d'abord faire l'objet d'une « recommandation », votée à l'unanimité par le Conseil, que chaque Etat est libre ensuite de suivre ou non.

Il y a pendant les années 1920 de nombreuses tentatives, toutes infructueuses, pour faire préciser davantage les moyens de coercition de la S.D.N. La tâche n'est pas aisée, car la Grande-Bretagne et la France, les deux puissances qui dominent l'organisation, n'ont pas les mêmes conceptions. Pour rendre la paix durable, la première a pour solution le désarmement immédiat, ce à quoi la seconde, craignant toujours une guerre allemande de revanche, répond : « sécurité d'abord ! ». Au fil des négociations, les Français semblent marquer des points. En 1922, l'Assemblée adopte « la résolution XIV » qui affirme un principe : le pro-blème du désarmement est subordonné à celui de la sécurité de chaque Etat, qui doit être garantie par l'action conjointe des autres membres. Un texte de traité d'alliance mutuelle, compromis entre le projet britannique de Lord Robert Cecil et le projet français du lieute-nant-colonel Réquin, est mis au point, mais il est rejeté par la quatrième Assemblée en 1923. L'année suivante, le protocole de Genève sur lequel MacDonald et Herriot se mettent d'accord, paraît résoudre le dilemme sécurité-désarmement en introduisant un troisième terme, l'arbitrage obligatoire, et en rendant les sanctions militaires automatiques contre l'agresseur qui refuse de s'y soumettre. Mais ce nouveau projet aboutit aussi à un échec (voir chapitre 6). La S.D.N. n'a donc pas réussi à organiser ce qu'on appellera dans les années 1930 la sécurité collective ; elle reste pratiquement réduite à l'impuissance face aux cas d'agression. Son inefficacité est notable dès le début de son existence : elle ne peut empêcher les nombreux conflits qui éclatent entre 1920 et 1923, les guerres polono-soviétique et gréco-turque, la crise de Fiume, l'annexion de Vilno par les Polonais et celle de Memel par les Lithuaniens...

De plus, les traités ont alourdi sa tâche, en la chargeant de gérer le règlement de la paix dans de nombreux domaines, là où les négociateurs n'ont pas trouvé de solution directe ou immédiate. Les « mandats » que la France, la Grande-Bretagne ou d'autres pays reçoivent d'elle pour gouverner les anciennes colonies allemandes, ou administrer les pays arabes issus de l'Empire ottoman ne posent pas problème : ce nouveau partage colonial et la nomination des puissances mandataires n'ont pas relevé d'elle, et le contrôle qu'elle exerce sur ces territoi-res par l'intermédiaire d'une commission permanente, reste très discret (voir p. 111-112). Plus délicate a été l'administration de la Sarre que le traité de Versailles lui confie pendant quinze ans : la mission est difficile, mais assez bien remplie compte tenu des revendications alleman-des et de la présence encombrante de la France, propriétaire des mines. Plus laborieux a été le contrôle des affaires de la ville libre de Dantzig par un haut-commissaire nommé par la S.D.N., tant les controverses entre Polonais, Dantzicois (d'origine allemande) et Allemands ont été nombreuses. Relativement réussi, en revanche, a été l'arbitrage du Conseil qui aboutit en 1921 au partage de la Haute-Silésie entre l'Allemagne et la Pologne.

En effet, la S.D.N. n'a pas failli dans tous les domaines. Outre ses succès dont nous aurons à reparler, la plupart se situant pendant son âge d'or entre 1925 et 1930, elle a réussi à créer un climat particulier. Septembre à Genève, avec la session annuelle de l'Assemblée, devient un événement international. Un nouveau type de diplomates est né, les fonctionnaires internationaux qui, juridiquement détachés de leurs Etats, travaillent au Secrétariat. Ils sont 120 en 1919, 347 en 1921, 700 en 1931. Jean Monnet, secrétaire général adjoint entre 1919 et 1923, est le type même de ces hommes jeunes, sortis des commissions interalliées de guerre, qui ont foi dans l'organisation et tentent de promouvoir à partir de leur poste une nouvelle morale de coopération entre les pays membres. D'autres organismes ou institutions affiliées jouent également un rôle important, comme l'Organisation Internationale du Travail, dont le secrétariat permanent, le B.I.T. est dirigé par Albert Thomas, le Haut-Commisariat pour les réfugiés confié au Norvégien Nansen. L'action de certaines organisations techniques a été décisive, comme l'Organisation Economique et financière présidée par Sir Arthur Salter, qui, avec l'appui non désintéressé de la Banque d'Angleterre, a aidé les jeunes Etats d'Europe à créer ou stabiliser leur monnaie.

En effet, bien qu'elle fût avant tout une institution politique, destinée à garantir l'exécution des traités et le maintien de la paix, la S.D.N. a su très tôt avoir une vocation économique. A peine installé, le Conseil décide en février 1920 de convoquer une conférence pour tenter de résoudre la crise financière qui secoue l'Europe. La conférence de Bruxelles qui se tient en septembre-octobre n'aboutit pas aux résultats escomptés, mais un état d'esprit est créé. En 1922, la S.D.N. connaît un succès total, lorsqu'elle sauve l'Autriche de l'effondrement monétaire qui aurait pu mettre en péril son équilibre social et politique. Par les protocoles de Genève, elle obtient un emprunt international gagé sur les revenus des douanes et des tabacs de l'Etat autrichien : grâce à cette intervention, la nouvelle monnaie, le schilling remplace avantageusement la couronne détruite par l'inflation galopante, et la stabilité financière du pays est restaurée. Cette action, vitale pour l'Autriche, n'a pu être élargie à l'échelle du monde, mais elle n'en est pas moins significative : de nombreux responsables de la S.D.N. sont bien conscients des menaces que les désordres financiers et monétaires font peser sur la paix. Ils n'avaient pas tout à fait tort. Le cours des relations internationales a été fortement influencée par la conjoncture : aux turbulences économiques de 1920-1923 correspond une phase de tensions et de rivalités entre les puissances ; la prospérité de 1924-1930 facilite au contraire l'intégration et la canalisation des ambitions nationales dans le moule de la détente, qui se brise dès que se font sentir les effets de la dépression mondiale des années 1930.

Les délaissés ou les relations internationales hors de l'Europe

L'importance d'un Etat sur la scène internationale ne se mesure pas à l'aune de sa force démographique. Après la Première Guerre mondiale, les continents peuplés du monde sous-développé continuent à être absents des grandes décisions internationales, soit parce qu'ils sont encore très largement colonisés (cas de l'Afrique) soit que les indépendances y soient encore très formelles (cas de nombreux Etats asiatiques). Assez paradoxalement, seul le continent sud-américain, le moins peuplé, a largement obtenu droit de siéger à la S.D.N., sans doute parce que l'indépendance y est ancienne, bien que la dépendance à l'égard du puissant voisin yankee soit évidente. En 1920 comme en 1930, les pays non-industrialisés rassemblent 67 % de la population mondiale (dont 54 % en Asie). Leur audience politique dans la vie internationale est à peu près nulle. Certes, à la S.D.N., la Chine, le Brésil sont parfois capables de peser sur une décision (le Brésil retarde en 1926 l'entrée de l'Allemagne au sein de la Société comme membre permanent du Conseil) mais dans l'ensemble les Etats non-industrialisés sont surtout considérés par les Européens ou par les grandes puissances comme des « clients » potentiels[1] ; quel que soit leur statut juridique ou leur place sur l'échiquier mondial, ils forment le monde dépendant.

La dépendance coloniale

Les marques de la dépendance varient dans l'espace, mais partout elles existent, même si la guerre mondiale a commencé à secouer peuples et régimes extra-européens. Les traits principaux de la dépendance se situent sur trois registres différents mais connexes : la domination politique qui se présente sous des aspects variables entre la servitude coloniale et la soumission raisonnée, les contraintes économiques qui vont du pacte colonial à la pratique de l'emprunt lié, les imprégnations culturelles qui font du schéma européen (ou de son extension yankee) le modèle obligatoire puisqu'il est tenu comme progrès et libération par rapport aux obscurantistes civilisations locales. L'impérialisme colonial rassemble évidemment les marques extrêmes de la dépendance puisque la servitude des colonisés s'applique à tous les domaines ; toutefois, au sein même des colonies apparaissent des nuances dans la servitude, tant il est vrai que l'intérêt de la métropole et les capacités de résistance des « indigènes » peuvent mener à des solutions diverses sur le plan culturel, économique, politique. La variété des situations explique le souci actuel chez les analystes de l'impérialisme, historiens compris, de ne pas raisonner sur un type ordinaire, moyen, de l'impérialisme, applicable partout, mais de dégager *des* impérialismes, en fonction des objectifs et des moyens des pays colonisateurs et des réactions des peuples colonisés.

Un seul point commun peut être retenu, admissible pour tout exemple de pays colonisé : les habitants de ces contrées sont des « mineurs » qui n'ont point à intervenir par eux-mêmes dans les relations internationales puisque la colonisation les prend en charge sans complexes. La vie internationale les délaisse ou les considère seulement à travers le biais de la puissance métropolitaine. En Asie du Sud-Est ou en Afrique, les problèmes internationaux ont trait aux rivalités entre impérialismes ; la décolonisation, en sa forme contemporaine, ne semble pas devoir y transformer les relations internationales. La remise en cause de la colonisation par des intellectuels européens, par l'exemple du Japon, par l'intérêt émancipateur de l'U.R.S.S., par les Noirs établis aux Etats-Unis affecte peu la « bonne conscience » des puissances développées. Le « paternalisme » colonial évacue les peuples colonisés de la vie internationale, même si les territoires coloniaux sont objets de confrontations.

La création au sein de la S.D.N. d'un Conseil des Mandats assisté d'une Commission Permanente des Mandats destinée à conduire certaines colonies vers l'émancipation[2], n'a pas

---

1. Les Dominions à peuplement blanc ou à direction blanche n'entrent pas dans cette catégorie ; ils jouent en outre un rôle grandissant dans la politique internationale des continents extra-européens.

2. Six des neuf membres sont des experts choisis parmi les citoyens des puissances coloniales.

modifié les visions traditionnelles concernant les colonies : « Il est facile, trop facile, de relever toutes les oppositions qui... mettent la S.D.N. en contradiction avec elle-même : l'expédient politique contre les principes, l'application partiale et partielle contre l'universalité, le caractère théoriquement provisoire du système... et son exécution plus soucieuse en fait de maintenir l'ordre établi que de provoquer des bouleversements ». (Y. Collart). En théorie, les pays classés dans la première catégorie des territoires sous mandat (mandat A : Syrie, Liban, Palestine, Transjordanie, Irak) devraient accéder à leur libre détermination après un bref délai. En réalité, la Grande-Bretagne tutrice des trois derniers territoires cités, s'engagea seulement dans des concessions formelles ; ainsi le royaume indépendant d'Irak selon les traités de 1922 et 1926-27, contrôlait son réseau ferré sans le posséder, avait une armée dont les déplacements étaient « autorisés » par le Haut Commissaire britannique, n'avait pas le droit d'appliquer la loi martiale prévue dans sa Constitution. Cette attitude « réaliste » des Britanniques allait cependant plus loin que la position française face aux revendications des nationalistes syriens ou libanais ; seule une révolte sanglante des Druses en 1925 pousse Paris à envisager une certaine évolution. Fondamentalement, les puissances coloniales sont bien décidées à continuer d'administrer comme avant 1914 tous les territoires sur lesquels flotte leur drapeau. Les Alliés avaient accepté le principe de gouvernement autonome (*self government*) cher à Wilson, sans accepter véritablement de l'appliquer. Albert Sarraut, ministre français des colonies écrit en 1931 dans un livre classique (*Grandeur et servitude coloniales*) ces lignes typiques : « Tous ceux de nos protégés dont la sagesse est faite de l'expérience du passé et de l'observation attentive du présent, ont peur de l'indépendance. Cette idée, loin de les séduire, les effraie. » Lord Milner ministre britannique, donne une nouvelle définition du fardeau de l'Homme blanc, chère à Kipling : « La paix britannique est essentielle au maintien des conditions nécessaires à une existence civilisée et à la paix, pour un cinquième de la race humaine. » (citations empruntées au livre d'H. Grimal).

Cette bonne conscience des nations coloniales suscite-t-elle déjà des réactions nationales parmi les « indigènes » pendant les années vingt ? Les attitudes varient selon les lieux. Dans les pays où les structures traditionnelles sont restées vivaces malgré le vernis de la colonisation, soit grâce à la toute puissance de la religion, soit lorsque des cadres locaux formés à l'administration moderne retournent les principes des sociétés démocratiques européennes à leur propre usage, une demande instante de *self government* ou d'égalité devant la loi affecte les relations entre colonisés et colonisateurs. L'exemple des Indes est à cet égard fort éclairant, surtout depuis que Mohandas Gandhi a organisé une nouvelle forme de lutte, la non-violence, qui rassemble cadres hindous et masses paysannes dans un même combat contre les Anglais. De même, en Indonésie, le Sarekat Islam, créé en 1912, et le Parti National Indien que préside un jeune ingénieur Soekarno dès sa fondation en juin 1927 demandent aux Néerlandais une participation à la gestion des affaires. Dans les pays où un début d'industrialisation (souvent dans les industries minières) a fait naître un embryon de classe ouvrière, des intellectuels attirés par l'exemple soviétique, parfois encadrés par la IIIe Internationale (le Komintern) cherchent à organiser des partis communistes ou des partis révolutionnaires nationalistes. En Indochine l'action de Nguyen Ai Quoc — le futur Hô Chi Minh — se rattache à cette lignée ; les résultats restent modestes dans la mesure où les secousses économiques et sociales consécutives à la guerre se résorbent peu à peu. Enfin, dans les protectorats, colonies déguisées mais où subsiste un semblant d'Etat national, la permanence d'un pouvoir local, jugé dérisoire, donne un moyen d'action aux aspirations des colonisés ; restituer à ce pouvoir la plénitude de ses droits paraît être la solution appropriée. Ainsi, en Egypte où la Grande-Bretagne a légalisé unilatéralement son protectorat en novembre 1914, un ancien ministre Zaghloul Pacha constitue un parti, le Wafd (la délégation) pour obtenir de la Conférence de la paix la reconnaissance de l'entité égyptienne ; son arrestation en mars 1919, entraîne un vaste soulèvement national durement réprimé par l'armée britannique ; répression inutile puisqu'il faut composer dès 1922 avec les nationalistes égyptiens. Londres déclare l'Egypte « indépendante » tout en y maintenant ses troupes, ses bases stratégiques et surtout son autorité sur le Canal de Suez. C'est le début d'un long affrontement entre les autorités britanniques et la bourgeoisie locale, appuyée par les intellectuels et les fellahs. L'exemple des mouvements de libération dans les Etats restés semi-indépendants est trop incitatif pour que des concessions de pure forme satisfassent les « indigènes ».

Secousses au Moyen-Orient

Surtout lorsque l'exemple probant est voisin : la Turquie arrache alors son indépendance aux puissances coloniales. Au sens étroit du terme, l'Empire ottoman avait toujours été indépendant ; de fait, au travers des Capitulations qui accordaient des droits extraordinaires aux résidents européens, grâce à tous les gages pris lors de l'octroi de prêts au Sultan, perpétuel endetté, face enfin aux multiples actions séparatistes des minorités non-turques, l'Empire était plus qu'un « homme malade », un « homme enchaîné », « désarticulé ». Ces entraves et ces sécessions avaient conduit les nationalistes turcs, bourgeois ou militaires, vers un sursaut d'indignation à la fin de la guerre (celle-ci a fait plus de 800 000 victimes dont 500 000 morts de maladie). Le véritable dépècement du territoire ottoman, antérieur au traité de Sèvres, qui accordait aux Européens des zones vitales et permettait à certaines nationalités d'aller vers l'indépendance (Arabes, Kurdes, Arméniens) donna le signal d'une réaction violente : en mai 1919, alors que des troupes grecques débarquaient à Smyrne pour constituer la Grèce de la « Grande Idée », chère à Konstantin Vénizelos, le général Mustapha Kémal lançait le mouvement de libération-unité de toutes les terres jugées turques par les Turcs eux-mêmes. En avril 1920, une Grande Assemblée Nationale réunie dans une bourgade du centre-anatolien, Angora (future Ankara) consacrait la naissance du nouveau régime dirigé par le général Kémal. S'appuyant sur la bonne volonté, intéressée, des Bolchéviks, eux-mêmes décidés à reconquérir les territoires caucasiens (traité de mars 1921), sur la complaisance des Français, satisfaits de contrer leur allié-concurrent britannique pour consolider leur présence dans la Grande Syrie (accord d'octobre 1921 négocié par le député « radical » Franklin-Bouillon), le pouvoir kémaliste finit par prendre militairement le dessus à la fin de 1921, puis par chasser les Grecs d'Asie mineure pendant l'automne 1922. La consécration de la victoire turque fut acquise à l'issue de la conférence de Lausanne en juillet 1923, par un nouveau traité de paix qui abolissait les Capitulations, établissait les frontières de la nouvelle Turquie. La nouvelle convention des Détroits maintenait la démilitarisation de cette zone de passage, prévue par le traité de Sèvres, mais redonnait à la Turquie une certaine autorité sur ce point stratégique. Certes, le problème de la dette ottomane n'était pas encore réglé[1] ; certaines servitudes financières pesaient toujours sur la Turquie kémaliste, mais la « diplomatie de la cannonière » ne pourra plus être admise en cette partie du Proche-Orient.

Cette libération fut cependant douloureuse : les haines entre peuples furent attisées et fixées pour des générations après de gigantesques transferts de populations grecques et turques selon les délimitations des nouvelles lignes frontalières (un million de Grecs furent chassés d'Asie mineure où ils vivaient depuis des siècles, tandis que 400 000 Turcs évacuèrent la

---

1. Le règlement de la Dette Ottomane sera péniblement obtenu par un accord signé en juin 1928. La Banque Ottomane et les intérêts économiques français restent prédominants.

Thrace septentrionale où ils demeuraient depuis des temps immémoriaux). La misère de ces « personnes déplacées » augurait mal du futur dans la Méditerranée orientale, d'autant que les minorités arméniennes subissaient toujours une répression sévère. Se libérer soi-même n'implique pas nécessairement la volonté de libérer les autres.

Le mouvement de libération avait cependant fait tâche d'huile dans l'Asie occidentale (ou Moyen-Orient) au même moment[1]. Profitant de la vieille rivalité anglo-russe qui avait entraîné soit la neutralisation des territoires contestés (cas de l'Afghanistan), soit le partage d'influence (cas de la Perse), de jeunes chefs, Amanulah en Afghanistan, nouvel émir de Kaboul, Reza Khan, colonel de l'armée perse, parvenaient à élargir leur marge d'indépendance vis-à-vis de la Grande-Bretagne en s'appuyant sur le régime bolchévik, avec précaution. Entre 1919 et 1922 pour le premier, en 1920-1921 pour le second (qui deviendra Shah de Perse en 1925) des accords étaient signés avec les puissances européennes consacrant le départ des troupes étrangères et, du même coup, l'indépendance politique de ces Etats.

Leur libération économique sera beaucoup plus délicate, car l'odeur de pétrole attire alors les entrepreneurs des pays développés et plus encore les techniciens gouvernementaux, qui, au nom de leur Etat respectif, prévoient l'avenir de cette source d'énergie et tentent de se réserver des zones de prospection-exploitation. Ni les Perses, ni les Arabes des royaumes jordanien, irakien et saoudien n'avaient encore la capacité de contrer les convoitises des pays développés ; ils étaient incapables d'user des rivalités internes aux pétroliers pour acquérir plus d'autonomie. Les sociétés britanniques (Anglo-Persian Oil Cy, Royal Dutch Shell) savaient limiter leurs ambitions pour limiter celles des Américains (Standard Oil) et des Français (Compagnie française des pétroles). En 1925, lorsque la S.D.N. confia la zone de Mossoul, riche en pétrole, à la Grande-Bretagne à travers l'« indépendante » Irak, la Turkish Petroleum Company, compagnie anglo-française, obtint un monopole sur cette zone, quitte à admettre en octobre 1927 la co-participation des « majors » américains dans la T.P.C. ; dès lors, un accord est possible entre pétroliers pour s'engager à ne pas concurrencer la T.P.C. au nord d'une « ligne rouge » tracée sur l'ancienne limite de l'Empire ottoman (cf. carte n° 3, p. 60). Tant bien que mal, jusqu'aux années trente, la suprématie de la T.P.C. demeura, donc celle des intérêts britanniques puisque 58,25 % des parts de cette compagnie appartenaient à des groupes anglo-néerlandais. En Perse, la suprématie de l'Anglo-Persian subsistait, même si des outsiders s'efforçaient de la contester. On peut ainsi conclure que le Moyen-Orient était une région sous influence britannique pendant les années vingt.

Si les compagnies pétrolières commencent à prendre fort au sérieux le Moyen-Orient (surtout après 1927 à cause d'une puissante nouvelle source jaillissante en Irak), si les rivalités entre tribus et chefs arabes sont examinées et manipulées par les spécialistes occidentaux (dont le très célèbre Lawrence d'Arabie), si l'U.R.S.S. commence à mener une politique de bon voisinage avec les Etats qui bordent sa frontière méridionale, il n'en reste pas moins que cette partie du monde n'entre pas encore parmi les zones sensibles du globe pendant les années vingt : « le mouvement national du fait de sa nature même, de son degré de conscience et d'organisation, du contexte mondial, ne parvient pas véritablement à s'imposer, mais tend à s'ancrer plus profondément dans la réalité politique intérieure et aussi extérieure. » (J. Thobie). La Grande-Bretagne surtout, la France en second, sont encore en mesure de dominer cette zone. Les bases militaires qu'elles y implantent, en ce carrefour entre Asie et Europe, les intérêts économiques qu'elles y développent, avec parfois l'aide des bourgeoisies locales, sont sauvegardés et aucun autre concurrent européen n'a encore tenté de secouer ces monopoles.

---

1. Nous retenons l'expression « Moyen-Orient » selon l'acception du terme Middle-East défini alors par les Britanniques.

L'Extrême-Orient s'éveille

Par comparaison, l'Extrême-Orient asiatique paraît beaucoup plus agité et susceptible de créer des conflits sensibles. Deux Etats cristallisent les problèmes de cette « question d'Extrême-Orient », le Japon et la Chine.

Le premier, dont on a déjà vu le rôle particulier au début de la Première Guerre mondiale, a entrepris son ascension vers le rang de grande puissance, notamment grâce aux résultats de sa croissance économique ; le coup de fouet donné aux exportations japonaises par la relative paralysie de l'Europe, a suscité une poussée spectaculaire de l'industrialisation. L'indice de la production industrielle en volume est passé de l'indice 100 en 1910-1914 à 160 en 1915-1919, le nombre des ouvriers a augmenté de 60 % ; le commerce extérieur qui fournissait environ 15 % du produit national avant-guerre contribue pour 19 à 21 % du revenu national à la fin de la guerre. Sans doute le retour à la paix a engendré une rude secousse en 1920-1921, marquée par des mouvements sociaux imposants, mais cet accident n'infléchit pas la tendance à la hausse démographique puisque le taux de natalité demeure constamment supérieur à 30 ‰. Comment donner du travail et du riz à cet Empire surpeuplé ? La stratégie d'annexion de territoires voisins (Corée, Taïwan, Shandoung) s'accentuera-t-elle grâce à la présence d'une flotte de guerre en plein développement (entre 1916 et 1921, 20 à 30 % des dépenses publiques sont affectées à la construction navale militaire) ? Ou bien le pouvoir civil, réussissant à prendre le dessus sur les clans militaires, s'en tiendra-t-il à une expansion pacifique, limitée au commerce et aux investissements extérieurs ?

Le voisin chinois est beaucoup moins « évolué » sur le plan politique et économique. Depuis la chute de la dynastie mandchoue en 1911, les rivalités entre les seigneurs de la guerre (les dujun) n'ont guère cessé ; l'anarchie politique est de règle, même si en principe subsiste à Pékin un pouvoir central. La lointaine guerre européenne paraît sans perspectives pour les Chinois, sans raisons réelles d'entrer en guerre, sauf à récupérer les territoires des concessions étrangères qui deviendraient ennemies. Or, le Japon a devancé la Chine sur son propre terrain. Dans ces conditions, le fragile pouvoir chinois tarde à s'engager. Il faut de vives pressions des Alliés pour que « l'homme fort » de Pékin provisoirement au pouvoir (le Club A.N.F.U. gouverne à Pékin entre 1917 et 1919) accepte d'entrer dans le conflit contre les Empires centraux en août 1917. Les Chinois enverront 200 000 coolies travailler en Europe contre la dispense de payer pendant cinq années l'indemnité due par la Chine aux Occidentaux à la suite de la révolte des « Boxers » (cf. tome 1, p. 189) ; ils pourront occuper les concessions allemandes. En réalité, le pouvoir central est beaucoup trop faible pour mener une guerre extérieure dénuée d'intérêts réels pour la Chine, tandis qu'il doit lutter pour sa propre survie.

Ce faible pouvoir, déjà très endetté, doit augmenter cette dette pour organiser une armée ; de nouveaux gages sont pris par les Puissances (mines, forêts, timbres) en particulier par le Japon dont les banques se constituent comme principal créancier de la Chine (emprunts Nishihara en 1918). Un quasi-protectorat japonais existe, caractérisé par le contrôle partiel de l'armée et de la marine chinoises et surtout par une déclaration japonaise, les 21 demandes de 1915, selon lesquelles le Japon s'attribue une vaste zone d'influence dans le nord-est de la Chine et un protectorat sur la police, les secteurs économiques et financiers de la Chine. Les frémissements du sentiment national, déjà sensibles pendant la guerre, deviennent véritables secousses populaires lorsqu'on aborde le règlement de la paix sans faire droit aux revendications d'égalité et de liberté de la délégation chinoise venue à Versailles. Le 4 mai 1919, à Pékin, se déroule une puissante manifestation d'étudiants, bientôt relayée par des émeutes à Shangaï, prolongées par un boycot des marchandises japonaises. L'impatience grandissante de la jeune génération d'intellectuels est typique d'une opinion qui se radicalise et qui entend mener une œuvre de rénovation nationale et sociale. Pour les historiens chinois, 1919 est la date qui marque « la charnière entre l'histoire moderne et l'histoire contemporaine de leur pays. » (Jean Chesneaux). Désormais, malgré les durables divisions internes et les guerres civiles, la Chine subit l'enfantement d'un Etat-nation.

A court terme, les résultats de l'action de protestation sont faibles. La Chine qui n'a pas signé le Traité de Versailles, reste soumise au principe des traités inégaux : concessions étrangères et territoires à bail administrés par des étrangers, gestion étrangère des douanes, de l'impôt sur le sel, extraterritorialité en matière juridique, contrôle de vastes secteurs économiques par les étrangers (près de 2 milliards de $ investis par les étrangers en Chine) déséquilibre constant du commerce extérieur, pénétration culturelle et religieuse accentuée, qui se traduit souvent par l'humiliation devant la force étrangère. Cependant les dissenssions entre Puissances étrangères permettent quelques améliorations dans ce contexte de dépendance. L'U.R.S.S. a renoncé à ses anciens privilèges, l'Allemagne à l'extraterritorialité et surtout l'audace japonaise pousse les Anglo-Saxons à stopper la pénétration niponne en Chine. Lors de la Conférence de Washington, réunie à l'initiative du Président américain Harding, neuf Puissances discutent pendant quatre mois (novembre 1921-février 1922) de désarmement naval et de la situation en Orient-Pacifique. Une coalition anglo-saxonne freine les ambitions du Japon. Celui-ci doit restituer le Shandoung à la Chine (traité du 4 février 1922). L'autonomie douanière et la suppression de l'extraterritotialité sont toujours repoussées par les Alliés, mais les Puissances s'engagent à ne plus occuper de nouveaux territoires. Or le mouvement de protestation chinois gagne en profondeur puisqu'il rassemble intellectuels, bourgeois (qui voudraient profiter de l'expansion économique), ouvriers, cadres militaires. Si le problème de l'unité peut être résolu par la victoire définitive d'une groupe politique, il est bien certain que le poids international de la Chine ira en grandissant.

A partir de 1924, le Guomindang réorganisé prend de plus en plus d'audience et élargit son autorité du sud vers le nord de la Chine. Coalition hétéroclite où se retrouvent communistes et nationalistes bourgeois, dirigeants syndicalistes et industriels, chefs militaires et étudiants, paysans, le Guomindang trouve son unité dans une démarche unitaire contre les Dujun et dans une lutte affirmée contre l'impérialisme étranger. Du coup, les incidents meutriers qui mettent aux prises les ouvriers des villes où se trouvent des concessions et les troupes étrangères gardant ces concessions, prennent une valeur symbolique indéniable (mouvement du 30 mai 1925 à Shanghaï, grève-boycott de Canton-Hongkong de juin 1925 à octobre 1926, libération par la force des concessions anglaises de Hankéou et Juyiang en janvier 1927, émeutes de Nankin en mars 1927). La poussée révolutionnaire paraît capable de donner enfin son indépendance à la Chine, selon l'exemple de l'U.R.S.S. qui encourage, guide, instruit les cadres du Guomindang par l'intermédiaire des envoyés du Komintern. Toutefois la bourgeoisie chinoise n'entend pas aller aussi vers des bouleversements sociaux. Lorsque le chef militaire du parti, le général Tchang-Kaï-Chek, a pratiquement rassemblé la Chine sous son autorité, la rupture violente entre les nationalistes et les communistes éclate (avril 1927 à Shanghaï). Désormais le gouvernement de Tchang-Kaï-Chek, établi à Nankin, reste seul maître du jeu. Vis-à-vis de l'étranger, le général mu par le nationalisme, continue à faire pression pour obtenir la révision partielle des traités inégaux par la négociation. Quelques concessions sont restituées à la Chine, la perception des impôts revient à l'administration chinoise, la plupart des Etats étrangers reconnaissent l'autonomie douanière de la Chine (juillet-décembre 1928). Un mouvement persiste qui prouve combien la vieille Chine endormie et soumise est en train de s'éveiller ; les Puissances, préoccupées sans être inquiètes, commencent à faire vraiment entrer la Chine dans leurs calculs diplomatiques.

Le Japon inquiète davantage les Européens et les Yankees. Pendant la guerre, en Asie il a bénéficié de sa situation ; il a montré de fortes dispositions à l'expansion, y compris au nom de l'anticommunisme (installation de troupes dans l'extrême-Orient soviétique) ; il a commencé à multiplier ses bases dans le Pacifique. Les Américains qui, de leur côté, initient une politique de présence dans le Pacifique, tout en restant les apôtres de « la porte ouverte », sont particulièrement attentifs à la poussée japonaise ; dans une certaine mesure, ils ont même cru un moment que le renouveau chinois se ferait à l'image de leur propre histoire et de leur propre « décolonisation » ; d'où le mythe vivace d'un destin particulier des Etats-Unis vis-à-vis de la Chine. En réalité, ce « paternalisme » n'empêche pas les ambitions politiques en Asie comme dans le Pacifique. Les voici donc en concurrence avec le Japon. L'arbitrage vient de la Grande-Bretagne. Celle-ci, seule réelle puissance mondiale, voulut imposer un arrêt dans la course aux armements et consolider le *statu-quo* dans le Pacifique afin de diminuer le fardeau de charges financières et militaires insurmontables. Du coup, Lloyd George accepta facilement la négociation proposée par le secrétaire d'Etat Charles Hugues au nom du président Harding en août 1921 sur la limitation des armements navals ; Balfour de son côté suggéra une extension de l'alliance anglo-japonaise (signée en 1902 pour vingt ans) aux Etats-Unis. A Washington, après de laborieux marchandages (où la France se trouva isolée dans sa recherche de sécurité par la seule force militaire), un équilibre finit par être trouvé entre les trois puissances réelles du Pacifique : d'un côté, les Anglo-Saxons obtinrent de conserver conjointement la suprématie navale dans le monde, et ce, au moins pour 10 ans, tandis qu'ils gelèrent la situation dans le Pacifique garantissant au Japon les progrès que celui-ci avait accompli depuis 1914 (traité des 4 puissances du 13 décembre 1921 qui consacra également la fin de l'alliance anglo-niponne).

Dans cette même Conférence, la Grande-Bretagne a abandonné on l'a vu (cf. p. 99) la vieille règle du Two Powers Standard ; elle consent à l'égalité navale avec les Etats-Unis, mais le renforcement de la solidarité anglo-saxonne lui laisse espérer une sécurité renforcée à l'échelle mondiale. A la base de l'action conjointe des trois grandes puissances navales se trouve le désir commun des trois gouvernements de mieux répondre aux difficultés internes, sociales et politiques, par une politique de désarmement qui soulagera les budgets (une crise mondiale sévit en 1921). Les séquelles du wilsonisme et le pacifisme, surtout aux Etats-Unis, ont également joué leur rôle pour expliquer les solutions retenues à Washington. Mais cette Conférence internationale, peu suivie en France, où l'européocentrisme demeure prédominant, marque surtout le premier grand changement dans le rapport traditionnel des forces dans le monde. L'Europe perd son exclusivité, le Pacifique et l'Asie orientale deviennent partie prenante du grand jeu diplomatique international. Le Japon, au cœur de la conférence, entre en scène parmi les Puissances.

Par comparaison, le reste de l'Asie, les péninsules indochinoise, malaise, les îles de l'Indonésie, le subcontinent indien paraissent alors négligés ou négligeables. Territoires coloniaux pour la plus grande part (seul le Siam échappe au statut colonial), ces pays dépendent de la stratégie des Puissances de tutelle, surtout de la Grande-Bretagne qui surveille activement l'Océan Indien et ses marges. Des mouvements nationaux secouent ces territoires par moments. L'Empire des Indes est le plus remuant de tous ; lorsque les promesses de self-government ne sont pas vraiment tenues après la guerre (l'acte de 1919 introduit une certaine participation des Indiens aux pouvoirs locaux mais son effet est ruiné par le massacre d'Amritsar du 13 avril 1919), l'agitation politique reprend avec rigueur. Le Congrès National Indien plutôt modéré et coopératif jusque-là, devient non-coopérant, impatient (au-delà de la position personnelle nuancée de Gandhi) et vraiment indépendantiste. Les tergiversations britanniques poussent les nationalistes hindous, menés par J. Nehru, à adopter des positions plus dures. A la fin des années vingt, la campagne de désobéissance civile ébranle l'Empire. Les difficultés nées de la crise économique pendant les années trente serviront à renforcer un mouvement nationaliste qui s'impose désormais dans les calculs des dirigeants de Londres. Toutefois, cette menace interne ne paraît pas encore en état de remettre en cause la suprématie britannique dans cette région du monde. Les zones colonisées de l'Asie du sud et du sud-est demeurent encore des chasses gardées des puissances coloniales comme avant la guerre.

L'Afrique oubliée

Il en va de même en Afrique. La course à la colonisation qui avait engendré de sérieuses contestations internationales avant 1914, semble achevée. Les colonies allemandes avaient connu des combats plus ou moins marqués et durables pendant la guerre ; elles sont devenues formellement territoires sous mandat en 1919, mais la S.D.N. a laissé les puissances victorieuses y établir leur autorité de type colonial. France, Grande-Bretagne, Belgique, Portugal demeurent les principaux bénéficiaires du partage de l'Afrique ; l'impatiente revendication italienne vis-à-vis d'un des derniers Etats africains indépendants, l'Ethiopie, membre de la S.D.N. depuis 1923, montre que le destin de l'Afrique dépend encore de la colonisation. Comme la répartition des zones d'influence est faite et que nul ne la remet en question parmi les puissances coloniales, l'Afrique sort du domaine conflictuel.

La politique des puissances vise plutôt à mettre enfin en valeur les territoires conquis avant guerre. On espère y parvenir par une stratégie de pénétration vers les zones minières, par le développement d'une infrastructure de transports, par l'introduction de cultures de plantation ; des plans d'aménagement sont préparés pendant les années vingt sans toujours être suivis de réalisations effectives. Pourtant, peu à peu, l'Afrique entre dans les circuits commerciaux internationaux. La liberté de commerce dans le bassin du Congo, confirmée par la convention de Saint-Germain-en-Laye (10 septembre 1919) entraîne un début d'industrialisation dans le Congo Belge, car les conditions de circulation des produits locaux incitent les Compagnies européennes à y implanter plantations (huile de palme, caoutchouc) et mines (cuivre du Haut-Katanga). Ces premières mutations économiques produisent des effets sociaux en donnant naissance à une première urbanisation et à la constitution d'une première catégorie « d'évolués ». L'acculturation commence au sein de sociétés indigènes atteintes par la même maladie contractée au contact de l'Occident. Pendant les années vingt, le processus en reste à des balbutiements ; les aspirations aux changements politiques demeurent limités. Le souhait des anciens combattants de ces pays (environ 110 000 Africains ont servi dans l'armée britannique, plus de 500 000 dans l'armée française) consiste plutôt à demander l'assimilation avec les colons dans les emplois ou pour les pensions. Aussi les exemples de soulèvements armés, dus aux séquelles des conquêtes coloniales (Guerre du Rif au Maroc en 1925) ou à l'influence de la solidarité arabe (cas de l'Egypte et du Soudan où de sérieux troubles éclatent en 1924 après la victoire électorale du parti Wafd) sont-ils sans effets sensibles à l'échelle du continent africain.

Celui-ci, objet et sujet des Européens, suscite des mythes (la « force noire », le réservoir des forces humaines), mais il reste à l'écart de la grande diplomatie. Lorsque sur les marges septentrionales de ce continent, des rivalités opposent Français et Italiens, ou Français et Espagnols, ou Italiens et Britanniques, à propos de points d'appui (statut de Tanger au Maroc) ou de frontières (en Cyrénaïque-Egypte) ou de colons (statut des Italiens en Tunisie), ce n'est pas l'Afrique elle-même qui est en cause, mais bien davantage la Méditerranée, axe vital de communications pour les puissances coloniales. L'autorité sur le canal de Suez importe sans doute plus aux Britanniques que le sort futur de leurs colonies d'Afrique occidentale ou orientale.

L'Amérique latine sous tutelle

L'autorité des Etats-Unis sur le canal de Panama et sur la mer des Caraïbes importe plus à Washington que la nature des régimes établis en Amérique centrale. On a déjà vu (chapitre 2) comment les Etats-Unis avaient profité de la Première Guerre mondiale pour s'imposer dans cette région du globe. D'une certaine manière, Washington appliquait à l'ensemble du continent américain la doctrine de Monroe « révisée », selon laquelle la destinée des Etats-Unis était de contrôler l'évolution de ce continent. Pendant les années vingt, la stratégie yankee ne se modifia guère, quelle que fut la force du sentiment antiyankee parmi les populations de l'Amérique latine. Cette domination suscita cependant une réaction qui finit par modifier les attitudes.

La tutelle yankee possédait un puissant moyen d'action : l'arme économique et financière. Les Etats latins d'Amérique avaient en commun le désir d'accentuer leur indépendance par l'industrialisation et la modernisation de leur agriculture ; mais même si les profits réalisés pendant la guerre avaient procuré quelques moyens financiers permettant de racheter titres et possessions aux Européens, l'accumulation nationale restait très insuffisante au début des années vingt. L'aide nord-américaine était indispensable, car la France et l'Allemagne étaient hors de course et la Grande-Bretagne, mieux lotie, se tournait plutôt vers son Empire, à quelques exceptions près (Argentine, Brésil, Vénézuéla), Aussi, la prédominance yankee, déjà acquise en Amérique latine centrale, s'étend à tout le continent pendant les années vingt : pétrole du Vénézuéla, cuivre du Pérou et du Chili, étain en Bolivie, viandes en Argentine, banques un peu partout, attirent les capitalistes yankees. En 1930, les capitaux yankees placés en Amérique latine représentent environ le double des capitaux britanniques, quinze fois plus que les capitaux français. La « danse des millions » (L. Manigat) commence, renforcée par les profits tirés d'un commerce intra-américain en rapide expansion. Le rôle commercial des Etats-Unis est primordial : ceux-ci vendent des articles manufacturés et achètent les matières premières agricoles ou minières. Les Etats-Unis contribuent de manière décisive à l'expansion commerciale des grands Etats d'Amérique latine, sauf au Mexique, avec lequel les relations ont toujours été particulières. Entre 1913 et 1927, l'Argentine a augmenté son commerce de 80 % (en valeur) ; or, les Etats-Unis qui représentaient 9 % de ce commerce en 1913, y contribuent pour 15 % en 1927 ; au Brésil la part yankee passe de 24 % à 38 %, au Chili de 19 % à 31 %, au Mexique de 66,3 % à 54 %. En 1928, les U.S.A. vendent autant que l'Europe entière aux Etats d'Amérique latine ; ils achètent 37 % de toutes leurs exportations. Comment s'affranchir d'une telle présence ?

La « yankeephobie » a beau dominer au sein des élites sud-américaines, notamment chez les intellectuels qui continuent à se nourrir de culture européenne, elle ne parvient pas à secouer véritablement la suprématie du grand voisin du nord. Le souhait des Américano-latins de trouver un appui politique auprès des Puissances européennes reste sans écho suffisant. Ainsi, lorsque des litiges frontaliers suscitent des tensions, voire des conflits armés, comme entre le Chili et le Pérou (conflit de Tacna-Arica) entre la Bolivie et le Paraguay (conflit du Chaco), la S.D.N. manque d'autorité pour régler les différends ; au mieux, elle soutient l'action de la Commission d'enquête interaméricaine où les U.S.A. jouent un rôle décisif. La tutelle de Washington est complète. Du coup, plusieurs Etats d'Amérique latine cessent de siéger à la S.D.N.

Dans les Caraïbes, Washington est sans complexes. Les interventions armées entraînent cependant un tel retentissement en Amérique latine que le secrétaire d'Etat Charles Hugues tente, en 1922-1923, d'infléchir la politique du « Big Stick » au profit d'une politique de concertation avec les autres Etats américains. A propos d'un conflit entre Honduras, Nicaragua et Salvador, il est institué un Tribunal de l'Amérique centrale qui a pour mission de régler pacifiquement les litiges, sous l'autorité morale des Etats-Unis. Ceux-ci réduisent leurs interventions directes en évacuant la République Dominicaine, le Nicaragua (1924-1925). Aussi à la 5ᵉ Conférence Pan-Américaine, tenue à Santiago du Chili en 1923, la juridiction du Tribunal est étendue à tout le continent (traité Gondra). Désormais une politique de bon voisinage, avec arbitrage et concessions réciproques semble devoir l'emporter. Le retour des « Marines » au Nicaragua en 1926 et les oppositions entre Etats sud-américains continuent pourtant d'empoisonner l'atmosphère. En janvier 1928, la 6ᵉ Conférence Pan-américaine, tenue à la Havane, est le théâtre de violents affrontements verbaux entre le Nord et le Sud ; la dernière séance tourne à l'émeute.

Les responsables yankees mesurent leur relatif isolement face aux Latino-Américains menés par l'Argentine, le Chili et le Mexique. L'année suivante, le nouveau Président des Etats-Unis, Herbert Hoover, faisait publier un memorandum du Département d'Etat (memorandum Clark) par lequel les Etats-Unis amorçaient une politique nouvelle : la voie était ouverte pour une politique de relatif désengagement et de réconciliation afin de parvenir à une situation de bon voisinage sur tout le continent américain. D'une tutelle musclée, on allait passer à une tutelle souple. Celle-ci suffirait-elle à désamorcer l'irritation plus ou moins sourde des nationalistes sud-américains ? La lutte armée menée au Nicaragua par le « héros-bandit » Carlo Sandino, entre 1927 et 1933 contre les Marines, avec l'appui de « volontaires » sud-américains, est-elle plus symbolique que le règlement pacifique des conflits sous l'égide d'un président Hoover déclarant publiquement sa volonté d'en finir avec la diplomatie des Marines ?

En somme, en dehors de l'Europe, les années vingt sont caractérisées par une relative quiétude dans les relations internationales. Les mouvements d'indépendance, vifs en Asie extrême-orientale, au Moyen-Orient, ne suscitent pas encore le puissant mouvement de la Décolonisation. La guerre européenne a profondément affecté le continent européen ; les querelles de ce vieux continent semblent encore constituer la trame des relations internationales. Reconstruire l'Europe, est-ce reconstruire le monde ? Peut-être. Déjà, çà et là, des germes de déclin existent, des appétits s'aiguisent. La véritable mondialisation des politiques extérieures se prépare. Vienne un choc capable d'ébranler les équilibres économiques et politiques d'hier et les Etats du monde entier se trouveront dans un contexte radicalement différent, sans toujours le percevoir immédiatement. Nombreux sont les intellectuels qui évoquent déjà à ce moment « le déclin de l'Europe » ; le thème de la décadence a toujours fleuri au sein des civilisations développées. Mais s'agit-il vraiment d'un déclin ou d'une mutation de la vie internationale au travers d'une mondialisation des échanges entre les hommes, qui fait se choquer les civilisations ? C'est encore l'époque des « croisières » des Européens en Asie ou en Afrique, par lesquelles les Européens découvrent l'exotisme et le charme des peuples demeurés dans l'« ignorance » ; la civilisation européenne, dominante et satisfaite, n'est pas disposée à se remettre en cause.

5. La faillite de l'ordre versaillais 1920-1924

Quand on évoque l'ordre versaillais, on songe à l'ordre terrible qui règne dans la capitale française en mai 1871, après la victoire sanglante des troupes de Versailles contre la Commune de Paris. L'ordre établi en 1919-1920 par les traités de la banlieue parisienne, dont celui de Versailles, n'est pas du même type : son espace est un champ international, le contexte, les protagonistes, les enjeux sont tout différents. Pourtant, il a, comme le premier, une dimension contre-révolutionnaire (nous avons vu l'importance des événements de Russie sur le déroulement de la Conférence de la paix), et surtout il exprime de la même façon la dure loi des vainqueurs.

Une loi dure, mais non durable, car incomplète dans ses prescriptions, insupportable pour les vaincus, mal défendue par des alliés désunis, elle s'avère incapable de s'imposer longtemps par la seule force sur la scène internationale. Dès 1920, quelques semaines après son entrée en vigueur, le système est déstabilisé par le refus du Sénat américain de ratifier le traité de Versailles : il n'est plus défendu par la plus grande des puissances victorieuses. Par ses contradictions ou ses lacunes, il est facteur de litiges, dont la plupart ne peuvent être réglés ni par la S.D.N. ni par l'application des traités : pendant quelques années, la guerre et le coup de force restent à l'ordre du jour. Il faudra paradoxalement la faillite de ce système pour que la « nouvelle diplomatie » voie le jour.

Le temps de la force

Les traités de paix ont créé des tensions et des conflits aux quatre coins de l'Europe et aux portes de l'Orient, autour des questions polonaise, soviétique et turque, autour de l'affaire de Fiume et des revendications italiennes, et surtout à propos du problème des réparations qui oppose la France et l'Allemagne. Pendant les toutes premières années qui suivent la guerre, les Etats-Unis prennent du recul par rapport à ces questions, laissant agir les Britanniques et les Français. La Grande-Bretagne tient le rôle principal au Moyen-Orient, et la France en Europe centrale, ce qui n'empêche pas dans ces deux régions le développement des rivalités entre Londres et Paris. Nous ne reviendrons pas sur la révolte kémaliste qui a remis en cause le traité de Sèvres, mais les autres grands accords internationaux, censés mettre fin au conflit mondial, s'avèrent aussi d'une grande fragilité. En Europe orientale par exemple, la guerre ne cesse pas vraiment avant 1921.

L'Europe orientale : un vide juridique, un trop-plein d'armées

En matière territoriale, le traité de Versailles se borne à établir les nouvelles limites de l'Allemagne. Même s'il déclare nul le traité de Brest-Litovsk que celle-ci avait signé avec la Russie bolchévique, il ne définit pas pour autant les frontières orientales de la Pologne, ni celles des Etats baltes et de la Finlande qui se sont proclamés indépendants en 1917-1918, à la faveur de la révolution russe. Son article 87 par exemple prévoit que « les frontières de la Pologne non définies par le présent Traité seront fixées plus tard par les principales puissances alliées et associées ». Ce vide juridique, qui était censé laisser une marge de manœuvre aux puissances, constitue en fait un champ libre pour la politique des « faits accomplis ».

La force s'impose d'autant plus facilement comme règlement des litiges que, depuis quelques mois, les armées sont nombreuses à se côtoyer et à se bousculer dans cette partie de l'Europe. En Russie, Blancs et Rouges continuent de s'affronter dans une guerre civile sans merci. Après que les bolchéviks eurent profité de la défaite allemande et reconquis à la fin de 1918 les Pays baltes, la Biélorussie et l'Ukraine, les armées blanches réussissent en mars 1919 des contre-offensives foudroyantes : à partir de l'Esthonie, le général Youdenitch marche sur Pétrograd ; Denikine s'enfonce à nouveau dans les plaines ukrainiennes et, à l'Est, l'amiral Koltchak, parti de Sibérie, menace le bassin de la Volga. Les Allemands, à qui les vainqueurs avaient demandé de maintenir provisoirement des troupes aux confins de la Baltique pour y arrêter la poussée bolchévique, font traîner en longueur la présence de leurs soldats et de leurs « corps francs », en particulier en Lettonie et en Lithuanie. Les Grandes puissances aussi étaient militairement engagées pour aider les Blancs. Cependant, la Grande-Bretagne et la France, découragées par la lassitude de leurs opinions publiques et par les mutineries qui éclatent à Arkhangelsk, à Mourmansk, à Odessa, rassurées par les succès des généraux blancs, commencent à retirer leurs troupes de Russie au printemps 1919.

C'est au tour des Etats voisins, profitant de la confusion et de la guerre civile russe, de mobiliser leurs troupes pour défendre ou conquérir leurs frontières sur le terrain. Les Roumains, dès 1918, s'étaient empressés de prendre la Bessarabie. Un grand nombre de Polonais, dont leur chef, le général Jozef Pilsudski, espèrent reconstruire leur pays dans les limites de la Grande Pologne de 1772, celle d'avant les partages, englobant la Lithuanie, la Biélorussie, et une partie de l'Ukraine. Aussi l'armée polonaise lance-t-elle à partir du printemps 1919 une première série d'offensives à l'est et au sud. Elle fait reculer les forces bolchéviques jusqu'à Minsk ; prend Vilno réclamée par les Lithuaniens ; conquiert la totalité de la Galicie (part autrichienne dans l'ancien partage de la Pologne) contre l'avis des Alliés qui réservent leur décision sur la partie orientale du territoire peuplée d'une majorité d'Ukrainiens ; occupe enfin le bassin de Teschen que leur contestent les Tchécoslovaques.

La plupart des protagonistes sont empêtrés dans leurs contradictions. Les dirigeants bolchéviks, en vertu de leur propre décret sur les nationalités, reconnaissent l'indépendance de la Pologne, de la Finlande, des Etats baltes et même pendant un court moment celle de l'Ukraine et de la Géorgie, ce qui leur donne auprès de ces peuples un crédit politique. Mais, quand les armes semblent leur donner la victoire, ils n'abandonnent pas tout à fait le rêve de porter dans ces pays le glaive de la révolution. Ces nouveaux Etats ont donc peur du bolchévisme, mais ils craignent davantage le nationalisme des Russes blancs, dont l'objectif est de revenir aux limites de l'ancien Empire tsariste. A l'automne 1919, les Esthoniens cessent d'aider Youdenitch qui échoue devant Pétrograd. A cette défaite, s'ajoute celle de Denikine, puis celle de Koltchak au début de 1920. Les Polonais ne sont pas mécontents : ils savent qu'aucun agrandissement territorial n'est à espérer de ces généraux blancs. On comprend les difficultés des Occidentaux qui ont pratiqué deux politiques, difficiles à mener de front, celle de l'aide aux armées blanches, dans la perspective d'une victoire contre les Rouges, et celle du « cordon sanitaire » qui consiste à isoler la Russie derrière un barrage continu d'Etats antirusses et antirévolutionnaires. S'ils offrent ainsi leur appui à tous les adversaires du bolchévisme, ils ne réussissent pas à arbitrer les querelles entre Russes blancs (au sens politique et non éthnique du terme), Ukrainiens, Polonais, Esthoniens, Lettons et Lithuaniens. Lorsque les premiers semblent encore capables de faire reculer l'armée rouge, la cause de la Grande Russie semble l'emporter sur celle des Polonais : le 8 décembre 1919, les Alliés fixent comme frontière une ligne qui passe trois cents kilomètres plus à l'ouest de celle de 1772, par Grodno, Brest-Litovsk et la vallée du Bug (voir carte). De la même façon, la France a beaucoup de peine à créer un front commun des pays de la Baltique. D'ailleurs, dernière contradiction, la Grande-Bretagne, est prudente et méfiante à l'égard de la politique française trop ouvertement impérialiste. Elle veille donc à limiter les ambitions de la Pologne, lorsque celle-ci devient la protégée de la France, et à créer dans la région un équilibre qui ne soit pas défavorable à l'Allemagne et au Pays baltes.

C'est ainsi que l'*Esthonie* échappe à la stratégie française. Probablement encouragée par les ambiguïtés de la diplomatie britannique, elle est, le 2 février 1920, la première à signer avec la Russie soviétique un traité de paix que Lénine considère comme « une fenêtre que les ouvriers russes ont percée sur l'Europe occidentale ».

La guerre russo-polonaise et ses conséquences (1920-1921)

C'était mal voir que la pièce essentielle de l'échiquier est-européen était malgré tout *la Pologne*, qui allait tenter de réaliser ses ambitions. Le chef de l'Etat polonais, le général Pilsudski, refuse la « ligne du 8 décembre 1919 ». Convaincu désormais qu'il ne peut obtenir directement des Alliés la frontière orientale dont il rêve, il prépare l'offensive, fusionne les éléments hétéroclites de son armée, et achète des armes à la France. Au printemps 1920, le moment favorable lui paraît venu : les armées blanches se sont effondrées militairement et l'Armée rouge est épuisée. Il lance le 25 avril contre la Russie soviétique une attaque de grande envergure qui change l'équilibre de cette partie du continent et dont les conséquences se font sentir pendant plus d'un quart de siècle.

Trois phases peuvent être distinguées. D'abord, l'armée polonaise pénètre profondément en Ukraine dont elle investit la capitale, Kiev, au début du mois de mai. Les forces bolchéviques toutefois se ressaisissent : bénéficiant du réveil des sentiments nationaux ukrainien et russe contre la Pologne, elles font appel à des anciens officiers tsaristes et suscitent le soulèvement des paysans dans les régions envahies. La contre-offensive est spectaculaire : les armées soviétiques chassent les Polonais d'Ukraine, mais aussi de Biélorussie et de la ville de Vilno qui est habilement restituée à la Lithuanie. A la fin de juillet 1920, le territoire polonais est à son tour envahi : l'Armée rouge campe bientôt sur les bords de la Vistule, aux portes de Varsovie. L'enthousiasme est à son comble à Moscou où se tient le deuxième congrès du Komintern (celui qui met au point « les 21 conditions » à la formation des partis communistes) : la révolution européenne, qui partirait de Pologne puis d'Allemagne, semble à l'ordre du jour. L'opinion publique allemande salue avec satisfaction les défaites de la Pologne, une des principales bénéficiaires du « diktat » de Versailles. En Angleterre, à Dantzig, et dans bien d'autres ports européens, les dockers refusent de charger du matériel militaire destiné au gouvernement polonais. A la conférence de Spa, où les Alliés sont réunis pour parler du problème des réparations, le secrétaire au Foreigh Office, Lord Curzon, persuadé de l'imminence de l'effondrement polonais, propose le 11 juillet aux belligérants d'accepter comme frontière la ligne du 8 décembre 1919, qui, prolongée au sud, coupant la Galicie en deux, devient la « ligne Curzon ». Les Britanniques veulent obliger les Polonais à négocier. Seule la France par la voix du gouvernement Millerand, les encourage à la résistance. Touchée par la grâce patriotique, la Pologne connaît à son tour contre l'ennemi héréditaire un sursaut qui secoue toute la société, y compris les ouvriers restés insensibles aux appels de la IIIe Internationale.

Aidée par les conseillers militaires français de la mission Weygand dépêchée sur place, l'armée de Pilsudski opère le « miracle de la Vistule », dégage la capitale à la mi-août, et fait reculer les forces soviétiques de plusieurs centaines de kilomètres. Un armistice est conclu en octobre, et un traité de paix signé à Riga le 12 mars 1921. La victoire de la Pologne est consacrée, car même si elle n'atteint pas son extension de 1772, sa frontière orientale est fixée à 150 kilomètres à l'est de la ligne Curzon, et son territoire comprend des populations ukrainiennes et biélorussiennes (voir carte). Pour la France, les avantages sont nombreux : elle a gagné un allié, et ses intérêts pétroliers en Galicie sont sauvegardés, car la province n'est pas scindée et reste entièrement polonaise.

Il a donc fallu une guerre pour fixer la frontière soviéto-polonaise, que, ni le traité de Versailles ni les interventions des puissances victorieuses n'avaient réussi à définir. La paix de Riga est importante à d'autres titres. Elle met un terme à deux projets d'expansion, l'un soviétique et révolutionnaire, l'autre polonais et nationaliste. Pendant le conflit, et dans les mois suivants, la plupart des litiges entre la Pologne et ses autres voisins trouvent un règlement qui dénoue la question des limites septentrionales et méridionales de son territoire. Au nord, les plébiscites prévus par le traité de Versailles dans les districts prussiens de Hallenstein et de Marienwerder ont lieu en juillet 1920 : ils sont extrêmement favorables aux Allemands. Au même moment, alors que la Pologne semble succomber sous l'assaut des armées soviétiques, les Alliés décident, sans consulter les populations, de partager le bassin de Teschen à l'avantage de la Tchécoslovaquie à qui sont accordées les mines d'Ostrawa. On a pu dire que la firme Schneider a pesé de tout son poids dans la décision, pour que l'unité de ses implantations industrielles nouvellement acquises soit préservée dans un cadre tchécoslovaque. De fait, la France espère surtout apaiser le gouvernement de Prague et obtenir de lui une attitude bienveillante à l'égard de la Pologne menacée. En Haute-Silésie, quelques mois après la guerre russo-polonaise, les Allemands obtiennent 62 % des voix au plébiscite du 20 mars 1921. Furieux, les Polonais contestent le résultat et accusent leurs adversaires d'avoir transporté de nouveaux électeurs par trains entiers. Dans le secteur industriel, où ils sont majoritaires, ils déclenchent le 2 mai une insurrection, conduite par Korfanty. Les Allemands répliquent par l'envoi de corps francs et en juin, la France intervient militairement pour établir l'ordre, dans le sens des intérêts polonais. Les Britanniques soutiennent plutôt la cause allemande, faisant valoir aux Français que l'on ne saurait à la fois exiger du Reich des sommes exorbitantes et lui enlever une de ses plus riches provinces qui lui permettrait de payer les réparations. La question est finalement réglée par l'arbitrage de la S.D.N. qui procède à un partage qui donne les deux-tiers du territoire à l'Allemagne, mais accorde la plus grande partie de la région minière à la Pologne.

Enfin, la guerre russo-polonaise pousse la *Lithuanie* le 12 juillet 1920, la *Lettonie* le 11 août et la *Finlande* le 14 octobre à signer la paix avec le gouvernement de Moscou qui reconnaît leur indépendance. Les deux premiers traités sont conclus au moment de la plus forte avance soviétique en Pologne, ce qui vaut aux Lithuaniens le cadeau de la région de Vilno offert par l'Armée rouge. Mais, après la contre-offensive polonaise, Pilsudski, qui est originaire de cette ville, donne l'ordre au général Zeligowski, le 7 octobre 1920, de s'emparer à nouveau du territoire, qui est annexé par la Pologne. Comme pour trouver une compensation, la Lithuanie recourt plus tard à un coup de force du même type, en prenant en janvier 1923 la ville de Memel qui, détachée de la Prusse orientale par le traité de Versailles, devait être érigée en ville libre.

Dans tous ces cas, la force l'emportait sur le droit international, même lorsque celui-ci avait été édicté par les vainqueurs. Les Alliés et la S.D.N. ont dû s'en accommoder et reconnaître ces annexions. Mais toutes ces frontières de l'Europe orientale restent fragiles. Un seul exemple : l'Union des Républiques socialistes soviétiques — la fédération est créée en 1922 — a toujours refusé de reconnaître l'annexion de la Bessarabie par la Roumanie ; et, dès que l'occasion se présentera, en 1939, puis en 1944, elle fera reculer la Pologne jusqu'à la ligne Curzon.

L'affaire de Fiume et la politique italienne : de la violence à la négociation (1919-1924)

Si par la cession du Trentin et du Haut-Adige, les Alliés parviennent à définir la frontière austro-italienne, ils ne réussissent pas à tracer la ligne de démarcation entre l'Italie et la Yougoslavie. Ils préfèrent en laisser le soin. Il faut dire que le gouvernement Orlando avait fait échouer les premières négociations, en multipliant d'une façon irréaliste des revendications contradictoires. Il demandait à la fois le respect des accords de guerre entre les Alliés, en vertu desquels l'Italie devait recevoir des terres non italiennes, comme la Dalmatie, et l'application du principe des nationalités pour obtenir Fiume, dont la cession n'avait fait l'objet d'aucune promesse antérieure.

C'est en effet autour de Fiume, dont la ville est en majorité peuplée d'Italiens, mais dont l'arrière pays est incontestablement slovène, que se crée le principal abcès de fixation. Le refus du président des Etats-Unis en avril 1919 d'accorder le territoire à l'Italie, la définition de la ligne Wilson qui laisse le sud-est de l'Istrie à la Yougoslavie, et même la proposition française d'ériger Fiume en ville libre, provoquent une tension extrême dans toute l'Italie. Dans la ville, où sont casernées des troupes de plusieurs nationalités, ont lieu à la fin du mois de juin les « Vêpres fiumaines », au cours desquelles la population se livre à la chasse des soldats français dans des conditions heureusement moins dramatiques que les Vêpres siciliennes de 1282 à Palerme. Dans ce contexte où le nationalisme italien est chargé de souvenirs histori- ques, Gabriele D'Annunzio, rêvant de rééditer l'expédition des Mille de Garibaldi, entre triomphalement dans la ville à la tête des « chemises noires », où il prend le pouvoir au nom de l'Italie. Le putsch est bien accueilli par un très grand nombre d'Italiens humiliés par les reculs de leurs pays à la Conférence de la paix ; il est applaudi par l'extrême droite nationaliste et la droite conservatrice, mais condamné par les socialistes et les libéraux. Cette action sem- ble ridiculiser l'Etat dont l'autorité est bafouée.

L'attitude du gouvernement libéral Nitti est ambiguë. Il veille à ne pas heurter l'opinion, alors sensible à la fièvre patriotique, mais à ne pas mécontenter non plus les grandes puissan- ces dont l'Italie est dépendante économiquement et financièrement : elle manque cruellement de charbon et de produits alimentaires, et il lui faut un crédit en or ou en devises pour impor- ter ces denrées. Nitti organise donc le blocus de Fiume, mais se garde bien d'entreprendre une action militaire contre D'Annunzio. De fait, la situation se dégrade dans la ville. Au fil des mois, les habitants souffrent de l'asphyxie économique et passent de l'enthousiame à la passi- vité amère. Le gouvernement de Rome, espérant bien gagner la guerre d'usure, laisse pourrir la situation et fait tout pour éviter que la contagion nationaliste ne gagne tout le pays.

Nitti a déjà provoqué la colère des « dalmatiens » et de ceux qui crient à la « victoire mutilée », en acceptant de signer les traités de paix de Saint-Germain (10 septembre 1919) et du Trianon (4 juin 1920). Il lui faut trouver des compensations en Albanie, dont la région centrale devait, aux termes du traité de Londres de 1915, être transformée en protectorat italien. L'Italie cherche en particulier à annexer Valona qui commande l'entrée de la mer Adriatique. Une révolte anti-italienne éclate dans ce port et les soldats d'Ancône, refusant de s'embarquer pour mater le soulèvement, se mutinent en juin 1920. Voilà donc ce rêve d'expansion également ment brisé.

C'est à Giolitti, le successeur de Nitti, et à son ministre des Affaires étrangères, le comte Sforza, que revient le mérite de régler tous les problèmes en suspens. En août 1920, ils signent le traité de Tirana par lequel l'Italie renonce à Valona et reconnaît l'indépendance de l'Albanie. En novembre de la même année, ils concluent avec la Yougoslavie le traité de Rapallo qui, comblant les lacunes des traités de paix, fixe la frontière de ces deux pays : le gouvernement de Rome obtient qu'elle soit plus à l'est que la ligne Wilson de 1919 ; toute l'Istrie est italienne, sauf Fiume où sera constitué un Etat libre garanti par la S.D.N. Le mirage dalmatien est définitivement dissipé, si ce n'est que la Yougoslavie accorde à l'Italie le port de Zara et les îles de Cherso. Furieux d'avoir été totalement ignoré, D'Annunzio, au nom de Fiume, déclare orgueilleusement la guerre au royaume d'Italie le 1er décembre 1920. Mais il doit piteusement capituler le 26 décembre, lorsque l'armée italienne commence à investir la ville. Finalement, le réalisme politique s'avère payant : grâce aux traités de Saint-Germain (Trentin et Haut-Adige), de Sèvres (Dodécanèse) et de Rapallo (Istrie et Zara), l'Italie s'agrandit de 9 000 km². Mais l'opinion, surchauffée, ne voit pas ce qui est obtenu. Elle ne fait que regretter ce qui ne l'est pas. Ce décalage entre l'action gouvernementale et la psychologie collective a contribué à affaiblir le régime.

Lorsque Mussolini arrive au pouvoir en 1922, il semble rompre avec la ligne du compromis giolittien et privilégier le coup de force. En effet, en août 1923, profitant d'un incident qui coûte la vie à trois officiers italiens à la frontière gréco-albanaise, il ordonne le bombardement et l'occupation de Corfou. La Grèce fait appel à la S.D.N., mais l'Italie menace de se retirer de l'organisation, si elle intervient dans l'affaire. En fin de compte, Mussolini accepte d'évacuer l'île, contre des excuses grecques et une indemnité de 50 millions de lires.

La méthode est indéniablement fasciste ; pourtant, globalement la politique extérieure ne l'est pas encore. Sous l'influence de Contarini, secrétaire général du ministère des Affaires étrangères en poste depuis 1920, la diplomatie italienne continue de jouer, comme du temps de Giolitti, la carte du bon voisinage avec la Yougoslavie. Le traité de Rome de janvier 1924 confirme le *statu quo* issu des traités antérieurs (les fascistes renoncent donc aussi au rêve dalmatien), mais il ouvre à nouveau le dossier de Fiume : l'Etat libre est partagé entre les deux pays, la ville revenant à l'Italie, et l'arrière-pays à la Yougoslavie. C'est un succès incontestable pour Mussolini qui réussit là où D'Annunzio avait échoué. Mais, de cette pratique, tournée vers la négociation, l'intimidation n'est pas tout à fait absente. Dans cette partie de l'Europe, en 1923-1924, c'est bien encore le rapport des forces qui détermine les relations internationales. Acculée au tête-à-tête avec l'Italie, la Yougoslavie ne fait pas le poids. Au moment où elle cède la ville de Fiume, elle ne peut compter sur l'appui de la France, protectrice naturelle des « Etats bénéficiaires » des traités de paix. Celle-ci est trop absorbée par le conflit qui l'oppose à l'Allemagne et par l'affaire de l'occupation de la Ruhr.

Problème allemand et rivalités alliées : l'échec des solutions négociées (1919-1922)

Dans l'immédiat après-guerre, la « question allemande » est avant tout celle des réparations. Dans ce domaine, le traité de Versailles constitue un véritable « chèque en blanc » signé par les Allemands, puisque, faute d'entente entre les alliés et associés, il ne spécifie pas le montant global de la somme à payer. Il précise seulement que le chiffre devra être fixé avant le 1er mai 1921, et que d'ici cette date le Reich aura à verser un acompte de 20 milliards de marks-or, dont la plus grande partie en nature. Là encore, l'absence de décision est préjudiciable à l'équilibre international. L'expectative retarde le rétablissement de l'économie allemande, ainsi que la reconstruction européenne. L'attente rend plus difficile l'application d'un traité, déjà contesté par les vaincus et source d'interprétations divergentes chez les vainqueurs. Pendant ce délai, chacun affûte ses armes, sous le regard distant des Etats-Unis, qui n'ayant pas ratifié le traité de Vesailles, laissent faire. A leur repli politique, les Américains ajoutent le repli financier. Durement frappés par la crise économique de 1920-1921, ils retirent en effet bon nombre de capitaux du continent européen, aggravant le *dollar gap* qui y sévit, et confirment, avec plus de vigueur encore, leur refus d'annuler leurs créances de guerre. Ce faisant, ils compliquent le problème des réparations. Car leurs associés européens, en dressant la note finale, ont dès lors tendance à la gonfler d'une façon irréaliste, tenant compte non de la capacité allemande de paiement, mais de la somme qui leur restera en solde positif, une fois remboursée leur dette à l'Amérique. L'Allemagne est ainsi confortée dans son refus de payer. Contre elle, la France bâtit tout un système européen qui ne laisse pas d'inquiéter les Anglo-Saxons et la Grande-Bretagne répond par un plan qui aboutit à un échec. Le drame est au bout de l'impasse. Le recours à la force finit par prévaloir.

Le système européen français et ses contradictions

Entre 1919 et 1924, les gouvernements du Bloc national veulent, on le sait , l'exécution intégrale du traité, à la fois pour respecter les impératifs de la *sécurité* et réaliser les nouvelles ambitions de la *puissance économique.* Pendant les deux premières années de l'après-guerre, la France semble réussir dans cette voie. Elle intervient militairement autant de fois qu'il le faut pour faire respecter l'ordre versaillais, contracte des alliances pour isoler le Reich et joue de toutes les dispositions du traité pour l'affaiblir.

Très sourcilleuse sur les clauses militaires, elle veille au désarmement de l'Allemagne. Lorsqu'après la tentative du putsch Kapp à Berlin en mars 1920, la Reichswehr pénètre dans la zone démilitarisée rhénane pour y mater une grève de protestation, le gouvernement Millerand réplique immédiatement et sans prévenir les Alliés : les troupes françaises investissent Francfort et Darmstadt, dont l'occupation dure deux mois. Avant que le montant total des réparations ne soit fixé, les Français font valoir l'étendue des destructions qu'ils ont subies et obtiennent à la conférence de Spa en juillet 1920 la part du lion dans la répartition des pourcentages : 52 % des versements sont réservés à la France, 22 % à la Grande-Bretagne, 10 % à l'Italie, 8 % à la Belgique... Au même moment elle porte secours à la Pologne, menacée par la contre-offensive soviétique, sauvant ainsi un pays dont elle se fait un allié contre Berlin. En septembre, l'accord secret franco-belge marque les progrès du réseau français d'alliances contre le Reich.

Le gouvernement Briand suit la même politique pendant une grande partie de l'année 1921. En mars, à la conférence de Londres, les Alliés discutent enfin de « l'état des paiements », c'est-à-dire de la note finale des réparations allemandes. A la satisfaction de la France, un chiffre extraordinairement élevé est retenu, plus de 220 milliards de marks-or. Contre l'Allemagne qui refuse cette somme, qui a pris d'autre part un retard considérable dans le désarmement et dans le paiement de son acompte en nature de 20 milliards de marks-or, Briand entreprend le 8 mars une action militaire commune avec l'Angleterre. Il fait occuper trois villes de la Ruhr, Düsseldorf, Duisbourg et Ruhrort. L'homme qui symbolisera quelques années plus tard le rapprochement franco-allemand, qui s'imposera comme « l'apôtre de la paix », menace alors « d'abattre la main de la France sur le collet de l'Allemagne », répondant ainsi au vœu les plus chers de sa majorité parlementaire. Finalement, sous l'influence des Anglais, le montant total des réparations est ramené à 132 milliards de marks-or, un chiffre qui reste malgré tout considérable, l'Allemagne devant payer 2 milliards par an et 26 % de ses exportations. De Londres, un ultimatum franco-britannique est adressé le 5 mai au gouvernement du Reich pour le forcer à accepter. Tout a été préparé par Foch pour l'occupation générale de la Ruhr. Mais l'Allemagne cède, à l'issue d'une grave crise gouvernementale. Wirth, le nouveau chancelier, et Rathenau, son ministre des Affaires étrangères, font prévaloir l'*Erfüllungspolitik*. Aussi le maréchal, déçu, doit-il ranger ses plans dans un tiroir. En août 1921, le gouvernement de Berlin verse son premier milliard en espèces depuis la mise en vigueur du traité. Usant de la même fermeté, Briand envoie en juin des troupes pour prêter main forte à Korfanty contre les corps francs allemands, action qui place la Pologne dans une position plus favorable au moment du partage de la Haute-Silésie.

Ces succès politiques de 1920-1921 ne doivent cependant pas cacher les fluctuations, les tâtonnements et certains échecs de la politique allemande et européenne de la France. D'abord, elle semble hésiter entre deux objectifs incompatibles : démanteler l'Allemagne tout en la faisant payer les sommes les plus considérables. Les officiers et les hauts fonctionnaires installés en Rhénanie favorisent le mouvement séparatiste de Dorten, sans voir que s'il triomphe, l'Allemagne privée d'une grande région industrielle, aura plus de peine à s'acquitter de ses réparations. La politique française en Silésie, favorable à l'allié polonais, se heurte, on l'a vu, à la même contradiction. D'autre part, les grandes ambitions de puissance économique qui sous-tendent aussi l'intransigeance de la France sont vite déçues. Le grand projet sidérurgique est très tôt compromis. Dès la conférence de Spa de juillet 1920, les Allemands obtiennent une réduction de 43 % des livraisons obligatoires en charbon, grâce à l'intervention de l'industriel Stinnes et à l'appui des Anglais qui craignent que le marché français, ainsi approvisionné gratuitement, ne se ferme à la houille britannique. De plus, l'Allemagne compense rapidement la perte du potentiel lorrain en minerai de fer et d'acier : l'utilisation des ferrailles de récupération et le recours aux minerais suédois et espagnols, permettent l'indépendance sidérurgique du Reich par rapport à la France, alors que celle-ci reste dépendante de la Ruhr pour son ravitaillement en charbon ; la construction d'aciéries modernes, payées par les indemnités que les industriels ont reçues de l'Etat pour la perte de leurs installations lorraines, ou financées par les emprunts massifs, que l'inflation galopante leur permet de rembourser en monnaie dépréciée, rétablit la prépondérance de la métallurgie allemande en Europe.

Face à ces entraves au développement de la puissance française, les stratégies de Millerand et de Briand, pourtant identiques dans leur intransigeance à l'égard de l'Allemagne, n'en diffèrent pas moins en profondeur.

La politique de Millerand, un des hommes les plus attachés aux projets d'expansion industrielle de la France, est double. Elle dissocie bien les deux objectifs, celui de la sécurité et celui de la puissance. Il s'agit pour lui de créer un rapport de force militaire favorable à la France, grâce auquel il serait possible d'amorcer sans danger un dialogue économique franco-allemand, qui rendrait supportables les clauses politiques du traité de Versailles. Selon un plan imaginé par Jacques Seydoux, sous-directeur des Affaires commerciales au Quai d'Orsay, les réparations pourraient s'effectuer sous la forme de livraisons de matières premières et de versements en marks-papier qui permettraient aux entreprises françaises d'acquérir des participations dans les firmes allemandes. En échange de quoi des commandes françaises seraient adressées aux industries du Reich. De la même façon, la France renonce à aider financièrement la Pologne à liquider les sociétés allemandes de Silésie ; elle cherche à s'entendre directement avec celles-ci pour obtenir, en contrepartie du maintien de leurs titres, le contrôle partiel de leurs affaires. Enfin, Millerand et Paléologue, le secrétaire général au Quai d'Orsay, souhaitent un rapprochement financier et industriel avec un autre vaincu, également « révisionniste », la Hongrie. Leur opinion est que la France doit jouer un rôle essentiel dans la restauration des équilibres économiques et politiques de l'Europe centrale, pour empêcher le retour de l'influence allemande dans cette partie du continent. Ils encouragent l'expansion de Schneider et de la B.U.P. dans ce pays et acceptent, le 22 juin 1920, de faire une déclaration ambiguë, laissant entrevoir que certaines « injustices » du traité du Trianon devraient être corrigées. Tous ces projets échouent, souvent faute d'un appui suffisant de la part des milieux d'affaires français. Quant au « projet hongrois », il est vite abandonné, tant sont vives les protestations des « Etats bénéficiaires » des traités de paix. Benès, ministre tchécoslovaque des Affaires étrangères, organise dès le mois d'août entre le Tchécoslovaquie, la Yougoslavie et la Roumnie une alliance, la Petite Entente, pour faire front contre le révisionnisme hongrois.

A cette stratégie strictement continentale, qui laisse de côté les Anglo-Saxons, le gouvernement Briand de 1921 préfère adopter une politique plus « atlantique » et tenir compte de l'avis des Britanniques. Contrairement à Millerand qui n'avait pas consulté Londres un an plus tôt lors de l'occupation de Francfort et de Darmstadt, il veille à associer les deux gouvernements dans celle des trois villes de la Ruhr au printemps 1921. D'autre part, il harmonise davantage les objectifs de sécurité et de puissance : la géographie économique de l'expansion doit mieux coïncider avec la géopolitique des alliances. Sous l'influence de Philippe Berthelot, le nouveau secrétaire général du ministère des Affaires étrangères, la France renonce à soutenir la Hongrie, décide d'appuyer les trois pays de la Petite Entente, celle-ci devant constituer avec la Pologne le réseau d'alliances de revers contre l'Allemagne, et pousse ses hommes d'affaires à y investir. Le nouveau système a aussi ses faiblesses, puisque les deux principaux alliés orientaux de la France, les Etats polonais et tchécoslovaque, ont des relations passablement empoisonnées par l'affaire de Teschen.

Que reste-t-il des tentatives du gouvernement Millerand de rapprochement économique franco-allemand ? En 1921, c'est l'Allemagne qui prend l'initiative. Rathenau propose que les versements soient faits en nature (matières premières et produits fabriqués) et qu'ils servent directement à la reconstruction des régions françaises dévastées. Le 6 octobre 1921, il signe avec Loucheur, le ministre des régions libérées les accords de Wiesbaden. Mais ceux-ci restent lettre morte, du fait de l'opposition de la Grande-Bretagne et de celle de nombreux industriels français qui redoutent que le projet n'aboutisse à l'invasion de la France par les produits du Reich.

Briand a laissé faire ces négociations sans s'engager personnellement. En fait, sa position évolue sur la question allemande. Après avoir suivi le courant nationaliste, il s'oriente en octobre vers une autre logique. Conscient que rien n'empêchera la renaissance de l'Allemagne, pas même l'exécution intégrale du traité de Versailles, il préfère éviter l'isolement français, donner priorité à l'alliance anglaise et ôter aux Allemands tout désir de revanche. L'occasion de montrer sa nouvelle politique lui est offerte à la fin 1921, lorsque le gouvernement Wirth, annonçant qu'il est hors d'état de payer l'échéance trimestrielle des réparations, fait sa première demande de moratoire. Les thèses britanniques trouvent alors chez Briand un écho favorable.

Le plan européen de Lloyd George et son échec : la fin des prétentions britanniques (1922)

A la fin de 1921, les projets de Lloyd George mûrissent. Il échafaude un vaste plan de stabilisation politique et de reconstruction économique de l'Europe, dont les bases sont tout à fait différentes de celles de l'ordre versaillais. Il souhaite réinsérer l'Allemagne et la Russie dans le club des puissances et dans le réseau des échanges internationaux, tout en cherchant un moyen de rassurer les Français sur leur sécurité.

Les Occidentaux pourraient « acheter » l'assagissement des Soviets et l'ouverture du marché russe par une aide financière de grande envergure accordée au gouvernement de Moscou. A cet effet, le Premier ministre britannique envisage un consortium international dont ferait partie l'Allemagne. Pour associer celle-ci plus facilement au plan, lui permettre surtout de normaliser ses relations économiques et politiques avec les autres pays européens, il propose de réduire le montant des réparations. La demande allemande de moratoire en novembre 1921 montre d'ailleurs l'urgence du problème. Afin d'arracher cette concession aux Français, Lloyd George leur offre un traité de garantie des frontières, analogue à celui de 1919, resté lettre morte.

Briand accepte de négocier sur ces nouvelles bases, et toutes ces questions sont débattues en janvier 1922 à la *Conférence de Cannes*. Une première décision est prise sans trop de difficultés : la convocation au printemps de la même année d'une conférence économique internationale à Gênes, à laquelle l'Allemagne et la Russie soviétique sont invitées. Mais lorsqu'on en arrive à discuter des « capacités de paiement » du Reich, cette simple notion suscite une vague d'indignation dans une grande partie de la presse française et dans la majorité du Bloc national. Le Président de la République, Millerand, envoie à Briand un télégramme lui enjoignant de ne céder sur rien. Ce « coup de Cannes » persuade le Président du Conseil de revenir à Paris et de démissionner. Une fois n'est pas coutume, une question de politique extérieure a pu être à l'origine d'une crise ministérielle en France.

La *Conférence de Gênes* se réunit donc sous les pires auspices entre le 10 avril et le 19 mai 1922. Raymond Poincaré, le successeur de Briand, se montre intransigeant sur l'affaire des dettes russes. Le plan de Lloyd George semble bien compromis, d'autant que le 16 avril se produit un événement spectaculaire qui détourne l'attention des observateurs.

Rathenau et Tchichérine, s'échappant de la conférence, signent dans la ville voisine de *Rapallo* un traité par lequel l'Allemagne et la Russie soviétique rétablissent leurs relations diplomatiques, renoncent à toute réclamation l'une envers l'autre en matière financière (réparations ou anciennes dettes), et s'accordent réciproquement sur le plan commercial la clause de la nation la plus favorisée. Les Allemands cherchent ainsi à montrer que, face aux vainqueurs, leur marge de manœuvre n'est pas nulle. Quant au régime soviétique, il perce une brèche dans le front des pays capitalistes et obtient sa première reconnaissance diplomatique. Rapallo noue entre les deux pays une coopération étroite, la Russie bénéficiant de l'aide technologique allemande et prêtant en échange des terrains pour abriter le réarmement clandestin du Reich. En aucun cas, il ne s'agit d'une alliance politique et militaire. Pourtant l'impact psychologique de l'accord est considérable, presque plus important que son contenu. Renata Bournazel a bien étudié le « mythe de Rapallo » qui se développe en France. Pour beaucoup de Français, les deux images de « l'homme au couteau entre les dents » et du « Boche assoiffé de sang » se superposent et déclenchent en eux la peur panique d'une guerre de revanche, rendue possible par la collusion entre les deux « puissances du mal ». La majorité du Bloc national se trouve confortée dans son opposition aux projets britanniques. Bien plus, elle est désormais persuadée que le seul moyen d'éviter le pire est une action militaire préventive dans la région de la Ruhr. Les radicaux au contraire, sous l'influence d'Edouard Herriot qui fait le voyage « au pays des Soviets », prônent le rapprochement avec Moscou pour briser la complicité germano-russe.

Quoi qu'il en soit, le programme de la conférence de Gênes est vidé de son contenu et le plan Lloyd George devient sans objet. Sur un point cependant, les Britanniques parviennent à un résultat. En ce contexte d'effondrement des devises allemande, autrichienne, hongroise et polonaise, ils souhaitent la reconstruction monétaire de l'Europe. Ils proposent un principe qui permet d'en finir avec les taux de change flottants en vigueur depuis la guerre et facilite le retour aux parités fixes, tout en économisant les réserves d'or mondiales : le Gold Exchange Standard (l'étalon de change-or). Dans ce système, contrairement au cadre théoriquement plus strict de l'ancien Gold Standard, le maintien de la valeur d'une monnaie est assuré par des réserves qui ne sont pas exclusivement constituées en or : elles peuvent inclure d'autres devises elle-mêmes convertibles en métal précieux. Deux types de monnaies devraient ainsi coexister, les « devises clés », convertibles en or, comme dans l'ancien système, mais le plus souvent gardées en « réserve » par les autres pays, et les « devises périphériques », indirectement convertibles. En 1922, seul le dollar peut prétendre à la qualité de monnaie de réserve. L'objectif de Lloyd George est évidemment de redorer le blason de la livre sterling, de rétablir sa convertibilité et de lui redonner sa position clé sur le marché international. Le Gold Exchange Standard peut lui rendre la tâche plus aisée, car il évite à la Banque d'Angleterre d'avoir à reconstituer une encaisse métallique aussi importante que dans le cadre du Gold Standard.

Néanmoins, les Anglais ont besoin de l'appui du Système fédéral de réserve américain pour réaliser cette ambition monétaire et ramener leur devise à la parité d'avant-guerre. Il y a un prix à payer : en juillet 1922, la Grande-Bretagne est le premier débiteur de l'Amérique à se déclarer prêt à tout rembourser. A la France et à ses autres alliés qui lui doivent de l'argent au titre de la guerre, mais aussi à l'Allemagne, débitrice au titre des réparations, elle annonce le 1er août qu'elle réclamera seulement les sommes nécessaires au paiement de la créance américaine.

L'année 1922 marque donc bien la fin des prétentions britanniques. Déjà à la conférence de Washington, les Britanniques avaient dû s'aligner sur les positions des Etats-Unis et renoncer à leur prééminence navale, ainsi qu'à leur alliance avec le Japon. Avec l'échec du plan Lloyd George, voilà maintenant qu'ils doivent abandonner un autre rêve, celui d'arbitrer à eux seuls les querelles de l'Europe ; ils sont obligés de se désolidariser des autres débiteurs du gouvernement de Washington (à quoi s'ajoute — voir chapitre précédent — l'échec du Premier ministre contre Mustapha Kemal, entraînant sa démission au mois d'octobre). Il s'agit bien pour la Grande-Bretagne d'un changement de stratégie : risquant de perdre son rang si elle s'obstine à rivaliser de front avec l'Amérique, elle préfère désormais composer avec le jeune géant et partager avec lui un condominium sur le monde. C'est à ces conditions que les Etats-Unis peuvent opérer un « come back » sur la scène européenne. Ils n'ont plus à craindre que ce retour serve les intérêts d'une quelconque hégémonie britannique. Reste l'hypothèque française. Face à la collusion germano-soviétique et à la nouvelle complicité entre Anglo-Saxons, le gouvernement Poincaré semble isolé. L'air du temps, c'est l'esprit de Cannes ou de Gênes, c'est-à-dire une forte tendance à la révision du système versaillais. Il s'en inquiète et, après de longues hésitations, décide de réagir... Par la force.

La France, gendarme de l'ordre versaillais : l'occupation de la Ruhr (1923)

Trancher le nœud gordien...

A la fin de l'année 1922, les affaires européennes commencent à prendre un tour dramatique. Un véritable cercle vicieux s'instaure. Les Etats-Unis s'obstinent dans le refus d'établir un lien entre les dettes interalliées de guerre et les réparations. Suivis désormais par les Anglais, ils exigent le remboursement des premières, tout en réclamant plus d'indulgence pour le paiement de secondes. Cette attitude raidit la position des Français, qui n'entendent pas rembourser les Anglo-Saxons si les Allemands ne paient pas. Or ces derniers multiplient les demandes de moratoire. Après celle de la fin 1921, une autre est présentée en juillet, puis en novembre 1922. Il y aurait bien une solution, préconisée dans les milieux d'affaires outre-Manche et outre-Atlantique. Un emprunt international, essentiellement émis sur le marché américain au profit de l'Allemagne, pourrait aider celle-ci à payer les réparations et débloquer la situation : la France serait à son tour en mesure d'honorer sa dette. Mais le succès d'une telle émission dépendrait de la solvabilité du débiteur au nom duquel elle est effectuée. Or, la solvabilité du Reich n'est crédible que si le montant des réparations est réduit... Ce à quoi Poincaré se refuse. La boucle des obstinations et des intérêts nationaux est bouclée.

Dans ce contexte difficile, le secrétaire d'Etat américain, Charles Hughes, prononce le 22 décembre 1922 à New Haven un discours d'une importance capitale. « La situation en Europe est pour nous un sujet de très grave préoccupations ». La reconstruction économique du vieux continent, vitale pour les Etats-Unis, doit, à son avis, passer d'urgence par le règlement du litige des réparations. Néanmoins, il reste ferme sur la question des dettes de guerre et n'entend pas que son pays joue d'une quelconque façon un rôle d'arbitre : « Je ne pense pas que *nous devions essayer d'assumer un tel fardeau de responsabilités* » En ce sens, le discours de New Haven contraste singulièrement avec le discours de Harvard prononcé le 5 juin 1947 par un autre secrétaire d'Etat, le général Marshall, puisque celui-ci, en offrant une aide directe à Europe, dira mot à mot le contraire et appellera de ses vœux : « *l'acceptation*, de la part de notre peuple, *des vastes responsabilités que l'histoire nous a déléguées* ». Autre époque, autre après-guerre, autres enjeux. Il n'en reste pas moins vrai que Charles Hughes, en proposant la réunion d'un comité d'experts, auquel des Américains pourraient s'adjoindre, pour étudier la question des réparations, annonce à sa manière le retour de l'Amérique aux affaires européennes. La diplomatie apparemment apolitique du dollar est en marche. Dans l'immédiat, elle n'empêche pas le recours à la force, car depuis quelques semaines, Raymond Poincaré a pris sa décision. Mais elle finira par prévaloir.

Le Président du Conseil français souhaite en effet trancher le nœud gordien dans lequel s'imbriquent la question des dettes et le problème des réparations. Il est de plus en plus persuadé de la mauvaise foi de l'Allemagne. L'inflation, qui semble expliquer son incapacité de payer les réparations, enrichit en réalité ses industriels. A moindres frais, ils peuvent emprunter, investir et renouveler leur appareil de production. En 1922 précisément, malgré le rattachement du bassin lorrain à la France, la sidérurgie allemande achève sa reconstruction, bien en avance sur son homologue française. « La Lorraine désannexée, en revanche, travaille à 50 % de sa capacité, se languit par manque de coke et étouffe sous la minette dont elle ne sait que faire » (J. Bariéty). D'autre part, la situation politique du Reich évolue dans un sens défavorable à la France. Rathenau est assassiné le 24 juin, et le nouveau gouvernement qui s'installe en novembre, dirigé par le chancelier Cuno, renonce à la politique de conciliation et ne fait rien pour exécuter les clauses financières du traité. Quant aux Britanniques, furieux de n'avoir pu obtenir contre Mustapha Kemal l'appui militaire des Français qui ont évacué en septembre la base de Tchanak sur la rive des Dardanelles, ils sont de plus en plus enclins à accepter les demandes allemandes de moratoire. Après avoir longuement hésité, Poincaré se range à l'avis de Millerand et de Foch : le gouvernement français prend le 27 novembre 1922 la décision d'occuper la Ruhr à la première occasion favorable. Les objectifs sont multiples. Il s'agit de saisir au cœur de la puissance industrielle de l'Allemagne un « gage productif » pour le paiement des sommes qu'elle se refuse à payer et de chercher sur place le charbon et le coke dont la France a besoin. Pendant qu'il est temps, il faut sauver les *ambitions françaises de puissance économique*. La plupart des industriels français, les métallurgistes en particulier, sont favorables à l'intervention, mais l'influence du Comité des Forges, contrairement à ce qui a pu être dit à l'époque, n'a pas pesé d'un grand poids dans la décision. Celle-ci relève d'une stratégie plus globale : Poincaré vise aussi à prendre un gage politique face aux Anglo-Saxons et placer la France dans une position de force dans les négociations internationales qu'ils semblent vouloir préparer sur la question allemande. Les impératifs de la *sécurité* sont également à l'origine de l'action française. En occupant la Ruhr, Poincaré est « allé cherché le charbon », mais aussi les Britanniques et les Américains.

Poincaré gagne la bataille de la Ruhr...

Un manquement allemand dans la livraison de poteaux télégraphiques et de bois fournit le prétexte juridique à l'intervention. La Grande-Bretagne condamne l'opération, l'Italie où Mussolini vient d'arriver au pouvoir l'approuve au contraire, et la Belgique décide de s'y associer. Le 11 janvier 1923, les troupes franco-belges pénètrent dans la Ruhr et s'établissent dans les principaux centres. Les occupants installent la Mission Interalliée de Contrôle des Usines et des Mines pour gérer les prélèvements au titre des réparations forcées. En France, la Chambre des députés soutient l'action de Poincaré par 452 voix contre 72 : seuls les socialistes et les communistes votent contre ; une minorité de radicaux, avec Edouard Herriot, choisit l'abstention. Du côté allemand, le chancelier Cuno décrète aussitôt la « résistance passive ». Ouvriers, patrons et fonctionnaires de la Ruhr, soutenus financièrement par les subsides du gouvernement de Berlin, cessent immédiatement le travail. Cette grève générale paralyse l'activité de la région et menace de rendre le « gage » complètement improductif.

Dès lors, l'épreuve de force devient terrible et dure de longs mois. La M.I.C.U.M. réussit à relancer la vie économique, en faisant venir des mineurs, des cheminots français et belges. Une frontière est établie entre les territoires occupés et le reste de l'Allemagne. Elle est tenue par des douaniers français et belges qui prélèvent des droits pour le compte de la caisse des réparations. Les récalcitrants sont punis : l'industriel Fritz Thyssen est emprisonné et environ 100 000 personnes sont expulsées vers le Reich. Mais la résistance allemande s'étend ; de passive, elle devient parfois active. Les sabotages et les attentats contre les trains militaires des occupants font plusieurs dizaines de morts. Les autorités françaises répondent par la répression. Leo Schlageter, un des organisateurs de l'action, est condamné à mort et fusillé le 26 mai. Quelques jours plus tard, des incidents éclatent entre les ouvriers des usines Krupp et des soldats français. La troupe tire et laisse treize morts dans la foule.

Dans un premier temps, l'Allemagne se dresse donc unanime contre l'occupant. Au fil des semaines pourtant, la situation se dégrade à son désavantage. Le financement de la résistance ruine complètement le gouvernement du Reich pour un résultat infime : les Franco-Belges parviennent à faire rouler les trains et extraire des mines suffisamment de produits pour couvrir leurs prélèvements. D'ailleurs, beaucoup d'ouvriers, craignant de perdre leur emploi, reprennent le travail. De nombreux patrons prennent contact avec la M.I.C.U.M. et acceptent de collaborer avec elle en signant des contrats de livraison. C'est l'économie des autres régions allemandes qui, manquant de charbon et d'autres matières vitales venant de la Ruhr, commence à être paralysée. La pénurie et surtout la fabrication massive de papier-monnaie pour faire face aux nouvelles dépenses publiques donne à l'inflation un tour démesuré. Le dollar qui valait déjà 18 000 marks en janvier 1923 (contre 4,20 en 1914) en vaut 160 millions en septembre... et 4 200 milliards en novembre. Cet appauvrissement touche les salariés, car leurs revenus n'augmentent pas au même rythme. Le mécontentement populaire gagne toute l'Allemagne. L'audience de l'extrême gauche communiste se renforce dans les milieux ouvriers, et par réaction l'extrême droite nationaliste développe son action. La crise de 1923 risque d'être fatale pour l'unité du Reich, d'autant que les séparatistes rhénans, calmes depuis 1919, se sentent encouragés par les autorités françaises et relèvent la tête. Enfin, si les Anglo-Saxons désapprouvent l'intervention française, ils ne font rien pour aider les Allemands qui ressentent cruellement leur isolement.

Le chancelier Cuno, constatant son échec, démissionne le 12 août. Gustav Sresemann constitue un gouvernement de large coalition et ordonne le 26 septembre la fin de la « résistance passive ». Raymond Poincaré a gagné la bataille de la Ruhr.

...Mais il perd la « guerre froide franco-allemande »

Le président du Conseil français a peut-être eu le tort de ne pas exploiter aussitôt son succès et de refuser de négocier directement avec Stresemann un accord sur les réparations, comme le chancelier allemand l'y invitait. Il préféra une négociation internationale où les Anglo-Saxons seraient impliqués. L'attente, il est vrai, pouvait s'avérer payante pour lui. Dans les semaines qui suivent, les Français frôlent la victoire totale, car l'Allemagne, acculée au bord du gouffre, est sur le point de s'effondrer et d'éclater en morceaux. En octobre, les dirigeants communistes essaient de soulever la Saxe et la Thuringe, et une insurrection ouvrière éclate à Hambourg. Les 8 et 9 novembre, le général Ludendorff et Adolf Hitler tentent un putsch d'extrême-droite à Munich. En Rhénanie, Dorten proclame une République indépendante. Certes, Poincaré refuse de soutenir ce mouvement séparatiste, mais il ne se prive pas de jouer la carte rhénane. Les autorités françaises négocient avec les Rhénans modérés, autonomistes et légalistes, hommes d'affaires ou responsables politiques comme le maire de Cologne, Konrad Adenauer. Ce dernier préconise une république ouest-allemande ou rhéno-westphalienne qui resterait partie intégrante du Reich. Les Français préfèrent un Etat moins étendu, limité à la rive gauche du Rhin. Dans l'euphorie de la victoire, Poincaré ne se contente donc plus du « gage productif » et assigne un objectif supplémentaire à l'intervention militaire. Il espère obtenir ce qui n'avait pu l'être en 1919 : la naissance en Rhénanie d'une entité politique et économique, non indépendante mais autonome, et reconnue par les Anglo-Saxons. La création d'une monnaie rhénane pourrait constituer la première étape de ce processus. La chose semble aisée, car à l'automne 1923, le mark allemand a tout simplement cessé d'exister.

Sur tous les fronts cependant le gouvernement Stresemann se bat et retourne la situation. Dans les régions non occupées, l'armée rétablit l'ordre et vient à bout des tentatives d'extrême gauche et d'extrême droite. Le docteur Luther, ministre des Finances, et le Docteur Schacht, président de la Reichsbank, réussissent leur politique monétaire. A partir du 15 novembre, une nouvelle monnaie est mise sur le marché à titre transitoire, le Rentenmark qui est gagé sur la propriété agricole et industrielle du pays. Valant 1 000 milliards de marks-papier, il est émis en quantités limitées et inspire très vite confiance, d'autant que le gouvernement pratique parallèlement une politique d'effort fiscal et de restriction de crédit. La dépréciation monétaire est jugulée, le Rentenmark s'impose dans tout le territoire et fait échec au projet de monnaie rhénane. Konrad Adenauer renonce à créer celle-ci et abandonne toute idée d'autonomie pour la Rhénanie. Ce succès doit beaucoup à l'aide britannique et américaine. L'Allemagne sort de son isolement passager, car les Anglo-Saxons, craignant que l'inflation ne fasse sombrer le Reich dans la révolution, et inquiets des initiatives françaises, se montrent prêts à coopérer financièrement avec le gouvernement de Berlin.

Lorsque Raymond Poincaré se rallie le 25 octobre 1923 à une nouvelle proposition américaine demandant la création d'une commission d'experts, il est encore en droit de penser que la position de la France, grâce à l'occupation de la Ruhr, est plus forte qu'à l'époque du discours de New Haven. Mais, lorsqu'un mois plus tard, à la fin novembre, il donne son aval à la mise en place de cette Commission, présidée par le général et banquier américain Dawes, la situation s'est retournée. L'Allemagne est en passe de sortir de la crise monétaire et politique, alors que la France doit affronter la première grande crise du franc de l'après-guerre. Poincaré perd alors l'initiative au profit des « experts » anglo-saxons.

« La fin de la prédominance française en Europe »

Depuis la victoire de 1918, comptant sur les réparations allemandes, les gouvernements successifs n'ont fait aucun effort pour régler le déficit budgétaire né de la guerre. Or l'occupation de la Ruhr coûte cher et dégrade davantage la situation des finances publiques. La confiance dans le franc décline. La livre qui valait 25 francs avant la guerre, oscille entre 46 et 66 francs en 1920-1922, puis bondit à 76 francs en février 1923 et à plus de 80 francs en août. A partir du mois de décembre, le mouvement semble tourner à la panique. Le 14 janvier 1924, la devise britannique atteint le cours de 96 francs, et, après une brève accalmie en février, s'envole le 8 mars pour s'échanger contre 123 francs. Depuis le début de l'occupation de la Ruhr, la monnaie française perd ainsi près de la moitié de sa valeur : 46 %. Ce n'est rien par rapport à la chute vertigineuse du mark. Mais celle-ci précisément appartient au passé, depuis que l'Allemagne s'est dotée d'une nouvelle monnaie, saine et stable. Pour exploiter la baisse du franc, on a longtemps incriminé, Poincaré le premier, la spéculation étrangère, allemande et anglo-saxonne, dont l'objectif, éminemment politique, serait de contraindre le gouverment français à lâcher prise dans la Ruhr. En réalité, comme le montrent les travaux de Jean-Claude Debeir, de Jean-Noël Jeanneney et de Stephen A. Schuker, ce sont les spéculateurs *français,* qui pariant sur la baisse du franc et ayant comme mobile la recherche de bénéfices faciles, ont joué le rôle initial et central jusqu'en janvier 1924. Certains industriels y ont aussi trouvé leur compte, car la dépréciation favorise leurs exportations. Les banques étrangères, britanniques et allemandes, ont seulement pris le train en marche. La spéculation entre alors dans une deuxième phase qui culmine en mars 1924. Il est difficile de dire jusqu'à quel point ces initiatives privées ont été coordonnées par les gouvernements de Londres et de Berlin pour faire pression sur Poincaré. La Treasury a bien préconisé cette stratégie, mais elle n'a pas, semble-t-il, été suivie par le nouveau Premier ministre travailliste, Ramsay MacDonald. Quoi qu'il en soit, la faiblesse du franc profite politiquement aux Anglo-Saxons et aux Allemands. Le gouvernement français est obligé de demander une aide américaine pour le rétablissement de sa monnaie. Le 13 mars, il obtient par l'intermédiaire de la banque Lazard un prêt du groupe Morgan de 100 millions de dollars, masse de manœuvre avec laquelle il lui est possible de casser la spéculation sur le marché : le franc remonte d'une façon spectaculaire, la livre passant de 123 à 79 francs le 23 mars, et à 61 francs à la fin avril. Mais la France doit désormais faire preuve de plus de souplesse dans sa politique extérieure.

La Commission Dawes présente son rapport le 9 avril. Elle ne statue pas sur le chiffre global des réparations, mais livre plutôt un plan provisoire valable pour les cinq ans à venir. La première annuité est fixée à 1 milliard de marks-or, les suivantes devant augmenter jusqu'à atteindre 2,5 milliards en 1928. Les versements allemands seront couverts par des prélèvements sur certaines ressources fiscales et garantis par une hypothèque sur les chemins de fer et sur l'industrie, sous la forme d'obligations mobilisables. Un organisme de contrôle et de gestion, installé à Berlin, présidé par un Agent général des réparations, l'Américain Parker Gilbert, sera chargé de veiller à ce que les transferts se fassent dans de bonnes conditions pour la monnaie allemande. A la base de tout ce dispositif, est prévu le lancement d'un emprunt de 800 millions de marks-or sur le marché international, c'est-à-dire principalement sur le marché américain.

Dès le 16 avril, le gouvernement allemand, dirigé par le chancelier Marx et dans lequel Stresemann est ministre des Affaires étrangères, donne son accord au plan Dawes. Cette prompte réponse marque à la fois la nouvelle attitude et les nouveaux calculs de l'Allemagne : si, à la satisfaction des Français, elle se résigne désormais à payer les réparations, c'est qu'elle accepte de payer le prix pour être en Europe la grande bénéficiaire des investissements américains. Stresemann comprend et explique à merveille comment ce plan peut permettre au Reich, après la défaite de 1918, de gagner la guerre froide franco-allemande :

[ce plan] « ... c'est la prise de position du monde anglo-américain contre l'impérialisme français... J'y vois un intéressement durable des milieux capitalistes des Etats-Unis et de l'Angleterre pour l'avenir... Nous gagnerons pour alliés ces milieux. Cela peut paraître peu souhaitable que le capitalisme ait cette influence ; mais, pour avoir eu le capitalisme contre nous pendant la guerre, nous l'avons payé avec la perte de cette guerre... Il nous faut faire ce dur chemin... afin que, dans un premier temps, nous recevions les moyens de faire fonctionner notre économie nationale ; puis, plus tard, quand nous serons redevenus forts, nous rejetterons ces béquilles, pour avoir à nouveau une économie allemande... » (Exposé de Stresemann devant les ministres-présidents des Länder, 3 juillet 1924, cité par J. Bariéty, *L'évolution des relations franco-allemandes après la Première Guerre mondiale, 11 novembre 1918-10 janvier 1925*, thèse dactylogr. pp. 617-618).

Poincaré hésite avant de répondre. Certes, le plan, avec la garantie de paiements allemands pendant cinq ans, peut offrir des avantages à la France, d'autant que les Anglo-Saxons sont, comme l'a toujours souhaité le président du Conseil, impliqués dans l'affaire. Mais les incertitudes restent nombreuses. Ces versements sont un peu inférieurs à ceux prévus en 1921 (2 milliards par an et 26 % des exportations). Leur rythme et les conditions de transferts impliquent pour l'avenir un allègement par rapport au total de 132 milliards qui, prévu par ce même « état des paiements » de 1921, reste théoriquement exigible. Seydoux évalue à 50 milliards le rendement final d'un plan Dawes qui se prolongerait sur les mêmes bases. Le chiffre serait tout à fait acceptable pour les Français, si les Anglo-Saxons abandonnaient leurs créances de guerre, mais ils ne prennent décidément pas le chemin de ce renoncement : Etats-Unis et Grande-Bretagne ont signé en juin 1923 l'accord Mellon-Baldwin prévoyant le paiement de la dette britannique en 62 ans. Enfin, le rapport des experts préconise le rétablissement de l'unité économique du Reich et la fin des entraves étrangères autres que les contrôles prévus par le plan : c'est mettre implicitement à l'ordre du jour le démantèlement de toute l'organisation franco-belge instaurée dans la Ruhr. Or, il était difficile pour le président du Conseil français de lâcher son atout essentiel, le « gage productif ». Pourtant, les nécessités financières du printemps 1924 ont contraint son gouvernement à réduire les forces présentes dans la Ruhr au cinquième de ce qu'elles représentaient un an plus tôt. Affaibli par la crise du franc, conscient de la lassitude de l'opinion, et pressé par Barthou, le délégué français à la Commission des réparations, Poincaré accepte le plan Dawes le 25 avril. Deux semaines plus tard, il perd les élections qui donnent la victoire au Cartel des Gauches.

Le bilan en partie double de l'occupation de la Ruhr n'est pas facile à dresser. La passif semble lourd. L'image de marque des Français s'est considérablement détériorée dans l'opinion internationale. En Allemagne, les sentiments d'humiliation et de haine se sont passablement renforcés. Dans les pays anglo-saxons, la référence au militarisme et à l'« impérialisme » de la France justifie désormais leur appui au Reich allemand et le méfiance durable à l'égard de toute revendication française en matière de sécurité militaire. Le pape lui-même désapprouve l'opération. Le retournement de situation opéré par Stresemann à la fin 1923 contraste avec la dégradation progressive des positions diplomatiques du gouvernement de Paris.

Pourtant la tendance actuelle de l'historiographie est plutôt à la réhabilitation de l'action de Poincaré. Les travaux de Jacques Bariéty, de Denise Artaud et de Stephen A. Schuker la font mieux connaître dans le détail. A certains égards, ses résultats sont indéniables. Il ne fait plus de doute qu'elle a permis de « crever un abcès », qu'elle a diminué l'influence des industriels allemands sur la politique extérieure de Berlin, forcé le Reich à négocier et les grandes puissances à sortir de leur retraite. Dawes lui-même a reconnu que sans l'occupation de la Ruhr il n'y aurait pas eu de plan Dawes.

En fait, la « réussite » de Poincaré a ses propres limites : il cherchait dans la Ruhr les Anglo-Saxons ; assurément il les a trouvés..., et, en les trouvant, il précipite justement le triomphe des conceptions américaines. Il prend la mesure de son échec final, des faiblesses profondes de la France et du cours nouveau des relations internationales. La force militaire n'est plus ce qu'elle était ; désormais, elle ne peut toujours tout régler, surtout lorsque des défaillances monétaires viennent annuler l'indépendance de l'action gouvernementale. Ainsi Poincaré donne-t-il *a contrario* la preuve éclatante que la France n'a plus les moyens d'une politique classique de puissance. Sans le vouloir, il a révélé au monde étonné ce que l'historien américain Schuker appelle : « la fin de la prédominance française en Europe ». Certes, le traité de Versailles résiste mieux que le traité de Sèvres démantelé par Mustapha Kemal. Mais c'est toute la vision de l'ordre versaillais, fondé sur la contrainte, qui s'effondre. Avec le plan Dawes, la diplomatie du dollar prend sur le vieux continent le relais du poincarisme.

6. L'Europe stabilisée par le dollar 1924-1929

1924-29
- Sécurité collective
croissance et consolidation des peuples

Après le temps des coups de force, s'ouvre une ère nouvelle, bien éphémère. Cette période de stabilité dure quelques années seulement, le temps de la prospérité mondiale ; mais elle annonce au-delà de la parenthèse noire et dramatique qui, au cœur de notre siècle, s'étend de 1930 à 1945, certaines perspectives internationales de l'après-deuxième guerre mondiale.

Le tournant international de 1924

Toutes les recherches historiques les plus récentes tendent à faire de l'année 1924 un des plus grands tournants de l'entre-deux guerres. La Conférence de Londres, maintenant bien connue, constitue la première étape décisive vers le démantèlement du traité de Versailles. L'évolution pacifiste des opinions publiques, lasses des coups de force, et le renouvellement des équipes au pouvoir en France et en Grande-Bretagne, semblent donner un nouveau départ à la Société des Nations. Le reconnaissance du régime de Moscou par de nombreuses puissances marque l'entrée de l'U.R.S.S. dans l'arène internationale. Enfin et surtout, l'Amérique s'intéresse de nouveau à l'Europe, financièrement et politiquement.

Herriot à la Conférence de Londres : politicien léger ou homme d'Etat ?

Une fois le plan Dawes accepté comme base de discussion par les gouvernements intéressés, il reste à en régler les modalités politiques. Le nouveau président du Conseil français, Edouard Herriot, le vainqueur des élections du 11 mai, espère bien restaurer la solidarité entre la France et la Grande-Bretagne, que la politique de Poincaré avait rompue. Les 21 et 22 juin, il se rend aux Chequers, la résidence de campagne du Premier britannique. Radical, leader du Cartel des gauches, il attend beaucoup de MacDonald, travailliste, homme de gauche lui aussi, pour organiser un front commun entre les deux gouvernements. Le président français doit vite déchanter. Les Anglais refusent tout appui privilégié aux positions françaises et entendent se poser en arbitres entre la France et l'Allemagne. Leur souci est d'obtenir que l'évacuation de la Ruhr aille de pair avec la mise en vigueur du plan Dawes. Herriot, sans grande résistance, accepte le principe d'une conférence internationale où pourtant les Français risquent de se trouver dans une mauvaise posture.

Cette conférence se tient à Londres entre le 16 juillet et le 16 août 1924. MacDonald et Herriot dirigent leurs délégations respectives. Les Allemands n'ayant le droit d'assister qu'à la deuxième partie de la négociation, Marx et Stresemann arrivent à Londres le 5 août seulement. Il n'en reste pas moins que le Reich obtient de siéger sur un pied d'égalité avec ses anciens vainqueurs. Fait nouveau également : pour la première fois depuis la Conférence de la Paix, les Etats-Unis acceptent de participer à une réunion européenne et délèguent Kellogg, leur ambassadeur à Londres. Il n'est pas seul. D'autres personnalités américaines sont présentes, mais en coulisse, pour ne pas froisser les sentiments isolationnistes de leurs concitoyens. Morgan, le grand banquier, est de passage dans la capitale britannique ; pure coïncidence également, Mellon, le secrétaire au Trésor, en vacances en Europe, y fait escale ; mieux, Hughes en personne, le secrétaire d'Etat, y vient pendant la deuxième quinzaine de juillet, pour assister, comme par hasard, à un meeting international d'avocats. Les Anglo-Saxons mènent rondement l'affaire. Des contacts préalables ont été pris entre les gouvernements de Londres, de Washington et de Berlin, entre la City, Wall Street, et les banquiers allemands. Il s'agit de mettre au point les conditions à exiger de la France avant l'application du plan Dawes.

Isolé, Herriot doit accepter l'évacuation de la Ruhr dans un délai d'un an, la suppression du dispositif administratif et économique que Poincaré avait mis en place dans cette région depuis 1923, et même celui que les gouvernements précédents avaient organisé sur la rive gauche du Rhin depuis 1918. Il réussit à sauver de justesse la Commission des Réparations, encore que ses pouvoirs soient sensiblement réduits et que la France perde pratiquement tout moyen de recourir à la force en cas de défaillance allemande. Le président du Conseil n'obtient en échange aucune des concessions que les diplomates jugeaient importantes : ni le contrôle du désarmement de l'Allemagne, ni un moratoire de cinq ans pour le paiement de la dette américaine — ce qui aurait permis de consacrer la totalité des annuités du plan Dawes à la reconstruction des régions dévastées — ni ce à quoi il tenait lui-même, un pacte de sécurité franco-britannique.

La plupart des historiens ayant dépouillé les archives de l'époque sont très sévères à l'égard d'Edouard Herriot. Il n'aurait pas su profiter de la position de force dans laquelle Poincaré avait mis la France en vue de la négociation internationale. Jacques Bariéty décrit un homme trop confiant dans sa rhétorique et son éloquence, abordant les négociations dans la plus grande improvisation, sans connaissance suffisante des dossiers, comptant plus sur l'appel aux bons sentiments d'autrui que sur la force d'une argumentation réfléchie. Jean-Noël Jeanneney montre comment entraîné par ses « abandons lyriques », il tombe dans les pièges de la cordialité que MacDonald feint de lui marquer. Les preuves de son amateurisme dans les discussions sont données par Denise Artaud et Stephen Schucker : le président français cède d'abord sur l'essentiel ; lorsqu'il s'avise enfin à demander des contreparties, il est trop tard, à moins que ses interlocuteurs, le sourire aux lèvres, ne daignent lui accorder une concession de pure forme.

Pourtant le dossier serait incomplet s'il se limitait à ce réquisitoire. Dans son livre consacré à Herriot, Serge Berstein fait valoir à juste titre qu'il est dangereux de juger la diplomatie du nouveau président du Conseil à la seule lumière de la logique de son prédécesseur. En effet, il ne faut pas perdre de vue que l'essentiel pour Herriot est précisément de rompre avec les conceptions de Poincaré, de ne pas laisser la France s'enliser dans le piège de la Ruhr. Il cherche à donner de son pays une autre image de marque que celle du militarisme et refuse de céder à Stresemann le monopole des amitiés anglo-saxonnes. Voilà pourquoi les outils forgés dans le cadre d'une autre politique, celle de la contrainte, lui semblent presque secondaires, au point qu'il les abandonne, peut-être trop facilement. Dans son optique, à quoi bon conserver les instruments de la force ? Moralement il *ne veut pas* s'en servir ; et politiquement, financièrement, il est persuadé que la France *ne peut plus* les utiliser.

Cette vision générale ne lui fait pas perdre de vue l'importance de certains dossiers. L'une des motivations de l'occupation de la Ruhr avait été le ravitaillement de la France en charbon et en coke ; Herriot entend conquérir la garantie de cet approvisionnement vital pour l'industrie. Or, comme le souligne G. Soutou, il obtient dans ce domaine de bons résultats à la conférence de Londres : en plus des prestations en nature fixées par le traité de Versailles, une partie des annuités Dawes sera payée en coke et en charbon. Comme il est prévu que cette disposition durerait tout le temps des réparations, la France est assurée de son approvisionnement pour une longue durée. Une des causes les plus graves de la tension franco-allemande est ainsi supprimée.

Pour ce qui est des réparations en général, les radicaux français n'ont évidemment pas l'intention d'y renoncer, contrairement à ce que préconisent les socialistes, leurs alliés électoraux. Aussi, l'objectif principal d'Herriot est-il d'assurer la réussite du plan Dawes qui lui échoit en héritage et d'en accepter sans réticence la nouvelle logique et le nouvel esprit : le succès de l'emprunt international, pierre angulaire de ce plan, implique un changement de climat psychologique entre les puissances européennes. Le concours financier des Etats-Unis est à ce prix. Sans évacuation de la Ruhr, point de capitaux américains pour amorcer la pompe des versements allemands. Réaliste, le président du Conseil sait que la France ne peut rien contre cette pression. Poincaré lui-même aurait-il pu y résister ? Volontariste, Herriot préfère tirer parti de la situation et redonner à la France l'initiative qu'elle a perdue, en la faisant participer volontairement à la mutation diplomatique en cours. Renouer avec les Anglo-Saxons, en finir avec la politique d'exécution du traité de Versailles, assainir les relations franco-allemandes, c'est reprendre la ligne qu'Aristide Briand avait tenté en vain d'inaugurer en janvier 1922, c'est ouvrir la voie à l'œuvre de conciliation que le même Briand entreprend à partir de 1925. Herriot est sans doute trop piètre négociateur — les preuves abondent — pour être considéré comme un grand homme d'Etat, mais il serait injuste de considérer celui qui a jeté les bases de la détente en Europe comme un politicien de seconde zone. Il a fait prévaloir, pour reprendre la formule de Serge Berstein, une « politique étrangère de gauche », que la droite n'a pas remise en cause, une fois revenue au pouvoir. Poincaré a accepté le tournant de 1924, d'autant plus facilement qu'il s'était résigné à le préparer lui-même avant sa défaite électorale. Au Sénat, ses critiques sont mesurées contre son successeur : il s'abstient dans le débat de ratification des accords de Londres ; et après son retour aux affaires en 1926, il se garde bien d'interrompre le nouveau cours.

L'année de la S.D.N.

En sortant de l'impasse de la Ruhr, Herriot se met en position de prendre des initiatives sur un tout autre terrain, celui de la S.D.N. A ses yeux, celle-ci peut offrir deux vastes possibilités à la France : la garantie de ses frontières, à condition que le Pacte de la Société soit réformé ; et la meilleure scène où elle puisse jouer son rôle de grande puissance, championne du nouveau pacifisme ambiant. En effet, il reprend à son compte, à la grande satisfaction de ses alliés socialistes, la philosophie wilsonienne des relations internationales. Mais il la concilie avec les nécessités de la sécurité nationale dont se réclament ses propres amis, les radicaux. Le compromis passe par une plus grande efficacité donnée à la S.D.N. contre les agressions militaires. Il faut reprendre le dossier à la base, car l'Assemblée de la Société a refusé en 1923 le texte de traité d'alliance mutuelle (voir chapitre 5). Herriot est en droit d'espérer que la conjoncture de 1924 est meilleure : le Cartel des gauches et les Travaillistes sont au pouvoir à Paris et à Londres, et ses propres concessions à MacDonald sur la question allemande devraient faciliter l'adhésion du Premier britannique à son projet. Le leader travailliste ne peut qu'applaudir à une idéologie qu'il partage. Le 5 septembre, les deux hommes viennent assister en personne à l'Assemblée. Le président français est à la tête d'une délégation prestigieuse où figurent Léon Bourgeois et Aristide Briand. L'événement est d'importance, car c'est la première fois que des chefs de gouvernement français ou britannique font le voyage de Genève.

MacDonald intervient le premier à la tribune. A la thèse traditionnelle des Anglais privilégiant le *désarmement*, il ajoute une proposition : qu'on introduise dans le Pacte la notion d'*arbitrage* obligatoire en cas de conflit. Herriot prend à son tour la parole et glisse entre les deux mots clés de son collègue le troisième concept cher à la thèse française : « Pour nous, Français, ces trois termes, arbitrage, *sécurité,* désarmement, sont solidaires. » L'assemblée, enthousiaste, acclame le président du Conseil. Sur la base du triptyque proposé, les ministres des Affaires étrangères de Tchécoslovaquie et de Grèce, Benès et Politis, rédigent le « protocole pour le règlement pacifique des différends internationaux », mieux connu sous l'appellation de protocole de Genève. *protocole de Genève 1924*(handwritten annotation)

En cas de conflit entre deux pays, l'arbitrage serait rendu obligatoire, le Conseil de la S.D.N. ayant l'autorité de l'imposer s'il n'est pas demandé par les parties. Serait déclaré « agresseur » celui qui refuserait l'arbitrage ou la décision des arbitres. Tous les signataires du Pacte devraient prendre contre lui les sanctions militaires décidées par le Conseil à la majorité des deux-tiers, et secourir l'Etat attaqué. Enfin ce protocole n'entrerait en vigueur que si une conférence internationale pour le désarmement, convoquée en 1925, parvenait à un résultat. Ainsi un lien indissoluble entre les trois termes est établi, à la satisfaction des intérêts français et britanniques, : « l'arbitrage crée la sécurité et la sécurité permet le désarmement » ; inversement, sans effort de désarmement, point d'arbitrage, point de sécurité, puisque le plan devient caduc. Le protocole offre aux Etats une garantie bien plus efficace que le Pacte originel, pour trois raisons : la notion d'agression est plus large, donc plus facile à définir ; les sanctions militaires ne sont plus facultatives mais obligatoires ; et la décision du Conseil en cette matière n'est plus à prendre à l'unanimité de ses membres.

Après quatre semaines de discussions, l'Assemblée unanime recommande l'adoption du protocole aux Etats membres de la S.D.N. Dix Etats le ratifient, dont la France. Mais la Grande-Bretagne fait échouer le projet. Les élections de novembre 1924 ramènent les conservateurs au pouvoir. Austen Chamberlain, chef du Foreign Office dans le nouveau gouverne-*Conserv*(handwritten annotation) ment Baldwin, fait part le 12 mars 1925 de son opposition à un accord international qui ferait *britan*(handwritten annotation) peser tout le poids de sanctions militaires décidées par la S.D.N. sur la flotte britannique. Celle-ci serait perpétuellement appelée, sur n'importe quelle partie du globe, à organiser le *le*(handwritten annotation) blocus maritime contre les Etats définis comme « agresseurs », au risque d'ouvrir un conflit *rejettent*(handwritten annotation) avec la marine américaine dont la doctrine est de défendre la liberté des mers et le droit des neutres. Les Dominions refusent également d'être entraînés dans une guerre en Europe par un automatisme qu'ils ne pourraient contrôler.

L'abandon du protocole est un coup dur pour la S.D.N. Il reste que 1924 a constitué pour l'organisation internationale une deuxième naissance grâce à l'éclat et au retentissement des discussions de Genève cette année-là. L'échec est cuisant pour Edouard Herriot. Victime d'un changement de majorité en Grande-Bretagne, il n'obtient pas la garantie internationale pour la sécurité des frontières françaises, au nom de laquelle il avait fait par avance des concessions à l'Allemagne. Il subit la même mésaventure que Clemenceau : en 1919, celui-ci avait cédé sur la Rhénanie contre une garantie anglo-américaine que le vote du Sénat des Etats-Unis avait ensuite rendue caduque. Herriot peut au moins se consoler d'avoir acquis la réputation d'un champion de la paix et d'avoir débloqué la situation diplomatique en Europe : dans ce nouveau contexte de 1924-1925, d'autres propositions de garantie seront faites à titre de compensation aux Français.

L'U.R.S.S. et les Etats-Unis dans l'arène internationale

Le tournant international de 1924 se vérifie dans d'autres domaines. L'Union soviétique connaît cette année-là son insertion définitive dans le concert des nations. Elle profite des changements électoraux intervenus en Grande-Bretagne et en France. A peine arrivé au pouvoir, le 2 février, MacDonald décide de reconnaître *de jure* le nouvel Etat, malgré les réticences du roi George V, peu enclin à recevoir à la Cour un ambassadeur représentant les assassins de son cousin Nicolas II. L'Italie de Mussolini, déjà en négociation commerciale depuis quelques mois avec l'U.R.S.S., fait de même le 8 février. Pour Herriot, cette reconnaissance est naturelle depuis son voyage chez les Soviets en 1922 ; en outre elle constitue le troisième volet de sa politique étrangère, après la solution du problème des réparations et le protocole de Genève. Elle est annoncée dès son discours d'investiture en mai et prononcée le 28 octobre[1]. De nombreux pays d'Europe et d'Asie prennent la même décision. En Amérique, seul le Mexique reconnaît l'U.R.S.S., les autres gouvernements préférant suivre l'exemple des Etats-Unis, qui attendront 1933 avant de s'y résoudre. C'est un succès pour le gouvernement de Moscou, qui voit là le couronnement de son effort d'ouverture et de « coexistence pacifique » entrepris depuis 1921.

Si 1924 constitue un tournant pour la *position internationale* de l'U.R.S.S., le virage a eu lieu trois ans plus tôt pour la *politique extérieure* soviétique, avec la mise en place de la N.E.P., la fin de la guerre russo-polonaise, la signature des traités avec presque tous les Etats voisins, Pologne, Etats baltes, Finlande, Perse, Turquie et Afghanistan. La mort de Lénine, intervenue en janvier 1924, n'a pas transformé le cours de la diplomatie soviétique. Elle aurait pu le faire, car, sans déstabiliser le régime, elle ouvre une lutte pour la succession qui aurait pu laisser pour l'avenir un certain nombre d'incertitudes.

En effet Trotski préconise des changements : à l'intérieur, il réclame la fin de la N.E.P., l'industrialisation accélérée et planifiée, la révolution permanente pour empêcher les bureaucrates d'enlever le pouvoir aux ouvriers ; à l'extérieur, il prône la révolution mondiale, c'est-à-dire le soutien total aux mouvements révolutionnaires en Asie et surtout en Europe. En effet, à ses yeux, le socialisme soviétique, greffé sur une économie insuffisament développée, sur une société essentiellement rurale, ne doit pas rester seul au monde, sous peine de mourir étouffé par la bureaucratisation et par l'esprit petit-bourgeois des paysans qui forment la majorité de la population. Il compte sur le renfort des masses prolétariennes occidentales et croit voir dans l'action insurrectionnelle du parti communiste allemand en 1923 la reprise du flux révolutionnaire interrompu en 1921. Son point de vue est exposé en septembre 1924 dans *Les Leçons d'Octobre,* titre d'une copieuse préface au tome III de ses œuvres. Contre lui, la *troïka,* formée de Kamevev, de Zinoviev et de Staline, réagit. Celui-ci esquisse dans *Trotskisme ou léninisme* sa théorie du « socialisme dans un seul pays » : l'U.R.S.S. a des ressources naturelles et humaines suffisantes pour développer seule son expérience, et elle doit éviter en politique extérieure toute témérité qui risquerait de diriger contre elle les foudres victorieuses d'une coalition de pays capitalistes. Aussi préfère-t-il continuer la normalisation des relations à l'Ouest, quitte à attaquer l'impérialisme avec prudence sur ses arrières en Orient. En Chine par exemple, des conseillers sont envoyés pour aider le parti communiste à entrer dans le mouvement nationaliste, le Guomindang.

---

1. Le non-remboursement des dettes tsaristes ne facilite guère la reprise des relations franco-soviétiques.

En fait, dès 1924, les positions de Trotski s'avèrent fragiles. Son optimisme révolutionnaire fait peur. En juin-juillet, lors du Ve Congrès du Komintern, Zinoviev, le président, réussit à écarter des instances dirigeantes les éléments qui lui sont favorables. En janvier 1925, Trotski doit abandonner le Commissariat à la Guerre. Staline, qui a bien compris que l'opinion et les cadres du régime aspirent au répit pour reconstruire le pays, est déjà en passe de l'emporter. La prudence, l'égoïsme national soviétique, la priorité donnée à la raison de l'Etat aux dépens des aspirations du communisme mondial, simple tactique pour Lénine, grossière erreur pour Trotski, sont déjà les vertus cardinales et stratégiques de la diplomatie stalinienne.

Plus déterminant à partir de 1924 a été le retour des Etats-Unis sur la scène européenne. Il ne s'agit pas pour l'administration républicaine de revenir à l'interventionnisme de grande envergure du temps du président Wilson. C'est une « diplomatie nouvelle », d'un autre type, qui est mise en route, la diplomatie discrète et efficace des experts financiers, celle que Hughes avait préconisée dans son discours de Newhaven à la fin de 1922. Les obstacles qui en empêchaient le fonctionnement sont maintenant levés. La rivalité anglo-américaine s'estompe. Les Britanniques dès 1922, les Allemands en 1923 et les Français à partir de 1924 acceptent de s'aligner sur les conceptions américaines. Les grandes puissances européennes avaient jusqu'à ces dates respectives sous-estimé l'ampleur de leurs difficultés financières et monétaires nées de la guerre. Elles en prennent seulement conscience lorsque, engagées dans des politiques trop lourdes pour leurs ressources nationales — restauration de la £ au niveau de 1914, occupation de la Ruhr, résistance passive —, elles doivent faire appel au $. La finance américaine s'érige en arbitre. La méthode Dawes fait merveille et débloque la situation de tension en Europe.

Cette diplomatie des banquiers ne signifie en aucune façon, D. Artaud le souligne avec vigueur, que le Département d'Etat « abdique tout responsabilité et renonce à tout dessein ». Au contraire, le gouvernement de Washington ne cesse de mener le jeu. Mais il tire les ficelles de loin et laisse les experts sur l'avant-scène, contrôlant ainsi une « diplomatie parallèle » qui a tout avantage pour lui. Les Etats-Unis réussissent dès lors à concilier leurs ambitions de grande puissance avec l'isolationnisme de leur opinion publique.

Le succès de l'emprunt Dawes sur le marché américain est total. « Souscrit dans l'enthousiasme » pendant l'été, il permet le paiement des réparations et construit les bases de la détente franco-allemande. Le dollar réussit là où les principes de Wilson avaient échoué, car c'est lui qui impose en 1924 une trêve à la guerre civile européenne. Il fonde un nouvel ordre international, esquisse d'une communauté atlantique sur le plan financier et politique.

La fin de la tension franco-allemande

Le triangle financier de la paix

L'opération Dawes est le signal d'un véritable rush de capitaux américains vers l'Allemagne. Celle-ci reçoit entre 1924 et 1929 près de *2,5 milliards de dollars*, à quoi il faut ajouter une somme équivalente venue d'autres pays prêteurs, comme les Pays-Bas, la Suisse et la Grande-Bretagne. Grâce à ces capitaux, le Reich reprend le paiement des réparations. La France, à ce titre, reçoit plus d'un milliard de dollars au cours de cette même période. Les débiteurs de l'Amérique sont à leur tour en mesure de rembourser leurs dettes de guerre.

L'Angleterre avait consolidé sa propre dette dès 1923, la Belgique et l'Italie font de même en 1925, la France en avril 1926, en signant l'accord Mellon-Bérenger. Le modèle de ces actes de consolidation est identique : les créanciers américains ne font aucun cadeau sur le capital, qu'ils augmentent des intérêts non payés depuis 1919, mais ils acceptent d'étaler l'échéancier sur 62 années. Entre 1924 et 1929, ce sont *2,6 milliards de dollars* qui prennent ainsi, *au titre des créances gouvernementales* le chemin du Trésor des Etats-Unis. A première vue, le mouvement de retour égale celui de départ. Keynes a pu parler d'un « flux circulaire de papier » pour désigner ce courant de capitaux qui, parti des banques de New York, gagne Berlin, puis Paris-Londres-Bruxelles-Rome, pour revenir dans les caisses du gouvernement de Washington.

Chacune des parties prenantes profite de ce circuit financier, même les Etats-Unis, car les sommes prêtées sont en réalité moindres que les remboursements, si l'on ajoute aux chiffres cités plus haut les recettes *au titre des créances commerciales* de guerre. C'est l'Allemagne la principale bénéficiaire. Elle absorbe bien plus de capitaux qu'elle n'en verse sous forme de réparations. Elle est le champ privilégié des investissements américains en Europe, ce qui lui vaut, au prix d'un endettement important, le plus grand dynamisme économique du continent. Le bilan pour la France est ambigu. Si le solde des années 1924-1929 entre les recettes des réparations allemandes et le remboursement des dettes intergouvernementales aux Etats-Unis et à l'Angleterre est largement positif, il n'en est rien lorsqu'on inclut les remboursements au titre de la dette commerciale de guerre : pendant ces cinq ans, le solde global est tout juste équilibré pour le gouvernement français, négatif au début de la période, légèrement excédentaire à partir de 1928. Surtout, la France ne bénéficie pas, dans un premier temps du moins, du flot de capitaux qui irrigue l'économie allemande. Au contraire, la crise du franc, qui traîne en longueur, les fait fuir jusqu'en 1926.

La stabilisation des monnaies est en effet d'une importance fondamentale. Elle est une des conditions de la stabilisation économique et politique de l'Europe. En 1922, à la conférence de Gênes, Lloyd George avait seulement obtenu un accord de principe sur le retour aux parités fixes et la mise en place du Gold Exchange Standard. Les monnaies européennes ne sortaient pas pour autant de leur état profond de fluctuation dans lequel elles se trouvaient depuis 1919. Pratiquement, c'est le flux atlantique de capitaux, lancé par l'opération Dawes, et le nouveau climat de confiance, qui ont permis la reconstruction d'un système monétaire international. Fort de la réussite du Rentenmark, Schacht peut émettre en 1924 un Reichsmark solide, gagé à la fois sur l'or et les devises convertibles en métal jaune. L'année suivante, le Chancelier de l'Echiquier, Winston Churchill, rétablit la convertibilité-or de la £ selon la parité d'avant-guerre. A la grande satisfaction des banquiers, Londres redevient un centre mondial de compensation pour les paiements internationaux. Alors que la City tenait seule ce rôle avant 1914, elle doit désormais le partager avec New York. Le prix à payer pour ce condominium monétaire est lourd : le taux de la livre, trop élevé, rend les produits britanniques trop chers pour les acheteurs étrangers ; cette surévaluation gêne les exportations et ralentit l'activité industrielle. La croissance économique est sacrifiée à la puissance financière. Dans l'immédiat, les avantages semblent l'emporter sur les inconvénients. Les capitaux flottants, fuyant Paris à cause des incertitudes du franc, affluent dans la capitale anglaise, donnant aux banques et à la Treasury une aisance financière certaine. Sorti de ses embarras monétaires de 1921-1922, le gouvernement britannique peut reprendre en 1925 des initiatives diplomatiques en Europe. En France, il faut attendre le retour de Poincaré au pouvoir pour que la monnaie soit stabilisée : une stabilisation de fait en 1926, et deux ans plus tard, la convertibilité du franc en or au cinquième de sa parité de 1914. La livre-sterling en 1925 et le franc en 1928 accèdent donc au rang du dollar, comme monnaies de réserve, entièrement gagées sur le métal précieux. La restauration monétaire et la fin de l'inflation, à des dates significativement différentes, procurent aux gouvernements européens un apaisement financier dont ils entendent garder les avantages. De la même façon, la prospérité économique contribue à dissiper la nervosité des opinions publiques et à dépassionner les grands débats internationaux.

En résumé, l'emprunt Dawes, en permettant le paiement des réparations, a amorcé la pompe de la détente, que la circulation triangulaire des capitaux entre l'Amérique, l'Allemagne et les débiteurs de l'Amérique, a ensuite alimentée. Personne n'a intérêt à provoquer une crise en Europe, sous peine de casser sur le marché américain les ressorts de la confiance et d'assécher brusquement le flux salvateur de dollars. Au fond, pendant ces quelques années, la France et l'Allemagne n'ont pas d'autre carte à jouer que celle du rapprochement, tout simplement parce qu'elles y trouvent leur compte.

L'esprit de Locarno (1925-1926)

Dans cette conjoncture favorable, c'est Stresemann qui prend les initiatives et « mène le jeu » (Pierre Renouvin). Conduisant la politique étrangère du Reich de 1923 à 1929, il domine de sa personnalité forte et complexe la scène européenne. Cet homme vient de connaître en quelques années une mutation spectaculaire. Monarchiste jusqu'en 1921, très lié aux milieux industriels, il se rallie à la République de Weimar : il en devient même le chancelier en 1923-1924 et la sauve de l'effondrement. Ancien pangermaniste, opposant acharné au traité de Versailles en 1919, il se convertit à la diplomatie de conciliation, au point de devenir en peu de temps, le symbole de la détente internationale, avec Aristide Briand son compère.

Pourtant, il n'a jamais abandonné l'espoir d'obtenir un jour la révision du traité de paix. Nous avons aujourd'hui une idée de sa stratégie secrète grâce à une lettre confidentielle qu'il a écrite au Kronprinz le 17 septembre 1925. Sans doute se présente-t-il dans ce document comme plus machiavélique qu'il n'a voulu l'être dans la réalité. Peut-être a-t-il cherché par l'entremise du prince héritier à amadouer les milieux « nationaux » de droite et d'extrême droite, qui ne cessent de critiquer sa politique de concessions aux anciens vainqueurs. Il n'en reste pas moins vrai que cette lettre révèle bien sa méthode. Stresemann est persuadé que la résistance à outrance ne peut mener qu'à l'impasse, car l'Allemagne ne dispose pas « d'un glaive convenable ». Comme Metternich en 1809, il préfère gagner du temps et « finasser » (« finassieren »). Les priorités sont la reconstruction de la puissance économique du Reich grâce à l'appui financier américain, l'attribution de gages de bonne volonté à la France pour la rassurer sur la sécurité de ses frontières, afin d'obtenir que celle-ci ne soit plus en mesure, moralement et diplomatiquement, de refuser l'évacuation de la Rhénanie. Une fois que ces « étrangleurs » auront lâché prise, l'homme d'Etat allemand pense pouvoir négocier de la même façon la protection des minorités allemandes — 10 à 12 millions de personnes — dispersées dans les différents pays voisins, mais aussi la rectification de la frontière germano-polonaise et, à plus longue échéance, le rattachement de l'Autriche à l'Allemagne (l'Anschluss). Dans un autre document daté de janvier 1925, un memorandum secret destiné au gouvernement, il trace comme objectif le rattachement au Reich de toutes les parties du peuple allemand en Europe centrale : l'Etat allemand serait donc plus étendu que celui de 1914.

L'Allemagne, il est vrai, a de nombreux atouts. Outre l'arme diplomatique — le « finassieren » et la bienveillance anglo-saxonne — elle dispose à partir de 1924 de l'arme financière. Alors que la France du Cartel des gauches se débat dans une inflation prolongée et dans une grave crise monétaire, le Reich regorge de dollars. Le ministre allemand ne désespère pas d'être un jour en bonne position pour offrir son soutien au franc malade, en échange de concessions politiques de la part des Français. De même, il prévoit une catastrophe économique en Pologne qui forcerait le gouvernement de Varsovie à accepter une révision des limites territoriales.

Ne voir cependant en Stresemann qu'un homme diabolique cherchant seulement à tromper ses partenaires et à camoufler sous un pacifisme de façade un pangermanisme dangereux, serait une erreur. Le personnage est bien plus riche. Nationaliste il l'est assurément, dans la mesure où son obsession est de restaurer la grandeur de l'Allemagne. Mais il n'est ni le continuateur de Guillaume II ni le précurseur d'Adolf Hitler, car son nationalisme est libéral et globalement pacifique. Expansionniste il l'est aussi, mais il compte sur la paix, et non sur la marine ou les blindés, pour favoriser l'expansion économique et éventuellement territoriale du Reich. « Européen » au sens moderne du terme, il l'est à sa manière. Son souci est de résoudre la dépendance industrielle de son pays vis-à-vis du monde extérieur, non par la guerre ou la conquête, mais par le dialogue et la coopération commerciale. En aucun cas, il ne faut négliger cette dimension économique de sa politique étrangère. Pour atteindre cet objectif, « il souhaite que se crée un vaste marché libéré de toute entrave intérieure, où la production allemande pourrait être écoulée sans difficulté. » (Jean Freymond). Bref, il rêve d'une Allemagne dominante — ce que refusent les Français — mais non dominatrice dans une Europe solidaire, capable de faire face à la puissance technologique des Etats-Unis. Stresemann est alors un des rares hommes d'Etat européens à comprendre à la fois le parti qu'il peut tirer de l'Amérique et le défi qu'elle constitue. Il est en même temps habile, lorsqu'il vise à démanteler pacifiquement et progressivement le système versaillais, et sincère, quand il voit dans la paix la meilleure carte à jouer pour rétablir la puissance de l'Allemagne et faire accepter son impérialisme centre-européen.

En 1925, Stresemann lance ses grandes manœuvres pour réaliser son premier objectif, le départ des occupants. Le contexte est le suivant : l'évacuation de la Ruhr, prévue par la conférence de Londres se prépare ; mais sur la rive gauche du Rhin, la zone de Cologne, la première zone qui, aux termes du traité de Versailles, devait être évacuée au bout de cinq ans, en janvier 1925, reste occupée à titre de sanction. En effet, la Mission interalliée de contrôle militaire a constaté de grands retards dans les opérations de désarmement du Reich. Pour débloquer la situation, le ministre allemand prend une initiative spectaculaire. Sur la suggestion de Lord d'Abernon, l'ambassadeur britannique à Berlin, il annonce en février que l'Allemagne est prête à reconnaître ses frontières rhénanes et propose que les grandes puissances européennes prennent l'engagement devant les Etats-Unis de ne pas se faire la guerre. Herriot, aux prises avec les difficultés financières, ne donne pas suite à l'affaire. Après sa chute en avril, le gouvernement Painlevé est constitué : Aristide Briand entre au Quai d'Orsay où, au fil des ministères, il restera en poste jusqu'à la veille de sa mort en 1932. Saisissant l'intérêt de l'offre allemande, il accepte des négociations multilatérales.

Entre le 5 et le 16 octobre 1925, Briand, Stresemann, Mussolini, Austen Chamberlain, le Belge Vandervelde, rejoints par des représentants polonais et tchécoslovaques, se réunissent à Locarno, en Suisse dans le Tessin. Plusieurs accords sont signés. Le plus important est le pacte rhénan : l'Allemagne reconnaît librement ses nouvelles frontières avec la France et la Belgique, ainsi que la démilitarisation de la zone rhénane ; les trois puissances renoncent à la guerre pour réviser ce *statu quo*, l'Angleterre et l'Italie se portant garantes de ces engagements. D'autre part, quatre conventions d'arbitrage, à la fois vagues et complexes, sont conclues par l'Allemagne avec la France, la Belgique, la Pologne et la Tchécoslovaquie. Enfin, Briand signe deux traités d'alliance avec Varsovie et Prague. Il s'agit pour lui de rassurer ces alliés orientaux, particulièrement inquiets de voir la France se contenter à l'Ouest d'une garantie de ses frontières sans qu'aucun engagement allemand ou britannique similaire ne vienne garantir l'intégrité de leurs propres territoires.

Les accords de Locarno ouvrent une période d'euphorie diplomatique à l'ouest de l'Europe. Presque tous les signataires ont l'impression d'avoir obtenu quelque chose d'important. Mussolini, bien qu'il ait essuyé quelques rebuffades — Vandervelde refuse de lui serrer la main —, gagne de la considération internationale et fait son entrée dans le concert des hommes d'Etat européens. Après bien des tentatives malheureuses, l'Angleterre parvient enfin à s'ériger en arbitre de la situation. Elle satisfait son allié français qui lui réclame depuis 1919 une garantie militaire de ses frontières sans se lier par un traité bilatéral et sans s'engager sur le maintien du *statu quo* est-européen. Les Etats-Unis, qui, conformément à leur ligne de conduite, sont absents de la conférence, ont exercé une pression victorieuse : pendant les négociations, le président Coolidge a fait savoir par l'ambassadeur britannique à Washington que le flot continu de dollars en Europe dépendait de la conclusion du pacte. L'Allemagne accorde une concession de taille en renonçant volontairement à l'Alsace-Lorraine, aux cantons d'Eupen et de Malmédy et à la remilitarisation de la Rhénanie. Stresemann se heurte d'ailleurs à l'hostilité violente des nationalistes. La lettre écrite un mois plus tôt au Kronprinz n'a pas désarmé leur opposition. Pourtant les contreparties sont considérables. Sur la demande des Français, l'Allemagne accepte d'entrer à la S.D.N. contre deux promesses : un siège permanent au Conseil de l'organisation internationale et l'évacuation de la zone de Cologne en 1926. Mais à l'est de l'Europe l'impression est différente. En refusant de reconnaître les nouvelles frontières orientales de son pays, Stresemann évite d'hypothéquer l'avenir, dans ces régions. En attirant la France dans le pacte rhénan, il fait éclater l'égoïsme national des Français, enfonçant un coin dans le dispositif de leurs alliances de revers : Polonais et Tchèques ont à juste titre l'impression qu'ils sont les victimes de Locarno et que le processus de révision de leurs frontières avec le Reich est entamé. Les Soviétiques sont très préoccupés par ces accords, car ils y voient une menace future pour la stabilité en Europe orientale et l'éventuelle reprise d'un « Drang nach Osten » germanique. Pour rassurer les Soviétiques et leur prouver que Locarno n'efface pas Rapallo, Stresemann conclut avec eux six mois plus tard, le 24 avril 1926, le traité de Berlin, un pacte de non agression et de neutralité. La collaboration germano-soviétique est retrouvée.

Quant à Briand, la conférence lui fait réussir sa rentrée politique. Son retour à Paris est triomphal. Il lui est aisé de montrer en quoi les accords signés procèdent de l'esprit de conciliation dont il avait déjà fait preuve trois ans et demi plus tôt à Cannes. La garantie anglaise depuis si longtemps recherchée, la libre acceptation par les Allemands des conséquences de la guerre sur leurs marches occidentales, sonnent à ses oreilles comme autant de victoires diplomatiques françaises : « Ici la convention est volontaire ! », s'exclame-t-il, pour opposer l'esprit de Locarno au diktat de Versailles. Par ailleurs, il est parfaitement conscient de la stratégie à long terme de Stresemann. Aussi choisit-il de laisser plusieurs fers au feu. Avec l'aide de Philippe Berthelot, secrétaire général au Quai d'Orsay, il veille à réchauffer les alliances orientales de la France contre l'Allemagne. De plus, il applique la même méthode que son interlocuteur allemand, celle du marchandage et du donnant-donnant. Son objectif est d'enserrer le Reich dans un réseau de liens et d'engagements internationaux qui limitent sa marge de manœuvre révisionniste. D'où l'importance à ses yeux de l'entrée de l'Allemagne dans la S.D.N.

C'est chose faite le 10 septembre 1926. A Genève, Stresemann et Briand prononcent à cette occasion de beaux discours qui font grande impression sur les opinions publiques, en particulier la célèbre formule lancée par le ministre français : « Comme les individus qui s'en vont régler leurs difficultés devant le magistrat, nous aussi, nous règlerons les nôtres par des procédures pacifiques. Arrière les fusils, les mitrailleuses, les canons ! Place à la conciliation, à l'arbitrage et à la paix ! » L'ère Briand-Stresemann commence. Les puissances anglo-saxonnes, ayant imposé leur arbitrage, l'une par le dollar, l'autre par la garantie militaire multilatérale, les laissent agir sur le devant de la scène européenne. Dans leur politique, les deux hommes mêlent idéalisme et réalisme, bons sentiments et arrière-pensées. Au fond, ils se sont bien trouvés et finissent par se prendre à leur propre jeu et à leurs rôles d'apôtres de la paix. Renonçant à la guerre froide qu'imposait le cadre rigide de l'ordre versaillais, ils font souffler l'esprit de Locarno sur les relations franco-allemandes en créant une dynamique nouvelle, fondée sur le dialogue permanent. Pourtant cette période n'est pas seulement dominée par Briand et Stresemann. Un troisième homme intervient : Poincaré.

Poincaré et la consolidation de Briand (1926)

Quelques mois avant l'entrée de l'Allemagne à la S.D.N., des changements politiques importants ont eu lieu en France. En juillet 1926, la crise financière et monétaire française atteint son apogée. La livre-sterling qui était à 64 francs en mai 1924, à 93 francs en avril 1925, à 174 francs en juin 1926, passe le 21 juillet à 243 francs ! Impuissant face à cette chute libre de la monnaie, le Cartel des gauches se disloque. Les radicaux abandonnent leur alliance avec les socialistes et forment avec les « modérés » un gouvernement d'union nationale présidé par Raymond Poincaré. Revenu au pouvoir, celui-ci garde Aristide Briand aux Affaires étrangères. La continuité semble donc assurée en politique extérieure. Néanmoins, le président du Conseil joue un rôle important dans le domaine diplomatique. Entre les deux hommes s'ouvre pendant quelques mois « une épreuve de force feutrée et très dure » (J. Bariéty), qui risque de mettre en danger l'esprit de Locarno et qui se cristallise sur les négociations secrètes en cours avec l'Allemagne.

L'objet de ces discussions est le sauvetage de la monnaie française. En effet, la dégringolade du franc est observée par Stresemann avec inquiétude et délectation à la fois. D'un côté, cette dépréciation lui fait peur, car elle avantage considérablement les exportations françaises, y compris vers l'Allemagne ; la France voit sa sidérurgie en passe de prendre sa revanche sur le marché européen, après la bataille qu'elle n'avait pas su gagner à l'abri des clauses provisoires du traité de Versailles. Mais de l'autre, la maladie du franc lui donne l'occasion dès le mois de décembre 1925 de proposer discrètement à Briand une aide financière en échanges d'avantages diplomatiques. Cette aide prendrait la forme d'une mobilisation partielle des obligations ferroviaires et industrielles du plan Dawes, et donc d'un paiement anticipé des annuités de réparations. Le franc belge connaissant la même mésaventure, Stresemann négocie avec le gouvernement de Bruxelles la rétrocession d'Eupen et de Malmédy à l'Allemagne contre 50 millions de dollars. Il va jusqu'à envisager un soutien financier à la Pologne, en échange d'une rectification des frontières du côté du corridor de Dantzig et de la Haute-Silésie.

Revenu au pouvoir et trouvant ce dossier, Poincaré semble opter pour la fermeté. Si pour rétablir le franc, il se montre prêt à demander la mobilisation des obligations Dawes, il s'oppose, dans un premier temps du moins, à toute contrepartie politique. D'autant qu'à ses yeux cette opération peut se faire sur le marché américain sans l'autorisation des Allemands et qu'elle est facilitée par la signature des accords Mellon-Bérenger, intervenue en avril 1926. Peine perdue, car les Etats-Unis refusent tout prêt à la France avant la ratification parlementaire de ces accords de consolidation de la dette de guerre. Aussi Briand mène-t-il de son côté la négociation directe franco-allemande.

Le 17 septembre 1926, quelques jours après la séance historique à la S.D.N., il retrouve Stresemann à Thoiry, un village situé en territoire français, à proximité de Genève. Dans une conversation exploratoire, le ministre français semble accepter un plan de négociations, fondé sur le marché suivant : contre la suppression de la Commission interalliée de contrôle militaire, l'évacuation de la rive gauche du Rhin, la non-opposition au retour d'Eupen et de Malmédy au Reich, l'Allemagne accorderait à la France 780 millions de marks-or, grâce à la mobilisation d'une partie des obligations Dawes, auquels s'ajouteraient 300 millions pour le rachat des mines de la Sarre. Des indiscrétions font échouer le plan de Thoiry. Les réticences de Poincaré sont évidentes. Pour Jacques Bariéty, le président du Conseil continue de refuser toute contrepartie politique. Denise Artaud est plus nuancée : en privé, Poincaré ne se montre pas hostile à l'évacuation de la Rhénanie contre des compensations financières, à condition que la négociation avec l'Allemagne soit menée par lui-même. Quoi qu'il en soit, le gouvernement français n'a pas besoin de donner suite aux offres de Stresemann : le franc remonte sur les marchés des changes, la livre passant de 243 à 125 francs entre juillet et décembre. Il semble bien que d'importantes rentrées de capitaux flottants soient à l'origine de ce brusque renversement des changes. « Confiance » en Poincaré ? Avouons ici l'ignorance des historiens sur les raisons profondes de la nouvelle tactique des milieux d'affaires. En tout cas, la stabilisation monétaire se fait sans le secours de l'Allemagne.

Cette réussite de Poincaré est d'une importance capitale. Elle révèle que l'homme a tiré les leçons de 1923-1924 : il comprend que la monnaie, autant que les forces militaires, est devenue une des armes essentielles dans toute bataille diplomatique. C'est un Poincaré nouveau qui revient aux affaires en 1926. Il n'est plus question pour lui de revenir à la politique de coercition de 1923 ou même à l'application stricte du traité de Versailles : il ne fait rien par exemple pour empêcher la dissolution le 31 janvier 1927 de la Commission interalliée de contrôle militaire. Vigilant à l'égard de la diplomatie d'Aristide Briand, son collègue et rival, il en accepte malgré tout les principes et les fondements. A ses yeux, le renforcement du franc, en donnant à la France une meilleure position pour négocier, rend la politique de détente moins dangereuse. D'ailleurs le couple Poincaré-Briand plaît aux Français. La « cohabitation » de ces deux hommes au sein du même gouvernement incarne à merveille leurs sentiments mêlés : à la fois leur méfiance à l'égard de l'Allemagne et leur aspiration profonde à la paix, à la détente.

Le dialogue franco-allemand, du côté des forces profondes (1926-1927)

Le rapprochement franco-allemand commence en effet à devenir une affaire d'opinion publique. Celle-ci, dans les deux pays, connaît une évolution. Ces changements n'affectent que certains milieux, mais ils suffisent à conforter le dialogue entre Paris et Berlin. Stresemann continue de se heurter à la vive opposition de la droite et de l'extrême droite nationalistes. Mais les industriels dans leur majorité souhaitent des arrangements avec la France. Briand rencontre une moins grande opposition politique. La condamnation pontificale de l'Action française en 1926 désarme le mouvement le plus critique à son égard. Le monde des affaires bouge également du côté français. Les sidérurgistes sont maintenant en position de force pour discuter avec leurs homologues allemands, depuis qu'Herriot a obtenu en 1924 la solution au problème du coke en 1924 et que la dépréciation monétaire a favorisé leurs exportations. Ils acceptent de répondre aux initiatives du métallurgiste luxembourgeois Emil Mayrisch qui réclame la création d'un cartel européen. En septembre 1926, est constituée l'Entente Internationale de l'Acier, qui supprime la concurrence sauvage et fixe les quotas de production : 40,45 % pour l'Allemagne, 31,89 % pour la France, 12,57 % pour la Belgique, 8,55 % pour le Luxembourg, 6,54 % pour la Sarre.

D'une façon générale, les milieux économiques français sont inquiets de la liberté douanière qu'aux termes du traité de Versailles l'Allemagne recouvre à partir de 1925. Ils réclament un traité commercial. Après de longues négociations, celui-ci est signé le 17 août 1927. L'accord, résultat d'un bon compromis, est intéressant pour les denrées agricoles, les textiles et les produits métallurgiques français, l'Allemagne obtenant des avantages pour sa production chimique, électrique et mécanique. Les deux pays s'accordent *mutuellement* la clause de la nation la plus favorisée. Désormais, aucun litige commercial ne vient empoisonner les relations des deux pays jusqu'en 1939.

Les intellectuels aussi sont engagés dans l'aventure de la réconciliation. L'industriel luxembourgeois E. Mayrisch entend coordonner leurs efforts. En mai 1926, il crée avec Pierre Viénot un « Comité franco-allemand de documentation et d'information », chargé de désarmer les nationalismes, de traquer les préjugés et de désintoxiquer les opinions publiques. André Gide et ses amis de la N.R.F. s'attachent à faire connaître en France des auteurs allemands, tandis que Thomas Mann joue le même rôle pour la littérature française en Allemagne. Colloques, rencontres de jeunes, et voyages se multiplient des deux côtés du Rhin en cette fin des années 1920. Des conférences catholiques franco-allemandes se tiennent à Paris en 1928, à Berlin en 1929.

On assiste aussi à la naissance ou plutôt à la renaissance de « l'idée européenne », déjà maintes fois agitée au siècle dernier. Pendant les années 1920, la construction de l'Europe dépend, aux yeux des contemporains, de la réconciliation franco-allemande. Des projets d'union douanière fleurissent en Belgique, en Allemagne, en Tchécoslovaquie. Une association, l'Union économique et douanière, est fondée en 1926 par l'économiste Charles Gide et l'économiste Yves Le Trocquer. Le mouvement Paneuropa, fondé par le comte Coudenhove-Kalergi, tient son premier colloque en octobre de la même année et recueille des adhésions dans tous les pays européens, chez les écrivains — Valéry, Claudel, Rilke, Unamuno —, chez les hommes politiques — Adenauer, Benès, Blum, Briand, Herriot, Loebe, le président du Reichstag, Sforza.

Retour aux diplomates : du plan Young au projet de Fédération européenne (1928-1929)

Si tout ce bouillonnement ne concerne que des milieux limités, s'il ne fait pas fondre en profondeur les méfiances entre les deux peuples, il crée cependant un climat favorable au réchauffement des relations diplomatiques franco-allemandes. En effet, Stresemann avait mal ressenti l'échec du plan de Thoiry. Voyant dans Poincaré un obstacle à la réconciliation, il avait financé avec ses fonds secrets une campagne de presse de journaux français contre le président du Conseil et subventionné la campagne électorale de certains candidats antipoincaristes en 1928. Mais les élections législatives de cette année sont largement gagnées par Poincaré, au point qu'il peut gouverner sans les radicaux.

Inamovible, Briand reste au Quai d'Orsay. Pour contourner l'impasse franco-allemande, il négocie depuis quelques mois, un rapprochement franco-américain, en proposant à Washington un pacte bilatéral par lequel les deux pays renonceraient au recours à la force militaire comme moyen politique. Kellogg, le successeur de Hughes au Département d'Etat, accepte l'idée en la transformant en pacte multilatéral. Le 27 août 1928 à Paris, les représentants de quinze pays signent le pacte Briand-Kellogg mettant la guerre hors-la-loi. Cet accord a une grande portée symbolique, mais aucun effet pratique, sinon de relancer indirectement le dialogue franco-allemand.

Car l'Allemagne compte parmi les signataires, et Stresemann, venu en personne à Paris pour cette occasion, reprend l'initiative. Il rencontre Briand et Poincaré et leur fait valoir que, la guerre n'étant plus à l'ordre du jour grâce au pacte, l'occupation de la Rhénanie est devenue inutile et anachronique. Il en demande l'évacuation anticipée. Poincaré en accepte le principe, en échange d'un plan de règlement définitif des réparations. A la notion de sécurité militaire, les deux dirigeants français ajoutent celle de sécurité financière : le nouveau plan prendrait le relai du plan Dawes qui touche à son terme et mettrait fin à la triste affaire des dettes interalliées en incitant le Parlement français à ratifier enfin les accords Mellon-Bérenger signés en 1926.

Pour étudier ces problèmes, un comité d'experts financiers, encore présidé par un banquier américain, Owen Young, et comprenant des Allemands comme Schacht, se met au travail à Paris entre février et juin 1929. Le plan Young garde formellement pour base les 132 milliards prévus par l'état des paiements de 1921, et, tenant compte des versements déjà effectués, fixe le solde de la dette allemande à 109,6 milliards de marks. En réalité, un allègement considérable est opéré. D'abord, les paiements sont étalés sur 59 ans, jusqu'en 1988 ! D'autre part, 22,6 milliards seulement doivent être payés inconditionnellement, les 87 autres milliards n'étant exigibles que si l'Amérique continue de réclamer son dû à ses anciens alliés. Concrètement, l'Allemagne verserait 36 premières annuités de 2,05 milliards en moyenne dont 660 millions au titre des réparations proprement dites, le reste étant conditionné par le remboursement de la créance américaine. Les dernières annuités, entre 1,6 et 1,7 milliard chacune, ne serviraient qu'au paiement de cette dette de guerre. La France a donc obtenu ce qu'elle demande depuis longtemps, la liaison de fait, sinon de droit, entre réparations et dettes interalliées, aussi bien pour les modalités de versement que pour le calendrier : la date terminale de 1988 est celle-là même retenue par les accords Mellon-Bérenger. En juillet 1929, ceux-ci sont donc ratifiés par le Parlement français. Pourtant, la liaison n'est pas totale : les Américains refusent d'accorder la « clause de sauvegarde » qui suspendrait le remboursement de la dette en cas de défaillance allemande. Quant à l'Allemagne, elle a gagné la suppression de la Commission des Réparations, de même que celle des contrôles et des hypothèques prévus par l'ancien plan Dawes. On crée la Banque des Règlements Internationaux, installée à Bâle, pour répartir les versements allemands. En août 1929, le plan Young est adopté à la Conférence de La Haye, à laquelle participent Stresemann et Briand (Poincaré, malade et épuisé, vient de démissionner). En contrepartie, les Alliés s'engagent à évacuer la zone de Coblence dans les trois mois à venir et celle de Mayence avant le 30 juin 1930, soit cinq ans avant l'échéance imposée par le traité de Versailles.

Stresemann arrive après une longue marche diplomatique, au premier de ses objectifs : le départ des occupants. Le plan Young soulève pourtant au sein de la droite allemande une vague d'indignation et un réveil des rancœurs nationalistes. Ces réactions incitent le ministre des Affaire étrangères à entamer au plus vite la deuxième étape de son plan initial : dès 1929, il réclame à la S.D.N. une garantie pour les minorités allemandes en Europe centrale. Cette demande vise particulièrement la Pologne où les germanophones protestent contre la politique scolaire et culturelle de Varsovie. Briand entend déjouer ces manœuvres qui risquent de déstabiliser les pays alliés de la France. Aussi lance-t-il une proposition spectaculaire. Le 5 septembre 1929, devant l'Assemblée de la S.D.N. à Genève, il prononce un grand discours où il préconise « une sorte de lien fédéral » entre les peuples européens. Cette idée de construction européenne offre de nombreux avantages. Elle frappe les imaginations, prend en compte les nouveaux courants d'opinion de certains cercles intellectuels, et redonne l'initiative à la France. Bien plus, elle se place dans le droit fil de la stratégie de Briand : tisser autour de l'Allemagne un réseau de liens internationaux qui l'empêche de recourir à la violence ou à la guerre de revanche. Après Locarno, l'intégration à la S.D.N., le pacte Briand-Kellogg, voici que le ministre français cherche à enfermer le Reich dans une structure européenne. Stresemann approuve poliment la proposition, mais il comprend fort bien que toute cette construction politique vise à consolider lès frontières établies par les traités de paix. La belle idée n'aura pas de suite réelle sinon un memorandum rédigé l'année suivante par Briand.

Lorsque, le 3 octobre 1929, intervient la mort prématurée de Stresemann — il a 51 ans, deux ans de moins qu'Adenauer — on mesure bien les limites du rapprochement franco-allemand. Au fond, les deux pays étaient entrés dans la détente pour des raisons opposées à l'extrême : l'Allemagne pour obtenir à terme la révision du traité de Versailles, la France, au contraire, pour en sauver les dispositions essentielles. On arrive maintenant, après de nombreuses concessions réciproques, au cœur des vrais litiges. La dynamique lancée à Locarno se bloquait avant même que la grande crise économique mondiale ne vînt bouleverser le nouvel ordre international établi depuis 1924.

Un nouvel ordre international

Le changement d'ambiance international ne se réduit pas à la détente franco-allemande. La S.D.N. prend une dimension et une autorité qu'elle n'avait pas dans ses premières années d'exercice. Quant aux ambitions nationales des grandes puissances, elles semblent s'équilibrer entre elles.

L'âge d'or de la S.D.N.

Sans doute l'échec du protocole de Genève a suscité une déception à la mesure des espoirs soulevés. Mais, le seul fait que la France et l'Angleterre, puissances dominantes à la S.D.N., aient renoué le dialogue, tant sur la question allemande que sur les problèmes de sécurité, a considérablement renforcé l'organisation internationale. La participation d'Herriot et de MacDonald à la session de l'Assemblée de septembre 1924 ont fait recette. Dans les années antérieures, ni Lloyd George, ni Poincaré n'avaient fait le voyage de Genève. Désormais, les grands ténors de la politique internationale se déplacent, et le siège de la S.D.N. devient le lieu de rencontre obligatoire des responsables des Affaires étrangères. Cette nouvelle capitale mondiale de la diplomatie devient tous les ans, lors des sessions de septembre de l'Assemblée, ce grand théâtre cosmopolite si bien et si férocement décrit par Albert Cohen dans son roman *Belle du Seigneur,* avec sur scène, sa ronde d'ambassadeurs, de ministres, et de délégués, avec son parterre de journalistes et de photographes, ses intrigues de coulisse et de salon, sa pléiade de spectateurs, de quémandeurs et d'ambitieux, écrivains, artistes, hommes d'affaires et femmes du monde de tous les pays. Certains septembres sont plus brillants que d'autres : après 1924, l'année du protocole, il y a 1926, avec l'entrée de l'Allemagne et les harangues emphatiques de Stresemann et de Briand, il y a aussi 1929, avec la proposition de « lien fédéral » jeté par ce dernier à la face de l'Europe.

La diplomatie secrète semble céder le pas à la diplomatie ouverte, celle des palaces et des conférences de presse. L'esprit de Genève, l'idéal de paix et la foi en la coopération internationale gagnent les responsables des grands pays et des petits Etats. Pour ces derniers, la S.D.N. est parfois un levier pour exercer une influence et accéder au rang de puissance moyenne. Le Grec Politis, le Roumain Titulesco, le Tchèque Benès, le Polonais Zaleski jouent un rôle essentiel dans l'organisation, garante à leurs yeux de leurs frontières et du *statu quo* avantageux issu de la guerre. Lorsque l'Allemagne entre à la S.D.N. et obtient un siège permanent au Conseil, le gouvernement de Varsovie revendique le même avantage. Stresemann fait tout pour que la demande soit rejetée, car une Pologne en position de force à Genève compromettrait ses projets révisionnistes à l'est. Finalement un compromis est trouvé : le nombre des membres élus du Conseil passe de six à neuf, dont trois sont rééligibles, c'est-à-dire ayant une sorte de statut de membre semi-permanent ; ainsi, par le jeu des réélections, la Pologne a-t-elle pu rester au Conseil jusqu'en 1935.

La S.D.N. ne se réduit pourtant pas à des fêtes, à des discours, à un esprit, à des rivalités. Elle agit, principalement sur la scène européenne, car elle ne peut ou ne veut ni arbitrer les querelles entre les Etats membres d'Amérique latine — de peur de mécontenter les Etats-Unis — ni s'immiscer dans les affaires coloniales d'Afrique ou d'Asie, ni gêner l'action des puissances mandataires au Moyen-Orient. Son succès le plus spectaculaire est le règlement du conflit gréco-bulgare en 1925. Après de multiples attentats opérés en Macédoine grecque à partir de la Bulgarie et après un incident de frontière, la Grèce décide de recourir à la force contre son voisin. Le 22 octobre, son armée pénètre en territoire bulgare et attaque de nombreux villages. Le gouvernement de Sofia fait aussitôt appel à la S.D.N. C'est Briand, qui prend l'affaire en main sans hésiter. Il convoque le Conseil dont il est alors le président en exercice, et enjoint les deux parties de mettre fin aux hostilités et de s'abstenir de toute opération militaire pendant l'examen du litige par l'instance internationale. Grecs et Bulgares s'exécutent ; il était temps, car les premiers s'apprêtaient à prendre d'assaut la ville de Petritch. Le Conseil siège à Paris entre le 26 et le 30 octobre ; il envoie sur les lieux des attachés militaires français, italiens et britanniques pour surveiller le cessez-le-feu. En décembre, il conclut aux torts partagés sur le fond de l'affaire. La Grèce cependant, parce qu'elle a eu recours aux armes et causé des dégâts, doit payer une indemnité à la Bulgarie. En prime et à titre d'apaisement, la S.D.N. accorde une aide financière aux deux pays, destinée à améliorer le sort des populations frontalières. La guerre est ainsi évitée. Dans cette affaire, l'unanimité des puissances et la résolution de Briand expliquent l'efficacité de l'institution de Genève.

La S.D.N. lance également des opérations de grande envergure, où elle tente d'impliquer les deux grandes puissances non membres de l'organisation, les Etats-Unis et l'U.R.S.S. En décembre 1925, elle crée la Commission préparatoire du Désarmement à laquelle Américains et Soviétiques acceptent de participer. Le rôle de cet organisme est de dresser un projet de convention devant servir aux discussions d'une future Conférence du Désarmement. L'organisation internationale a également une grande ambition économique. Tous ceux qui ont foi en elle sont persuadés que la prospérité mondiale et l'intensification des échanges constituent les meilleurs garants de la paix, que les entraves au commerce international et les protectionnismes sont au contraire facteurs de tension. A la demande du délégué de la France, Louis Loucheur, la S.D.N. organise en mai 1927 à Genève une grande conférence économique pour étudier ces problèmes. La conjoncture est favorable, puisque la plupart des monnaies sont maintenant stabilisées. Cinquante pays sont représentés, dont les Etats-Unis et l'Union soviétique. Le rapporteur général, le Belge Theunis, présente des vues qui préfigurent les considérations développées dans les conférences internationales d'après 1945. Va-t-on enfin entrer dans la tendance dominante du second vingtième siècle : le libéralisme économique et l'économie de marché ? Constatant que le volume de la production mondiale s'est accru plus vite que celui des échanges internationaux, la conférence condamne les nationalismes économiques et préconise l'abaissement général des droits de douane. Elle recommande aussi l'égalité entre les nations pour l'accès aux matières premières et aux marchés. Quelques mois plus tard, dans ce contexte, le traité commercial franco-allemand est signé. Mais les accords de ce type furent peu nombreux dans le monde. En fait, le succès ou l'échec des résolutions de la Conférence de Genève, comme celui de la S.D.N. en général, dépend de l'attitude des grands pays et de la conjoncture.

La stabilisation des impérialismes

La Grande guerre, on l'a vue, a aiguisé les appétits économiques des puissances victorieuses. Ces ambitions ont créé des rivalités, entre la Grande-Bretagne et les Etats-Unis, entre la Grande-Bretagne et la France, qui ont contribué à détériorer les relations internationales. A partir du milieu des années 1920, ces impérialismes, loin de disparaître, s'équilibrent. La prospérité semble avoir favorisé, dans une certaine mesure seulement, l'entente entre grands groupes industriels de différents pays. Entre 1923 et 1929, c'est l'ère de la constitution de grands cartels internationaux : l'aluminium en 1923, l'acier, le cuivre et la potasse en 1926, le pétrole en 1928, l'azote en 1929. Est-ce à dire que les grandes firmes nationales préfèrent désormais la stratégie de l'entente et du « partage des affaires » à celle de la guerre économique et du « partage du monde » ? L'exemple de l'Europe centrale, champ privilégié de l'expansion financière des Grands, montre qu'il n'y a pas de réponse simple. L'afflux de dollars à partir de 1924 a favorisé les deux formules.

Les Etats-Unis investissent massivement en Europe. Outre les prêts au gouvernement, capitaux à court terme et placements directs convergent vers l'Allemagne. Des accords sont conclus entre l'A.E.G. et la Général Electric, entre Siemens et Westinghouse, entre l'I.G. Farben et la Standard Oil ou la Dupont de Nemours. Entre 1925 et 1930, les grandes sociétés automobiles américaines créent un véritable réseau commercial dans le Reich, construisent des usines ; la General Motors achète en 1929 les établissements Opel. Les milieux nationalistes allemands protestent contre cette « colonisation » yankee. Il est certain que la solidarité de plus en plus étroite entre les deux économies rallie nombre d'industriels et de banquiers à la politique de conciliation de Stresemann, le retour à la tension internationale risquant de provoquer le retrait catastrophique des capitaux américains. L'Autriche, la Hongrie et plus encore la Pologne sont aussi largement bénéficiaires du rush en dollars. Le « contrôleur » des finances polonaises, par exemple, est un banquier américain, Ch. Dewey. C'est dire le rôle des Etats-Unis dans un pays qui fait pourtant partie de la zone d'influence de la France. Précisément, les Français redoutent moins la présence des Américains, moins suspects de desseins politiques précis, que celle des Britanniques.

Sur le plan financier, la Grande-Bretagne a depuis la guerre un intérêt croissant pour l'Europe continentale, même si celle-ci n'est que la troisième région pour ses investissements derrière l'Empire et l'Amérique latine. Le paiement des réparations, le remboursement des créances de guerre et, jusqu'en 1926, la fuite des capitaux français dont beaucoup se réfugient à Londres, donnent aux Britanniques de nouveaux moyens. Ayant stabilisé leur monnaie avant la France, ils disposent d'un atout essentiel pour jeter en Europe les bases d'une domination financière. Grâce à leur influence prépondérante au Comité financier de la S.D.N. et à l'action du gouverneur de la Banque d'Angleterre, Montagu Norman, ils jouent les premiers rôles en Autriche, en Hongrie, en Grèce et au Portugal. Si la pénétration anglaise se limitait à ces pays, elle n'aurait en rien gêné les ambitions françaises. Mais voilà que les capitaux britanniques chassent, parfois victorieusement, sur le terrain polonais, tchécoslovaque, yougoslave et roumain, c'est-à-dire dans les quatre pays du dispositif français.

Cette rivalité franco-anglaise prend un tour nouveau à partir de 1927-1928, lorsque le franc connaît à son tour son redressement. Au préalable, tout un débat s'est instauré en France sur le statut de la monnaie. Les industriels exportateurs, comme le métallurgiste Théodore Laurent (Marine-Homécourt), avaient pris goût à la dépréciation constante du franc. Les banquiers au contraire réclament un franc stable sans lequel aucune épargne solide n'est possible. Mais à quel taux ? Deux camps s'opposent. Les « revalorisateurs », comme François de Wendel, qui raisonne plus en fonction de son idéologie nationaliste qu'au titre de ses intérêts de sidérurgiste, souhaitent d'abord laisser le cours du franc monter au plus haut niveau possible. Même s'ils savent qu'une revalorisation intégrale à l'anglaise est impossible, ils veulent limiter la spoliation des épargnants et des rentiers. Les « stabilisateurs », regroupés derrière Emile Moreau, le gouverneur de la Banque de France, persuadent Poincaré de stabiliser le franc sans attendre et de fixer sa valeur au cinquième de la parité d'avant-guerre (le sterling à 125 au lieu de 25 francs) : une stabilisation de fait est effectuée à partir de la fin 1926, avec défense du nouveau cours sur le marché des changes par la Banque de France, puis stabilisation de droit, avec convertibilité-or, en juin 1928. Cette politique du « juste milieu » qui écarte aussi bien la solution de la monnaie fondante que celle de la revalorisation excessive n'est pas sans incidence sur la position internationale de la France. Avec ce « retour à la normale » et à la parité fixe, les banquiers ont emporté une victoire et reprennent le pas sur les industriels. En choisissant un taux raisonnable qui laisse les prix français compétitifs à l'étranger, en refusant la voie de l'héroïsme britannique, la France est dotée d'une monnaie qui devient à son tour attrayante pour les capitaux flottants. La livre paraît désormais surévaluée. Les détenteurs de sterling ont tendance à s'en débarrasser pour acheter du franc. La revanche de la place de Paris sur celle de Londres est belle et les banques françaises profitent de cet afflux. La manne est tardive, moins importante que celle reçue par l'Allemagne de la part des Etats-Unis, et elle est utilisée différemment : elle favorise l'exportation de capitaux vers l'Europe centrale et une politique extérieure de puissance, plutôt que la modernisation de l'appareil productif intérieur.

Emile Moreau explique à Poincaré le 6 février 1928 comment la Banque de France peut profiter de la nouvelle santé du franc et faire désormais reculer ce qu'il appelle « l'impérialisme de la Banque d'Angleterre ». Avec les balances sterling qui s'accumulent dans ses comptes, elle dispose de « moyens puissants de pression », puisqu'elle peut en demander la conversion en or, ce que d'ailleurs elle ne se gêne pas de faire pour une partie de la somme. En position de force, Moreau est décidé à négocier avec son homologue Montagu Norman un armistice et un partage de l'Europe en deux zones d'influence financières. Mais son collègue n'est pas partageur et la lutte feutrée continue. Dans cette « seconde manche », la France marque des points. Alors que la finance anglo-saxonne avait joué dans les années précédentes le rôle prépondérant dans la stabilisation du zloty polonais et celle d'autres monnaies européennes, les banques françaises, Paribas en tête, réussissent à rassembler les deux-tiers des fonds pour la stabilisation du leu roumain en 1928-1929. Parallèlement, le gouvernement de Bucarest s'engage à adresser ses commandes de préférence aux industriels français. L'impérialisme français renoue avec sa vieille pratique de « l'emprunt lié ». D'une façon générale, entre 1927 et 1932, la France dépasse les Etats-Unis et la Grande-Bretagne pour le *flot* des capitaux exportés en Europe centrale, même si, pour *le capital* accumulé, elle reste encore ici ou là au second rang derrière l'une des puissances anglo-saxonnes. Enfin dernière victoire sur la

Grande-Bretagne : la Banque des Règlements internationaux, la B.R.I., mise en place dans le cadre du plan Young, contrôlée par la finance américaine avec l'appui de Français, prend le pas sur le Comité financier de la S.D.N. dominée par la Banque d'Angleterre. C'est d'ailleurs aussi un des symptômes du réveil de la rivalité anglo-américaine en cette fin des années 1920.

Tableau 9

RANG DES CAPITAUX FRANÇAIS, BRITANNIQUES ET AMÉRICAINS
DANS QUATRE PAYS D'EUROPE CENTRALE (VERS 1932-1933)

	Pologne			Tchécoslovaquie				Yougoslavie			Roumanie		
	(1)	(2)	(3)	(1)	(2)	(2a)	(3)	(1)	(2)	(3)	(1)	(2)	(3)
France	3^e	1er	*1er*	1er	2^e	1er	*2e*	1er	1er	*1er*	1er	2^e	*2e*
Grande-Bretagne	2^e	4^e	*3e*	2^e	1er	2^e	*1er*	2^e	2^e	*2e*	2^e	1er	*1er*
Etats-Unis	1er	2^e	*2e*										

(1) Emprunts d'Etat.
(2) Investissements dans les entreprises,
(2a) dont : investissements dans les banques et constructions mécaniques.
(3) Total.

Au total, on peut estimer à 23 ou 24 milliards de francs-Poincaré les placements français dans l'Europe située à l'est de l'Allemagne et de l'Italie, soit 25 % de la fortune de la France à l'étranger. Après la guerre, les petits pays d'Europe centrale et orientale ont, dans les mêmes proportions, remplacé la Russie tsariste dans le portefeuille des Français. Cette expansion présente cependant deux faiblesses. L'une est traditionnelle : dans ce mouvement d'exportation, les marchandises françaises ne suivent pas les capitaux. Aucun des quatre alliés d'Europe centrale, malgré la pratique des emprunts liés, n'achète pour plus de 8 % de ses importations en France. Comme avant 1914, c'est l'Allemagne qui profite des nouveaux moyens de paiement fournis par le capital français ; elle reste le principal fournisseur de cette région : 27,3 % des importations de la Pologne, 25 % de celles de la Tchécoslovaquie, et 22,3 % de la Roumanie. L'autre défaillance, toute récente, apparaît en 1930, à l'apogée de l'impérialisme financier français, et compromet singulièrement sa pérennité. On la mesure par la balance française des paiements.

L'excédent de la balance des paiements courants, qui a toujours largement compensé les investissements à l'étranger et permis le développement de ceux-ci sans perte d'or ou de devises, diminue à partir de 1928 pour fondre en 1930. La force de frappe financière de la France à l'extérieur étant ainsi détruite, et pour longtemps, l'importante exportation de capitaux à long terme des années 1930 et 1931 n'est plus couverte que par des recettes artificielles et éphémères : l'afflux de capitaux flottants britanniques créé par la maladie du sterling, et les réparations allemandes. La force de la France dépend de la conjoncture.

Cela dit, l'impérialisme bancaire français classique, triomphant avant 1914, a repris le dessus et fini par l'emporter sur le militaro-industrialisme de l'immédiat après-guerre. C'est une des conséquences de l'échec de la Ruhr. Les Français ont dû rabattre de leurs prétentions sidérurgiques et s'entendre avec les industriels des pays voisins. La France de Briand (et du nouveau Poincaré), devenue pacifique, sinon pacifiste, entend bien rester une grande puissance, non plus par l'usage de la force, mais par son rayonnement financier. Et aussi culturel : création de lycées et d'instituts français, à Prague en 1923, à Varsovie en 1924 et à Zagreb en 1929.

C'est dire que le flux de dollars sur le vieux continent ne favorise pas seulement la paix et la détente politique, mais aussi l'équilibre entre les ambitions économiques des puissances européennes : il finance les réparations allemandes, qui nourrit partiellement l'expansion financière française en Europe centrale, qui à son tour profite indirectement à l'expansion commerciale de l'Allemagne.

TABLEAU 10

LA BALANCE FRANÇAISE DES PAIEMENTS (1913-1933)

(millions de francs Poincaré)

	1913	1926	1930	1933
Balance des paiements courants				
• Balance commerciale	− 7 302	− 2 000	− 11 473	− 9 241
• Service et revenus	+ 14 196	+ 13 573	+ 14 200	+ 6 300
Solde des paiements courants	+ 6 894	+ 11 573	+ 2 727	− 2 941
Mouvements des capitaux				
• à long terme	− 3 734	− 696	− 6 798	− 1 100
• flottants		− 13 095 [1]	+ 6 795 [2]	− 682
Solde des capitaux	—	− 13 791	− 3	− 1 782
Créances et dettes inter-gouvernementales				
• Réparations allemandes	—	+ 3 076	+7 084	—
• Remboursements des dettes de guerre	—	− 2 318	− 919	− 250
Entrées (E) ou sorties (S) d'or et de devises	3 160 (E)	1 460 (S)	8 889 (E)	4 973 (S)

(1) Fuite des capitaux (spéculation contre le franc).
(2) Entrée de capitaux à court terme (spéculation contre le sterling).

Un ordre précaire

Tout ce bel édifice international bâti depuis 1924 en Europe a été balayé par la grande crise économique des années 1930. En fait, la construction s'avérait fragile avant même le déclenchement du cataclysme.

Le rapprochement franco-allemand est arrivé dès 1929 à ses limites extrêmes. Après la mise en place du plan Young et la décision d'évacuer la Rhénanie, il ne reste plus rien à négocier, car toute concession supplémentaire au Reich équivaudrait à une défaite française et à une révision profonde du traité de Versailles. Or l'agitation nationaliste autour du plan Young bat son plein en Allemagne. Hitler accuse le gouvernement d'avoir laissé les anciens vainqueurs réduire le peuple allemand en esclavage pour plusieurs générations. Quatre millions de signatures sont rassemblées pour imposer, conformément à la Constitution, un référendum. Celui-ci est organisé en décembre 1929 : finalement, moins de 14 % des électeurs se prononcent contre le plan. Il n'en reste pas moins qu'une évolution se dessine. Le parti national-socialiste, qui avait perdu des voix au temps de la pleine prospérité, est bien en train de relever la tête dès les premiers signes d'essoufflement de la croissance en 1928-1929. La détente franco-allemande est compromise.

Quant au « second souffle » de la S.D.N., il fut bien court. La commission préparatoire à la Conférence du Désarmement piétine dans ses discussions, et les recommandations de paix douanière de la Conférence économique de Genève restent sans effet. Si l'entrée de l'Allemagne dans l'organisation internationale lui donne un éclat nouveau, elle ne modifie pas les données de base : la S.D.N. est dominée par les puissances européennes, et parmi elles, celles qui sont les bénéficiaires des traités de paix.

Or, la prospérité ne tue pas les sentiments révisionnistes, encore très forts non seulement en Allemagne, mais en Hongrie, en Bulgarie et en Italie. Après la démission en 1926 de Contarini, le secrétaire général du ministère des Affaires étrangères, la politique étrangère de Mussolini prend un tournant. Le Duce, qui vient de se débarasser de toute opposition intérieure et d'achever la fascisation de son régime, tente de regrouper autour de l'Italie les nations mécontentes. Il souhaite surtout isoler la Yougoslavie. En septembre est conclu un accord avec le gouvernement roumain d'Averescu, de tendance fascisante, ce qui fragilise le système français d'alliances ; en novembre est signé le traité de Tirana qui établit un véritable protectorat italien sur l'Albanie. Mussolini finance d'autre part sur le territoire yougoslave les nationalistes qui luttent contre le pouvoir central de Belgrade tels, les oustachis en Croatie, les agitateurs bulgares en Macédoine,. En avril 1927 enfin, le traité italo-hongrois dirigé contre la Petite Entente scelle le nouveau cours de la diplomatie mussolinienne. Celle-ci heurte de front les intérêts français. Mais les Italiens, encore prudents, maintiennent leurs liens privilégiés avec l'Angleterre, contente de trouver sur le continent un interlocuteur privilégié. En effet, Austen Chamberlain est très inquiet de l'idylle Briand-Stresemann qui risque de marginaliser l'action de la Grande-Bretagne en Europe. Quelques jours après l'entrevue de Thoiry, il rencontre Mussolini à Livourne, ce qui ne manque pas d'encourager le dictateur italien dans sa nouvelle politique étrangère.

L'U.R.S.S. malgré la stabilisation de sa position internationale à partir de 1924, reste aussi à l'écart de la détente et paraît même retourner à un certain isolement. Le pacte occidental de Locarno l'a inquiété, et le traité que Stresemann signe avec elle en 1926 à Berlin ne fait pas revivre le souffle de Rapallo. Pourtant lancés dans l'expérience de la N.E.P. les Soviétiques, soucieux d'élargir leurs relations économiques avec les pays capitalistes afin d'obtenir des crédits externes, quitte à vendre à bas prix leur pétrole (ce qui ne plaît guère à Deterding « patron » de la Shell), multiplient les gestes de bonne volonté envers les puissances européens. A cet égard, le correspondant privilégié reste le fournisseur allemand ; les relations commerciales entre les deux pays s'accentuent, les manœuvres militaires conjointes se développent, les discrètes ventes d'armes venues d'Allemagne renforcent une certaine solidarité qui débouche sur des prêts bancaires. L'orientation pro-germanique de la tactique soviétique est due aussi à l'incapacité de s'entendre avec les « impérialismes » français ou britannique. La France en effet ne parvient pas à obtenir la reprise des remboursements des dettes tsaristes malgré de longues négociations en 1926 entre Christian Rakovski et Anatole de Monzie ; Poincaré n'a pas voulu financer cette reprise par de nouvelles ouvertures de crédit. Les déclarations « révolutionnaires » du Komintern serviront de prétexte à la rupture des pourparlers.

De même, à Londres, le gouvernement conservateur, accusant les Soviétiques d'avoir soutenu les grandes grèves des mineurs britanniques de 1926, rompt avec eux les relations diplomatiques en mai 1927 (elles seront rétablies deux ans plus tard par MacDonald revenu au pouvoir). En 1927 encore, l'ambassadeur soviétique à Varsovie est assassiné, celui de Paris est expulsé, et en Chine les communistes sont tout à coup pourchassés et massacrés par leurs alliés nationalistes du Guomindang. Tous ces événements sont exploités par Staline, y compris ceux de Chine qui consacrent pourtant l'échec de sa politique d'alliance avec Tchang Kai Chek, pour faire prévaloir sa doctrine du « socialisme dans un seul pays ». Le monde extérieur s'avérant de plus en plus hostile, il entend organiser la « forteresse assiégée ». Entre 1927 et 1929, il vient définitivement à bout de l'opposition de Trotski à qui s'était rallié Zinoviev. En juillet-août 1928, le Komintern, présidé désormais par Boukharine, préconise pour tous les partis communistes, lors de son VIe Congrès, la politique « classe contre classe » : toutes les forces politiques non communistes sont mises sur le même plan, déclarées ennemies du prolétariat, des fascistes aux socialistes compris. Cette stratégie de repli allait interdire quelques années plus tard toute alliance de gauche efficace contre la montée du nazisme en Allemagne d'autant plus que Staline sous-estime ce nouveau danger à ses débuts.

Finalement ce qui reste de moins instable dans le monde, c'est ce système de relations atlantiques entre les Etats-Unis et l'Europe occidentale, fondé sur le circuit des capitaux américains. Imparfait, fragile, artificiel, puisqu'il n'efface ni les blessures profondes, ni les arrière-pensées et égoïsmes nationaux, il n'en assure pas moins l'équilibre des ambitions européennes et l'apaisement relatif des opinions publiques. Au fond, rien ne permet d'affirmer que cet édifice, à cause de ses lézardes — et c'est vrai qu'elles étaient grandes — se serait obligatoirement écroulé, même sans la grande crise économique. Précisément, sa faiblesse essentielle était de reposer sur la seule prospérité américaine. Avec beaucoup d'illusions, on croyait celle-ci éternelle. Lorsqu'elle prend fin en 1929-1932, le château de cartes se défait. Enlevez les dollars d'Europe, et le gage de la modération allemande disparaît, les fondements de la détente s'effondrent, les bases de la puissance française, privée des réparations, s'effritent, l'efficacité de l'arbitrage britannique s'émousse. Le baume arraché, les plaies de la vieille Europe apparaissent à nouveau à vif, pendant que l'Amérique s'enferme dans un isolationnisme cette fois bien réel. L'ordre international né en 1924 a vécu et rien ne vient le remplacer. Dans cette nouvelle anarchie mondiale, tout est possible, surtout le pire. Cette dérive de la planète, mue par les malheurs européens, durera plus de quinze ans. Il faudra attendre la fin des années 1940 pour que l'Europe, du moins sa partie occidentale, dans un contexte tout à fait différent, soit à nouveau stabilisée à coups de dollars, au point de n'être plus au centre des crises de l'univers.

Les relations internationales en crises et en guerres 1929-1941

Troisième partie

Les indices de la production industrielle (trimestriel)

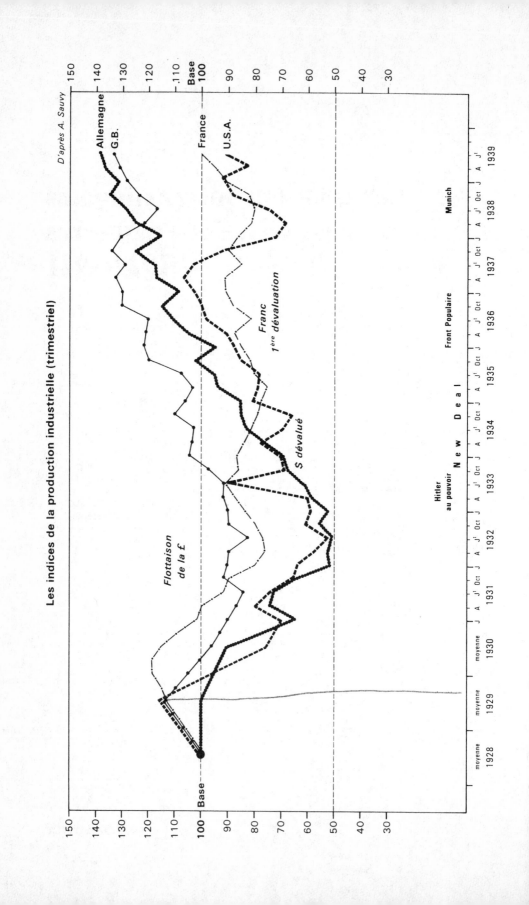

D'après A. Sauvy

7. La crise économique mondiale et les politiques extérieures

Réalités et perceptions par les contemporains de la crise économique mondiale

La crise économique qui se développe à partir de 1929, pose trois problèmes différents à l'histoire des relations internationales.

Tout d'abord, cette crise économique dont l'intensité et l'extraordinaire diffusion n'avaient jamais eu d'équivalent antérieur, a-t-elle directement affecté les relations internationales *politiques,* jouant ainsi un rôle supérieur à celui que l'économie avait pu classiquement occuper comme une des forces profondes dans la vie internationale ? Dans l'affirmative, il faudrait mesurer la portée d'une telle novation.

Ensuite, une crise économique aussi grave entraîne des effets seconds dans des domaines non-économiques, mais significatifs pour les relations internationales, telles que les crises sociales, les crises culturelles, les mouvements des opinions publiques ; la crise économique cesse alors d'être purement économique, puisqu'elle interfère avec des structures ayant leurs propres mouvements et leurs causalités. La crise de 1929 n'est-elle pas aussi une crise de civilisation ? Enfin, si *la* crise économique est mondiale, elle se compose d'une multiciplité de crises, vécues par les contemporains dans un cadre national ; dès lors, comme l'intensité vécue de la crise est variable selon les pays et comme les réponses nationales à la crise mondiale varient, entraînant une durée et des effets également variables, peut-on continuer à évoquer *la* crise mondiale pour comprendre son influence sur les relations établies entre Etats ? N'est-il pas paradoxal, en apparence, de constater que cette crise mondiale aboutit à l'échec durable de la S.D.N. et des conférences internationales, y compris dans les domaines économique et financier ?

Nous pensons donc qu'il est plus pertinent de présenter *d'abord* les principaux indicateurs des effets de la crise sur un plan national et comparatif *avant* d'en venir à un essai d'interprétation des réactions des contemporains (réactions politiques) face à un bouleversement qu'ils subissent sans bien en comprendre les causes ; du coup, ils sont encore moins capables d'y porter rapidement remède. On saisira mieux *ensuite* l'extrême poussée des égoïsmes nationaux qui partout prévalent sur une solidarité internationale pourtant mieux adaptée à résoudre un problème d'ordre global.

La crise de 1932-1933

L'historiographie reste définitivement marquée par l'idée que la crise économique date de 1929. On va même jusqu'à placer la naissance de cette crise en un moment précis, le fameux Krach boursier de New York le 24 octobre 1929. En réalité, on transforme une donnée de moyenne durée, la crise, en un accident de parcours, la surchauffe boursière de Wall Street, suscitant *une* origine à une multiplicité de causalités interdépendantes. On peut, du même coup, décrire la crise comme le passage d'une forte secousse américaine vers d'autres économies, notamment en Europe, comme si l'ébranlement *conjoint* de diverses économies n'avait pas davantage engendré des désordres postérieurs. Des recherches récentes montrent en effet que les indices de prospérité et de croissance étaient déjà en baisse ou en stagnation dans bien des pays et aux Etats-Unis eux-même, *avant* le krach fameux, au point que *la* crise serait antérieure à l'automne 1929. En outre, les secteurs économiques sont affectés diversement pendant les premières années de crise (1929 à 1931), la crise agricole anticipant sur les difficultés industrielles, tandis que le monde bancaire paraît plus vite ébranlé que ne le sont les monnaies. En fait, s'il existe un moment où *toutes les données sont négatives, c'est bien en 1932-1933* qu'il faut le dater. Alors la crise est vraiment mondiale et l'on tente d'y porter globalement remède.

C'est également pendant l'été 1933, lors de l'échec de la Conférence internationale de Londres, que se termine l'effort international pour trouver *une* solution d'ensemble à la maladie qui ronge l'économie mondiale. D'autres remèdes, nationaux, donc partiels, seront ensuite appliqués. Ils déterminent un système international obéissant à de nouvelles perspectives, au sein desquelles l'autarcie à l'allemande ou à l'italienne, la préférence impériale britannique,

TABLEAU 11

LES INDICATEURS DE LA CRISE DANS LES GRANDS ÉTATS DÉVELOPPÉS EN 1932-1933

	U.S.A.	Grande-Bretagne	Allemagne	France
I Indice des pris de gros en 1932/1929	− 48 %	− 32 %	− 32,6 %	− 35,5 %
en 1933/1929	− 42 %	− 32 %	− 34 %	− 37,8 %
II Taux de régression de la Production manufacturière [1] en 1932/1929	− 19,7 %	− 6,4 %	− 15,7 %	− 9,5 %
III % de chômeurs par rapport à la population active totale en 1932	23,5 %	13,1 %	17,2 %	3 %
(soit en nombre total en millions)	12	2,8	5,6	0,5
IV Baisse du Commerce (en valeur) en 1932/1929 Importations	− 49 %	− 30 %	− 39 %	− 27 %
Exportations	− 49 %	− 41 %	− 41 %	− 35 %
V Stock d'or des Banques Centrales en en 1933/1929	+ 7 %	+ 24 %	− 86 %	+ 140 %
(soit en milliards de $, en 1933)	4 012	928	92	3 012

1. Part de la production manufacturière de chacun de ces 4 Etats par rapport à la production manufacturière mondiale : U.S.A. 42,2 %, Allemagne 11,6 %, Grande-Bretagne 9,4 %, France 6,6 %, soit au total 70 % de la production mondiale.

l'isolationnisme américain se détachent comme autant de solutions distinctes. On devrait donc dénommer la crise de 1929 comme la crise de 1932 ; c'est en tout cas en 1932-1933 qu'il faut « mesurer » les réalités de la crise, notamment pour les Puissances.

Le tableau ci-dessus permet de mesurer l'intensité relative de la crise parmi les quatre Etats les plus développés de l'époque. On remarque combien les Etats-Unis semblent plus affectés par la crise que les trois autres pays ; tous les indices, sauf le dernier, sont concordants : le marasme est général, le chômage est impressionnant dans cet Etat, le plus riche du monde.

Pourtant, il conserve le stock d'or le plus élevé du globe ; reconnaissance d'une suprématie incontestable ? Par comparaison, l'Allemagne, plus atteinte que ses voisins européens, connaît une détresse profonde, puisque son industrie subit une sévère secousse, que ses chômeurs sont innombrables, mais que, surtout, elle seule perd une partie considérable de son stock d'or. La France paraît relativement épargnée : sa production manufacturière a faibli, mais les chômeurs sont peu nombreux (en 1932, 273 000 chômeurs « reconnus ») et, surtout, elle bénéficie d'une croissance rapide de son stock d'or ; en fait, le franc est jugé par les spéculateurs internationaux (Français compris) comme une monnaie suffisamment dévaluée en 1926-1928 pour ne pas risquer, à court terme, de nouvelles perturbations ; zone de calme relatif, la France peut en 1932-1933 faire envie à ses voisins. Voici, en tout cas, la Banque de France mieux armée que sa grande rivale, la Banque d'Angleterre.

Cette infériorité du Trésor britannique est d'ailleurs apparue de manière dramatique dès l'automne 1931. Le 21 septembre 1931, autre date essentielle dans le déroulement de la crise, au moins avec des effets comparables à ceux du krach de Wall Street, le gouvernement de sa Grâcieuse Majesté a dû annoncer que la Livre-Sterling ne serait plus convertible. Choc psychologique considérable. En avril 1932, la stabilisation de la £, contrôlée par le gouvernement, mais laissée sans nouvelle valeur définie (on dit que la £ « flotte ») laissait apparaître une baisse d'environ 33 % par rapport à sa valeur-or antérieure. Toute une tradition de monnaie britannique stable s'évanouissait. De même, quelques mois plus tard, un autre dogme chancelait : le libre-échange, en vigueur depuis le milieu du XIXᵉ siècle, cédait au protectionnisme. En mars 1932, un tarif général des douanes entrait en application, avec des droits différenciés selon les produits (taxes de 10 à 33 %). Un nouveau système d'échanges commerciaux devait naître.

De pareilles ruptures avec les habitudes, venant du pays le plus commerçant du monde, eurent des effets prolongés dans le monde entier. Si les Etats membres du Commonwealth pouvaient être rassurés après la conférence d'Ottawa de 1932, qui leur accordait des franchises douanières et des facilités monétaires, créant ainsi un « *bloc-Sterling* », comment allait désormais fonctionner le système du Gold Exchange Standard, créé en 1922, avec une première monnaie dévaluée de facto et une seconde, le dollar, malade et surévaluée ? L'une des premières décisions du nouveau Président des Etats-Unis, F.D. Roosevelt, consistait d'ailleurs à suspendre les exportations d'or et d'argent (mars 1933), prélude au choix d'une nouvelle définition du $. En janvier 1934, la dévaluation amputait le $ de 40 % de sa valeur antérieure.

Nouvelle secousse pour les relations économiques internationales. Les pays neufs, exportateurs de matières premières et importateurs de produits manufacturés, déjà très atteints par la chute des prix de gros depuis 1929, subissaient ces manipulations monétaires, en espérant que la reprise des affaires ne tarderait pas. La chute des prix de certains produits agricoles était spectaculaire : par rapport à 1929, le cours du coton atteignait l'indice 45 en 1932, 35 en 1933, 50 en 1934 ; le sucre descendait à 68 %, 48 %, 53 % de sa valeur de 1929 ; le blé stagnait pour ces trois années à 48 %, 43 % et 47 % de son niveau de 1929. Le café et la laine voyaient leur prix en baisse depuis la fin de l'année 1928 et se trouvaient en vente en 1932 au tiers de leur niveau de 1928. Quand on sait que les pays producteurs de matières premières agricoles ou destinées à l'industrie, tels que l'Argentine, le Brésil, les Dominions, les Indes néerlandaises, les Etats balkaniques avaient déjà contracté de lourdes dettes avant les débuts de la crise (en 1929, ces pays ont contracté une dette de plus d'1,4 milliard de $), on mesure l'ampleur du désastre financier qui les menace. Leurs économies ne pouvaient supporter longuement la dégringolade du commerce mondial, qui atteint, en apparence, son point culminant en 1934 (cf. tableau 12, ci-dessous).

TABLEAU 12

EVOLUTION DU COMMERCE MONDIAL ENTRE 1929 ET 1936

En milliards de $-or	1929	1930	1931	1932	1933	1934	1935	1936
Volume du Commerce [1]	50	46	40	**32**	33	35	36	38
Valeur du Commerce	88,5	55,4	39,6	26,8	24,2	**23,2**	23,8	25,4
Indice de baisse / 1929								
pour le volume	100	− 8 %	− 20 %	**− 36 %**	− 34 %	− 30 %	− 28 %	− 24 %
pour la valeur	100	− 19,3 %	− 42,3 %	− 61 %	− 64,7 %	**− 66,2 %**	− 65,3 %	− 63 %

1. Le volume du Commerce correspond à la valeur du commerce pondérée par l'indice des prix de gros. Cela ne signifie pas qu'on a procédé au cubage des marchandises transportées, mais que l'on veut mettre en relation les valeurs du commerce avec le niveau des prix dont on sait, à l'époque, les baisses considérables. Objectivement la baisse en volume définit mieux l'ampleur réelle du marasme commercial.

La situation politique de ces Etats neufs peut expliquer en outre qu'ils subissent assez inégalement les effets de la contraction des échanges internationaux. Les pays coloniaux, liés à la métropole par des accords préférentiels, sont moins atteints que les « indépendants » réels, à moins qu'une récente industrialisation ne les mette en mesure d'exporter.

C'est ainsi que les pays africains sont moins touchés que les pays d'Amérique latine et que le Japon, dont le commerce avait doublé entre 1913 et 1929 ; après avoir reculé de 32 % aux importations et de 37 % aux exportations en 1932, celui-ci a déjà sérieusement rétabli sa situation en 1934 (− 15 % et − 19 % par rapport à 1929) pour revenir quasiment à la normale en 1936.

Les secousses économiques de la crise sont donc loin d'être uniformes dans le monde, même si la tendance dominante est partout identique.

La perception de la crise par les contemporains

Les contemporains sont certainement conscients de ces disparités, mais ils sont surtout attentifs à certains aspects, spectaculaires, de la crise. Pour autant que la presse, les actualités filmées soient de bons moyens d'apprécier aujourd'hui la perception de la crise par les hommes et les femmes en 1932-1933, il semble bien que plusieurs phénomènes cristallisent l'attention. Le chômage est le premier indice retenu. De ce point de vue, les visions de colonnes de chômeurs, qui manifestent, qui attendent des secours, sont trop souvent présentées pour que l'impression n'en soit pas durable. Or, la misère des chômeurs s'étale aux Etats-Unis, en Allemagne, en Angleterre, beaucoup moins en France ; comment ne pas envier les pays moins atteints, lorsqu'en Pologne 43 % des ouvriers d'industrie sont au chômage ou que le taux du chômage atteint 31 % de la population industrielle tchécoslovaque ? Un second indice frappe les contemporains : des produits agricoles devenus invendables à des cours normaux sont brûlés, détruits, ou pourrissent alors que les famines persistent ailleurs, en Chine notamment. Une symbolique du désordre mondial s'affirme à travers quelques exemples fameux, comme le café brésilien brûlé dans des locomotives ou les destructions volontaires de blé dans les Grandes plaines américaines. Au fond, les opinions publiques sont surtout sensibilisées aux effets sociaux de la crise, car plus que les vicissitudes des prix (une baisse des prix est moins ressentie qu'une hausse) ou les manipulations monétaires (on commence à en prendre l'habitude), ce sont les troubles, émeutes et manifestations qui attirent les organes d'information. La crise économique est vécue comme une crise sociale, ce qu'elle est aussi.

La lecture politique de la crise par les contemporains en est facilitée. Il est bien plus commode d'associer des considérations d'ordre politique aux difficultés sociales que de raisonner sur les schémas économiques. La faiblesse de la pensée économique, l'incapacité des experts à présenter des solutions efficaces, l'ignorance de la majorité des responsables face aux questions économiques, expliquent l'orientation politique donnée aux commentaires sur la crise économique.

Dans les démocraties, les antagonismes politiques traditionnels continuent en s'alimentant aux effets visibles de la crise ; comme une dévaluation paraît nécessairement une défaite politique, on se refuse à l'envisager de sang-froid et on cherche à s'en débarasser sur l'adversaire ; la politique de relance par l'Etat ou un certain dirigisme économique, mesures souvent préconisées par les gauches, sont preuves de perversité ou d'incompétence pour les droites, accusées réciproquement d'aveuglement lorsqu'elles veulent sauver la situation par des politiques déflationnistes. « C'est toujours la faute à l'adversaire » analyse rétrospectivement Alfred Sauvy. Dans les Etats, dans les partis, totalitaires, on va plus loin : les adversaires politiques étant réduits au silence il faut trouver ce qui entache le tout et ce qui le pervertit, donc trouver le bouc émissaire, soit à l'intérieur au nom de la race ou de la classe, soit à l'extérieur au nom de la défense nationale.

Alors survient l'explication décisive, celle qui permet de rassembler le plus grand nombre face à une crise qui est présentée comme un dérèglement venu surtout de l'extérieur : il faut se replier sur soi, sur la nation, plus ou moins largement entendue (avec ou sans Empire colonial, avec l'espace vital nécessaire) et opposer le maximum de barrages aux ferments venus d'ailleurs. L'autarcie, partielle ou totale, devient *le* remède, affirmé ou au moins toléré. Contingentements, quotas commerciaux et humains, protectionnismes, zones préférentielles, et bien d'autres formes d'égoïsme national prennent le pas sur les accords et sur les ententes internationales. Peut-être inconsciemment, les hommes, si profondément affectés par la crise, retrouvent les réactions grégaires qui avaient été les leurs, à peine vingt ans plus tôt, lorsqu'ils s'étaient trouvés en guerre : chercher à se sauver contre les autres. Une fois encore, les nationalismes vont l'emporter.

Trois exemples permettent de comprendre les causes et les effets de ces égoïsmes nationaux.

Le Krach de Wall-Street étant considéré, dès l'époque, comme le point de départ de la crise, il est facile de reporter la responsabilité du désordre mondial sur les U.S.A. Ceux-ci symbolisaient la richesse et la force dans les années vingt ; les voici en 1932-1933 au creux de la vague, synonyme de dérèglement et d'incohérence. N'existe-t-il pas alors une vague d'anti-américanisme en Europe et même dans le monde ? A l'inverse, l'ingratitude européenne, telle qu'elle est perçue par des Américains, ne justifie-t-elle pas l'isolationnisme réel dans lequel s'engagent les compatriotes de F.D. Roosevelt ?

De même, la baisse des prix affectant profondément certains secteurs économiques, on en vient à penser que cette baisse inexplicable est due à l'action volontaire de quelques pays pratiquant le dumping. La chute des prix industriels atteint en effet des niveaux incompréhensibles.

TABLEAU 13

LES INDICES DES PRIX INDUSTRIELS MONDIAUX PENDANT LA CRISE

(*Base 100 en moyenne des années 1925-1929*)

	Charbon	Acier	Non-ferreux	Pétrole	Produits manufacturés	Indice global
1929	96,6	100,4	97	91,3	96,1	90,9
1930	87,7	89,5	70,3	79,4	81	70,6
1931	77,7	68,4	49,5	49,4	60,8	51,2
1932	60,1	50,4	39,7	48,2	49,4	40,3
1933	55	53,9	40,7	40,2	47	37,7
1934	50,6	55,1	38,7	33,8	43,8	35,8
1935	50,4	55	42,7	32,9	44,6	36,4
1936	55,4	56,2	40,8	34,2	46	39,5
1937	73,4	89,2	49,9	41,7	61,7	47,6

Comme le tableau ci-dessus le montre, l'affaissement des prix est inégal selon les secteurs. Les produits bruts sauf le charbon s'effondrent bien plus que les produits manufacturés. Dans ces conditions, l'intensité de la crise est « vécue » de manière diverse dans les régions productrices de charbon, le pétrole, de non-ferreux ; les reprises se font sentir à des moments différents, avec des rythmes divers. On remarque ainsi que les producteurs de pétrole ont attendu l'année 1936 pour constater une reprise, ce qui laisse à penser que les grandes Compagnies n'ont peut-être pas joué alors un rôle comparable à celui qu'elles pouvaient avoir pendant les années vingt. Devant la chute des prix de l'acier, le Cartel International s'interroge, se fragmente avant de se reconstituer. A l'échelle nationale, le marasme charbonnier ou pétrolier ne peut laisser indifférent les Etats des pays gros producteurs ; ainsi la Grande-Bretagne doit trouver des solutions pour ses exportations de charbon tout comme la Pologne.

Dans les pays où les investissements externes ont servi de moteur à l'industrialisation, la réaction des investisseurs étrangers ne sera-t-elle pas de se retirer et de se faire rembourser ? Certes les désengagements sont délicats en matière industrielle, car on ne liquide pas facilement des usines, des hauts-fourneaux ; toutefois des stratégies nouvelles peuvent être envisagées par les firmes privées, entraînant du même coup des évaluations nouvelles des intérêts nationaux, ici ou là. N'est-ce pas le cas de firmes occidentales en Europe centrale ? Pour payer les dettes commerciales ou financières les Etats neufs doivent souvent puiser dans les réserves en or ou en devises ; entre 1929 et 1935, la Pologne, qui à l'inverse de beaucoup d'autres Etats de l'est-européen, n'a pas institué un contrôle des changes avant 1936, voit ses réserves d'or diminuer de moitié. La haine pour les capitalistes étrangers renforce les nationalismes tout comme on cherche à se défendre contre les Etats accusés d'employer largement le dumping : le Japon pour les articles manufacturés, l'U.R.S.S. pour le blé ou le pétrole, sont souvent pris comme des exemples caractéristiques de pratique du dumping. Cela conduit à la défense prioritaire du producteur national. Ce phénomène classique, amplifié par la menace extérieure, aboutit à la défense conjointe du protectionnisme par les syndicats patronaux et ouvriers : « Achetez Français ! », « Buy British !... » Les ligues de commerçants soutiennent aussi ce point de vue nationaliste.

Dans les pays à fortes minorités nationales, on en vient, du même coup, à vouloir exclure les minorités du droit au travail ; on justifie les campagnes contre les « métèques » (cf. en France), les vagues d'antisémitisme, en Europe centrale et orientale, les attaques contre les immigrants « prolétaires » aux Etats-Unis. Incontestablement, la crise nourrit la xénophobie et le racisme, en redonnant vigueur à des tendances profondes de certaines mentalités collectives. Faut-il, en revanche, assurer aux produits coloniaux une priorité à l'importation au nom d'une solidarité impériale ? Tous n'en sont pas convaincus ; malgré les efforts de propagande, les agriculteurs français renâclent à l'idée de faire une place aux producteurs coloniaux lorsqu'il y a concurrence sur un produit. Un peu partout dans le monde, la détresse économique ne conduit pas à une quelconque solidarité internationale, mais vers l'égoïsme national.

L'impossible concertation internationale 1930-1933

Contrairement à l'idée souvent avancée d'une crise économique internationale née en octobre 1929 avec la chute brutale des cours en bourse, l'analyse du déroulement de la crise dans ses implications internationales montre que des facteurs concomitants, d'origine et de localisation variées, ont contribué à accentuer et à accélérer la dépression. Pour simplifier les données, dont on trouve une description précise dans le livre « classique » de Charles Kindleberger (*The World in Depression, 1929-1939*), on peut retenir trois facteurs d'aggravation dans le cyclône qui finit par affecter tous les pays du monde, U.R.S.S. comprise :

1. L'incapacité des Grands Etats riches et puissants à organiser un système cohérent des échanges internationaux, en acceptant de jouer collectivement les règles du libre-échange et en aidant les pays en difficulté.

2. Le mélange de considérations purement politiques et de considérations économiques qui interdit certaines solutions pourtant bénéfiques.

3. La médiocrité et la confusion des analyses théoriques économiques et monétaires, incapables de proposer des schémas clairs *et* efficaces, adaptés à l'ampleur du séisme ; d'où de multiples tâtonnements dans le choix des solutions.

Le serpent de la crise se déroule : U.S.A., Allemagne, Autriche, 1930-1931

La crise boursière américaine de l'automne 1929 aurait pu avoir des effets salutaires si elle avait débouché uniquement sur un assainissement des méthodes trop spéculatives en usage sur les marchés boursiers américains et sur un abaissement général des taux d'intérêt. En réalité, ces deux effets existèrent bien pendant les mois qui suivirent la brutale chute des cours en octobre-novembre 1929, mais ils furent combinés avec d'autres effets beaucoup plus pervers. Trop engagés à la hausse, les producteurs américains voulurent attendre les résultats de l'assainissement avant de relancer la production ; les importations américaines en subirent le résultat ; par conséquence logique, les prix continuèrent à baisser puisque la production continuait à dépasser la consommation. Bien plus, contrairement aux espoirs de la Conférence Economique Mondiale de 1927 qui avait préconisé une diminution générale des tarifs douaniers, les Etats-Unis mirent en application un nouveau tarif douanier ultra-protectionniste en juin 1930 (*tarif Smoot-Hawley* voté par la Chambre des Représentants en mai 1929 et par le Sénat en mars 1930). Cette décision de l'Etat économiquement le plus puissant entraîna non seulement une diminution du commerce extérieur américain, d'où une accentuation des difficultés chez les pays-producteurs axés vers les exportations, mais une nouvelle vague de hausses tarifaires un peu partout dans le monde.

Les mesures de rétorsion, c'est-à-dire les hausses de tarifs généraux ou sectoriels et les formes multiples d'entrave au commerce normal (contingentements, licences, quotas), se multiplièrent dans presque tous les pays. La France relève ses droits de douane à trois reprises en juillet 1931, mars 1932, juillet 1933. La Grande-Bretagne, on l'a vu, a abandonné le libre-échange en 1931 et par l'Import Duties Act de février 1932 se donne les moyens de moduler ses barrières tarifaires selon les pays et selon les produits, mais en fin 1932 les droits « moyens » se situent déjà vers 15 % de la valeur des marchandises importées. En Europe centrale, chaque Etat tente de se barricader par la double pratique du protectionnisme douanier et des contingentements. Sans doute ce mouvement généralisé vers le protectionnisme n'était pas imputable aux seuls Américains, mais leur poids spécifique dans la production mondiale rendait particulièrement grave leur décision d'adopter un tarif élevant de 40 % le taux moyen des droits de douane dans une économie mondiale déjà malade.

Le leader économique du monde refusait de jouer désormais le rôle d'animateur mondial.

La politique économique menée par les dirigeants allemands ne fut pas mieux adaptée aux circonstances. Le chancelier Brüning, arrivé au pouvoir en mars 1930, décida de mener activement une politique de déflation (le souvenir angoissant de l'inflation effrénée de 1923 a dû influencer Brüning, de même que son souci de restaurer des profits jugés trop diminués par la chute des prix). Le résultat essentiel fut rapidement atteint : le nombre de chômeurs, déjà voisin d'1,9 million à l'été 1929, atteignit près de 3 millions au printemps 1931. Dans ce difficile contexte social, le chancelier Brüning commit l'imprudence de dissoudre le Reichstag (septembre 1930), ce qui permit aux extrêmes de faire un bond en avant significatif lors des nouvelles élections, notamment les nazis qui passèrent de 12 à 107 sièges ! Les déposants dans les banques allemandes commencèrent à s'alarmer, d'où des retraits considérables et des sorties d'or vers l'extérieur de l'Allemagne. La situation financière du Reich, très dépendante des prêts anglo-saxons, constitua dès lors le second maillon faible de l'économie mondiale (entre 1925 et 1929, les Américains avaient fourni 67,4 % de tous les emprunts allemands à long terme, les Britanniques 10 %, les Néerlandais 14,2 %).

Pour rétablir la confiance et redonner de l'aisance aux trésoreries bancaires, il aurait fallu que les institutions de crédit des pays riches acceptassent de prêter aux Allemands et à tous ceux qui, en Europe centrale notamment, avaient besoin d'emprunts pour éviter la banqueroute. Parmi les plus engagées figuraient les banques de Vienne , en particulier le Kredit-Anstalt, véritable plaque tournante du financement industriel dans cette partie de l'Europe. En mai 1931, après plusieurs opérations de soutien menées par des banques étrangères, le Kredit-Anstalt fut pris dans la tourmente, malgré un soutien signalé de la Banque d'Angleterre. Parmi les causes des difficultés de cette Banque, certains commentateurs soulignèrent le rôle néfaste joué par les Français, gouvernement, Banque de France et banques privées ; ceux-ci auraient ainsi réagi contre une union douanière austro-allemande, mise sur pied par le ministre allemand des affaires étrangères, Curtius et par le chancelier autrichien Schober (protocole de Vienne, mars 1931) ; cette union était en effet considérée par la France comme une inadmissible préparation à un Anschluss redouté. En fait, il semble bien que l'hostilité politique de la France à l'encontre de cette union douanière ne fut pas suivie de manœuvres bancaires contre le Kredit-Anstalt ; le conflit ancien entre la Banque d'Angleterre, dirigée par Montagu Norman et la Banque de France, conduite par Emile Moreau puis par Clément Moret, avait trouvé là un nouvel aliment, mais pour autant les difficultés de la grande banque viennoise étaient surtout dues à des engagements excessifs vis-à-vis de débiteurs industriels, eux-mêmes en fâcheuse posture. Les mêmes causes entraînèrent, en chaîne, des faillites bancaires dans toute l'Europe centrale et en Allemagne même. Là, les retraits furent massifs : en quelques semaines, la Reichsbank perdit plus d'1,4 milliard de marks, valeur or [1] ; en juillet 1931, une des très grandes banques privées, la Danatbank, sombra. Le ministre allemand des finances, Luther, dut aller quémander des prêts à Londres, Paris et Bâle (auprès de la Banque des Règlements Internationaux créée en 1930). Pouvait-il trouver des soutiens devant une telle faillite ?

La manœuvre, dilatoire, du moratoire d'un an sur les dettes intergouvernementales, palliatif momentané décidé unilatéralement le 20 juin 1931 par le Président américain Hoover, ne contribuait pas à améliorer la situation, car elle était mal acceptée par les Français qui y voyaient un moyen sournois de mettre fin aux Réparations, malgré le plan Young. Or, à l'été 1931, la France apparaît comme le seul Etat encore épargné par la crise, avec une monnaie stable connaissant un afflux de devises, bien vite converties en or acheté aux Etats-Unis. Si la collaboration franco-américaine s'avère impossible pour organiser le sauvetage des économies défaillantes, on peut s'attendre au pire, car la collaboration franco-anglaise était déjà malaisée dans les années précédentes (les deux banques centrales de ces Etats se livraient un combat permanent dans la fin des années vingt pour diriger la réorganisation financière des Etats d'Europe centrale). Elle fut encore compromise par les secousses qui ébranlèrent bientôt les Britanniques.

La Grande-Bretagne prend le large 1931-1932

Depuis quelques semaines, au printemps 1931, pour se prémunir contre les pertes de change, des banques dans le Nord de l'Europe et dans les Etats qui formeront le Benelux, ont converti leurs avoirs en sterling contre de l'or, entraînant la £ vers la baisse. En juillet 1931, des experts britanniques critiquent en outre le budget prévu par le gouvernement travailliste dirigé par Ramsay MacDonald ; ils prédisent un déficit budgétaire record à moins de suivre une politique déflationniste sévère. Comment, dans ces conditions, rencontrer la confiance de nouveaux prêteurs afin de consolider la £ ? Certains accuseront plus tard les Français de ne rien avoir réellement tenté pour venir en aide à leurs voisins d'outre Manche ; en réalité, aucun créancier potentiel ne croit vraiment que la £, alors beaucoup trop surévaluée, puisse être maintenue à sa parité-or.

---

1. Entre décembre 1930 et juillet 1931 près de 3 milliards de Reichsmarks furent retirés sur un montant total de 12 milliards prêtés entre 1924 et 1928 (la débâcle se produit surtout entre avril et juillet 1931).

L'inévitable se produisit le 21 septembre 1931 lorsqu'un nouveau gouvernement d'Union Nationale, présidé par R. MacDonald (le Labour Party, très divisé, a refusé de soutenir la politique de déflation), décide de ne plus reconnaître la libre convertibilité de la £. En quelques jours, la £ perd 25 % de sa valeur sur le marché des changes. Vingt-cinq Etats décident d'imiter la décision britannique (les membres du Commonwealth, les Etats Scandinaves, l'Argentine, l'Egypte, le Portugal, etc.). Ainsi la zone de perturbations s'élargit ; elle rend encore plus délicate une collaboration internationale. Au fond, à son tour, la Grande-Bretagne, incontestable n° 2 dans l'économie internationale, a refusé d'envisager vraiment le rôle qu'elle tenait avant la première guerre mondiale, c'est-à-dire de contribuer à régulariser les échanges internationaux. En prenant le large, elle cherche comme les Etats-Unis, à se sauver, elle d'abord et ses « clients » habituels ensuite.

Pendant l'été 1931, la crise est ainsi devenue « incontrôlée » (selon l'expression de l'historien Edward Bennett). De vaines négociations à Paris, puis à Londres, en juillet, pour tenter de porter secours aux Allemands ont abouti à creuser davantage le fossé entre les puissances européennes. Les Français ont obtenu le retrait du projet d'Union douanière austro-allemande (début septembre 1931), mais leurs partenaires britanniques ou allemands les considèrent comme des égoïstes, étroitement attachés aux clauses et à l'esprit du traité de Versailles, et, en somme, incapables de sauver l'Europe en crise malgré l'or accumulé par la Banque de France. Le voyage du président du Conseil Pierre Laval aux Etats-Unis en octobre 1931 ne contribua pas davantage à apaiser les soupçons réciproques des deux pays encore financièrement puissants. Certes, on se mit d'accord sur l'utilité d'une conférence internationale destinée à trouver des solutions à la crise ; mais cette conférence pouvait-elle réussir alors que la règle du chacun pour soi l'emportait partout ?

Les Américains par exemple refusent de répondre aux demandes françaises d'abandonner le remboursement des dettes de guerre. Comment, de leur point de vue, un pays riche pourrait-il refuser de rembourser des dettes régulièrement contractées ? A l'inverse, les Français qui n'ont plus guère d'illusions sur la reprise du paiement des Réparations par l'Allemagne, peuvent-ils admettre l'abandon du remboursement des dommages considérables subis quinze ans plus tôt sur leur sol et dans leur chair ? Aussi, est-ce sans surprise réelle, que pendant l'année 1932 les versements pour les dettes de guerre d'une part, les Réparations d'autre part, furent pratiquement suspendus. La Conférence Internationale de Lausanne (26 juin - 9 juillet 1932) accepta qu'un dernier paiement forfaitaire par l'Allemagne de 3 milliards de Reichsmarks lui tint lieu de solde de tout compte dans le domaine des Réparations. (En fait, ces trois milliards qui devaient être payés après 1935 ne furent jamais versés).

Les Etats réunis à Lausanne avaient, de leur côté, décidé de ne pas ratifier cet accord avant la conclusion d'un autre accord sur les dettes de guerre dues aux Etats-Unis. Or, ni le président Hoover, ni son successeur F.D. Roosevelt, triomphalement élu en novembre 1932, ne voulaient renoncer à la disparition totale de la dette des ex-Alliés, même si certains haut-fonctionnaires américains reconnaissaient que le problème des dettes entravait fortement toute reconstruction économique. Les prêteurs américains qui forment l'opinion publique, n'ont pas plus de raisons personnelles d'abandonner le recouvrement de leurs créances que les Français n'admettaient alors le non-remboursement des dettes tsaristes par l'U.R.S.S. Les Britanniques souhaitaient de leur côté que l'on en vînt à l'abandon de tous ces versements, pour les dettes, pour les réparations, qui affectent les relations financières internationales, mais surtout, ils n'entendaient point se séparer des Etats-Unis dans la conduite « réelle » de l'économie mondiale. Leur position est clairement exposée dans un rapport du Foreign Office en juin 1931. « Ce doit être le but du Gouvernement de Sa Majesté de continuer la politique suivie résolument durant la dernière décennie, avec des résultats bénéfiques, de développer des relations amicales avec les Etats-Unis d'Amérique... Si le gouvernement et le peuple des Etats-Unis peuvent se persuader que la Grande-Bretagne poursuit une politique mondiale saine, constructive, progressive, qui, en un mot, contraste favorablement avec les antagonismes, les peurs et les suspicions mutuels des puissances continentales, il sera possible pour ce pays de s'assurer que l'immense influence politique et économique des Etats-Unis est utilisé pour le meilleur usage, et en conséquence pour notre avantage ». On ne saurait mieux marquer le choix d'une stratégie « atlantiste » chez les Britanniques, dont le premier ministre R. MacDonald ne cesse en privé de vitupérer les Français qui cherchent à gagner du temps, tandis que « Londres saigne comme Berlin » (juillet 1931) et dont la diplomatie exerce « une influence incessante pour le mal en Europe » (avril 1932) (textes cité par A. Parker). Pour bien exprimer leur orientation, les Britanniques décident donc en décembre 1932 d'effectuer un versement en paiement de leurs dettes de guerre.

La France ne voulut pas imiter ce geste. Elle s'isola davantage. Malgré la bonne volonté personnelle d'Edouard Herriot, nouveau président du Conseil, la France refusa en décembre 1932, par un vote massif du Parlement (402 voix contre, 196 voix pour) de continuer à rembourser ses dettes de guerre. Le président Herriot, désavoué, démissionna. L'impasse était complète. En vérité, en 1932, tout l'édifice financier et politique échafaudé pendant les années vingt, s'écroulait. On entrait vraiment dans un système nouveau des relations économiques internationales. mais quels en seraient les principes ?

L'impossible concertation pour sauver les Etats danubiens (1932)

Les espoirs de règlements internationaux négociés s'évanouirent l'un après l'autre. Deux exemples le démontrèrent pleinement : les affaires danubiennes, la stabilisation des monnaies.

Avant la conférence de Lausanne, il avait été prévu de trouver rapidement une solution au marasme considérable des pays danubiens, terriblement éprouvés par la chute de leurs exportations et quasiment incapables de rembourser les emprunts souscrits à la fin des années vingt pour stabiliser leur monnaie. Entre 1928-1929 et 1932-1933, le déclin des exportations de certains Etats danubiens et d'Europe orientale oscilla entre 60 % (Hongrie, Pologne, Yougoslavie) et 50 % (Bulgarie, Roumanie). Ces Etats qui ne tiraient plus de bénéfices de leur commerce d'exportation, ne pouvaient assurer le service de leur dette extérieure, due pour l'essentiel aux Français (placements d'avant 1914 et période 1928-1931), aux Britanniques (depuis 1919, ce sont les premiers investisseurs étrangers dans cette zone selon une politique délibérée, menée par la Banque d'Angleterre) et aux Américains (banques privées ayant peu de perspectives politiques envers ces pays)[1]. En 1932, les pays danubiens avaient reçu, depuis 1919, 29 % de leurs crédits publics en provenance de la Grande-Bretagne, 26 % en provenance des Etats-Unis, 10,3 % en provenance de la France, 6 % en provenance de l'Italie. Il fallait agir en profondeur, au-delà de moratoires momentanés ou de palliatifs comme le contrôle des changes, décidé dans tous ces Etats entre 1930 et 1932 ; sinon, ces Etats qui avaient tenté pendant les années vingt de s'industrialiser pour accéder à une réelle indépendance économique, seraient en état de banqueroute.

---

1. En 1932, la dette extérieure correspond à 90 % environ de la dette publique totale en Autriche, en Hongrie et en Roumanie, à 75 % en Yougoslavie, à 71 % en Bulgarie, à 19 % en Tchécoslovaquie.

Les experts français, inspirés par les théories libérales (notamment le jeune Jacques Rueff, professeur d'économie politique à l'Ecole libre des Sciences politiques et attaché financier à Londres) proposaient de réunir les Etats danubiens en une sorte de marché commun par un abaissement interne de leurs douanes, de leur consentir des accords externes préférentiels et de garantir leurs monnaies par un Fonds de stabilisation monétaire alimenté par les pays riches. La France entendait ainsi éviter que ces pays, déjà orientés vers les contingentements, accords de troc et contrôle des changes, ne se lient davantage, de manière bilatérale, à telle puissance européenne, capable de leur acheter des produits agricoles en échange de produits industriels (Allemagne ou Italie). En face, les Britanniques voulaient bien soutenir l'idée d'un « marché commun danubien », mais refusaient le fonds de stabilisation qui aurait signifié l'alignement de ces pays sur le bloc-or. Les Allemands comptaient développer leur commerce avec ces pays où ils avaient peu prêté ; les Italiens avaient des visées similaires. L'intérêt de l'Allemagne pour ces pays était double : pour les hommes d'affaires, il s'agissait d'accentuer leur emprise sur un marché extérieur très complémentaire du leur, puisque l'Allemagne pouvait y acheter des produits agricoles ou des matières premières et leur vendre ses produits manufacturés ; pour les responsables politiques, notamment pour ceux de l'Auswärtiges Amt, une telle stratégie commerciale enfoncerait un coin dans le système de sécurité français fondé sur la petite Entente, en débauchant les ex-clients de la France. Avant même l'arrivée de Hitler au pouvoir, sous l'impulsion de von Bülow, secrétaire d'Etat aux Affaires étrangères, la politique extérieure allemande en Europe danubienne a déjà pris le cap. Le projet manqué d'Union douanière austro-allemand en avait marqué le premier pas. La continuité de la politique allemande avant et après le nazisme est ici certaine.

Dans ces conditions, ni les conférences préparatoires du printemps 1932 à Londres, ni la conférence réunie à Stresa en septembre 1932, sous la présidence du ministre français des Finances, Georges Bonnet, ne parvinrent à dégager une solution d'ensemble. Les suspicions, relativement fondées, de chaque puissance européenne vis-à-vis de ses partenaires décourageaient les plus volontaristes et l'idée d'une Europe unie, ou à tout le moins, mieux rassemblée, sombrait sans façon. On le vit bien avec l'échec des divers plans français. Le plan Briand d'Union Européenne était à l'origine (en septembre 1929), de nature plutôt politique (cf. chapitre 6) : extension du pacte de Locarno à 27 Etats européens, regroupés dans une Conférence européenne, avec un comité politique permanent ; il achoppa très vite sur les problèmes économiques, commerciaux notamment. Un projet de J. Rueff, repris par Alexis Léger, d'une sorte d'union commerciale paneuropéenne, ne reçut aucun écho favorable ; dès 1931, l'Union européenne, était une affaire classée (A. Briand meurt en mars 1932, sans illusions sur ce point). Le plan Tardieu, proposé en mars 1932 qui consistait en la recherche d'accords préférentiels entre cinq Etats danubiens (Autriche, Hongrie, Tchécoslovaquie, Roumanie et Yougoslavie) garantis par les puissances européennes, et avec l'aval de la S.D.N., n'eut pas plus de succès pour les mêmes raisons. Les responsables français des Finances, qui avaient été à l'origine de ce plan, à la suite des nombreuses demandes de soutien financier qui convergeaient vers Paris, vont donc reprendre la tactique de prêts financiers bilatéraux, accordés aux Etats « alliés » (emprunt yougoslave au printemps 1931, emprunt tchécoslovaque en janvier 1932) avec la pratique des emprunts « liés ».

Le sauvetage des Etats danubiens se fera donc à travers leur entrée individuelle dans la « clientèle » d'une grande puissance.

L'échec décisif : la Conférence Economique Internationale de Londres (1933)

A l'échelle mondiale, on ne parvint pas davantage à une solution globale négociée. Depuis la conférence de Lausanne, des comités d'experts cherchaient à résoudre la quadrature du cercle, puisque chaque Puissance poursuivait la réalisation de *ses* objectifs particuliers, tout en affectant de croire au succès d'une conférence économique internationale.

Bien assise sur *son* tas d'or, la France entendait obtenir que les monnaies soient enfin clairement définies par rapport à l'or, afin de revenir à un libre mouvement des capitaux et des marchandises, selon les usages en vigueur avant la crise, tout en refusant d'abaisser les barrières de *son* protectionnisme commercial et de payer *ses* dettes de guerre. Solidement campés dans un isolationnisme partagé par la majorité des hommes d'affaires et par l'opinion publique, les Etats-Unis insistaient pour le paiement de *leurs* dettes de guerre, tout en laissant *leur* dollar glisser vers le bas afin de relancer la hausse des prix, au moins sur *leur* vaste marché intérieur. Désormais débarrassés du libéralisme doctrinal, les Britanniques, percevant déjà, au début 1933, un certain rétablissement de *leurs* affaires grâce à la flottaison de *leur* £, avaient surtout en vue d'éviter la concurrence « déloyale » du dollar américain (les relations anglo-américaines connaissent alors un certain refroidissement), en particulier au sein des pays entrés dans *leur* zone « préférentielle » (Commonwealth et « clients » sud américains ou asiatiques). Enfin délivrés du paiement des réparations, les Allemands comptaient sur *leur* dynamisme industriel pour s'imposer, soit au travers d'accords commerciaux bilatéraux, notamment en Europe centrale et orientale, contribuant à desserrer le dispositif diplomatique, militaire et financier mis en place par la France dans les années vingt, soit grâce à des accords de cartels privés dans lesquels les firmes allemandes auraient une position dominante. A une échelle plus restreinte, Italiens et Japonais envisageaient de se constituer des zones privilégiées, les uns dans les Balkans, les autres en Chine. Même l'U.R.S.S., en apparence à l'abri des vicissitudes du monde capitaliste, amorçait un virage économique qui la conduisait d'une stratégie économique de relative ouverture vers l'étranger (ses besoins en machines devaient être couverts par ses exportations de pétrole, bois, céréales selon les experts soviétiques inspirateurs du premier plan quinquennal) à une politique de strict repli sur soi, justifiée *a posteriori* par la théorie du socialisme dans un seul pays.

Aussi, lorsque la Conférence économique internationale de Londres, péniblement préparée par des négociations entre France, Etats-Unis et Grande-Bretagne (mission d'E. Herriot auprès de Roosevelt en avril 1933, nombreux voyages des directeurs de grandes banques, discussion entre attachés financiers dont le rôle s'élargit) s'ouvre, le 12 juin 1933, le pessimisme est quasi général. A moins d'un miracle, aucun des 66 participants à la Conférence ne croit vraiment à un accord. De fait, chacun tient à exprimer ses vues et à laisser aux autres la responsabilité de la rupture. Commentant quelques mois plus tard l'échec de cette Conférence (ainsi que celle sur le désarmement, voir plus loin, p. 184) le rédacteur du cèlèbre « Survey of International Affairs » (H. Hodson) peut écrire ces lignes amères : « Pendant l'année 1933, il fut à nouveau manifeste que lorsque les hommes ne pensent qu'à leur propre gain, ils ne sont pas seulement incapables de servir le public, mais qu'ils sont même impuissants à régler leurs affaires personnelles pour leur propre avantage... L'intérêt personnel a prouvé une fois de plus qu'il est un but des désirs humains ».

Ce pessimisme peut trouver sa source dans la principale péripétie de cette Conférence manquée, où le rôle du vilain fut tenu par le président Roosevelt lui-même. Alors qu'en un premier temps, la délégation américaine, conduite par le secrétaire d'Etat Cordel Hull, semblait disposée à faire certaines concessions sur le plan monétaire pourvu que les questions commerciales fussent réglées par une baisse du protectionnisme, brutalement, le Président, qui suivait au jour le jour les variations du $ par rapport à la £, adressa à la Conférence, le 3 juillet 1933, un message public destiné à torpiller la Conférence. Les débats portaient alors surtout sur les possibilités d'une stabilisation des grandes monnaies grâce un accord international, qui aurait fixé une parité claire des monnaies par rapport à l'or. Les Français, conduits par G. Bonnet, en faisaient la condition indispensable pour le redressement de l'économie mondiale. Les Britanniques étaient, en apparence, prêts à des concessions pourvu que le dollar ne fût pas le gagnant du match contre la £, grâce une nouvelle définition du $ à un trop bas niveau ; dès la première séance, le Premier ministre MacDonald avait même osé rappeler à toute les délégations qu'il conviendrait aussi de régler définitivement le problème des dettes, geste peu apprécié par les Américains. Quant à la délégation allemande, menée par H. Schacht, redevenu Président de la Reichsbank, elle suivait les instructions d'un nouveau chancelier, Monsieur Hitler, champion encore incertain de l'autarcie, surtout décidé à donner une impression de modération, mais ne pouvant guère admettre un retour à l'étalon-or puisque l'Allemagne en était fort dépourvue.

Aussi, dut-il apprécier les propos de F.D. Roosevelt, dictés à la délégation américaine. Roosevelt n'hésita pas dans sa déclaration : « Le monde ne sera plus endormi par la tromperie spécieuse d'arriver à une temporaire, et probablement artificielle stabilité des changes internationaux à partir de l'accord de quelques pays puissants. Un système économique national sain est un meilleur facteur de son bien-être que le cours de son change fixé selon les variations des autres nations... les vieux fétiches des soi-disant banquiers internationaux doivent être remplacés par des efforts pour définir les valeurs nationales avec l'objectif de donner à ces valeurs un pouvoir d'achat continu ». En vérité, Roosevelt annonçait le choix d'une stabilisation monétaire à partir de critères *intérieurs* et non plus sur une base *internationale* négociée.

La conférence n'avait plus qu'à se séparer, ce qu'elle fit le 27 juillet 1933. Roosevelt avait pris la peine d'adresser au chancelier Hitler, quelques semaines plus tôt (le 16 mai 1933) un message pour lui demander de mesurer sa responsabilité pour le cas d'un échec de la Conférence sur le Désarmement. « Une victoire égoïste est destinée à une défaite ultérieure » écrivait-il. Il aurait pu s'inspirer de cette maxime pour sa propre action. Ces mots pouvaient être appliqués à de nombreuses nations, attentives surtout à *leur* propre salut. La coopération internationale à l'échelon gouvernemental était atteinte pour plusieurs années. Le règne du chacun pour soi commençait.

Pourtant les Américains, notamment le Secrétaire d'Etat C. Hull, continuaient à prôner l'abaissement généralisé des barrières douanières, afin de relancer l'économie mondiale. Ce souci devait les conduire à adopter le 12 juin 1934 une nouvelle loi douanière (Reciprocal Trade Agreements Act) qui permettait aux Etats-Unis d'abaisser jusqu'à 50 % les droits antérieurs par des négociations bilatérales ou générales. En réalité, hommes d'affaires, membres du Congrès et administrateurs étaient bien décidés à en user selon les intérêts des « lobbies » américains. Le commerce américain put en tirer profit, notamment dans ses échanges avec l'Amérique latine. Le principe du protectionnisme était donc mis en cause ; mais la pratique commerciale restait celle du « bargaining » (marchandage).

Un élément important doit être ajouté pour comprendre le geste de Roosevelt. Au moment où la Conférence de Londres se termine par un échec, la reprise des affaires se dessine dans certains pays. Un bon indice peut en être décelé dans l'orientation des cours dans les Bourses des pays industrialisés. Dans les pays du « Bloc-or » (Belgique, France, Pays-Bas, Suisse) la baisse, commencée en 1930-1931, persiste encore au printemps 1933 ; au contraire, au Canada, aux Etats-Unis, en Grande-Bretagne le renversement de tendance vient de se produire. Gage d'une sortie de crise ? Il est trop tôt pour l'affirmer.

Pourtant un Etat fait encore mieux que les Anglo-Saxons : le Japon. En octobre 1931, l'indice boursier y était au plus bas ; en décembre 1932, il se relève hardiment et entame une croissance impérieuse. Il est vrai qu'il n'hésite pas à user de la force pour se sauver !

La crise nourrit les crises : Mandchourie et Désarmement

L'affaire de Mandchourie

Octobre 1931 : le Japon refuse d'obéir à une résolution de la S.D.N. lui enjoignant de retirer ses troupes de Mandchourie. Décembre 1932 : la même S.D.N. délibère sur la situation en Mandchourie à partir du rapport d'un expert, Lytton, qui est hostile à la pénétration japonaise. 27 mars 1933 : le Japon, unanimement condamné par la S.D.N. , un mois plus tôt, quitte la S.D.N. Ainsi pendant que le monde se débat dans la crise économique, un Etat n'a pas hésité à user du moyen le plus radical, la guerre, pour se sortir de ses difficultés ; en apparence, la bourse nippone a apprécié cette solution audacieuse.

L'initiative japonaise de s'emparer de la Mandchourie pouvait surprendre certains observateurs. Depuis les années vingt, les Japonais donnaient l'impression d'un Etat moderne connaissant une explosion démographique (60 millions d'habitants en 1925), économiquement en plein essor, politiquement engagé vers plus de démocratie, la « démocratie de Taisho ». En 1925, le suffrage universel masculin était établi au lieu d'un système censitaire, faisant passer les électeurs de 3 millions à 12,4 millions. La croissance industrielle remarquable, fruit d'une modernisation intense, se traduisait par une occidentalisation rapide dans les villes, tant dans les mœurs que dans les idées ; par contre à la campagne, le marasme économique subsistait, les traditions étaient fermement maintenues et l'aristocratie fondée sur des clans demeurait vivace et dominante. L'armée, composée de paysans et de nobles, voyait son sort lié à ce second Japon, antagoniste du premier. Au fond, « le bilan des années 20 est donc celui d'une période d'instabilité économique, sociale et intellectuelle », dont « l'indice le plus inquiétant fut la disparition progressive de l'unité morale du pays et de grands projets nationaux ». (Edwin Reischauer. *Histoire du Japon et des Japonais*).

La politique extérieure du Japon pendant les années vingt avait fini par suivre une voie conciliante, faite de négociations actives avec les puissances (Conférence de Washington en 1922 où le Japon accepte de voir sa flotte de guerre réduite selon un quota international) ou avec la Chine (accord de 1922 remettant à celle-ci Tsing Tao et une grande partie du Shandoung) (cf. chapitre 4, p. 85). L'axe général de la politique nippone consistait alors à accentuer sa pénétration économique à l'étranger (c'est-à-dire en Chine, puisque la Corée et Formose étaient déjà des territoires japonais) par des méthodes pacifiques, selon le principe de la porte ouverte, prôné par les Américains. Ceux-ci étaient d'ailleurs plutôt satisfaits de ce partenaire qui coopérait dans le Pacifique depuis la conférence de Washington. (Ce qui n'empêcha pas les Etats-Unis d'adopter un quota d'immigration anti-japonais en 1924). Ils prêtaient plus volontiers des fonds à ce pays prospère qu'à la Chine ingouvernable et ingouvernée (40 % des emprunts japonais ont été réalisés aux U.S.A. pendant les années 1920 et les Américains ont investi deux fois plus au Japon qu'en Chine). Le ministre japonais des Affaires étrangères Shidehara, un habitué de la S.D.N., (ministre entre 1924-1927 et 1929-1931) adoptait une attitude conciliatrice, et acceptait encore en 1930, lors de la Conférence navale de Londres de réduire la flotte des croiseurs japonais.

Si la crise économique japonaise dura (relativement) peu, elle fut brutale, intense dans l'agriculture et dans le commerce, car les marchés extérieurs, situés surtout en Asie, se fermèrent presque tous. Le riz dont le prix baissait depuis 1927, atteignit son cours le plus bas à l'automne 1930 ; les exportations de soie brute (36 % des exportations japonaises) s'effondrèrent de moitié entre avril 1929 et octobre 1930 : or, la sériciculture représentait 40 % des ressources d'appoint de la paysannerie nippone. Entre 1926 et 1930 le revenu des agriculteurs japonais avait chuté de moitié. Les industriels et commerçants furent également touchés (notamment pour les exportations de cotonnades) par les mesures de restriction, et par l'élévation des droits de douane dans les pays asiatiques placés sous mandat colonial (Indochine, Indonésie, territoires du Commonwealth). Dans un Japon à l'économie déjà fortement orientée vers une croissance intérieure grâce à un fort commerce extérieur, ces mesures discriminatoires étaient très dangereuses : pour solder les déficits commerciaux, le Japon devait vendre son or (ses réserves tombaient de plus de moitié entre 1929 et 1931). En décembre 1931, le Japon abandonnait l'étalon-or.

La crise économique et sociale intérieure révéla la fragilité extrême de la « démocratie » japonaise. Non seulement, les paysans, les ouvriers, les intellectuels étaient déçus, amers, devant un régime politique qui les avait conduits à la misère, mais encore les classes moyennes et les groupes aristocratiques qui manipulaient la vie politique japonaise, se détournèrent du libéralisme pour embrasser un nationalisme ardent. Les « sociétés patriotiques » n'avaient jamais cessé d'exister ; elles trouvèrent un nouveau souffle. Cet ultra-nationalisme avait au surplus un groupe social, l'armée (y compris les marins), véritable Etat dans l'Etat, pour s'extérioriser. Celle-ci avait toujours conservé une grande liberté de manœuvre, notamment dans la gestion des territoires lointains (en juin 1928 des sous-officiers assassinent le gouverneur de la Mandchourie et restent impunis malgré les ordres personnels de l'empereur et du premier ministre, le général Tanaka). Elle souhaitait depuis longtemps revenir à la tradition antérieure à 1919 des conquêtes militaires, gages futurs de marchés commerciaux et de lieux de colonisation pour une population en plein essor démographique. Elle voyait la possibilité d'acquérir de nouveaux domaines en Mandchourie. En 1922, le Japon avait signé avec huit autres Puissances un traité reconnaissant la pleine souveraineté de la Chine sur cette province, mais avait laissé des troupes dans le sud de la province des troupes pour protéger les intérêts acquis le long du chemin de fer sud-mandchourien sous « influence » japonaise. En 1931, l'action commença.

En septembre 1931, sans prendre l'avis de leur propre gouvernement, les troupes japonaises stationnées dans le sud de la Mandchourie occupent Moukden, la grande ville du centre-sud mandchourien, sous le prétexte de sabotages de la voie ferrée par des troupes chinoises. Bientôt c'est toute la Mandchourie qui passe sous le contrôle japonais. La rapidité de l'opération démontre d'ailleurs que l'Etat-major japonais couvre et même organise cette marche en avant, hors du pouvoir civil. Aussi, lorsque le gouvernement de Pékin, incapable militairement de rétablir son autorité en Mandchourie, s'adresse à la S.D.N. et aux Puissances pour obtenir le retrait des forces japonaises, obtient-il une double réponse japonaise : d'un côté, les civils japonais acceptent une discussion, pourvu que les Chinois garantissent les privilèges japonais dans cette province chinoise ; de l'autre côté, les militaires japonais, très noyautés par des sociétés secrètes activistes (telle la société de la Fleur du Cerisier) s'impatientent des tergiversations gouvernementales et sont décidés à aller encore plus loin.

La chute du gouvernement « libéral » japonais, en décembre 1931, au moment où le Japon abandonne l'étalon-or, clarifie cette situation. L'armée gouverne au Japon, d'abord sous l'autorité nominale d'un politicien conservateur Inukaï ; mais celui-ci est assassiné le 15 mai 1932 par des membres d'une société ultra-nationaliste ce qui laisse le champ libre au ministre de la guerre, le puissant général Araki, bien décidé à mener une diplomatie musclée en Mandchourie et même au-delà. Désormais la politique extérieure japonaise s'oriente nettement vers le recours à la force armée pour obtenir les territoires qu'elle estime nécessaires à son équilibre économique et social. La crise économique, bien que graduellement surmontée, sert de justification à l'expansion armée.

Une nouvelle étape dans l'agression intervint en janvier 1932 lorsque les Japonais attaquèrent la ville portuaire chinoise (et internationale) de Shangaï, sous le prétexte d'un attentat contre des ressortissants japonais. Une véritable guerre localisée embrasa cette ville et ses environs jusqu'à la signature d'une trêve en mai 1932. Pendant cette même période, les forces japonaises organisèrent la conquête méthodique de la Mandchourie, tout en mettant en place un gouvernement « fantoche », à leur dévotion, dirigé par le descendant de la dynastie mandchoue, détrôné de l'Empire de Chine en 1912. (Cette continuité dynastique ne rendait d'ailleurs pas ce régime légitime ou populaire sur place). Le nouveau « Mandchukuo », reconnu par le seul Japon, avait confié sa défense intérieure et extérieure au Japon. Comment les autres Etats pouvaient-ils admettre ce protectorat à peine déguisé, d'autant que, fort légitimement, la Chine, incontestable souveraine de la Mandchourie, avait porté le litige devant la S.D.N. ? Pouvaient-ils davantage accepter une troisième offensive japonaise engagée en février-mars 1933, cette fois dans la province du Jehol, au sud de la Mandchourie et proche de Pékin ? Un armistice conclu le 31 mai 1933 entre Japonais et Chinois qui laissait le Jehol aux envahisseurs confortait la pratique de la force armée. Mais cette force militaire employée sans ménagement régnerait-elle désormais dans les relations internationales ?

Le prestige de la S.D.N. et son autorité étaient directement mis en cause. Cette Société des Nations se trouvait pour la première fois confrontée à la politique de force d'une véritable Puissance. Naturellement, dans les réunions tenues à Genève, les condamnations du Japon par les assemblées générales n'allaient pas manquer, mais n'ayant pas de forces armées, l'aréopage international était livré à la bonne volonté et aux moyens des autres Puissances. Si celles-ci se décidaient à intervenir avec résolution, le Japon serait sans doute acculé à reculer. De manière significative l'ordre mondial dépendait donc du choix des autres Puissances.

En réalité aucune Puissance, capable d'une véritable intervention, n'était décidée à l'action contre le Japon. Grande puissance dans le Pacifique et première intéressée, la République américaine était, depuis le début du siècle, partisan de la porte ouverte en Chine ce qui signifiait tout à la fois une large pénétration économique, mais sans conquêtes réelles et la reconnaissance d'une légitimité étatique chinoise. La révolution républicaine en Chine avait recueilli l'approbation des Américains ; ceux-ci affectaient même de larges sympathies pour ces mouvements anti-colonialistes, héritiers de leur propre histoire, tout en se joignant aux autres Puissances impérialistes lorsque les nationalistes chinois menaçaient de relever les droits de douane ou de supprimer les « concessions étrangères » (actions navales en 1923 et en 1927). La « protection morale » américaine sur la Chine avait donc bien des limites. En fait, en 1932, la balance penchait un peu plus vers les Japonais, meilleurs clients économiques, meilleurs garants de l'ordre en Asie et surtout partenaires « corrects » dans le Pacifique, où ils avaient admis de réduire leurs forces navales encore récemment (accords de Londres de 1930). Ne pouvant moralement admettre l'agression nippone, mais ne pouvant, ni ne voulant, entrer en guerre contre le Japon, Hoover, puis Roosevelt adoptèrent une politique parfaitement neutre, couvrant leur action d'une pudique référence à la morale : « la doctrine de la non-reconnaissance » était née. Elle consistait à refuser la reconnaissance du Mandchukuo, mais sans aller jusqu'à des sanctions réelles. Au surplus, la force navale américaine était trop désuète pour prendre des risques ; Roosevelt et ses conseillers tirèrent seulement la conséquence logique de cette faiblesse : en juin 1933, puis en mars 1934, des décisions budgétaires marquèrent le renouveau de la flotte de guerre américaine. Mais seul le futur allait en connaître les conséquences.

La doctrine de la non-reconnaissance, première formule de la non-intervention, ou manière élégante de se boucher les yeux pour ne pas voir, suscite l'ironie des Britanniques (« des grands mots, mais seulement des mots » disait Baldwin). Pourtant ces derniers adoptèrent une semblable attitude. Eux aussi étaient satisfaits des accords navals de 1930, eux aussi hésitaient à se heurter avec leur ancien allié, eux aussi avaient pour la Chine le mépris des forts pour le faible. La passivité américaine leur donnait bonne conscience. Les Allemands avaient de leur côté adopté une attitude prudente, car ils étaient divisés sur la politique à suivre en Extrême-Orient : aux « pro-chinois », c'est-à-dire des officiers qui encadraient l'armée du Guomindang, les commerçants qui usaient du marché chinois, s'opposaient les « pro-japonais », c'est-à-dire ceux qui se sentaient proches des nationalistes nippons, de leur dynamisme, voire de leur idéologie. Hitler lui-même resta dans une prudente expectative à son arrivée au pouvoir, tout en notant sans doute avec satisfaction l'impuissance de la S.D.N. Les Soviétiques, qui s'étaient rapprochés de Tchang-Kaï-Chek, malgré la « purge » menée par celui-ci contre ses ex-alliés communistes (les massacres de Shanghaï et Canton en 1927), afin de consolider leur ligne de défense en Sibérie orientale, se sentaient évidemment directement menacés par la poussée japonaise en Mandchourie (le Japon refuse de signer un pacte de non agression avec l'U.R.S.S. en décembre 1932) ; mais, outre qu'ils n'étaient point membres de la S.D.N., pouvaient-ils vraiment intervenir pour se mêler à des rivalités impérialistes ? Restait la France, championne de la sécurité collective et du respect des traités ; là encore, il y avait loin du mythe à la réalité. Avant leur départ de la S.D.N., les Japonais avaient souvent été aux côtés de la France lors des négociations à Genève. En 1931 et même pendant l'année 1932, des entretiens « cordiaux » se déroulaient entre diplomates des deux pays. La France ne pourrait-elle pas trouver dans le Japon cet appui qui lui fait tant défaut dans les négociations sur le désarmement, sujet autrement vital pour elle que les frontières de la lointaine Chine ?

En définitive, le Japon garda la Mandchourie. La S.D.N. reçut un coup mortel. L'agression avait payé. La guerre était à nouveau directement à l'ordre du jour.

Les Conférences sur le Désarmement

Dans ces conditions, les négociations autour du Désarmement mondial prenaient encore plus d'importance. Or elles aussi allaient connaître un retentissant échec.

A la fin de la première guerre mondiale, le retour à la paix aurait dû signifier une diminution généralisée des forces armées, la sécurité des Etats devant être assurée par la négociation menée sous les auspices de la S.D.N. L'article 8 du Pacte de la Société des Nations prévoyait en effet une diminution des armements contrôlée et planifiée « jusqu'à un minimum compatible avec la sécurité nationale et avec l'exécution des obligations internationales imposée par une action commune ». En réalité, seuls les Etats vaincus avaient été contraints de réduire très fortement leurs forces armées[3] ; parmi les vainqueurs, si les Anglo-Saxons avaient rapide-

---

3. En outre, ni les U.S.A., ni l'U.R.S.S. ne sont membres de la S.D.N. pendant les années vingt ; ils n'ont nulle obligation de suivre les avis de la S.D.N.

ment restreint leurs armées de terre, pour des raisons tenant à leur tradition et à leur situation géographique (la mer les protège), les autres Etats, et notamment la France, voulaient avant tout assurer leur sécurité et conserver les gains tirés de la victoire. Or l'affirmation souvent reprise par les vaincus, selon laquelle les traités de 1919-1920 avaient été iniques, contribuait à l'inquiétude des vainqueurs, confiants seulement dans leurs armées.

Dès lors, on avait affaire à un remarquable dialogue de sourds : les vaincus demandaient aux vainqueurs de désarmer pour aboutir à une égalité de droits (la formule allemande, « Gleichberechtigung » est souvent employée) tandis que les vainqueurs voulaient obtenir une reconnaissance formelle de leur sécurité par les vaincus avant de baisser leur niveau d'armements. Les accords de Locarno en 1925, suivis par la constitution d'une Commission préparatoire pour la Conférence sur le Désarmement ouverte à *tous* les Etats, membres ou non de la S.D.N. (décembre 1925), avaient paru constituer une amorce heureuse à une véritable négociation, de même que les retraits anticipés des troupes d'occupation dans la rive gauche du Rhin (décidés lors de la conférence de la Haye en août 1929) ; mais les difficultés nées de la crise économique avaient bien vite entraîné un retour à la suspicion. Chacun à nouveau couchait sur ses positions, avec à l'arrière-plan une situation économique et financière justifiant intransigeance doctrinale ou souplesse tactique.

Les interminables débats des Commissions ou groupes d'experts, réunis à la S.D.N. ou lors d'entretiens bi- ou multilatéraux, ont surtout eu pour effet de rendre les contemporains sceptiques sur tout désarmement. Les caricaturistes et les chansonniers font merveille à propos des experts habitués des villes d'eaux et stations balnéaires italo-suisses, capables de reprendre inlassablement des discussions techniques sur les diverses catégories de canons, d'obus, de chars et d'avions. De fait, le caractère très technique de ces questions laisse aux spécialistes une assez large autonomie d'interprétation des textes ; comme les spécialistes sont avant tout les militaires, voici un domaine des relations internationales où les groupes (ou castes) militaires sont en mesure de largement peser sur les pouvoirs civils. Comme bien on le pense, ces militaires considèrent toujours que toute diminution d'armement est dangereuse, à moins que des progrès techniques ne permettent de suppléer à une quantité en baisse par une efficacité supérieure des armes employées. Mais alors interviennent deux autres catégories de spécialistes : d'une part, les « financiers », c'est-à-dire ceux qui, soit au sein de l'Etat, soit dans des firmes privées, peuvent fournir les investissements nécessaires à la réalisation de nouveaux programmes d'armement ; d'autre part, « les marchands de canons », c'est-à-dire les industriels par lesquels passent nécessairement les commandes d'armement. Ces remarques nous amènent à une conclusion importante : le désarmement est un problème complexe qui fait intervenir aussi bien les considérations stratégiques ou de technique militaire, que les considérations économiques et financières (on conçoit dès lors l'influence que peut avoir la crise économique mondiale). On peut même y ajouter les considérations « morales » ou psychologiques, car depuis les hécatombes de la Grande Guerre, nul ne peut être indifférent au rôle des armements dans la vie internationale ; les Anciens Combattants, les partis politiques, les Eglises, les syndicats, les courants d'opinion, les intellectuels prennent volontiers des positions de principe sur ce problème. Les mouvements pour le Pacifisme trouvent un sujet crucial dans le thème du désarmement un sujet crucial : une augmentation des armements conduit inévitablement à la guerre, comme on croyait alors le déceler en étudiant les années de l'avant 1914 ; le caractère effrayant de la guerre de 1914-1918 renforce ces courants pacifistes ; l'emploi des gaz de combat est particulièrement redouté. Preuve s'il en fallait de l'attention portée par l'opinion publique au problème du Désarmement, lors des élections françaises en mai 1932, 88 % des députés élus avaient pris position sur ce problème pendant leur campagne électorale, souvent avec « un sentimentalisme excessif » (Maurice Vaïsse). Aussi, malgré l'aspect rebutant des discussions sur le Désarmement, le problème général du Désarmement ne reste pas pure affaire de spécialistes. C'est un problème-clef des relations internationales au début des années trente.

Or, là encore, la crise économique pèse singulièrement sur la marche des événements. Certes, elle n'est pas à l'origine des attitudes diverses des Puissances, mais elle influence les moyens des protagonistes. En simplifiant, on peut dire qu'elle fait de la France, en apparence épargnée par la crise et détentrice d'un fort stock d'or, l'arbitre de la situation pour autant qu'elle saura tirer profit de cet avantage momentané ; en même temps, cette « richesse » unique isole la France , car ceux qui sont en train de subir plus durement la crise, considèrent que la France, déjà gagnante sur le terrain financier doit faire des concessions sur d'autres plans. On suspecte la France de vouloir profiter de cette richesse pour renforcer encore sa suprématie militaire, tenue pour intacte, alors que l'armée française voit ses effectifs baisser (837 000 hommes en 1921, 522 000 en 1930), ses stratèges s'enfermer dans une vision défensive (la ligne Maginot est mise en chantier en 1930) et son organisation au sommet laisser les trois armes sans autorité suprême réelle. « Les observateurs lucides découvrent une armée désarticulée, dépourvue d'une stratégie cohérente et mal équipée » (M. Vaïsse).

TABLEAU 14

LES ARMÉES ET LES MARINES DES GRANDES PUISSANCES EN 1913 ET EN 1932

	Allemagne	Etats-Unis	France	Grande-Bretagne	Italie	Japon	U.R.S.S. (Russie)
Effectifs en temps de paix 1913	800	97[2]	786	247	275	274	1 200
en centaine de milliers 1932	100[1]	126	565	193[3]	275	241[4]	900
Flotte de guerre (en milliers de tonneaux) 1913	1 000	833	645	2 221	320	530	317
1932	157	1 078	669	1 139	432	890	184

1. Chiffre théorique autorisé par le traité de Versailles ; en réalité la capacité est déjà nettement supérieure à ce chiffre.
2. Effectifs de l'armée régulière mais la conscription n'existe pas.
3. Idem, il faut y ajouter les 170 000 hommes de l'armée des Indes.
4. Chiffres de 1926. En 1932 avec la guerre en Mandchourie, le chiffre est plus élevé.

L'Allemagne, principal adversaire de la France dans la question du Désarmement, ne cesse de souligner le déséquilibre des forces armées terrestres qui existe entre une France surarmée et une Allemagne désarmée : le militarisme en 1931 c'est celui de l'armée française. Le surarmement existe aussi dans le domaine maritime : la France conserve en 1932 une flotte égale à 58 % de la flotte britannique, tandis que le Japon voit sa flotte s'élever à 78 % de la flotte britannique. On est donc bien *au-dessus* des chiffres prévus lors de la Conférence de Washington, dix ans auparavant.

En 1931, « l'année des occasions perdues » (M. Vaïsse), le déséquilibre apparent entre la situation financière de l'une et l'autre puissance devrait permettre un rapprochement franco-allemand. L'Allemagne qui a un besoin pressant de crédits, mais qui dispose encore d'une puissance économique considérable, serait disposée à une entente à condition d'obtenir une révision du système de Versailles, en particulier sur deux plans, l'annulation des réparations et l'égalité des droits en matière de défense. La politique de Brüning, dans la continuité de celle menée auparavant par Stresemann, peut paraître démesurée, puisqu'elle vise tout simplement à faire disparaître Versailles (Brüning prévoit même des demandes de révision de certaines frontières orientales de l'Allemagne aux dépens de la Pologne), mais elle s'appuie sur de réels atouts. D'un côté, les Français pourraient profiter d'une collaboration économique en Europe, déjà mise en place au travers des cartels de l'acier, à travers une exploitation conjointe des forces financières de l'une et des forces économiques de l'autre (des hommes d'affaires regroupés autour d'Emile Mayrisch, directeur de la grande firme métallurgique luxembourgeoise Arbed, tentent alors une « réconciliation » franco-allemande) ; de l'autre côté, les Allemands savent bien que les Anglo-Saxons, les Américains surtout, sont prêts à abandonner les réparations et sont résignés à la Gleichberechtigung.

Il faudrait donc que la France, rassurée par sa force financière, accepte de modifier sa stratégie traditionnelle, fondée sur une suprématie militaire en Europe et sur une stricte application des traités de paix. Le drame réside dans le fait que personne en France ne peut vraiment aller jusqu'à ce renversement de la politique extérieure. Aristide Briand avait bien saisi l'intérêt d'un rapprochement franco-allemand, mais il n'allait pas jusqu'à sacrifier ce que l'on croyait être le gage de la sécurité de la France, c'est-à-dire une forte armée française, épaulée par des alliances de revers en Europe orientale. A tout le moins, pour réussir une nouvelle politique face à l'Allemagne, il aurait fallu un soutien réel des Anglo-Saxons. Or, ceux-ci jugent la France de manière défavorable surtout depuis que leurs économies sont ébranlées. Les Américains refusent d'appuyer une France qui renâcle à payer ses dettes et qui ne cesse de transformer ses dollars en or ; les Britanniques, à l'exception d'une partie des responsables du Foreign Office, sont très hostiles à une France jugée hégémonique en Europe et non-coopérative en matière financière (le Trésor britannique est particulièrement « monté » contre les Français)[4]. Isolée, inquiète, la France est incapable d'initiatives hardies.

Dès lors les discussions sur le Désarmement deviennent de constant combats d'arrière garde pour la France ; les délégués français à la S.D.N., les dirigeants politiques, les experts veulent conserver l'essentiel, c'est-à-dire des limitations sévères au réarmement allemand, dont on sait à l'Etat-major français qu'il est déjà bien amorcé dans la clandestinité (cf. les travaux de Georges Castellan). L'égalité des droits est évidemment contestée du côté français, non à partir des principes théoriques, mais en fonction des réalités. On cherche donc par des plans plus ou moins subtils à empêcher l'Allemagne d'avoir l'autorisation d'employer certaines armes lourdes et à confier à la S.D.N. l'organisation d'une force armée internationale (plan Tardieu en février 1932, « plan constructif » de l'été 1932). Les deux tactiques, celle de l'autorité, exprimée par André Tardieu en 1931, début 1932, celle de la bonne volonté, tentée par E. Herriot (seconde moitié de 1932) sont également inefficaces. Pouvait-il en être autrement, alors que la France n'avait point de véritables appuis dans la négociation, en dehors de ses « clients » balkaniques ou danubiens ? La S.D.N., c'est « la Tour de Babel dans la forêt de Bondy » écrit Herriot désabusé. En décembre 1932, lors d'une conférence à Genève, l'égalité de droits dans un régime de sécurité est reconnue comme fondée ; de manière décisive les Britanniques ont soutenu le point de vue germanique. C'est la porte ouverte à la révision des traités de 1919. Les manœuvres françaises postérieures, même soutenues par nos alliés-clients, sont vouées à l'échec.

---

4. Les Britanniques craignent-ils aussi la concurrence française en matière de ventes d'armes ? En 1930, les exportations françaises d'armes représentaient 11 % du marché mondial (à peine la moitié des exportations britanniques) ; en 1934 la part française atteint 16 %, soit presqu'autant que celle des Britanniques.

La Conférence Générale sur le Désarmement ouverte en février 1932, à Genève, en présence de 62 délégations va connaître des débats interminables où les Français, épaulés par leurs « clients » (les Etats de la Petite-Entente) cherchent à retarder l'inévitable réarmement allemand, tandis que les Britanniques, les Américains ou les Italiens semblent jouer les « honnêtes courtiers » en proposant des plans de conciliation, mélanges plus ou moins habiles d'un certain souci de la sécurité de la France et d'un souci certain de l'hégémonie française. De son côté, la France cherche à gagner du temps et à conserver l'initiative. Pendant le printemps 1933, constatant que le principe de l'assistance mutuelle en cas de manquement à la charte de la S.D.N. défendu par la France, est pratiquement abandonné, Daladier, président du Conseil, préconise le contrôle permanent, mobile et automatique des armées, fabrications et commerces des armes ; en vain.

En vérité, la France qui tend à s'enfoncer dans le marasme économique, a déjà perdu son principal atout, sa puissance financière. Comme on l'a déjà vu, le règne du chacun pour soi arrive dans le domaine économique et financier. Cette attitude s'étend maintenant aux problèmes de défense militaire. L'Allemagne vient de se donner à Hitler ; celui-ci accentue la politique antérieure de l'Allemagne en réarmant sans scrupules mais pour ne point se couper des Anglo-Saxons, le nouveau Chancelier allemand affecte, en 1933, de vouloir toujours négocier sur le Désarmement au besoin même par un accord direct avec la France. Ce faisant, il renforce l'isolement de la France, toujours soupçonnée d'intransigeance par les Anglo-Saxons. Aussi, lorsqu'au terme d'une nouvelle péripétie négative dans les négociations générales, Hitler annonce que l'Allemagne ne viendra plus désormais à la conférence sur le Désarmement (14 octobre 1933), cette initiative brutale n'entraîne aucune réaction des Puissances, même si elle surprend les participants à la conférence. Cinq jours plus tard, le 19 octobre 1933, Hitler annonce le retrait allemand de la S.D.N. ; ce geste symbolique est approuvé par un plébiscite massif des Allemands, le 12 novembre 1933 (95 % des voix). Véritablement là encore, c'est le règne du chacun pour soi qui commence.

A la fin de l'année 1933, au terme de quatre années de crise économique, le paysage des relations internationales a été bouleversé. La S.D.N. est déjà en plein désarroi, avec quatre des sept grandes Puissances de l'époque absentes de ses enceintes (U.S.A., U.R.S.S., Japon, Allemagne). Du coup, les négociations sur les armements se font en dehors de la S.D.N., pour l'essentiel. Le recours à la force armée a déjà commencé en Mandchourie. Sauf en ce qui concerne les clauses territoriales, les clauses des traités de 1919-1920 sont détruites que ce soit pour le paiement des Réparations ou pour les limitations de l'armement. Les dettes de guerre continuent d'empoisonner l'atmosphère internationale. La crise économique n'est certes pas seule responsable de pareils changements. Les politiques extérieures des Etats étaient souvent tendues vers les mêmes objectifs avant la crise : faire sauter Versailles pour les vaincus, conserver Versailles pour une partie des vainqueurs, éviter l'hégémonie militariste française pour les Anglo-Saxons. Mais la crise économique, en exaspérant les égoïsmes nationaux, en jetant des millions d'hommes dans la misère et la colère a facilité la destruction des fragiles équilibres antérieurs. Un monde incertain est désormais à la merci de ceux qui sont résolus à l'action.

8. Les défis fascistes et les reculs des démocraties 1934-1936

Les Dictatures et la politique internationale

Les Dictateurs « nationaux »

En 1934, quinze années après la fin de la Première Guerre mondiale les dictatures constituent en Europe une masse impressionnante. Sous des formes différentes, avec des « chefs » d'origine variée, usant d'idéologies distinctes quoique souvent proches, les dictatures ont déjà submergé la plus grande partie de l'Europe centrale et orientale. Vainqueurs ou vaincus de 1918 se retrouvent dans le même groupe des dictatures : la Hongrie de l'amiral Horthy depuis 1919, l'Italie fasciste de Mussolini depuis 1922, la Turquie du Général Mustapha Kemal après 1923, la Lithuanie de Woldemaras depuis 1926, le Portugal du professeur Salazar depuis 1926 ont les premiers constitué ce groupe, bientôt renforcé par la Yougoslavie du roi Alexandre en 1929, par la Pologne du maréchal Pilsudski (printemps 1930), par l'Allemagne hitlérienne et l'Autriche du chancelier Dollfuss en 1933, par la Lettonie du Président Ulmanis et l'Esthonie du général Laidoner en 1934, par la Bulgarie du Général Georgieff en 1934.

A part, mais incontestable dictature, l'U.R.S.S. stalinienne s'enfonce après le meurtre de Kirov (décembre 1934) dans une vague de répression encore plus forte. La Grèce du Général Metaxas en 1936, la Roumanie du roi Carol en 1938, rejoindront encore ce camp, tout comme l'Espagne après la victoire franquiste en 1939. La liste des dictatures est donc imposante.

Pouvoir personnel et nationalisme

Une telle montée en puissance des dictatures entraîne une véritable mutation dans les relations internationales. Même lorsque les leaders de ces régimes sont arrivés légalement au pouvoir sans coup d'état, (c'est ainsi le cas du chancelier Hitler), il sont bien vite conduits à *chercher dans la politique extérieure une sorte de légitimation pour leur pouvoir sans limites*. Or, le meilleur moyen pour atteindre un pareil objectif, n'est-il pas d'exalter les aspirations profondes du peuple au nom duquel ils ont saisi le pouvoir ? Dans les Etats qui avaient été vaincus en 1918, la revendication nationale consiste à effacer les clauses infamantes des traités de paix ; chez les Etats dont les minorités nationales sont remuantes, il importe de souder, fût-ce par la force, les diverses composantes de *la* Nation en une ensemble unique ; pour les Etats qui estiment n'avoir pas encore totalement réalisé leur unité nationale, la libération des frères encore muselés demeure une nécessité impérieuse. Le chef devient ainsi l'incarnation de l'idéal national ; sa politique extérieure se fonde, par principe, sur *le nationalisme*.

Mussolini veut exprimer la latinité romaine avec le retour au mythe de l'Empire romain ; Kemal se veut turc et non-ottoman, le roi Alexandre est d'abord un souverain serbe dans un royaume en théorie tricéphale (roi des Serbes, des Croates et des Slovènes), le général Pilsudski refuse de reconnaître vraiment à l'égal des Polonais, ces Biélorusses, Ukrainiens ou Juifs qui peuplent la nouvelle Pologne ; Hitler enfin a élevé en dogme le mythe de l'Aryen pur, dont le plus beau fleuron existe en un Germain idéalisé, et il fait du racisme l'axiome de toute sa politique.

A sa manière Staline sacrifie aussi à une vision « nationale » du communisme ; la doctrine de la « construction du socialisme en un seul pays » au nom de laquelle le mouvement communiste international est subordonné à la défense prioritaire de l'U.R.S.S., peut être comprise comme une défense des intérêts « nationaux » de la Russie.

Dès lors, la politique extérieure de ces Etats paraît prendre le dessus sur leur politique intérieure : tout doit être subordonné à l'heureux achèvement des impératifs nationaux. Comme ceux-ci réclament une puissance véritable, les forces militaires qui expriment cette capacité de puissance, deviennent le centre des préoccupations nationales ; leur éventuel emploi exige de leur consacrer des moyens adéquats tout en leur assurant une primauté morale dans l'Etat. Ce n'est point hasard si les « conducteurs » (Duce, Führer, Caudillo, Conduttore, Voïvod, etc.) sont très souvent des militaires, s'ils s'exhibent volontiers en uniforme. Sans doute, à y regarder de plus près, on s'aperçoit bien vite que cette révérence à l'égard de *l'armée,* est souvent prétexte ou façade et que les généraux professionnels sont eux-mêmes tenus dans une obéissance étroite au pouvoir politique (cf. les éliminations des Chefs d'Etat-major allemands par Hitler en 1938, les « purges » des généraux en U.R.S.S. en 1937). De même, on perçoit avec le recul du temps que l'organisation et la préparation des forces armées sont beaucoup moins avancées que la propagande officielle ne cesse de le proclamer. Mais, pendant les années trente, notamment lorsque la politique des coups de force préfigure la marche vers la guerre, la détermination claironnée des dictatures en impose à tous. Dans les relations internationales, il existe un camp qui mène le jeu, celui des dictatures ; ce camp n'hésite pas à recourir à la menace armée, explicite ou implicite, donnant un poids décisif au rapport des forces militaires. La diplomatie de « Sa Majesté le Canon » devient la règle.

Le rôle de la propagande

On aurait tort de croire que tous les contemporains, sujets des Etats totalitaires, partagent avec enthousiasme cette politique martiale et belliqueuse. Les petits groupes hyper-nationalistes, traditionnels, s'engagent bien entendu complètement derrière le héros « national », mais pour recueillir l'assentiment de larges parties du peuple, il faut user et abuser d'une méthode nouvelle, *la propagande.*

La Première Guerre mondiale avait connu « le bourrage de crâne » pour maintenir la cohésion nationale, après que l'école primaire, la conscription et le journal bon marché ont façonné l'esprit des gens (cf. tome 1, p. 51). En utilisant les nouveaux moyens de communication, le cinéma d'abord, la radio ensuite, en domestiquant la presse par la censure (certaines dictatures tolèrent des journaux indépendants, mais les bâillonnent par ce biais), en enrégimentent le jeunesse au sein d'associations paramilitaires, les pouvoirs totalitaires vont beaucoup plus loin, et dès le temps de paix. La « manipulation des foules » qui trouve ses points d'orgue dans les grandes manifestations, défilés militaires et rassemblements populaires, qui à Nuremberg, qui sur la Plaza del Popolo à Rome, qui sur la Place Rouge à Moscou, pèse dans les relations internationales, car elle parvient, d'un côté, à semer le doute chez les populations « adverses », incapables de supporter pareilles orchestrations au nom de leur liberté de pensée. Même si les rapports des diplomates des pays démocratiques sont mesurés lorqu'ils rendent compte des Congrès de Nuremberg, il n'en reste pas moins que la vision de ces Congrès lors des séances d'actualités cinématographiques laisse une impression profonde même chez les antifascistes. La propagande moderne façonne les mentalités collectives d'une telle manière que les responsables politiques doivent prendre en considération les effets des opinions publiques sur la conduite des politiques externes.

Plus que jamais, l'image de l'Autre influence la détermination d'une politique extérieure. De ce point de vue, on peut parler des « réussites » nazies, fascistes et staliniennes pour s'en tenir aux véritables Puissances totalitaires. Hitler et Mussolini ne sont pas seulement des tribuns écoutés ; ce sont, avec certains de leurs conseillers, tel le ministre de la Propagande, Goebbels (la création d'un tel ministère est chose neuve), des metteurs en scène remarquables, l'un usant des Jeux Olympiques de Berlin en 1936, l'autre de la restauration des Forum Impériaux à Rome pour apparaître comme des symboles du dynamisme et de la réussite. Sous une autre forme, le mythe Staline, le bonhomme simple à la pipe, auquel on voue un véritable culte, fonctionne également fort bien. Que peuvent peser en face, l'homme au parapluie ridicule, Chamberlain, ou l'interchangeable président du Conseil français au pantalon boudiné et au petit ventre replet ?

On comprend bien, du même coup, l'importance de la propagande dans le camp adverse. Non seulement, dans les dictatures l'orchestration est à sens unique, mais on gagne à la cause des hommes, des groupes, des associations dans les pays étrangers en soudoyant certains organes de presse à l'étranger, en soutenant des groupuscules d'affidés, en usant de « voyages d'information » où tout est préparé d'avance pour que l'image donnée par la dictature soit faite d'efficacité, d'ordre et même de « bonheur humain ». L'exposition internationale de Paris en 1937 est une excellente occasion pour faire des pavillons allemand, soviétique, italien autant de vitrines spectaculaires, impressionnantes.

« La diplomatie-spectacle »

Le mythe le mieux élaboré ou la propagande la mieux faite, ne parviendrait pas à assurer le régime dictatorial dans sa politique extérieure, s'il ne pouvait inscrire à son actif des réussites spectaculaires. Une autre caractéristique de la politique extérieure des dictatures réside en effet dans leur besoin constant de « coups réussis ». La logique d'un régime fondé sur le rôle prédestiné, exceptionnel, d'un homme d'action, suppose que l'action aboutisse rapidement à des résultats, ou, tout au moins, aux apparences du résultat. Dans ces conditions, la dramatisation d'une situation afin d'arriver rapidement à une solution, l'outrance dans les termes de la négociation, la menace militaire facilement évoquée constituent des ressorts habituels chez les dictateurs, tandis que le diplomate classique escompte les effets du temps, de la modernation et se fonde sur de subtiles discussions secrètes. Les dictateurs sont beaucoup plus portés à user d'une diplomatie « ouverte », c'est-à-dire à affirmer hautement leurs objectifs, même si la violence des termes ou le caractère définitif de leurs projets font douter de leurs propos. Ainsi Hitler avait présenté dans *Mein Kampf* l'orientation et même la réalisation de ses plans ; mais cette « œuvre de jeunesse » écrite en 1923-1924 était méconnue, voire inconnue, de ses partenaires. Les discours devant de larges rassemblements humains sont autant d'occasions d'ouvrir une crise, car c'est un bon moyen de faire « ratifier » la revendication par « acclamations populaires ». La diplomatie devient spectacle, même si, dans la réalité, les dictateurs sont les premiers à user de « missions spéciales » ou d'envoyés secrets pour conduire leur politique extérieure. L'emploi du double langage est d'ailleurs un procédé jugé par eux comme normal puisqu'il est efficace. En vérité, les langages de la diplomatie ont changé.

Les tactiques aussi. N'ayant pas à justifier leurs manœuvres devant un Parlement véritable, c'est-à-dire normalement élu, voire devant leurs militants puisque le chef ne peut se tromper, les dictateurs possèdent une capacité de retournement sans égale. Les « virages » stratégiques les plus brusques ne les effraient pas, de même que l'oubli instantané de déclarations définitives prononcées quelques jours auparavant ; du même coup, les calculs des adversaires sont empruntés, facilement pris à revers. On pourrait dire que le système international n'obéit plus aux règles d'un jeu stable. Il est quasi-irrationnel ou plus exactement il suit les règles du poker, où le bluff est un argument fondamental. Combien de fois n'a-t-on pas traité Hitler de fou, ou n'a-t-on pas pensé que son jeu reposait sur le bluff ? En fait, Hitler agit dans la logique absolue du dictateur contraint aux succès extérieurs, donc sans scrupules quant aux moyens.

Hitler temporise, Mussolini s'interroge ou les illusions de la négociation

La politique extérieure hitlérienne

Lorsque Adolf Hitler est devenu légalement chancelier du Reich, le 30 janvier 1933, de nombreux observateurs ont cru que ce tribun autodidacte serait vite manipulé par la droite classique allemande et que sa politique extérieure se situerait dans la continuité des objectifs déjà élaborés par le régime de Weimar. Faire disparaître les dernières entraves issues du traité de Versailles et redonner à l'Allemagne sa stature de grande puissance, ne sont-ils pas les buts du gouvernement de « concentration nationale » ? Sans doute Hitler mettrait plus d'impétuosité dans son action mais les principes de celle-ci seraient semblables à ceux de ses prédécesseurs. De fait, pendant plus d'une année, Hitler joua le jeu d'un responsable décidé, mais prêt à de véritables négociations, donc acceptable dans le concert européen.

Pourtant Hitler était plus qu'un continuateur de la politique extérieure de l'Allemagne weimarienne. Mû par une idéologie raciste absolue, le Führer voulait dès le début de son « règne » réaliser un plan gigantesque. Dans des déclarations intimes, faites aussi bien le 3 février 1933 devant quelques chefs militaires que le 8 février devant le conseil des ministres à propos du futur débat budgétaire, Hitler exposa nettement ses vues. L'Allemagne a besoin d'un espace vital (« Lebensraum ») car on ne pourra pas espérer développer largement les exportations allemandes dans un marché mondial déjà saturé et l'Allemagne aura toujours besoin d'espace pour nourrir sa forte population. Cet espace vital se situe dans l'Est Européen, qui devra être germanisé, c'est-à-dire directement placé sous l'autorité de la race allemande, les races « locales » étant destinées à être domestiquées. Les conquêtes futures se situeront dans le « Deutschtum », zone où des populations de langue allemande sont déjà solidement implantées (pays baltes où selon les statistiques nazies vivent 130 000 Allemands, ex-Empire Austro-Hongrois avec 6,5 millions d'Allemands, Ukraine et Russie méridionale qu'un million de « Volksdeutsche » continue de coloniser). En particulier, la Russie bolchévique devra être soumise, car le bolchévisme constitue pour Hitler l'expression même d'une doctrine abominable, à combattre sans concession ; ce sera ainsi faire d'une pierre deux coups. Cette expansion allemande faite au profit de la race allemande doit s'accompagner d'une « purification » de la zone dominée : les Juifs, race maudite, doivent en disparaître, soit par expulsion, soit par tout autre moyen approprié (dès le 1er avril 1933 le boycott des entreprises juives devient hautement recommandé). On retrouve évidemment dans ce programme d'expansion et d'hégémonie sur l'Europe continentale les tendances de ceux qui, dès avant 1914 ou pendant la Grande Guerre, préconisaient la création d'un Mitteleuropa ; mais, la composante raciste est neuve, surtout lorsqu'elle est appliquée avec une froide détermination. La politique extérieure hitlérienne repose sur certaines tendances profondes qui existaient déjà dans l'Allemagne impériale (politique de puissance, antisémitisme, hégémonie en Europe continentale), mais elle les systématise en les poussant à l'extrême. Faut-il, dès lors, parler d'une « continuité » de la politique extérieure allemande, de Bismarck ou de Guillaume II jusqu'à Hitler ?

Si l'on s'en tient aux analogies des objectifs, la parenté est évidente. Mais Hitler innove en deux domaines : d'une part, le racisme nazi détermine des options que les dirigeants des deux Reich précédents n'avaient pas osé formuler. D'autre part, dès l'origine, le moyen essentiel de la politique extérieure réside dans l'emploi de la force armée. Sur ce dernier point, la détermination hitlérienne est immédiate : dès février 1933, l'armée allemande (la « Wehrmacht ») est placée au centre du système politique, économique, culturel nazi. Trois conséquences essentielles en découlent. Tout d'abord, il faut redonner à la Wehrmacht une capacité d'action illimitée, donc la dégager de toute entrave internationale. Le régime de Weimar avait déjà obtenu la reconnaissance internationale de l'égalité des droits ; en décembre 1933, Hitler prend la décision de porter les effectifs de l'armée allemande de 100 à 300 000 hommes. Lorsque la France refuse, en avril 1934, de continuer à négocier en vain sur un hypothétique désarmement (déclaration française du 17 avril 1934), Hitler donne six mois à son Etat-major pour réaliser l'objectif précédent. Ensuite, il faut placer l'économie allemande au service de la politique d'armement ; l'économie militarisée (« Wehrwirtschaft ») suppose que l'Etat prenne en main les divers secteurs économiques afin de les rendre opérationnels : agriculteurs, commerçants, industriels pourront continuer à faire des profits et à mener librement leurs entreprises pour autant que les impératifs militaires seront réalisés. Enfin, la propagande doit façonner les esprits pour redonner à l'armée tout son lustre passé et pour faire du militarisme l'un des ressorts essentiels de la mentalité collective : dès mai 1933 la littérature pacifiste est brûlée dans un gigantesque autodafé. Un certain visage de l'Allemagne doit disparaître au profit du visage botté et casqué de l'Allemagne militariste.

Au moment où ces décisions sont prises, en 1933 ou en 1934, Hitler peut apparaître encore comme un continuateur. Bon nombre d'Allemands en sont satisfaits, car ils croient assister à l'achèvement rapide de la politique révisionniste précédente. Les diplomates tel le secrétaire d'Etat, von Bülow, continuent de servir sans rechigner un régime qui sait accélérer les négociations ; les chefs militaires se satisfont de voir exaucer leurs vœux de reconstitution d'une puissante armée ; les hommes d'affaires considèrent d'un bon œil la reprise des commandes de l'Etat, d'autant plus que l'ordre règne dans leurs entreprises puisque les syndicats sont épurés ou mis au pas. Les premières décisions spectaculaires (sortie de la S.D.N., annonce du réarmement) sont largement populaires. Hitler a donc les mains libres en Allemagne pour réaliser ses plans extérieurs.

En un premier temps, Hitler va d'ailleurs jouer sa partition sur le mode mineur. Suivant les conseils des responsables de l'Auswärtiges Amt dirigés par Constantin von Neurath déjà au même poste dans les gouvernements précédents, le chancelier Hitler fait preuve d'un grand

4 - Litiges nationaux et dictatures en Europe

FINLANDE
Léningrad
NORVÈGE
ESTHONIE
SUÈDE
LETTONIE
DANEMARK
U.R.S.S.
Memel
LITHUANIE
Vilna
BIÉLORUSSIE
GRANDE-
BRETAGNE
Dantzig
PRUSSE
ORIENTALE
Londres
PAYS-BAS
IIIᵉ REICH
Berlin
Varsovie
Brest-Litovsk
BELGIQUE
POLOGNE
SILÉSIE
UKRAINE
Prague
Paris
SARRE
SUDÈTES
Teschen
Rhin
Danube
TCHÉCO -
BUCOVINE
FRANCE
Anschluss
SLOVAQUIE
BESS
Vienne
C. du
Brenner
AUTRICHE
Budapest
HONGRIE
SUISSE
TRANSYLVANIE
ISTRIE
ROUMANIE
Fiume
BANAT
Bucarest
ITALIE
Belgrade
DOB
Corse
Zara
Danube
YOUGOSLAVIE
BULGARIE
ESPAGNE
Rome
MACÉDOINE
Istan
Barcelone
Cavalla
THRACE
ALBANIE
TL
GRÈCE
Dodécanè
(Italie)

0   250 km

Zones contestées en Europe

→ ⬚ Contestations allemandes
→ ⬚ Contestations hongroises
→ ⬚ Contestations grecques
→ ⬚ Contestations lithuaniennes
→ ⬚ Contestations italiennes
→ ⬚ Contestations russes
→ ⬚ Contestations bulgares
→ ⬚ Contestations turques
→ ⬚ Constestations yougoslaves

⬚ Pays soumis à une dictature en 1936

⬚ Colonie italienne

POLOGNE États alliés de la France

↔ Lutte interne Croatie-Serbie

⬳ Ligne Curzon

① Corridor polonais

esprit de conciliation. Mussolini avait proposé à la fin de l'année 1932 de constituer une sorte de concert des Puissances en Europe afin de maintenir la paix, tout en admettant une possible révision des traités de paix par la négociation ; les quatre Grands en Europe (Italie, Allemagne, Royaume-Uni et France) auraient, dans ce but, signé un *Pacte à quatre*. Hitler approuve cette proposition dans un grand discours au Reichstag, le 23 mars 1933. Du coup, lorsque, quelques mois plus tard, l'idée de Mussolini est écartée par la France, Hitler peut apparaître comme un champion de la paix. Dans un nouveau grand discours, le 17 mai 1933, il soutient les efforts de négociation en Europe, tandis que les Français sont encore placés en position d'être « les méchants » : la France a, en effet, réduit à néant le Pacte à quatre en subordonnant son acceptation à la condition que toute modification future des traités devrait être acceptée par l'unanimité des parties concernées (cas hautement improbable).

En fait, Hitler adopte les deux objectifs majeurs de toute la diplomatie allemande : éviter l'isolement diplomatique en Europe en cherchant des alliés pour la longue durée, ne pas laisser se constituer une menace d'un encerclement militaire, obligeant à mener la guerre sur deux fronts.

Sur le premier plan, les alliés potentiels en Europe sont clairement désignés : l'Italie et surtout la Grande-Bretagne doivent trouver en l'Allemagne un partenaire compréhensif pour leurs ambitions dès lors que les ambitions allemandes vers l'est de l'Europe sont admises par eux. Sur le second plan, il faut empêcher la France de trouver des appuis militaires réels, soit en vidant de leur réalité les accords militaires signés par celle-ci avec la Pologne et avec la Petite-Entente, soit en faisant d'une éventuelle entente franco-russe un obstacle majeur à toute réconciliation durable entre la France et l'Allemagne. Car, en outre, Hitler bien qu'il ait, en son for intérieur, décidé que seul l'abaissement définitif de la France en Europe permettra la réalisation du Lebensraum, se targue ostensiblement de vouloir effacer les traces du vieil antagonisme franco-allemand. En réalité, tant que le réarmement allemand n'a pas été assez poussé pour affronter une possible réaction militaire française, « une zone de risque » subsiste. A court terme, il faut affirmer l'absence de toute revendication de frontières à l'ouest : l'Alsace-Lorraine n'est plus un objet de litige, la Sarre redeviendra allemande si les Sarrois le veulent, par un référendum fort démocratique. En somme, l'Allemagne nazie prétent être un facteur de paix en Europe.

Patte de velours et coups de griffes : réarmer d'abord (1934-1935)

Le voisin polonais fut pris à ce jeu. Dès janvier 1934, la Pologne signa avec l'Allemagne une déclaration affirmant que les deux Etats renonçaient à la force pour régler leurs litiges. Première brèche dans le dispositif des alliances de revers de la France. Le dictateur Pilsudski et son nouveau ministre des Affaires étrangères, le Colonel Josef Beck (celui-ci a remplacé en novembre 1932 Auguste Zaleski, réputé libéral et francophile) avaient été favorablement impressionnés par Hitler, cet Allemand du sud, auquel on pourrait « vendre » l'Anschluss ; ils étaient déçus par la stérile alliance militaire avec la France, pratiquée avec scepticisme des deux côtés. Hitler ayant laissé entendre qu'il ne toucherait point à Dantzig et au corridor polonais (en réalité, les Nazis comme les diplomates allemands de tradition, tel Neurath ou Bülow, ont déjà l'idée d'un nouveau partage de la Pologne), les affinités idéologiques entre les deux dictatures (l'antisémitisme est un solide point commun) purent largement s'exprimer. Au cours de négociations secrètes pendant l'automne 1933 la Pologne s'engagea nettement vers Berlin, donnant une impression de duplicité à son allié français. Du même coup, certains en

France, notamment le ministre Louis Barthou et quelques hauts-fonctionnaires du Quai d'Orsay, envisagèrent de compléter le dispositif français dans l'est de l'Europe par un rapprochement franco-soviétique (cf. plus loin). Cela suffit à écarter davantage encore les Polonais de leur allié français ; en avril 1934, le voyage de Barthou à Varsovie fut un échec. Ainsi, la souplesse allemande obtenait de précieux encouragements.

Par comparaison, la tactique du coup de force était prématurée, donc dangereuse. La vaine tentative d'Anschluss en juin 1934 en administra la preuve. Au printemps 1934, Hitler voulut accélérer la prise du pouvoir de l'Etat allemand par le parti nazi ; il fallait en finir avec certaines oppositions à l'intérieur de son propre parti, au sein de la coalition nationale, sans oublier la destruction des organisations de gauche. Le sanglant épisode de « la nuit des longs couteaux » (le 30 juin) donna le signal d'une épuration physique de certains adversaires (dont le chef S.A. Roehm) ; il permit de constituer un Etat « nouveau », où le Führer « protège le droit » avec l'aide de la Gestapo et du corps des S.S. L'ex-chancelier Von Papen rallié à Hitler et encore vice-chancelier avait, quelques jours auparavant, réclamé un retour à la normale ; il fut écarté du pouvoir en étant nommé ambassadeur extraordinaire à Vienne.

Von Papen devait y réparer les bévues des nazis autrichiens qui « électrisés » par l'accélération du processus « révolutionnaire » en Allemagne, avaient voulu eux aussi en finir avec l'ancien ordre des choses en Autriche. Dans ce pays, le chancelier Dollfuss n'avait pas hésité à imposer la dictature d'un « Etat chrétien allemand » de type corporatif, à la fois par la suppression des libertés fondamentales, par l'interdiction des partis communiste et nazi, et surtout par l'emploi de la force armée contre les sociaux-démocrates (à Vienne et à Linz en février 1934). Sa dictature paraissait donc fragile. Les nazis autrichiens avaient présumé de leurs forces en croyant s'assurer le pouvoir par l'assassinat du chancelier Dollfuss (25 juillet 1934). En réalité K. von Schuschnigg, le successeur immédiatement désigné de Dollfuss, montra son autorité en refusant toute concession aux nazis, en continuant à mener la répression contre les opposants et surtout en prenant appui sur une autre dictature, proche géographiquement et idéologiquement, l'Italie fasciste. Mussolini, alerté sur le coup de force à Vienne par l'attaché de presse de son ambassade, décida de masser deux divisions près du col du Brenner, à proximité immédiate de l'Autriche, comme pour s'affirmer le « protecteur » de l'indépendance autrichienne. Hitler n'eut plus d'autres ressources que de désavouer les nazis autrichiens, tandis que Mussolini affecta de tenir l'Allemagne nazie pour un pays barbare, comparé à la « Rome antique retrouvée ». Une fois encore, l'Anschluss avait été évité.

Les responsables allemands devaient pour le moment gagner du temps, en attendant que leur réarmement, plus ou moins licite, apporte à l'Allemagne une suffisante puissance pour défier ses voisins. Hitler maintint donc sa politique de temporisation, tout en s'efforçant de constituer rapidement une forte armée de terre. Dans cette perspective, la diplomatie allemande paraissait prête à suivre les plans britanniques concernant le désarmement (voyage d'Eden à Berlin en février 1934, au cours duquel Hitler donne son accord à un plan MacDonald autorisant une armée allemande de 200 000 hommes ; propositions allemandes de limiter tout réarmement naval à un niveau jugé acceptable par les Britanniques en novembre 1934). En réalité, dans le même temps la constitution d'une armée active de 300 000 hommes, renforcée par une « réserve » deux fois plus forte numériquement, était activement poussée afin de pouvoir conduire « une guerre défensive sur plusieurs fronts avec une certaine chance de succès ».

La demande du Général Beck, chef de l'Etat-major allemand, de rétablir le service militaire obligatoire dès l'automne 1934 se situe dans cette logique. Si Hitler attend le 16 mars 1935 pour annoncer sa décision d'instituer un service militaire d'un an à compter du 1er octobre 1935, c'est uniquement pour faire coïncider une décision déjà plus ancienne avec un contexte international favorable. Quelques jours auparavant, un « livre blanc » britannique avait justifié l'augmentation des dépenses militaires en Grande-Bretagne par la crainte du réarmement allemand, provoquant « l'indignation » hitlérienne, et, pis encore, le 15 mars 1935, la Chambre des Députés française avait approuvé les mesures gouvernementales qui permettaient de porter à deux ans la durée du service militaire. Comment le « pacifique » chancelier Hitler, qui avait proclamé publiquement le 1er mars sa volonté de paix à l'égard de tous ses voisins et notamment à l'égard de la France, pourrait-il tolérer pareils défis ? La France venait pourtant d'accepter sans difficultés le retour de la Sarre dans la souveraineté allemande, après un plébiscite massif des Sarrois en faveur de ce retour, le 13 janvier 1935[1].

Cependant, Hitler ayant libéré l'Allemagne des dernières entraves du traité de Versailles, s'affirme prêt à engager de réelles négociations avec la Grande-Bretagne. Déjà, en novembre 1934, un accord de clearing a pu rassurer les hommes d'affaires britanniques : l'Allemagne s'est engagée à dépenser en Grande-Bretagne au minimum 55 % des devises sterling acquises par ses exportations dans ce pays (cet accord restera en vigueur jusqu'à la guerre). La grande négociation germano-britannique tourne ensuite autour d'un accord naval, propre à rassurer le Royaume-Uni. Avec habileté, Hitler et son « envoyé extraordinaire » à Londres Joachim von Ribbentrop, mêlent concessions (limitation volontaire de la flotte allemande à 35 % du tonnage de son homologue britannique) et pressions (demandes de restitution de colonies à l'Allemagne lors des entretiens entre John Simon, chef du Foreign Office et Hitler en mars 1935). Sans doute, l'objectif visé est-il partiellement atteint en 1935 : l'accord naval du 18 juin 1935 marque un « rapprochement » entre les deux puissances, tandis que les offres générales de collaboration sont écartées par les nouveaux responsables britanniques (Sir Samuel Hoare et lord Vansittart) à la fin de l'année. Au total, la temporisation allemande marque des points ; elle permet de dépasser le moment critique où la faiblesse militaire est encore trop criante. A condition toutefois que les réalisations en matière de défense suivent le calendrier prévu dès février 1933.

Mussolini en position d'arbitre

Si le Führer semble un personnage énigmatique et inquiétant à beaucoup de ses contemporains, le Duce en comparaison paraît tout d'une pièce et rassurant. Vers 1933-1934 l'Italie fasciste fait figure de pôle d'équilibre en Europe.

Elle semble devenue une Puissance, dont il vaudrait mieux cultiver l'amitié. Débarrassé de ses opposants les plus résolus par la prison ou par l'exil, assuré de la bienveillance du Vatican depuis les accords du Latran en 1929 qui ont réglé le vieux contentieux entre l'Etat italien et la Curie romaine, Mussolini tente vers 1932-1933 de dégager l'Italie d'une sévère crise économique et sociale. L'Etat italien pratique une politique de grands travaux, d'assistance sociale, d'encouragement à la natalité, fort coûteuse sur le plan budgétaire, mais génératrice de nouvelles structures économiques en Italie. Dans le domaine industriel, l'Etat et les capitalistes italiens collaborent plus étroitement, notamment à travers la création de sociétés mixtes, comme l'I.R.I. (Istituto per la ricostruzione industriale) où « la propriété et l'initiative privées (sont) liées étroitement à l'Etat qui seul peut les protéger, les contrôler, les animer ». Les banquiers, les commerçants, les agriculteurs, les artisans, sont également inserrés dans un sys-

---

1. Sur 525 000 suffrages, 90,3 % des Sarrois ont choisi le rattachement à l'Allemagne, 8,8 % pour le maintien du statu quo, 0,4 % le rattachement à la France.

tème corporatiste qui fait de l'autarcie le moyen suprême d'éviter un désastre commercial et monétaire. En principe la séparation entre le marché mondial et le marché national italien doit aboutir au rééquilibrage de l'économie italienne et au sauvetage de la lire, artificiellement maintenue à une valeur excessive. Quant aux chômeurs (1,1 million à la fin de 1933), on peut envisager de leur trouver du travail par la bonification de terres en Italie et surtout par la mise en valeur des colonies, notamment en Libye, où la pacification réelle vient de s'achever. Mais cet exutoire est-il suffisant pour la masse italienne, habituée à s'expatrier ? N'y a-t-il pas une contradiction grave entre une politique « nataliste » qui veut enrayer la baisse de la natalité, peupler l'Italie de ruraux, freiner l'émigration vers l'étranger, et une économie fortement ébranlée par la crise économique ? A moins que l'expansion impériale ne soit *le* moyen d'assurer l'expansion économique. Si la poussée démographique est gage d'énergie, elle suppose des conquêtes territoriales et pour réaliser celles-ci, le recours à une politique de force. Est-ce dans ce but que Mussolini et les fascistes n'ont cessé de vouloir « remodeler » le peuple italien par le sport, par la propagande, par le cinéma afin d'en faire des « hommes nouveaux », virils, audacieux, guerriers ?

Où faire porter cette volonté expansionniste ? La politique extérieure italienne a depuis longtemps considéré que les ambitions nationales pouvaient s'exprimer dans deux directions tout en désignant la Méditerranée comme la zone naturelle de la puissance fasciste italienne, successeur moderne de l'antique Empire romain. Ou bien la Méditerranée orientale, y compris les territoires qui l'encadrent, doit dépendre de l'Italie, ou bien, en Afrique, à partir de la bordure méditerranéenne et en s'avançant vers « la corne de l'Afrique » (expression largement postérieure) une grande colonisation doit s'épanouir. Dès avant 1914, les deux tendances étaient manifestes, soit dans une politique de « rapines » sur l'Empire Ottoman, soit dans des actions coloniales plus ou moins bien réussies (désastre d'Adoua en Ethiopie en 1896, conquête de la Libye en 1911-1914). La stratégie fasciste est donc « continuatrice » lorsqu'elle envisage l'établissement de « zones privilégiées » en Europe orientale ou en Afrique.

L'Italie avait en outre figuré dans le camp des vainqueurs en 1919 ; les avantages acquis alors (voir carte chapitre 2) bien que jugés insuffisants par les hyper-nationalistes, avaient d'abord poussé l'Italie dans le camp des modérés, défenseurs du *statu quo* en Europe. Toutefois, Mussolini, parvenu au pouvoir réel en 1924-1925, veut offrir aux Italiens une politique de prestige et d'action ; celle-ci se fonde évidemment sur des changements territoriaux et sur une politique « révisionniste », car comment agir en cherchant seulement à conserver le *statu quo* ? Après s'être débarrassé en 1926 de Contarini, secrétaire génral de la « Consulta » (ministère des Affaires étrangères), partisan d'une ligne « génevoise » assez proche de la France, Mussolini se fait à partir de 1927 « le champion du révisionnisme des vaincus » (Berstein-Milza). Le ministère italien des Affaires étrangères est peuplé de nouveaux diplomates fascistes, dirigés entre 1929 et 1932 par un jeune chef squadriste Dino Grandi, tandis que la propagande et l'action en direction des Italiens établis à l'étranger deviennent des rouages essentiels de la tactique extérieure fasciste. En juillet 1932, Mussolini « démissionne » Grandi pour devenir son propre ministre des Affaires étrangères ; il est bien décidé à s'écarter de la S.N.D. ; il marque immédiatement l'étroite relation qui doit exister entre propagande et politique extérieure, idéologie et stratégie : « la propagande n'est rien d'autre au fond qu'une partie de la politique véritable » écrit Mussolini à son directeur du Cabinet (cité par Enrico Serra). Toutefois, Mussolini, plus incertain que rusé, hésite encore sur la direction ferme de l'expansion italienne.

Deux facteurs semblent avoir levé ses hésitations à partir de 1934, le réalisme des moyens, l'affinité des idéologies. Jusqu'à cette date, l'Italie a semblé surtout s'intéresser à la péninsule balkanique. Disposant d'une « base » grâce au « protectorat » exercé sur l'Albanie (traités de

Tirana en 1926-1927) l'Italie avait mené une politique fort « inamicale » à l'égard de la Yougoslavie (le contentieux à propos de la côte dalmate demeure), alliée de la France, tandis que la Hongrie, dirigée depuis octobre 1932 par un général raciste et proche des fascistes, J. Gombös, était plutôt soutenue par l'Italie dans ses ambitions révisionnistes. Au fond, Mussolini voudrait profiter des difficultés économiques et sociales des Etats balkaniques pour « rayonner » sur cette partie de l'Europe. Mais, ce faisant, il se heurte à deux types de difficultés ; d'une part, comment épauler financièrement ces Etats alors que l'Italie manque de ressources suffisantes pour elle-même (les réserves italiennes en or ont baissé de 28 % entre 1929 et 1933) ? D'autre part, comment éviter des affrontements délicats, soit avec la France, alliée de la Petite Entente, soit avec l'Allemagne qui, depuis 1931-1932, mène dans cette zone une politique active ? Certes l'accord serait plus facile avec cette dernière dans la mesure où l'Allemagne est également « révisionniste », mais l'obstacle autrichien paraît infranchissable. Admettre l'Anschluss, c'est ouvrir toute grande la porte à la pénétration germanique dans le sud-est européen (Vienne est restée une véritable capitale financière pour cette région). En juillet 1934, Mussolini s'est donc résolument opposé à l'Anschluss.

On a souvent insisté sur le fait que la première entrevue entre Hitler et Mussolini, en juin 1934, à Stra près de Padoue, puis à Venise avait été un échec, tant Mussolini, en grand uniforme, aurait voulu éblouir Hitler, encore humble civil. En réalité, même si le contact ne se fait pas immédiatement entre les deux dictateurs, il reste que l'un comme l'autre sont conscients de leurs affinités idéologiques et de leur intérêt mutuel à s'entendre. Hitler a toujours manifesté de la « déférence » à l'égard de son inspirateur et Mussolini est séduit par la résolution et l'efficacité du Führer. Quel profit chacun des deux hommes peut-il tirer d'un éventuel rapprochement entre les deux dictatures ? En 1934, Mussolini s'interroge encore, car il espère obtenir également des « compensations » grâce à une entente avec les deux puissances occidentales, Grande-Bretagne et France. A condition cependant de faire porter ses ambitions sur des régions moins surveillées que les Balkans.

D'où le choix d'une pénétration en Afrique. Du côté français, en effet, si certains responsables politiques de gauche manifestent ostensiblement leur mépris pour le dictateur Mussolini (tel Joseph Paul-Boncour traitant le Duce, de « César de carnaval »), on se prend à espérer que l'Italie fasciste pourrait revenir vers la France pour peu que des concessions mineures lui soient accordées en Afrique, dès lors que les visées italiennes sur les Balkans disparaîtront. Telle est bien la politique que Louis Barthou, surtout sensible au « danger allemand », esquisse dès le printemps 1934 ; l'attitude de Mussolini lors de la tentative d'Anschluss renforce cette tendance pro-italienne parmi les responsables français ; jusqu'à sa mort, Barthou négocie avec Mussolini pour trouver un terrain d'entente. Ce n'est pas Pierre Laval qui a, le premier, cherché à se concilier les faveurs de Mussolini ; les diplomates des deux pays avaient déjà progressé vers la conclusion d'un accord à propos des litiges en Afrique lorsque Barthou meurt victime indirecte de l'attentat perpétré contre le roi Alexandre de Yougoslavie par des « Nationalistes croates, soutenus par les fascistes italiens » (9 octobre 1934). Barthou n'était pas visé dans l'attentat de Marseille.

Les démocraties tentées par l'apaisement

La politique extérieure de Pierre Laval

Les 5 et 6 janvier 1935 le Duce et le ministre des Affaires étrangères Pierre Laval se rencontrent à Rome. Entrevue déterminante à bien des égards. Barthou avait organisé une stratégie française destinée à contenir les ambitions allemandes par un renforcement des accords avec les Etats d'Europe orientale et par un rapprochement avec l'Italie. Laval, ministre des Affaires étrangères entre octobre 1934 et janvier 1936, n'entend point suivre toute cette stratégie, malgré les suggestions des fonctionnaires du Quai d'Orsay menés par Alexis Léger, nommé secrétaire général du ministère des Affaires étrangères en février 1933. Laval, sans le marquer de manière tranchée, par petites touches, néglige la S.D.N. à laquelle il ne croit guère, et s'écarte du système des alliances dans l'est de l'Europe, dont il pourra mesurer l'incohérence lors de son voyage en Pologne en mai 1935 (le colonel Beck se refuse à toute entente avec le gouvernement de Prague, allié solide de la France). Pacifiste, réaliste, Laval incarne une politique de conciliation avec les dictatures pour des raisons qu'il est encore malaisé de déterminer, tant le sort futur du chantre de la collaboration franco-allemande pendant l'occupation a obscurci le jugement porté sur le Laval de 1935. Politiquement, idéologiquement, Laval n'a pas d'antipathie pour les dictateurs en Europe, tout en sachant que le système politique français ne se prête guère à une révision constitutionnelle destinée à « muscler » la France ; il a mesuré, en outre, les limites du potentiel militaire français et le déclin démographique français. Certains de ses adversaires (notamment le secrétaire général de la S.D.N. en 1935, Joseph Avenol) l'ont accusé également d'avoir été « inspiré » dans son action par le cercle de ses amis industriels ; de fait l'homme d'Etat est aussi un excellent homme d'affaires, soucieux de sa fortune personnelle. A travers ses entreprises de presse, il noue des relations étroites avec certains milieux économiques. Faut-il aller jusqu'à en faire l'homme-lige des « industrialistes » de l'époque ? Qui sont ces « industrialistes » ?

La recherche historique a encore trop peu scruté le rôle et l'influence des cartels industriels internationaux pendant les années trente pour dépasser le niveau des interrogations dans ce livre. On se bornera ici à retracer le réveil des cartels.

Les accords de cartel signés entre 1925 et 1927 (Entente Internationale de l'Acier, Association Internationale des Producteurs de Rails, Comptoir international des producteurs de fil machine, etc.) avaient sombré dans la crise en 1930-1931. Dès le début de l'année 1933, des réunions de l'E.I.A. ont permis de préparer de nouveaux accords, avec contingentement de la production d'acier brut et constitution de Comptoirs de vente par produits ; le redressement des ventes et des cours qui suit ces ententes, incite à consolider d'autres ententes internationales (accords de février 1933 sur les quote-parts à l'exportation entre les pays producteurs et convention sur les Comptoirs de mai 1933, ententes internationales par catégories de produits). Ces accords sont d'abord souscrits par des industriels belges, luxembourgeois, français, allemands, y compris les producteurs sarrois. La souplesse des structures mises en place, les résultats positifs obtenus permettent ensuite d'introduire dans les combinaisons les Britanniques, réservés au départ ; comme le gouvernement de Londres avait indirectement soutenu ses producteurs en élevant ses droits de douane sur certains produits, la discussion est délicate, mais justement en mars 1935 un nouvel accord sur les rails est conclu pour trois mois, (et prorogé à 5 ans ensuite), tout comme en avril 1935 l'E.I.A. est élargie pour trois mois à la Grande-Bretagne (prorogé à 5 ans en août 1935). Ce Cartel Européen de l'Acier (European Steel Cartel) s'agrandit en juillet 1935 aux producteurs polonais, à la fin de 1936 aux producteurs tchèques. Une harmonisation certaine des ventes, des prix (fixés en £-or), des profits, encourage cette stratégie des firmes industrielles où souvent les intérêts bancaires reprennent le dessus. Cette internationalisation des intérêts privés ne conduit-elle pas vers des accords politiques négociés, vers une tactique pacifique, même si le réarmement contribue fortement à la relance des marchés avec tous les risques d'un conflit futur ? De manière plus politique, existe-t-il un lien entre cette stratégie des grandes firmes sidérurgiques et les efforts de conciliation menés entre les Etats concernés ? Avouons notre ignorance actuelle.

En tout cas Pierre Laval, du côté français, paraît bien décidé à la conciliation avec les puissances dites fascistes. L'exemple sarrois en témoigne. En janvier 1935, le plébiscite en Sarre favorable au retour de ce territoire à l'Allemagne a contribué à apaiser le contentieux franco-allemand. Or, dès novembre 1934, Laval avait clairement exprimé le « désintéressement » de la France pour la Sarre pourvu que des dédommagements financiers fussent payés par l'Allemagne aux propriétaires et créanciers français des mines, voies ferrées et aciéries. De fait, les Allemands paieront ensuite exactement la somme forfaitaire de 900 millions de francs demandée alors par la France. S'agit-il d'un nouvel exemple d'entente économique internationale ?

Avec l'Italie les discussions sont plus serrées, car les sujets de litige sont plus nombreux. Si l'on met de côté d'éventuels accords en Europe à propos du désarmement, de l'intégrité autrichienne et de garanties pour les frontières entre l'Italie et la Yougoslavie, c'est surtout en Afrique que se situent les points de friction. Des rectifications de frontière sont demandées par les Italiens au sud de la Libye, en Erythrée-Somalie, et surtout Rome voudrait obtenir une tolérance des Français pour son action éventuelle en Abyssinie. En contre-partie, les Italiens sont disposés à faire des concessions sur le statut des Italiens en Tunisie et à donner des garanties économiques aux actionnaires français de la voie ferrée Djibouti-Addis-Abbeba.

Lorsque P. Laval arrive à Rome en janvier 1935, la négociation a pratiquement abouti sur les revendications territoriales italiennes en Afrique sauf à propos de l'Abyssinie. Il reste donc à savoir si P. Laval accepte de laisser « les mains libres » à Mussolini sur ce pays, étant bien entendu que les intérêts économiques français sur place seront sauvegardés. Les entretiens entre les deux hommes ayant été très personnels, il est toujours difficile de savoir lequel des deux dit la vérité lorsque l'un, Mussolini, affirme avoir obtenu clairement le « désistement » français en Abyssinie, et l'autre, Laval, laisse entendre qu'il n'a pris aucun engagement à ce sujet. La lecture des documents diplomatiques des deux pays ne permet pas à l'historien de trancher définitivement, mais le sens de la politique lavalienne correspond bien aux affirmations des textes diplomatiques italiens. Plus tard, le 25 mai 1935, Laval fait savoir au Duce qu'il lui conseille de suivre l'exemple français au Maroc pour s'emparer de l'Abyssinie : agir en créant des désordres intérieurs. Au fond, Laval sait le prix à payer pour obtenir « l'amitié » italienne et il est bien décidé à le payer. Mussolini peut agir, à condition d'y mettre les formes.

Paris et Rome s'engagent même dans des conversations d'Etat-major afin de réaliser une véritable coopération militaire ; les deux chefs d'Etat-major, le général Gamelin et le général Badoglio, épaulés par les attachés militaires des deux pays, rivalisent de bonne volonté. De part et d'autre, les Etats-majors axent leurs plans sur une défense commune de l'intégrité autrichienne et sur une perspective de soutiens limités, mais conjoints en cas de mobilisation allemande ; lorsque le service militaire obligatoire est rétabli en Allemagne (16 mars 1935), la collaboration militaire franco-italienne s'accentue. A la fin de juin 1935, le général Gamelin vient à Rome, où il est reçu par Mussolini ; techniquement les accords militaires entre la France et l'Italie sont prêts. La réserve vis-à-vis d'une véritable alliance militaire paraît venir de P. Laval plutôt que du général Gamelin. En fait, P. Laval veut mener une politique prudente, laisser agir Mussolini en Abyssinie pourvu que les apparences soient sauvegardées, afin de ne pas rompre le fragile équilibre réalisé quelques semaines plus tôt dans une conférence à

Stresa, entre la France, l'Italie et la Grande-Bretagne. Pourquoi ne pas user de la S.D.N. pour confier un mandat « pacificateur » à l'Italie dans cette partie de l'Afrique ?

Mais Mussolini peut-il se contenter d'une entreprise conquérante sans gloire et sans panache ? Son régime dictatorial ne le souffre pas, d'autant plus qu'il est persuadé de la passivité britannique, après avoir obtenu le « désistement » français. Le temps de l'action brutale est venu. En décembre 1934, Mussolini avait décidé une intervention armée en Abyssinie ; à la fin du printemps 1935, il en décide la date d'exécution : à l'automne 1935 l'armée italienne entrera en action.

Les sources de « l'appeasement » britannique

La politique extérieure britannique peut expliquer l'audace de Mussolini. Les élections législatives d'octobre 1931, quelques semaines après le désastre de la £ (voir chap. 6 p. 171) avaient entraîné un large succès des Conservateurs (56 % des voix), épaulés par des Libéraux et des Travaillistes dissidents, réunis au sein d'un gouvernement d'Union Nationale. Dans une très large mesure, ces Conservateurs, au sein desquels le Chancelier de l'Echiquier (ministre des Finances) Neville Chamberlain joue un rôle moteur, axent leur politique selon trois principes essentiels :
1. éviter un affrontement social entre les deux « nations » britanniques, les riches et les pauvres, par une politique de développement économique interne ;
2. renforcer la cohésion du « monde britannique », donc du Commonwealth et de la zone sterling ;
3. éviter des engagements militaires en Europe où les volontés de changement allemandes sont compréhensibles sinon justifiées.

Les décisions économiques et politiques de 1932-1933 pouvaient paraître égoïstes dans la mesure où la Grande-Bretagne cherchait à se sortir de la crise mondiale par elle-même et pour elle-même (cf. chap. 6), mais ce pragmatisme avait donné des résultats tangibles vers 1935, justifiant les choix précédents. La restructuration de l'appareil économique britannique fondée sur une concentration technique et financière très poussée, notamment dans les secteurs industriels dynamiques (pétrole et industries chimiques, aciéries, industries mécaniques, automobiles) et sur un transfert géographique des industries dynamiques vers le sud de l'Angleterre, entraîne déjà en 1935 une reprise économique sensible et un accroissement du pouvoir d'achat pour certains Britanniques. En réalité, les distorsions régionales et le poids des « laissés-pour-compte » de la reprise (chômeurs, personnes âgées) inquiètent les dirigeants conservateurs et expliquent le succès relatif des opposants travaillistes, soit dans des élections partielles, soit lors des élections de novembre 1935 (le Labour Party recueille 38 % des voix contre 30 % en 1931, les conservateurs passant de 56 % à 54 % des voix). C'est au fond une période de tension sociale en Grande-Bretagne qui pèse sur les décisions des leaders politiques. Avant tout, il faut éviter un affrontement des classes à l'intérieur du pays.

Or, depuis l'arrivée d'Hitler au pouvoir et l'accélération des périodes de tension internationale, les partis politiques britanniques se sont largement préoccupés de politique extérieure dans leur programme et pour leur action. « Dans ces années, la politique étrangère devint centrale non seulement par elle-même, mais parce que les hommes politiques pouvaient l'insérer dans la bataille politique commencée pendant les années vingt » (Maurice Cowling). L'interférence entre politique intérieure et politique extérieure est patente ; elle explique le retentissement des prises de position des leaders conservateurs, libéraux ou travaillistes face à des questions aussi déterminantes que la paix ou la guerre, l'Empire, le réarmement. Il convient d'ajouter que l'opinion publique britannique est très sensibilisée à ces questions car elle est traversée par de forts courants moralisateurs souvent hérités de réflexions menées par les Eglises protestantes ; en particulier le pacifisme, qui affecte tous les Etats européens déjà concernés par la première guerre mondiale, marque beaucoup les Britanniques. En 1935, l'Union pour la société des Nations, présidée par le vicomte Cecil, lance un référendum privé auprès de tous les locataires, auxquels on pose cinq questions concernant la S.D.N., le désarmement, la vente des armes, le type de sanctions applicables à un Etat agresseur, la supression des forces armées. Les résùltats du « Peace Ballot » (juillet 1935) méritent de retenir l'attention, car ils expriment les sentiments d'une dizaine de millions d'électeurs (tableau nº 15).

TABLEAU 15

L'OPINION PUBLIQUE BRITANNIQUE AU TRAVERS DU PEACE BALLOT

Question 1 : La Grande-Bretagne doit-elle rester membre de la S.D.N. ?
10,6 millions de oui, soit 96 % des réponses recueillies.

Question 2 : Etes-vous en faveur d'une réduction généralisée des armements par un accord international ?
10 millions de oui, soit 90,7 % des réponses recueillies.

Question 3 : Etes-vous en faveur d'une abolition généralisée des forces militaires, terrestres et navales, par un accord international ?
9,1 millions de oui, soit 82,6 % réponses recueillies.

Question 4 : La fabrication et la vente des armes pour des profits privés doit-elle être interdite par un accord international ?
10 millions de oui, soit 90 % des réponses recueillies

Question 5 : Si une nation menace d'en attaquer une autre, les autres nations doivent-elles s'entendre pour la forcer à s'arrêter par des mesures économiques, non-militaires ?
9,6 millions de oui, soit 86,8 % des réponses recueillies.

Question 5 bis : Dans le même cas, par des mesures éventuellement militaires ?
6,5 millions de oui, soit 58,6 % de réponses recueillies, (2,2 millions de non)

La réponse à la seconde variante de la cinquième question est fort instructive : à l'emploi ou à la menace de la force armée par un Etat agresseur, un peu plus de la moitié seulement des Britanniques s'affirme prêt à répondre par l'usage de moyens militaires. La conciliation devient dès lors une méthode adéquate pour tout gouvernement britannique ; le Premier ministre Stanley Baldwin lance en novembre 1935 le slogan électoral suivant, « oui à toutes les sanctions, sauf la guerre ». Dans un tel contexte socio-culturel, toute politique extérieure de conciliation est assurée d'obtenir un large soutien populaire.

Cette politique rencontre aussi l'adhésion des responsables des administrations. Trois groupes de spécialistes peuvent être considérés à l'époque comme des acteurs déterminants dans l'élaboration de la politique extérieure britannique : le Foreign Office naturellement, le Treasury (ministère des Finances) et les chefs militaires des trois armes (Terre, Marine, Aviation). Ces trois « équipes » se retrouvent au sein du Comité de la Défense Impériale (Committee of Imperial Defense), instance décisive en période de crises menaçantes. Naturellement, au sein de chacun de ces trois organismes, les idées et les calculs des principaux protagonistes peuvent différer, voire diverger ; toutefois, les études récentes des historiens britanniques (tels Z. Steiner, D. Watt, R.C. Parker, G. Peden) convergent vers une commune appréciation du rôle joué par les personnalités importantes, comme au Foreign Office Alexander Cadogan, sous-secrétaire permanent et Orme Sargent sous-secrétaire adjoint, au Trésor Warren Fisher, secrétaire permanent et Richard Hopkins, second-secrétaire permanent. Devant les menaces du réarmement allemand, des ambitions japonaises et de l'audace mussolinienne, la Grande-Bretagne ne possède point des moyens économiques, financiers et militaires susceptibles de répondre à tous ces dangers. Il convient donc de mesurer les risques majeurs et de leur répondre de manière graduée. L'apaisement sera le reflet des moyens disponibles.

Sous l'influence des services du Trésor, inquiets sur les capacités financières actuelles du réarmement britannique, les demandes d'augmentation des crédits destinés au réarmement, présentées par les militaires, sont refoulées ou amoindries jusqu'en 1935. Ensuite Neville Chamberlain ministre des Finances (il demeure Chancelier de l'Echiquier de novembre 1931 à mai 1937), imprime sa marque sur les décisions politiques prises par les gouvernements Mac-Donald et Baldwin. Selon lui, il faut éviter le retour de l'inflation, le recours aux emprunts externes ou à une pression fiscale accrue ; il propose donc de restreindre au maximum les engagements financiers de l'Etat. Dans ces conditions, deux orientations majeures sont prises quant au réarmement, à partir de 1935 : d'une part, l'aviation britannique sera équipée en chasseurs pour interdire une attaque aérienne allemande, d'autre part, la flotte de guerre sera maintenue dans sa capacité de défendre les routes maritimes de l'Empire contre tout agresseur. Du même coup, la préparation d'un corps expéditionnaire destiné à intervenir sur le continent européen, comme en 1914, est laissée à peu près à l'abandon. Un choix décisif est ainsi réalisé : l'Europe continentale, notamment dans sa partie orientale, est exclue des zones vitales pour l'Empire britannique. La France, dont les gouvernants et le régime sont souvent considérés comme incertains et décadents, ne mérite pas que la Grande-Bretagne assume une particulière responsabilité sur le continent. Sans laisser les mains libres à Hitler, la politique extérieure britannique accepte de négocier une réorganisation de l'Europe. Un « nouveau Locarno » vaut mieux qu'une Entente cordiale renforcée.

La campagne d'Ethiopie (octobre 1935-juin 1936)

A partir de ces prémisses, l'action italienne contre l'Abyssinie (Ethiopie) est plus considérée comme un fâcheux contretemps que comme une menace réelle pour les Britanniques. Soucieux de conserver l'amitié italienne pour freiner l'expansionnisme allemand, les dirigeants de Londres vont constamment reculer dans leur résolution de conserver le *statu quo* dans la « corne de l'Afrique ». Deux paravents sont utilisés par les ministres conservateurs pour masquer leur reculade à la veille des élections législatives : la Grande-Bretagne manifeste clairement sa volonté de faire respecter l'existence de l'Ethiopie, membre de la Société des Nations, injustement attaqué le 3 octobre 1935 par Mussolini, pour autant que la Société des Nations d'une part, et la France d'autre part, manifestent une résolution aussi ferme. Or, si la condamnation morale de l'agression italienne est immédiate (débats à Genève entre le 7 et le 11 octobre 1935), le vote consécutif de sanctions, non-militaires, à l'encontre de l'Italie est dénué de toute efficacité réelle ; sous l'influence de P. Laval, l'embargo concernant les exportations à destination de l'Italie ne concerne ni les matières premières utiles pour la fabrique d'armes (fer, acier, cuivre, etc.) ni certains produits directement utilisables pour les opérations, en particulier le pétrole ; les Etats-Unis ont d'ailleurs rapidement fait savoir qu'ils ne cesseraient pas leurs ventes quelle que soit la décision de la S.D.N. et l'U.R.S.S. continua à vendre son pétrole à l'Italie. En fait, les puissances européennes acceptaient de laisser l'Italie compléter la colonisation de l'Afrique, pourvu que les apparences fussent respectées.

On le vit bien lorsque les ministres Pierre Laval et Samuel Hoare, chef du Foreign Office, élaborèrent au début de décembre 1935 un plan secret de compromis sur l'Abyssinie. Allant plus loin que les conquêtes déjà réalisées sur le terrain par les troupes italiennes, les deux ministres proposaient à Mussolini de s'emparer des deux-tiers du territoire convoité, tout en acceptant de laisser subsister un petit Etat éthiopien théoriquement indépendant mais destiné sans nul doute à être soumis à l'hégémonie italienne. En mai 1935, Hoare avait déjà dépêché à Rome le jeune ministre délégué à la S.D.N., Anthony Eden, pour proposer des compensations territoriales prises sur la Somalie britannique ; en décembre on élargissait encore les concessions à l'agresseur. En réalité, comme le montrent les documents d'archives, Hoare savait, dès l'été 1935, avant les débuts de l'action militaire italienne, que la Grande-Bretagne n'avait pas seule les moyens militaires d'affronter Mussolini (réunion des Chefs d'Etats-major du 8 août 1935) et que ni la France ni la S.D.N. n'auraient la capacité d'une véritable pression sur Mussolini. Dans ces conditions, il fallait négocier.

Pourtant la négociation échoua : au sein des ministères français et britannique, certains hauts-fonctionnaires, très attachés à sauvegarder le prestige de la S.D.N. et persuadés que Mussolini était plus vulnérable qu'il n'y paraissait, mis au courant du plan Hoare-Laval, n'hésitèrent pas à violer le secret du plan de compromis pour alerter l'opinion publique par le moyen de la presse (un journaliste français, A. Géraud, dit Pertinax, sans doute informé par Alexis Léger, communiqua ces informations confidentielles au *Daily Telegraph*). Le cabinet britannique, nullement choqué par les initiatives d'Hoare, mais embarrassé par l'ampleur des concessions faites à Mussolini et surtout par la reconnaissance publique de la faiblesse britannique, préféra sacrifier Hoare et le remplacer par Eden, jugé plus ferme vis-à-vis des dictatures (18 décembre 1935). Naturellement, Mussolini n'était plus disposé à accepter un compromis. La conquête armée de l'Ethiopie continua jusqu'à son terme, en mai 1936, avec la fuite et l'exil du « roi des rois », Haïlé-Selassié, nouvelle victime de la politique d'agression des dictatures.

Le 9 mai 1936, le roi d'Italie devenait « Empereur d'Ethiopie ». Le 4 juillet 1936, la S.D.N. levait toutes les sanctions appliquées à l'encontre de l'Italie.

L'échec de la politique de concession modérée menée par Laval et Hoare eut deux conséquences fondamentales sur l'évolution des relations internationales. Tout d'abord Mussolini, instruit par l'exemple, décida de rompre avec sa politique antérieure d'équilibre en Europe entre l'Allemagne et le couple franco-britannique. Désormais, il allait se tourner vers l'autre dictateur, Hitler : en janvier 1936 il lui fit savoir discrètement qu'il ne s'opposerait plus à la satellisation de l'Autriche par l'Allemagne, ayant hautement apprécié la « neutralité » allemande devant l'affaire d'Abyssinie et se déclarant désireux d'une « amélioration fondamentale » dans les relations germano-italiennes. Lorsqu'à son tour, Hitler adopta la tactique du coup de force par le remilitarisation de la Rhénanie, en mars 1936, (voir plus loin) Mussolini se garda bien de se joindre aux « puissances locarniennes » (France, Grande-Bretagne, Belgique) qui essayaient de « négocier » une reculade.

Tout en restant membre de la S.D.N., Mussolini se préparait à soutenir activement un nouveau venu dans le camp des dictatures, l'Espagne anti-républicaine. Le 11 juin 1936, il nommait à la tête de la Consulta (ministère des Affaires étrangères) Galeazzo Ciano, artisan dévoué d'une entente profonde avec l'Allemagne nazie. L'axe Rome-Berlin commençait à prendre forme.

Les limites économiques du réarmement allemand et le tournant de 1936

Il est vrai qu'Hitler a cessé, de son côté, de ménager ses partenaires. La Wehrmacht est-elle déjà suffisamment efficace ?

La satisfaction des besoins militaires allemands dépendait largement des possibilités économiques et financières. Après une première période de tâtonnements pendant laquelle il fallait impérativement faire baisser le chômage, relancer les industries, assurer de meilleurs revenus aux agriculteurs, en septembre 1934, le ministre de l'économie, ex-gouverneur de la Banque d'Allemagne, Hjalmar Schacht avait lancé un « nouveau plan ». L'objectif était d'assurer les bases industrielles de la « Wehrwirtschaft » (retour à la production d'acier d'avant la crise) et de limiter les achats externes par l'intensification de l'exploitation des ressources nationales (ersatz dans les textiles, caoutchouc synthétique). En quatre ans l'Allemagne devait sortir de la crise économique afin d'équiper une armée solide. La création d'emplois devait se faire « par rapport à la nécessité du réarmement du peuple allemand » (dès 1934, la moitié des 6 millions de chômeurs ont retrouvé du travail) d'où le développement de certains secteurs, comme les voies de communication (autoroutes, ponts, voies ferrées) indispensables pour une rapide mobilisation des forces armées. Certaines branches industrielles étaient relancées grâce aux commandes militaires (l'industrie aéronautique qui comptait 4 000 ouvriers en 1933, en réunit 72 000 ouvriers en 1934).

Or, malgré certains succès initiaux sur le terrain économique, dus à l'organisation imaginative de Schacht et au potentiel industriel allemand, il apparaît dès la fin de l'année 1935 que les ambitions du départ ne seront pas réalisées. Pourtant Schacht avait su tirer parti à la fois des moyens nationaux et des orientations précédentes des gouvernements Brüning, von Papen et von Schleicher, comme par exemple le maintien d'un strict contrôle des changes, des prix et des salaires, l'intervention marquée de l'Etat dans l'économie par une politique de grands travaux et de commandes d'armement ou encore les visées économico-politiques sur le sud-est européen. L'objectif majeur de *l'autarcie*, c'est-à-dire la capacité de produire suffisament en Allemagne pour limiter les importations au strict minimum, était difficilement réalisable, malgré la complémentarité de l'économie allemande avec certaines économies nationales de l'Europe centrale et orientale. Schacht comptait sur les dettes passées de l'Allemagne pour engager de manière irréversible certains créanciers à commercer avec l'Allemagne. Tantôt les dettes à long terme (environ 10,7 milliards de marks) étaient « consolidées » en étant bloquées en Allemagne, sauf à acheter des produits allemands pour se rembourser (système dit des « Speermarks ») ; tantôt l'Allemagne signait avec les Etats danubiens et balkaniques des accords bilatéraux préférentiels avec trocs, contingentements, taux variable des changes, aboutissant à un système de « clearing » multi-national (système des « Askimarks »).

En réalité, cette politique se heurtait vite à plusieurs goulots d'étranglement. D'une part, apparaissait l'insuffisante capacité de vendre des produits industriels à l'étranger à cause d'une forte demande intérieure (fallait-il par exemple vendre des armes à l'extérieur pour obtenir des devises ou consacrer les armements au seul usage interne ?). D'autre part, le IIIᵉ Reich manquait presque totalement de moyens financiers pour avancer des crédits aux Etats du sud-est européen ou pour y financer de nouveaux investissements. Jusqu'en 1935, la reprise commerciale fut donc faible et les stocks de matières premières venues de l'étranger s'épuisèrent trop rapidement. En 1936, il fallut trouver de nouvelles solutions, car la politique relativement « modérée » de Schacht avait échoué : le déficit budgétaire avait presque doublé entre 1934 et 1936 et les possibilités financières de réarmement demeuraient insuffisantes (4 milliards de marks en 1934, 6 milliards en 1936). Le ravitaillement trop modeste pour une population dont la consommation voudrait progresser grâce à un meilleur pouvoir d'achat, tout comme la politique de création d'emplois, connaissait de grosses difficultés ; si le nombre de chômeurs avait fortement baissé en 1933-1934, il devenait plus délicat en 1935 de trouver du travail (2,7 millions de chômeurs en 1934, 2,1 en 1935, 1,6 en 1936).

Fin 1935, Schacht « attire l'attention, conformément à son devoir, sur les limites économiques de (sa) politique en faveur du réarmement intensif ». Au printemps 1936, c'est l'heure du choix pour les nazis : ou bien détendre l'économie de préparation à la guerre par une nouvelle priorité accordée au ravitaillement civil, ou bien renforcer encore la Wehrmacht mais au prix d'une pénurie intérieure accentuée (« des canons au lieu du beurre »). En avril 1936, Hitler tranche : en confiant à Goering la responsabilité d'assurer la continuité de l'armement, il fait entrer l'Allemagne dans une nouvelle marche vers la guerre. Désormais, non seulement toutes les ressources de l'Allemagne doivent être consacrées au réarmement, mais la base géographique du IIIe Reich doit être élargie par l'annexion de nouveaux territoires. Le temps de la temporisation est passé. La politique extérieure nazie va prendre un nouveau visage. Au surplus, quelques semaines plus tôt, la preuve venait d'être faite que l'audace était payante.

Dès le printemps de 1936, Hitler avait montré sa dextérité tactique pour frapper un grand coup tout en affectant de ne rien changer aux apparences. La remilitarisation de la Rhénanie, le 7 mars 1936, illustre à merveille et le changement de cap de la tactique hitlérienne et l'incapacité des autres Puissances à réagir en temps utile. Les faits sont simples. L'Etat-major allemand savait que tout conflit futur à l'ouest serait insupportable pour l'armée allemande tant que les territoires allemands de la rive gauche du Rhin resteront désarmés ; mais comment imaginer faire passer les troupes allemandes sur la rive gauche du Rhin sans susciter immédiatement une réaction française ? La France considérait que sa sécurité passait par la neutralisation de ces territoires. Les généraux allemands prêchaient donc la prudence tant que l'armée allemande n'aurait pas franchi le seuil critique de sa préparation. Hitler prend tout le monde de vitesse, y compris ses propres généraux, en décidant d'agir brutalement et l'événement lui donne raison. Après un discours altier du président du Conseil français, A. Sarraut, qui lit une phrase rédigée par certains haut-fonctionnaires du Quai d'Orsay décidés à réagir (« nous ne laisserons pas Strasbourg sous le feu des canons allemands »), le gouvernement français inspiré par un Etat-major incapable de moduler une réponse adéquate, accepte de laisser faire Hitler pourvu qu'une nouvelle discussion internationale « garantisse la paix et la sécurité en Europe ». On espère en un « nouveau Locarno » (sic).

Bon nombre de commentateurs, à l'époque et plus tard, ont considéré que cette faiblesse française avait marqué le commencement de la fin et, à tout le moins, un tournant décisif dans les relations internationales. De fait, le coup de poker d'Hitler changeait la face des choses en Europe. En faisant éclater l'impuissance française au grand jour, Hitler contribuait à disloquer le système français des alliances de revers (les Alliés de la Petite Entente et les Etats danubiens en général ne « croient » plus vraiment en la puissance de la France). Pouvait-on vraiment être surpris par la « passivité » française ? Non seulement, depuis des années, la France était diplomatiquement isolée puisqu'on la tenait pour *la* puissance militariste, mais encore à l'intérieur des Etats européens les ruptures politiques entre ceux qui voulaient s'opposer aux « fascismes » et ceux qui admiraient l'efficacité des dictatures, paralysaient les démocraties. Des historiens se sont depuis longtemps divisés sur l'interprétation qu'il convient de donner du « personnage » Hitler : opportuniste ou doctrinaire, impulsif ou calculateur ; d'autres ont montré que le régime nazi était, en lui-même, divisé et que le Führer arbitrait entre des tendances multiples. Or, ne convient-il pas aussi de s'interroger sur l'évaluation que les contemporains donnaient non pas seulement du personnage Hitler, mais encore du régime nazi et plus largement des dictatures ? Qui voulait vraiment mettre fin aux régimes autoritaires, en Europe et ailleurs ? En cette période, les idéologies dominent souvent les calculs des protagonistes, y compris parmi les leaders des démocraties.

Politique extérieure et politique intérieure dans les démocraties

Au milieu des années trente, la faiblesse des démocraties devant les entreprises de Mussolini et d'Hitler obligeait les hommes politiques, les militaires, les journalistes, les intellectuels à s'interroger sur les capacités de leurs pays, sur leur destin futur et par conséquence sur les voies à suivre en politique extérieure. Alors que dans les élections précédentes ou que dans la vie publique antérieure, on se souciait modérement des questions externes, l'actualité commandait de prendre nettement position en ces domaines notamment lors des élections législatives (novembre 1935 en Grande-Bretagne, février 1936 en Espagne et mai 1936 en France). A l'intérieur même des formations politiques, des reclassements commencèrent à se réaliser avec comme pierre de touche des grandes tendances dominantes, la question de l'attitude à prendre vis-à-vis des « fascismes » (on mêle à l'époque sous ce même vocable aussi bien Hitler que Mussolini).

En Grande-Bretagne, on assista à un affrontement dans la presse et dans les milieux politiques (au sein desquels des clubs ou salons privés jouent un rôle non négligeable) à propos de l'échec de la S.D.N. et des conséquences qu'il en fallait tirer. Les partis libéral et travailliste, dans l'opposition, tout en restant attachés à la S.D.N., virent décliner leur pacifisme doctrinaire au profit d'une politique de résistance aux fascismes. Chez les conservateurs au pouvoir, une petite minorité était décidée à freiner Hitler et Mussolini, tandis que la majorité suivait les idées soutenues dans la presse par le groupe du baron Beaverbrook (*Daily Express, Evening Standard*), celui de lord et lady Astor (le *Times*) ou par le groupe du Vicomte Rothermere (*Daily Mail, Evening News*) : la Grande-Bretagne devait d'abord prendre l'Empire en considération, donc se dégager d'une S.D.N. irréaliste et inconsistante, ne pas suivre les aspirations françaises en s'engageant sur le continent, surtout devant le spectre d'une alliance avec la Russie communiste, comprendre la capacité et la popularité des régimes totalitaires et mener avec l'Allemagne une politique de bon voisinage et de compréhension. Chamberlain lui-même sembla rejoindre ces vues dans un discours prononcé le 10 juin 1936 où il considérait comme aussi raisonnable de mener une politique isolationniste ou d'alliances traditionnelles que de suivre la politique de sanctions décidée par la S.D.N. C'était, à terme, signifier la mort de cet organisme.

La route vers les concessions s'élargissait d'autant plus que les militaires britanniques, conscients de la faiblesse de leurs moyens, cherchaient eux-même à limiter au strict minimum les engagements britanniques sur le continent. Le réarmement britannique se faisait en vue d'une autodéfense des îles britanniques. Le 3 juillet 1936, le comité des Chefs d'Etat-major s'accordait sur les perspectives suivantes : « Du point de vue militaire, compte tenu de l'extrême faiblesse de la France, de la possibilité d'un accord entre l'Allemagne et le Japon et même selon les circonstances avec l'Italie, et devant l'immensité des risques qu'une attaque directe contre la Grande-Bretagne fait peser sur l'Empire, la situation présente dicte une politique dirigée vers un accord avec l'Allemagne qui aura pour conséquence l'annulation du danger d'une agression allemande contre nos intérêts vitaux. » (texte cité par Brian Bond). Dans cette atmosphère pessimiste, la remilitarisation de la Rhénanie en mars 1936 est jugée inévitable, voire normale (« je ne vois pas pourquoi notre pays devrait entrer en guerre parce que quelqu'un a occupé *son propre* territoire, aussi indécent que soit sa manière de le faire » écrit le Colonel Pownall, secrétaire du Comité Impérial de Défense). Chez les militaires britanniques, il n'est guère question d'agir résolument contre Hitler.

La même indécision prévaut en France, reflet de semblables débats. Pierre Laval, interpellé à la Chambre des Députés, le 27 décembre 1935, obtient de justesse (20 voix de majorité) la confiance, mais quelques semaines plus tard le 22 janvier.1936, sans illusions, il est mis en minorité. Certes la politique intérieure a joué un rôle important dans cette chute, notamment la politique de déflation menée contre les fonctionnaires, mais le poids des problèmes externes est désormais patent au sein de tous les groupes. Là encore, l'attitude vis-à-vis des dictatures est essentielle. Il serait sans doute simpliste de classer les droites et le centre parmi les « apaiseurs » tandis que les gauches auraient montré plus de décision. En réalité, des reclassements commencent, qui transcendent les divisions politiques traditionnelles ; ils s'organisent autour de quatre thèmes : la sécurité de la France par une garantie collective ou par des alliances bilatérales, réarmement ou désarmement, attitude vis-à-vis de l'Italie et de l'U.R.S.S. dans le contexte de la menace allemande, nature même des régimes fascistes.

Grosso modo, on peut distinguer trois familles d'esprit. Tout d'abord, on trouve les partisans d'un régime politique autoritaire, vision réformée d'une « version française du fascisme », au sein des groupes de droite et d'extrême droite qui ont érigé Mussolini et le fascisme italien en modèle (très rarement Hitler et le nazisme jouent le même rôle) ; ils sont donc prêts à une alliance profonde avec Rome, jointe à une entente avec l'Allemagne pour peu que celle-ci abandonne toutes prétentions à l'ouest, quitte à se payer sur les Bolchéviks ; la conviction que l'armée française n'est plus, à elle seule, capable de se mesurer avec l'Allemagne, et que la France n'a pas à continuer son rôle de « gendarme » dans l'est de l'Europe, pousse également ces groupes à envisager une stratégie militaire défensive derrière une barrière fortifiée, avec chez certains, le souci de garder intacte la force impériale coloniale[1]. Telles sont sans doute les idées d'un Pierre Laval, d'un André Tardieu ou d'un Pierre-Etienne Flandin, en fait assez proches des vues des Conservateurs britanniques. Au sein du parti radical, axe central de la vie politique française, mais alors « parti en crise » (S. Berstein), une forte minorité avec Emile Roche, Joseph Caillaux et peut-être Georges Bonnet, campe sur des positions très voisines, à l'exception de la remise en cause du régime politique.

La seconde famille de pensée domine à gauche et dans la majorité du parti radical : elle fait de la S.D.N. le nœud de la politique internationale, car la S.D.N. est le seul moyen pour concilier deux options complémentaires, assurer la sécurité de la France tout en préservant le désarmement. Vu avec le recul du temps, cette position apparaît incohérente face aux défis fascistes ; à l'époque, elle traduit à la fois la persistance de la vieille tradition antimilitariste de gauche, ancrée depuis 1918 dans le pacifisme et donc dans le désarmement, et l'appréciation de la faiblesse démographique, économique, militaire de la France qui l'oblige à trouver sa sécurité dans le concert international et la sécurité collective. Edouard Herriot, comme Léon Blum restaient accrochés à ces principes, qui permettaient de préserver la paix sans s'engager dans des croisades. Toutefois, lorsqu'ils sont au pouvoir, Herriot Daladier ou même Blum admettent les nécessités de la sécurité par le réarmement et soutiennent aussi le principe d'alliances militaires, peut-être même avec l'U.R.S.S.

Illusions dangereuses pensent les tenants d'une Realpolitik, nouvelle formule, alarmés par la montée des puissances fascistes et surtout par les foucades d'Hitler. Cette troisième tendance rassemble aussi bien des gens de droite, Louis Barthou jusqu'à sa mort, Paul Reynaud, le journaliste Henri de Kerillis, que des gens de gauche, Pierre Cot, Jean Zay ; pour résister à la menace hitlérienne il faut, d'urgence, accélérer le réarmement français et nouer des alliances solides avec les puissances capables d'inquiéter Hitler. Or, à cet égard, le choix des alliés est limité. La Grande-Bretagne certes, mais sa faiblesse militaire (hormis sa marine) et son indécision sont bien

---

1. A cause de la crise économique et du ralentissement des investissements privés dans les colonies, l'Etat a dû prendre en charge l'équipement de l'Empire ; celui-ci voit son rôle commercial augmenter dans l'économie française, notamment dans certains secteurs industriels affaiblis.

connues ; l'U.R.S.S. peut-être. Cette dernière alliance soulève bien des objections et explique bien des modifications au sein de la classe politique française ; pour beaucoup il ne s'agit plus de la vieille alliance de revers, mais d'une entente avec le diable. A l'inverse, pour les communistes français, engagés depuis toujours dans le refus de crédits militaires au service d'une république bourgeoise, comment passer d'un antimilitarisme intransigeant à une politique de défense nationale ?

S'il fallait trouver un exemple pour illustrer l'interdépendance des conditions de la vie politique intérieure avec les vicissitudes de la conduite d'une politique extérieure, le cas de la nouvelle « alliance franco-russe » entre 1934-1937 serait extrêmement pertinent (nous reviendrons plus loin sur la stratégie soviétique, chapitre 9, p. 212). Tant que les dirigeants du pouvoir politique en France sont des hommes de droite, tel Barthou, il existe une relative capacité de nouer des engagements avec Staline, car l'accusation de pactiser avec les communistes à des fins politiciennes locales est jugée irrecevable. Les considérations militaires paraissent être seules en cause : l'Armée Rouge a-t-elle une réelle capacité militaire ? Du même coup, l'envoi de chefs militaires français aux grandes manœuvres de l'Armée Rouge semble être le moyen de porter un jugement objectif sur les forces soviétiques. En réalité, là encore, les options idéologiques des responsables militaires et politiques prédominent : en septembre 1935, le général Loizeau, au retour d'U.R.S.S. rédige un rapport favorable à la conclusion d'une alliance militaire ; le général Colson, Chef d'Etat-major de l'Armée de terre, n'hésite pas à « enterrer » ce rapport. En septembre 1936, le sous-chef d'Etat-major, le général Schweisguth, fait le même voyage pour conclure prudemment dans son rapport à l'utilité de l'U.R.S.S. comme base de ravitaillement et d'armement des alliés orientaux de la France (Roumanie, Pologne), mais au danger d'une alliance militaire avec elle ; le général Gamelin et le ministre de la Défense nationale, Edouard Daladier, encore plus réservés, poussent à l'immobilisme. Bon nombre de chefs militaires, tel Gamelin, continuent à préférer l'alliance italienne pour des raisons stratégiques (défense de la Méditerranée) et politiques (anticommunisme).

Dès lors, la conclusion à Paris, le 2 mai 1935, d'un pacte d'assistance mutuelle par P. Laval et l'ambassadeur soviétique Potemkine, est pure façade ; « ce chef d'œuvre du galimatias » (J.B. Duroselle) subordonne l'aide et l'assistance mutuelles aux conditions d'action de la S.D.N., ce qui revient à en éliminer tout effet réel. Lorsque, quelques jours plus tard, P. Laval se rend à Moscou pour rencontrer Staline afin d'obtenir que les communistes français cessent d'attaquer l'armée française, il obtient gain de cause sur ce point précis, puisque « M. Staline comprend et approuve pleinement la politique de défense nationale faite par la France pour maintenir sa force armée au niveau de sa sécurité ». Mais ni d'un côté, ni de l'autre, on ne se fait confiance (Laval s'empresse à son retour de Moscou de rencontrer Goering le numéro 2 du régime nazi ; Staline traite Laval de « canaille » devant ses collaborateurs directs).

En fait, « l'alliance franco-soviétique » devient dès le milieu de l'année 1935 un argument de propagande pour les uns et pour les autres. Les considérations de politique intérieure prévalent. Lorsque la Chambre des députés ratifie enfin, en mars 1936, le pacte signé en mai 1935, c'est une majorité de députés de gauche (esquisse d'une majorité de Front Populaire) qui permet de faire passer le texte, tandis que la presse de droite se déchaîne contre ce funeste pacte. La constitution du Front populaire pendant la période entre l'été 1934 et l'été 1935 a été accélérée par le retournement spectaculaire des communistes français sur la question du patriotisme : après la déclaration de Staline, le P.C.F. reprend l'héritage du blanquisme le plus chauvin des courants du socialisme français. Les « thèmes jacobins seront désormais défendus jusqu'à la guerre par le P.C.F. ». (Henri Dubief). A l'inverse, les droites françaises, à l'exception d'une petite frange de « réalistes », considèrent l'éventualité de cette alliance comme la preuve criante de la collusion du Front Populaire avec « l'hydre rouge ».

Dans l'atmosphère tendue de l'année 1936, l'engagement politique et idéologique prévaut largement sur les calculs stratégiques. Avec habileté, Hitler lui-même utilise la « menace » d'un encerclement franco-russe de l'Allemagne pour justifier son action en Rhénanie, tout en sachant combien les Français sont divisés sur cette « alliance », donc incapables de la mener à conclusion. La lecture de la presse française en 1936 démontre bien l'influence déterminante des passions politiques sur la conduite d'une politique extérieure. Les responsables politiques et administratifs échappent difficilement eux-mêmes à ces influences et aux tensions qui secouent la France entre février 1934 et l'été 1936.

Le voisin belge connaît les mêmes divisions internes. Dès le 6 mars 1936, le gouvernement belge a pris une décision capitale : tournant le dos à une politique de coopération avec ses anciens Alliés, celui-ci s'engage dans une stricte neutralité, bien que la faiblesse des moyens militaires rende cette orientation illusoire. Cet égoïsme sacré se fonde sur la peur d'une menace interne du mouvement flamingant, sur la peur des catholiques et sur la conviction que la conciliation avec les puissances fascistes sera payante. Le roi Léopold III affirme publiquement, en octobre 1936, cette nouvelle politique « exclusivement et intégralement belge ».

Les débuts de la guerre d'Espagne

La menace de guerre civile devint réalité avec les débuts de la guerre d'Espagne. Par sa situation géographique, à l'extrémité de l'Europe méridionale, l'Espagne avait depuis longtemps donné l'impression d'être « à part » en Europe. Sa « décadence » depuis les grandes heures des XVI et XVIIe siècles était proverbiale et incontestée pour les autres Européens, satisfaits d'une Espagne neutre et réputée faible. On avait donc peu prêté attention à cet Etat, économiquement arriéré malgré les avantages et les gains de la neutralité entre 1914 et 1919 ; les tensions sociales et politiques ne manquaient pas en ce pays marqué par une agriculture de grandes propriétés et de prolétariat rural misérable et par des industries extractives dominées par les groupes et les marchés étrangers. Les soubresauts politiques intérieurs, notamment la dictature institué en septembre 1923 par le général Primo de Rivera avec l'accord du roi Alphonse XIII, de l'Armée et de l'Eglise catholique, paraissaient correspondre à la « nature » des Espagnols, incapables de s'entendre, attachés à leur provincialisme, à leurs coutumes dépassées.

En réalité, « le labyrinthe espagnol » (Gerald Brenan) déroute les observateurs étrangers qui ont du mal à retrouver en Espagne les schémas classiques valables dans le reste de l'Europe. Pourtant, comme ailleurs, la crise économique mondiale a secoué les structures sociales et politiques de la péninsule. La crise a exacerbé les divisions sociales entre riches et pauvres ; elle a redonné vigueur aux formes extrêmes de radicalisation politique, à gauche comme à droite. Elle a surtout mis fin à la royauté, après le renvoi du général Primo de Rivera (1930) par une révolution pacifique (avril 1931) et donné naissance à une République parlementaire, incapable de résoudre rapidement les grands problèmes que sont la question agraire, la question des autonomies régionales, la question religieuse et la question militaire. Les tensions internes n'ont pas cessé de s'amplifier, marquées par des élections contradictoires (vers la droite en 1933, victoire des gauches en février 1936 avec le « Frente Popular »), par la rupture entre l'Etat laïque et l'Eglise catholique et par des tentatives de soulèvements durement réprimées par l'Armée (en Catalogne et dans les Asturies en 1934). En 1936, après les élections, les grèves ouvrières, les occupations de terres par les paysans, le marasme des affaires font entrer l'Espagne en effervescence et chacun s'attend à un coup de force de l'Armée.

Le 13 juillet 1936, l'assassinat d'un des leaders de la droite, Calvo Sotelo, donne un motif d'action aux militaires décidés au coup d'Etat. Les forces armées espagnoles du Maroc se soulèvent sous le commandement des généraux Sanjurjo (qui est tué dans un accident d'avion) et Franco. Appuyés par les cadres militaires, par une hiérarchie catholique soucieuse de prendre sa revanche sur la République laïque, par les groupes de droite, notamment par la Phalange, très inspirée par le fascisme italien, les forces rebelles au gouvernement légal paraissent capables de s'imposer très rapidement sur toute l'Espagne. Les gouvernements européens ne devraient donc pas envisager d'intervenir dans une affaire intérieure, sauf à prendre fait et cause pour un des deux camps à raison d'affinités idéologiques. Or, contrairement aux estimations des experts étrangers, la République espagnole ne s'effondre pas grâce à un appel aux forces populaires, notamment dans les grands centres urbains (Madrid, Barcelone, Valence). Si le général Franco est capable, en deux mois, de dominer la moitié de l'Espagne et d'installer, en octobre, un gouvernement à Burgos, la guerre civile espagnole ne connaît ni vainqueur, ni vaincu à l'automne 1936.

Toute l'Europe doit alors prendre position face à une guerre qui paraît, malgré ses caractéristiques spécifiques, comme un concentré exemplaire des oppositions qui affectent le vieux continent. Une fois encore, dictatures et démocraties répondent bien différemment. Mussolini, qui a soutenu le mouvement franquiste dès ses origines, n'hésite pas à intervenir complètement en Espagne. Bientôt des milliers de « volontaires » fascistes, équipés, encadrés au sein de formations italiennes, soutiennent directement un allié dont on espère la « reconnaissance » par des concessions territoriales ou des bases en Méditerranée occidentale (îles Baléares par exemple). De son côté, Hitler avec plus de prudence, car il n'entrevoit pas d'effets positifs directs d'un large soutien (il n'existe pas au départ de motifs économiques dans son intervention) constitue une légion Kondor pour compléter l'effort militaire de Franco surtout dans le domaine aérien et tester de nouvelles formes de guerre moderne. En tout cas, la solidarité entre dictateurs est, immédiate, totale, patente.

En face, on tergiverse, on ruse et on se couvre par de pieuses formules. Le gouvernement conservateur britannique masque peu ses préférences pour le général Franco ; malgré l'opposition des travaillistes, Londres paraît vite résigné à admettre le succès des rebelles sur le gouvernement légal ; en tout cas, il ne peut être question d'apporter un soutien armé au gouvernement républicain espagnol, jugé trop « révolutionnaire ». La position française est, au départ, beaucoup plus embarrassée. D'un côté, la solidarité politique entre le gouvernement de Front Populaire français et de Frente Popular espagnol devrait conduire la France à soutenir le gouvernement légal de Madrid ; un accord de novembre 1935 avait prévu des livraisons d'avions et dès le 20 juillet 1936, Madrid a demandé la fourniture accélérée d'avions de combat. D'un autre côté, une atmosphère de tension règne alors en France : les grèves avec occupation d'usines ont duré jusque vers le 10 juillet ; la dissolution des ligues de droite, fin juin, n'a pas vraiment mit fin à l'agitation, tant s'en faut ; elle inquiète la fraction modérée du Front Populaire (radicaux, aile droite de la S.F.I.O.). La solidarité avec l'Espagne républicaine ne va-t-elle pas faire basculer la France dans la guerre civile, alors que Croix de Feu et Ligueurs plus exaspérés par une presse déchaînée que par certains dirigeants (dont le Colonel de la Rocque qui veut « rester de sang-froid ») se déclarent prêts à descendre dans la rue en suivant le cri de ralliement « La France aux Français » (allusion au juif Blum) ? Face à un chef de gouvernement qui, dans un premier mouvement, se déclare prêt à soutenir Madrid, se coalisent les grands « mentors » de la République radicale (les présidents des Chambres, Herriot et Jeanneney, le ministre des affaires étrangères Yvon Delbos), les pacifistes de la S.F.I.O., des catholiques comme François Mauriac, bon nombre de responsables administratifs civils (au Quai d'Orsay) et militaires, afin d'obtenir une attitude de stricte neutralité, donc de non-intervention.

Cette coalition reçoit en outre le renfort décisif des Britanniques : le 23 juillet, Léon Blum rejoint à Londres Y. Delbos, venu discuter des questions européennes ; tous les dirigeants britanniques conseillent à Blum, en privé, la modération dans l'affaire espagnole et affirment leur propre « neutralité ». La mort dans l'âme, Léon Blum cède ; le Conseil des Ministres français décide, le 25 juillet, de ne pas répondre favorablement à la demande de fourniture d'avions du gouvernement légal espagnol. Certes, Léon Blum rapidement édifié sur l'attitude italienne et allemande, laissera ensuite certains ministres (Pierre Cot et Vincent Auriol) et certains hauts fonctionnaires (Gaston Cusin aux Douanes), pratiquer une aide ponctuelle, limitée, indirecte (vente d'avions, via le Mexique ou d'autres Etats neutres). Toutefois la politique ouverte du gouvernement Blum est celle de la non-intervention : c'est sur une proposition française, imaginée par le Quai d'Orsay, datée du 1er août 1936, que peu à peu, les divers gouvernements européens s'engagèrent à ne pas intervenir en Espagne et même à ne pas y envoyer de matériel de guerre. Vingt-six gouvernements, dont l'U.R.S.S., l'Italie et l'Allemagne, avaient officiellement accepté fin août le principe de la non-intervention. En septembre, à Londres, une Commission internationale de non-intervention fut réunie ; rarement sans doute une assemblée internationale fut-elle autant bafouée par certains de ses participants, continuant d'armer Franco d'un côté, tout en affectant de garder leur neutralité de l'autre ; le 23 octobre, le représentant soviétique à cette Commission informa celle-ci que l'U.R.S.S. refusait désormais d'être liée par son engagement antérieur puisque certains membres de la Commission narguaient la Commission. En fait la tactique stalinienne changeait : d'abord désireux de limiter ses engagements dans le conflit espagnol à ceux souscrits par les démocraties, Staline, conforté par la résistance de Madrid la républicaine, accentuait son intervention afin de consolider une base « révolutionnaire » dans un conflit européen généralisé, désormais considéré comme inévitable ; calcul de courte durée, mais significatif. La guerre d'Espagne s'internationalisait davantage et devenait un symbole de la rivalité entre démocraties et totalitarismes. La violence des combats, leur durée frappaient les opinions publiques. Celles-ci suivaient avec attention, souvent avec passion, une guerre « exemplaire ».

En un moment décisif, de même qu'en mars 1936, les démocraties avaient donc encore reculé. Pourquoi ? Ces constants reculs des démocraties devant les défis des Etats totalitaires ont été ensuite expliqués soit par l'aveuglement ou l'inconscience des dirigeants, soit par la « décadence » de ces régimes. Sans mésestimer les fautes tactiques de certains dirigeants ou les faiblesses structurelles de la démocratie face à l'audace des dictatures, force est de souligner le facteur essentiel de cette évolution alarmante, la conjoncture sociale européenne issue de la grande crise économique mondiale. Partout en Europe, au sein des Puissances comme dans les autres Etats, les gouvernements en place ont eu à trouver les moyens de résorber les effets sociaux de la crise, c'est-à-dire le chômage, la misère et les inégalités de revenus. Le choix des solutions dépendait de deux options fondamentales : ou bien suivant, les tendances exprimées par John M. Keynes dans sa fameuse *Théorie générale de l'emploi, de l'intérêt et de la monnaie* (publiée justement en 1936), les Etats pratiquaient une politique de relance en mêlant empiriquement variation du niveau de la monnaie, équilibre budgétaire, hausse des salaires, aide à l'investissement et à la consommation, création d'emplois par de grands travaux, tout en conservant le capitalisme libéral comme le moteur essentiel de l'économie y compris dans son environnement international ; ou bien les Etats prenaient complètement en main l'économie dans un cadre autarcique, avec pour ressort de la machinerie une demande artificielle à laquelle tout doit être sacrifié au nom de l'intérêt national, à savoir le réarmement.

La première solution, à la britannique, suppose du temps et la paix pour parvenir peu à peu à des résultats tangibles ; elle admet un partage international des affaires ; elle suppose un minimum de moyens financiers et monétaires pour agir. La seconde solution, à l'allemande, est bâtie sur le court terme et mène de manière quasi-infaillible à la guerre ; elle exige d'acquérir une zone réservée dans la mesure où elle est sans moyens financiers suffisants. D'une certaine manière, on retrouve la fameuse distinction entre partage des affaires et partage des terres que nous avions rencontrée avant 1914 (voir tome I). Or, dans l'Europe des années trente, si marquée par le choc des nationalismes depuis la Première Guerre mondiale, les revendications guerrières ont plus de chance d'être entendues que les utopies de coopération et de communauté.

La guerre civile européenne est en marche.

9. La course vers la nouvelle guerre civile européenne 1937-1939

L'égoïsme des nouveaux mondes : U.R.S.S., U.S.A.

La stratégie stalinienne

Depuis 1929, l'U.R.S.S. est lancée dans sa seconde Révolution. Pour des raisons économiques, politiques, idéologiques, Staline et son entourage ont décidé en 1928 de quitter les horizons calmes et mesurés de la N.E.P. pour foncer à toute vapeur vers l'industrialisation de la Russie soviétique par une révolution dans les campagnes. A la base de cette décision trouverait-on la peur de l'isolement, tournant à l'obsession de l'encerclement capitaliste, renforcée par la rupture des relations diplomatiques avec la Grande-Bretagne en mai 1927 ? (Le 15e Congrès du P.C. soviétique en décembre 1927 a conclu qu'il existait une menace de guerre imminente pour l'U.R.S.S.). Pour parer à une offensive généralisée des puissances capitalistes menées par Londres, l'U.R.S.S. doit constituer une forte armée moderne, fondée sur une capacité d'armement suffisante ; celle-ci dépend d'une infrastructure industrielle conséquente, notamment dans le domaine de l'industrie lourde. Or, l'U.R.S.S. de 1929 est encore un nain industriel.

La menace étrangère a dû peser sur le choix des Staliniens. Elle est loin d'expliquer le tournant accompli au début des années trente. D'autres motifs de changement existent : l'enrichissement progressif, limité, lent, de la paysannerie permet une certaine augmentation de la consommation intérieure, mais l'accumulation nationale demeure très inférieure aux impératifs de financement d'une forte industrialisation. L'U.R.S.S. pourrait trouver un palliatif à cette faiblesse en capitaux par le recours aux emprunts étrangers ; mais ceux-ci ne risqueraient-ils pas d'obérer l'indépendance nationale, à supposer que des banques ou des Etats étrangers acceptent, tels les Allemands, d'avancer des crédits aux Soviétiques ? Les difficultés rencontrées par les entreprises soviétiques pour trouver des fonds à l'étranger pendant les années vingt illustrent la délicate situation du pays des Soviets. Les planificateurs soviétiques, préparant vers 1927-1928 le futur plan quinquennal, éliminent l'idée d'une « aide » étrangère à bon compte, mais retiennent la perspective d'une large exportation de produits bruts, du pétrole en particulier, pour gonfler le solde créditeur de la balance commerciale ; du coup, Moscou disposerait d'une capacité d'importation de machines-outils ou de biens d'équipement. Des accords commerciaux utiles ont été conclus avec la Grande-Bretagne en avril 1930, indice de meilleures relations, avec l'Allemagne en avril 1931, avec l'Italie en août 1931. Cependant les débuts de la crise économique mondiale ont fait chuter les prix mondiaux des matières premières, notamment ceux du pétrole, mettant à bas le système des échanges externes prévu en un premier temps par les planificateurs du Gosplan. Voici l'U.R.S.S. condamnée à puiser largement les fonds indispensables à une industrialisation rapide dans les épargnes de ses paysans. Mais avec quel rythme ? Ou bien continuer la N.E.P. avec un rythme modéré d'expansion économique, sans croissance vraie, ou bien foncer « à toute vapeur » en « tondant et pressurant le koulak », le paysan riche devenant un ennemi de classe pour les besoins de la cause et la définition du koulak étant aussi incertaine et élastique qu'il en était besoin pour atteindre le plus grand nombre de paysans. En 1929-1930 le choix est fait : la campagne de dékoulakisation est lancée sur une grande échelle ; le premier plan quinquennal destiné à fonder en priorité une industrie lourde, débute ; le renforcement du pouvoir stalinien s'accentue.

Dès lors, une nouvelle politique extérieure s'impose pour l'U.R.S.S. : éviter à tout prix de se trouver entraînée dans des conflits externes qui la détourneraient de « la construction du socialisme dans un seul pays ». Staline avait lancé ce mot d'ordre dès 1925 lors de son conflit idéologique avec Trotski ; ce dernier éliminé politiquement dès 1927 attend toujours au début des années trente « la révolution mondiale » au point d'organiser à partir de 1933 une nouvelle internationale communiste, la IVe Internationale. La stratégie stalinienne, qui privilégie la défense de l'U.R.S.S., seul Etat ayant franchi l'étape de la révolution prolétarienne, aboutit en effet à organiser la IIIe Internationale en un instrument de lutte pour *la* patrie du prolétariat, l'U.R.S.S. Elle procède d'une évaluation « pessimiste » et « conservatrice du potentiel révolutionnaire dans le monde » (Jacques Levesque). Désormais être révolutionnaire, selon Staline, c'est accepter de « protéger et défendre sans réserve » l'U.R.S.S., premier Etat prolétarien et socialiste, base du mouvement révolutionnaire international.

En 1928, le VIe Congrès du Komintern adopte une ligne « dure », définie par le fameux slogan « classe contre classe » qui assimile aux forces bourgeoises tous ceux qui ne suivent pas l'autorité de Moscou, y compris parmi les camarades sociaux-démocrates. On s'étonnera plus tard du sectarisme strict des P.C. qui empêche jusqu'en 1934-1935 la constitution de Fronts populaires contre les fascismes ; cette tactique, suicidaire en Allemagne lors de l'arrivée d'Hitler au pouvoir, trouve pourtant sa justification dans l'obsession stalinienne de préserver l'U.R.S.S. d'un engagement qui pourrait conduire les P.C. à se mêler aux luttes entre fractions du capitalisme (les fascismes sont en effet considérés comme des tendances politiciennes, exacerbées certes, mais également bourgeoises, comparables aux autres tendances de la bourgeoisie et du capital). La crise économique mondiale prévue dès 1928 par l'Internationale Communiste devient lorsqu'elle éclate, le repère constant de l'analyse menée par les « experts » de l'Internationale, souvent très proches de Staline. Parmi ces derniers, Eugène Varga, directeur de l'Institut d'Economie Mondiale et de Politique Internationale, membre du Bureau de l'Internationale entre 1928 et 1943, sans doute membre du secrétariat privé de Staline, mérite de retenir l'attention par ses nombreux écrits, notamment son livre daté de septembre 1934 et destiné à la préparation du nouveau Congrès de l'Internationale, « *La crise économique, sociale, politique* ». Pour Varga, l'accentuation de la crise, freinée en 1934 par la relance artificielle due à la militarisation de certaines économies capitalistes, conduit inévitablement vers une nouvelle guerre mondiale. Les antagonismes habituels, ont fait chuter les prix mondiaux des matières premières, notamment ceux du pétrole, mettant à bas le système des échanges externes prévu en un premier temps par les planificateurs du Gosplan. Voici l'U.R.S.S. condamnée à puiser largement les fonds indispensables à une industrialisation rapide dans les épargnes de ses paysans. Mais avec quel rythme ? Ou bien continuer la N.E.P. avec un rythme modéré d'expansion économique, sans croissance vraie, ou bien foncer « à toute vapeur » en « tondant et pressurant le koulak », le paysan riche devenant un ennemi de classe pour les besoins de la cause et la définition du koulak étant aussi incertaine et élastique qu'il en était besoin pour atteindre le plus grand nombre de paysans. En 1929-1930 le choix est fait : la campagne de dékoulakisation est lancée sur une grande échelle ; le premier plan quinquennal destiné à fonder en priorité une industrie lourde, débute ; le renforcement du pouvoir stalinien s'accentue.

Dès lors, une nouvelle politique extérieure s'impose pour l'U.R.S.S. : éviter à tout prix de se trouver entraînée dans des conflits externes qui la détourneraient de « la construction du socialisme dans un seul pays ». Staline avait lancé ce mot d'ordre dès 1925 lors de son conflit idéologique avec Trotski ; ce dernier éliminé politiquement dès 1927 attend toujours au début des années trente « la révolution mondiale » au point d'organiser à partir de 1933 une nouvelle internationale communiste, la IVe Internationale. La stratégie stalinienne, qui privilégie la défense de l'U.R.S.S., seul Etat ayant franchi l'étape de la révolution prolétarienne, aboutit en effet à organiser la IIIe Internationale en un instrument de lutte pour *la* patrie du prolétariat, l'U.R.S.S. Elle procède d'une évaluation « pessimiste » et « conservatrice du potentiel révolutionnaire dans le monde » (Jacques Levesque). Désormais être révolutionnaire, selon Staline, c'est accepter de « protéger et défendre sans réserve » l'U.R.S.S., premier Etat prolétarien et socialiste, base du mouvement révolutionnaire international.

En 1928, le VIe Congrès du Komintern adopte une ligne « dure », définie par le fameux slogan « classe contre classe » qui assimile aux forces bourgeoises tous ceux qui ne suivent pas l'autorité de Moscou, y compris parmi les camarades sociaux-démocrates. On s'étonnera plus tard du sectarisme strict des P.C. qui empêche jusqu'en 1934-1935 la constitution de Fronts populaires contre les fascismes ; cette tactique, suicidaire en Allemagne lors de l'arrivée d'Hitler au pouvoir, trouve pourtant sa justification dans l'obsession stalinienne de préserver l'U.R.S.S. d'un engagement qui pourrait conduire les P.C. à se mêler aux luttes entre fractions du capitalisme (les fascismes sont en effet considérés comme des tendances politiciennes, exacerbées certes, mais également bourgeoises, comparables aux autres tendances de la bourgeoisie et du capital). La crise économique mondiale prévue dès 1928 par l'Internationale Communiste devient lorsqu'elle éclate, le repère constant de l'analyse menée par les « experts » de l'Internationale, souvent très proches de Staline. Parmi ces derniers, Eugène Varga, directeur de l'Institut d'Economie Mondiale et de Politique Internationale, membre du Bureau de l'Internationale entre 1928 et 1943, sans doute membre du secrétariat privé de Staline, mérite de retenir l'attention par ses nombreux écrits, notamment son livre daté de septembre 1934 et destiné à la préparation du nouveau Congrès de l'Internationale, « *La crise économique, sociale, politique* ». Pour Varga, l'accentuation de la crise, freinée en 1934 par la relance artificielle due à la militarisation de certaines économies capitalistes, conduit inévitablement vers une nouvelle guerre mondiale. Les antagonismes habituels, intérieure. La conférence de Munich en 1938 mettant l'U.R.S.S. hors du jeu des Puissances devait pousser dans la même direction. Staline ne suivra pas toujours ce schéma, qui semble contesté par d'autres « experts », tel Maxime Litvinov ou Georges Dimitrov, davantage soucieux d'utiliser la tactique des Fronts populaires, mais la dominante de la stratégie stalinienne pendant les années trente paraît bien avoir consisté à gagner du temps pour renforcer l'U.R.S.S. en détournant les menaces contre son pays par une politique de neutralité bienveillante à l'égard des plus pacifiques. Ne pas s'engager, tel serait la meilleure formulation de cette stratégie.

La tactique stalinienne

Pendant les années vingt, l'U.R.S.S. avait cultivé de bonnes relations avec l'Allemagne. Ce choix était justifié par des considérations politiques, économiques et même militaires. Comme l'U.R.S.S., la République de Weimar cherchait à remettre en cause les traités de 1919 ; des prêts à court terme (estimés à 17 milliards de Francs-Poincaré vers 1932) avaient souvent permis de financer des importations de produits industriels allemands ; un nouvel accord germano-soviétique en avril 1931 confirmant cette politique expliquait la part considérable du commerce allemand dans les importations soviétiques (46,5 % en 1932). En juillet 1932, un autre accord commercial améliorait encore les conditions de vente et de crédit entre les deux pays. Les échanges secrets de cadres militaires (le maréchal Toukhachevski assiste aux grandes manœuvres allemandes en 1932), de techniques d'armement, d'équipements en matériel ajoutaient une dernière touche à cette entente fort cordiale.

Lors de l'arrivée d'Hitler au pouvoir, Moscou pouvait estimer que les objectifs déclarés du nouveau chancelier confirmaient la stratégie allemande. Ne s'agissait-il pas d'en finir avec le traité de Versailles ? Pourtant l'antibolchévisme virulent d'Hitler et l'accélération du réarmement incitèrent les Soviétiques et notamment le ministre des Affaires étrangères M. Litvinov, à moduler leur tactique dès l'année 1933. Un premier tournant, marqué discrètement, est décelable en février 1933 ; lors de la Conférence internationale sur le Désarmement, Litvinov propose une définition de l'agression qui refuse toute justification à une action militaire, quelle que soit la considération politique, stratégique ou économique qui la justifierait ; Titulesco, ministre roumain des Affaires étrangères comprend aussitôt cette proposition comme le ralliement soviétique au statu quo européen. En mai, dans la *Pravda* Radek, conseiller de Staline pour la politique allemande, indique que l'U.R.S.S. ne réclame plus la révision des traités de 1919. De fait, dans les mois suivants, des conventions bilatérales sur la notion d'agression sont signés par Moscou avec presque tous ses voisins, des Etats baltes à l'Afghanistan ; les frontières établies sont ainsi garanties. Dans ces conditions, la normalisation des relations diplomatiques entre l'U.R.S.S. et d'autres Etats s'accentue ; en 1933-34 de nombreux Etats européens (Espagne, Roumanie, Tchécoslovaquie, Hongrie, Bulgarie) et surtout les Etats-Unis, présidés par Roosevelt, reconnaissent le régime soviétique (les Américains pensent sans doute au marché que ce pays neuf pourrait leur apporter, car l'antibolchévisme ne diminue pas vraiment parmi les dirigeants américains).

La seconde étape du changement tactique soviétique se situe à la fin de l'année 1933. Au lieu de pactes *bilatéraux* de non-agression, largement pratiqués auparavant, l'U.R.S.S. s'engage vers la négociation de pactes *régionaux* d'assistance mutuelle ; ceux-ci neutraliseraient ou gèleraient les situations dans certaines régions européennes en liant ensemble plusieurs Etats. En décembre 1933, la Pologne est ainsi invitée à signer une déclaration commune de garantie d'indépendance et d'intangibilité des Etats baltes. Mais plus important encore, l'ambassadeur soviétique à Paris propose la signature d'une convention de défense mutuelle, multilatérale, puisqu'elle concerne, outre l'U.R.S.S. et la France, la Belgique, les Etats baltes, la Pologne et la Tchécoslovaquie ; quelques semaines plus tôt J. Paul Boncour, le ministre français des Affaires étrangères, un radical décidé à la fermeté envers les dictatures, avait proposé à M. Litvinov de signer un pacte d'assistance mutuelle pour compléter un traité bilatéral de non-agression, péniblement élaboré et adopté en 1932. En élargissant la liste des partenaires potentiels, l'U.R.S.S. évite un dialogue trop poussé avec la seule France et surtout consolide son dessein essentiel de contrer les possibles ambitions nazies face aux frontières de l'Europe orientale. Allait-on connaître « un Locarno de l'Est » ? Le rapprochement avec la France se trouve au même moment encouragé par une série d'accords économiques (protocole commercial d'août 1933), par des voyages ministériels, par des contacts entre militaires, mais les Soviétiques restent prudents avec cet Etat jugé militariste et bourgeois ; réciproquement les milieux modérés français, responsables de la politique extérieure, acceptent difficilement de considérer la Russie soviétique avec les yeux des Français d'avant 1914 si férus de l'alliance avec le Tsar. Toutefois, en décembre 1933, une résolution du Comité Central du P.C. soviétique admet le principe de la signature de pactes de défense mutuelle et, point encore plus nouveau, une éventuelle adhésion à la S.D.N.

Peut-on alors parler d'un nouveau cours de la politique soviétique ? Si changement il y a, est-il à mettre en relation avec les vicissitudes intérieures perceptibles fin 1933 et lors du XVIIe Congrès du parti bolchévik en janvier 1934 ? Un fait est acquis aujourd'hui en ce qui concerne la vie interne du parti : Staline doit naviguer au plus près entre ceux qui préconisent une ligne « renforcée » de l'industrialisation-planification-dékoulakisation (tel Molotov) et ceux qui insistent pour une certaine libéralisation du régime économique et politique (tel Ordjonikidze). Retrouve-t-on une semblable division à propos de la tactique à adopter en politique extérieure ? Certaines déclarations de leaders soviétiques semblent admettre alors une distinction entre les deux clans du monde capitaliste ; l'Allemagne et le Japon « gendarmes de l'ordre fasciste », menacent la paix que d'autres puissances capitalistes, comme la France ou les Etats-Unis, voudraient préserver ; avec la S.D.N., l'U.R.S.S. pourrait aider à cette défense de la paix.

Vers le front antifasciste ?

L'entrée à la S.D.N. fut chose faite en septembre 1934. Pour l'U.R.S.S. le changement était considérable. Il fut souvent considéré comme le pas décisif de cet Etat vers les démocraties occidentales, menacées par les fascismes. En réalité, la politique de balance entre les deux camps « bourgeois » antagonistes, véritable axiome de la politique étrangère stalinienne, entrait ainsi en action. Staline n'avait sans doute guère d'illusions sur la capacité de bâtir un front résolu contre les ambitions hitlériennes, à voir la facilité avec laquelle la Grande-Bretagne accepte de négocier avec Hitler sur le réarmement, alors que l'Allemagne et sa nouvelle « amie » la Pologne refusaient tout convention mutuelle avec les Etats de l'est européen, condamnant dès lors le « Locarno de l'Est », projeté et soutenu du bout des lèvres par Londres.

Au fond, Staline fort inquiet devant les menaçantes déclarations anti-bolchéviques d'Hitler, prend ou cherche à prendre des garanties du côté de la France, mais sans trop y croire. On a déjà vu (chap. 8, p. 206) les conditions de la signature du pacte d'assistance mutuelle avec Laval en mai 1935. Sans doute la naissance et le développement du Front Populaire en France, encouragés par la nouvelle stratégie définie en août 1935 par le VIIe Congrès du Komintern, avec le retour du P.C.F. au sein d'une gauche moins désunie, apporte-t-il théoriquement une nouvelle capacité d'entente franco-soviétique. Mais puisque le gouvernement Blum cherche avant tout à arrimer solidement la France au bloc anglo-saxon et puisque dans le gouvernement bon nombre de responsables (dont E. Daladier, ministre de la Guerre) sont, comme les chefs militaires (dont le général Gamelin chef d'Etat-major), très réticents devant une alliance militaire avec Moscou, à quoi bon, du point de vue soviétique, s'engager vraiment avec Paris ? La méfiance française égale la méfiance soviétique.

Toujours en se plaçant du point de vue soviétique, il paraît évident que les démocraties occidentales, au sein desquelles la Grande-Bretagne, tenue pour le leader incontesté par Moscou, demeure anti-soviétique (nouvelle rupture sur le plan commercial en octobre 1932), n'agiront pas avec résolution contre les puissances totalitaires. Mussolini en Ethiopie, Hitler en Rhénanie, le Japon en Chine font ce qu'ils veulent. En 1934, les diplomates américains semblent disposés à la conclusion d'un pacte d'asistance mutuelle pour bloquer les initiatives japonaises dans le Pacifique ; pendant trois années, Moscou en réponse s'affirme prêt à signer ce pacte du Pacifique, mais finalement ni Washington ni Londres ne se décident à ce geste. De même, à la S.D.N., les discussions paraissent stériles. La sécurité de l'U.R.S.S. tire peu d'avantages de son entrée dans cette organisation. Le seul point positif est à porter au crédit de la conférence de Montreux (convention signée le 20 juillet 1936) : un nouveau statut des Détroits exclut complètement les navires de guerre dans la mer Noire en temps de guerre, sauf pour les Etats limitrophes, et, en temps de paix, les flottes des Etats non riverains ne pourront dépasser un faible tonnage, ni naviguer pendant plus de trois semaines sur cette mer.

Ces résultats limités renforcent la tendance à l'isolement parmi les responsables soviétiques. Celle-ci trouve un argument complémentaire dans l'accentuation de l'autarcie économique prévalente depuis les débuts des plans quinquennaux. Incapable de trouver des crédits nouveaux à l'étranger, de dégager des surplus conséquents à l'exportation, voici l'U.R.S.S. incitée à fermer ses frontières. Le commerce extérieur soviétique se contracte considérablement ; entre 1930 et 1934, l'indice en valeur des exportations tombe de 100 à 20, celui des importations de 100 à 11 ; en 1937 les indices sont à 26 et 20. Or les résultats obtenus par les plans quinquennaux sont insuffisants pour assurer rapidement à l'U.R.S.S. les moyens d'une puissance économique indispensable à une armée moderne de grande efficacité. En 1936, les responsables soviétiques discutent pendant des mois du rythme futur de la planification sans conclure ; à nouveau la lutte reprend entre Molotov et Ordjonikidzé ; le premier finit cependant par l'emporter, entraînan la mise en cause des dirigeants de l'industrie lourde au moment où les grands procès publics sont organisés pour démontrer l'« infâme collusion » de « traîtres liés aux cliques trotskistes, nazies et japonaises ». A la fin de l'année 1936, l'U.R.S.S. entre dans une phase d'épuration, arrestations, condamnations, qui trouve sa justification théorique lors d'un nouveau plenum du Comité Central en février 1937. La voie est ouverte pour des actions massives de répression pendant l'année 1937. Tous les cadres sont touchés, notamment ceux de l'armée (élimination de maréchaux, généraux en chef, amiraux), ceux de la diplomatie (les deux premier vice-ministres). Ces violences traduisent-elles un nouveau tournant en politique extérieure ?

En apparence, en 1937, rien ne bouge dans la ligne extérieure, toujours conduite et exprimée par M. Litvinov. En réalité, dans beaucoup de domaines, la neutralité et la prudence vis-à-vis du rapprochement avec les démocraties s'accentuent. Ainsi, au printemps 1937, après avoir poussé à un accord militaire avec les Français (eux-mêmes réticents), les responsables du ministère soviétique des Affaires étrangères freinent le processus engagé ; le 17 février 1937, Moscou fait savoir à Paris que l'aide militaire soviétique acquise en principe, dépend concrètement de l'accord des Etats voisins, alliés de la France, Pologne et Roumanie. C'est déjà poser la fameuse « question cardinale » qui fera capoter les négociations militaires anglo-franco-soviétiques en août 1939. En mai 1937 Litvinov et le nouvel ambassadeur à Paris, Suritz, sont nonchalants dans leurs rapports avec les autorités françaises : il urge d'attendre. Sans doute la purge qui secoue profondément l'U.R.S.S. en 1937 peut expliquer cette attitude prudentissime. En outre, les navrantes discussions du Comité de non-intervention à propos des soutiens militaires étrangers en Espagne ont pu convaincre les Soviétiques de la faiblesse des démocraties face aux coups de force fascistes. Mais, plus fondamentalement, l'analyse par les Soviétiques de la crise du monde capitaliste conduit vers un renforcement de la ligne neutraliste. Après un moment de répit, une nouvelle aggravation de la crise économique a entraîné une politique d'agressions caractérisées, en Espagne, en Chine : « il résulte que la deuxième guerre mondiale est commencée en fait. Elle a commencé furtivement sans déclaration de guerre... Elle a pour but de redistribuer le monde et les zones d'influence au profit des pays agresseurs et au détriment des Etats communément appelés démocratiques. » (*Histoire du Parti communiste bolchévik de l'U.R.S.S.*, œuvre de Staline, 1938). Pourquoi l'U.R.S.S. interviendrait-elle dans ce conflit intercapitaliste ?

La neutralité payante

Dès lors, la tactique soviétique évolue sur deux plans. D'un côté, face aux agressions nazies ou japonaises, l'U.R.S.S. participe à toute organisation de défense susceptible d'enrayer les empiètements, à conditions d'être « assurée » de suivre un mouvement généralisé de résistance aux fascismes ; de l'autre côté, elle évite tout geste, toute déclaration officielle, qui susciterait un prétexte de réaction fasciste. Or, plus le temps passe, plus la pusillanimité des démocraties et leur volonté d'apaisement à tout prix deviennent évidents. En Chine, l'attaque japonaise de juillet 1937 entraîne de molles déclarations américaines et de stériles réunions à la S.D.N. ; l'Anschluss en mars 1938 est accepté sans broncher par les Occidentaux ; la conférence de Munich, comble du « défaitisme », à laquelle l'U.R.S.S. n'est pas invitée, consacre la victoire des fascismes. Cette politique de « capitulation » n'a-t-elle pas aussi pour but de pousser les Etats signataires du pacte anti-Komintern[1] à entreprendre des conquêtes sur l'U.R.S.S. ?

De fait, le Japon, avec lequel Moscou avait tenté en 1935 une politique conciliante (signature d'un accord sur la propriété du Transmandchourien), a multiplié les incidents de frontières en Mongolie extérieure, Etat avec lequel Moscou avait conclu un traité d'assistance en mars 1936. En juillet-août 1938, une guerre « localisée » oppose directement Japonais et Soviétiques aux limites de la Corée et de l'Extrême-Orient soviétique ; en mai-août 1939, une guerre réelle, avec engagement de chars et d'aviation, aux limites de la Mongolie-Mandchourie témoigne de l'agressivité japonaise et se termine par un succès militaire des troupes de l'Armée Rouge dirigée par un général promis à un grand avenir, Joukov (guerre du Khalkin-Gol). Dans ces conditions, l'U.R.S.S. incite le P.C. chinois, alors en guerre ouverte avec le Guomindang, à cesser cette guerre civile ; elle signe un pacte de non-agression avec le gouvernement nationaliste de Nankin (août 1937) et elle procure même des armes et des munitions à Tchang Kaï-Tchek (accord de mars et juillet 1938). L'U.R.S.S. se garde cependant bien d'une intervention trop marquée en Chine. Comme en Espagne, Staline est prêt à aider ceux qui luttent contre les agresseurs, (tout en renforçant, si possible, la place des P.C. locaux dans la vie

---

1. Le 25 novembre 1936, Allemagne et Japon ont signé ce pacte.

politique locale) sans se laisser déborder de sa conduite générale, éviter l'entrée de l'U.R.S.S. dans une guerre généralisée. La crainte d'avoir à lutter sur deux fronts, l'un en Europe, l'autre en Asie, incite en outre le dirigeant soviétique à dissocier, autant que faire se peut, l'entente germano-japonaise : plus les Nippons se montrent menaçants et exigeants, plus Moscou pense à tempérer le jeu avec Hitler. Les diplomaties occidentales n'ont peut-être pas bien compris alors combien les « aventures » japonaises devant lesquelles elles paraissaient immobiles ou velléitaires, pesaient dans les calculs soviétiques, car l'agressivité nippone était interprétée par Moscou comme le premier pas de l'attaque du camp socialiste par le camp capitaliste unanime.

Lorsque Staline déclare en mars 1939, devant le XIXᵉ Congrès du P.C., qu'il ne faut pas s'attendre à voir l'U.R.S.S. « tirer les marrons du feu » pour autrui et lorsqu'il brosse un tableau de la situation mondiale où l'Allemagne nazie est à peine plus malmenée que les autres puissances bourgeoises, on peut comprendre, on devrait comprendre, la nouvelle détermination stalinienne. Mener une politique de paix avec *tous* les pays, signifie aussi, le cas échéant, mener cette politique avec les Etats fascistes si cela peut sauver la patrie du socialisme d'une grande guerre meurtrière. A toute fin utile, Staline n'hésite pas d'ailleurs à revenir en arrière idéologiquement en exaltant ou en faisant exalter dans la littérature ou au cinéma les vieilles traditions russophiles, slavistes, ou la gloire du patriotisme grand-russien (cf. le film d'Eisenstein sur Alexandre Nevski, 1938).

Un dernier pas est franchi dans la seconde quinzaine d'avril 1939. Après avoir constaté la mollesse des réactions anglo-françaises devant la nouvelle agression allemande en Tchécoslovaquie et les réticences des Britanniques à nouer des relations étroites avec l'U.R.S.S., « une mémorable conférence au Kremlin » (selon les souvenirs de l'ambassadeur à Londres Ivan Maiski qui est alors un personnage important parmi les informateurs de la diplomatie soviétique) fixe la nouvelle tactique. Celle-ci sera ordonnée par le nouveau responsable de la politique extérieure, Vlacheslav Molotov. Brutalement, le 3 mai 1939, Litvinov a été écarté de son poste ; il passait pour le représentant d'une ligne favorable à l'entente avec les démocraties ; sa marge de manœuvre n'ayant jamais été très forte (il n'a jamais figuré au Politburo), il ne faut pas exagérer son rôle personnel ; mais le symbole est évident pour les bons observateurs : Moscou va initier une autre politique. De fait, en proposant bientôt des négociations commerciales au gouvernement de Berlin, l'U.R.S.S. laisse clairement entendre sa volonté de rester en dehors du futur conflit à propos de la Pologne, pour peu que les Nazis acceptent de jeter « les bases politiques » d'un rapprochement germano-russe. En mai-juin 1939 il dépend d'Hitler que de nouvelles relations s'établissent entre Moscou et Berlin ; le retour à la politique de Rapallo est possible.

Comme l'écrit l'*Histoire de la Politique extérieure de l'U.R.S.S.* « Le gouvernement soviétique devait faire tout ce qui était en son pouvoir pour conjurer le terrible danger qui menaçait son peuple et son pays. » (tome 1, p. 524). L'égoïsme sacré était la suprême valeur pour la patrie de l'internationalisme prolétarien. Au moment décisif, ce nouveau monde abandonne la vieille Europe à ses luttes et à ses tourments, sans doute persuadé qu'il lui sera possible de se tenir éloigné des soubresauts de la guerre civile européenne.

L'isolationnisme de l'Amérique rooseveltienne

L'égoïsme sacré est également à la base des raisonnements et des choix de la grande puissance capitaliste, les Etats-Unis. Après la Seconde Guerre mondiale, une image positive du Président Franklin D. Roosevelt due au succès des Etats-Unis dans cette guerre contre le nazisme et l'expansionnisme japonais, a quelque peu auréolé la politique extérieure menée par la grande démocratie américaine. Pourtant pendant les années Trente, jamais les Américains n'ont atteint un tel degré d'isolationnisme, ni ne furent aussi peu conscients des responsabilités mondiales qu'une semblable puissance économique devait endosser. Au fond, Roosevelt et les Américains semblent refuser alors d'assumer les charges et les risques d'une puissance mondiale, se cantonnant au rôle plus modeste d'une puissance régionale, à l'échelle de leur continent.

Lorsque le nouveau Président des Etats-Unis s'installe à la Maison Blanche, en mars 1933, il est confronté au terrible problème de vaincre la crise économique *et* morale qui semble paralyser ce pays. Deux solutions paraissent possibles. Ou bien relancer la machine économique américaine par une concertation internationale débouchant sur de nouveaux accords commerciaux, plus libéraux, et sur une entente internationale à propos des parités entre les monnaies comme l'espèrent les Britanniques, qui escomptent aussi règler le lancinant problème des dettes par sa totale annulation. Ou bien les Etats-Unis jouent une partition séparée, en cherchant à sauver leurs producteurs, industriels et agriculteurs, par une politique tarifaire souple, par une manipulation autonome de leur monnaie, par une recherche de marchés préférentiels sans se soucier au préalable d'une concertation internationale. On sait déjà quelle fut la décision du Président et avec quelle brutalité elle fut notifiée aux partenaires de la Conférence internationale de Londres (voir chap. 7). Pendant deux ou trois années le nationalisme économique devait l'emporter dans l'esprit du Président ; son secrétaire d'Etat Cordell Hull, partisan d'un abaissement généralisé des barrières douanières par un accord international, ne pouvait faire prévaloir ses vues sur celles des conseillers du Président, tel Raymond Moley, qui inspiraient la ligne « nationale » de reconstruction. En outre, le Congrès était fortement marqué par les prises de position des sénateurs ou représentants « isolationnistes », c'est-à-dire ceux qui sont surtout préoccupés par les intérêts de leurs électeurs (fermiers du Middle West, cotonniers du Sud, métallurgistes du Centre et du Nord-Est, etc.). Si l'on ajoute qu'en ces années 1933-34 les dangers allemand et japonais paraissaient fort lointains, que la reprise de la rivalité britannique, avec la « dévaluation » sauvage de la £, était perçue comme tout à fait inquiétante, que l'obstination des Européens à refuser de payer leurs dettes était profondément ressentie comme un défi manifeste pour un pays plongé dans la crise, on mesure l'éloignement psychologique des Yankees pour l'Europe. Si, de plus, l'Europe devient un danger de guerre, c'est une raison complémentaire de s'en écarter. Ne pas recommencer « l'erreur » de 1917.

La preuve de cette suspicion et de cette volonté d'échapper à l'engrenage de l'entrée en guerre pour des motifs peu honorables trouve confirmation dans les travaux de la Commission sénatoriale présidée par le républicain G.P. Nye. En 1934, le Sénat décide d'enquêter sur l'industrie des armements et sur son rôle dans les origines de l'intervention de 1917 ; très vite l'enquête devient le lieu du procès des banquiers et marchands de canons, capables de tromper l'opinion publique américaine pour satisfaire leurs besoins de profits. Le retentissement dans l'opinion est réel. Dans les mêmes perspectives, le Congrès vote en avril 1934 la loi Jonhson selon laquelle aucun Etat étranger ne pourra émettre un emprunt aux U.S.A. s'il n'a totalement acquitté les dettes précédentes. Véritablement l'aide apportée aux Alliés pendant la Grande guerre devient un souvenir insupportable. Pendant les années Vingt, le pacifisme avait éveillé un certain écho, en se fondant sur les horreurs de la guerre et sur les tromperies de l'intervention pour le droit ; pendant les années Trente, ce pacifisme semble trouver une nouvelle légitimité ; il rejoint et il conforte l'isolationnisme. Certains Américains vont même plus loin : pourquoi la libre Amérique interviendrait-elle pour s'opposer à l'Allemagne ou à l'Italie ? Non seulement certaines minorités originaires de ces pays soutiennent leur patrie d'origine, quel que soit le régime politique en place, mais l'efficacité de ces régimes d'ordre suscite admiration et soutien chez certains Américains, tel le « héros » de la première traversée de l'Atlantique Ch. Lindbergh. L'arrivée de réfugiés politiques ou raciaux venus de ces pays secoue les milieux intellectuels, surtout après 1937, mais elle influence peu la grande masse, volontiers ignorante des réalités européennes. Incontestablement l'image des Européens querelleurs et sans scrupules est largement répandue outre-Atlantique. Elle ne peut faciliter une politique extérieure qui envisagerait de se mêler aux difficultés de ce vieux continent.

Or le Président Roosevelt est un homme prudent. Préoccupé avant tout par les questions de politique intérieure au début de son mandat, il laisse son entourage, notamment les professionnels du State Department et les ambassadeurs mener la stratégie extérieure, en liaison avec les chefs de l'arme navale, la seule à pouvoir compter. Or, ces responsables ont des vues diverses sur la conduite de cette politique extérieure. S'il semble bien que les relations avec la Grande-Bretagne aient été pour tous un des points essentiels de la politique américaine, convenait-il de renforcer un axe anglo-saxon, malgré les craintes d'être manœuvrés par la vieille « métropole », ou fallait-il d'abord obtenir que ces Britanniques cessent de fausser le jeu économique mondial par la pratique de la préférence impériale et de vouloir réduire le dollar à leur merci ? (Les Britanniques s'interrogent à l'inverse sur les possibilités de s'entendre avec ce parent jeune et brutal et sur les buts d'un Président souvent inaccessible et jugé vélléitaire.)

Neutres sauf en Amérique latine

En apparence, le Président, surtout après sa triomphale réélection en novembre 1936, dispose d'une large marge de manœuvre en politique extérieure vis-à-vis du Congrès où son parti, les démocrates, possède une confortable majorité. En réalité, Roosevelt sévèrement attaqué pour sa politique intérieure, veut éviter toute initiative de politique extérieure qui pourrait heurter son électorat ; il préfère laisser sa majorité parlementaire adopter une série de mesures, *les lois dites de neutralité,* qui ont pour but de mettre les Etats-Unis à l'abri de tout entraînement vers un conflit armé.

Entre 1935 et 1937, le pouvoir législatif prend l'initiative de lois de plus en plus restrictives. Lorsque le conflit éthiopien avait surgi, les Etats-Unis avaient refusé d'appliquer des sanctions envers l'Italie fasciste, mais le pouvoir américain voulait éviter que des ventes d'armes à l'un des belligérants ne finissent par recréer les conditions qui avaient mené à l'intervention de 1917. La première loi de neutralité (31 août 1935) prévoit donc un embargo complet des ventes d'armes et de munitions à tout Etat belligérant, sans distinction entre l'agresseur et l'agressé, ce qui ne manque pas de poser de délicats problèmes moraux. En outre, le Président peut interdire à un citoyen américain d'emprunter un bateau sous pavillon d'un Etat belligérant afin d'éviter qu'un nouveau naufrage comme celui du Lusitania, ne suscite des mouvements d'opinion propres à faire sortir les U.S.A. de leur réserve. La guerre civile espagnole mit en relief les lacunes de cette première loi : pouvait-on vendre des armes à un gouvernement légal aux prises avec une révolte intérieure ? La solution retenue par la seconde loi de neutralité (loi du 1er mai 1937) fut encore celle de la sauvegarde : guerre civile et guerre étrangère étaient assimilées, armements et munitions ne pouvant être vendus à quiconque. Toutefois, pour les ventes de produits d'approvisionnements (matières premières, pétrole) les transactions étaient autorisées pourvu que l'acheteur paye au comptant (cash) et transporte lui-même les marchandises jusque dans son pays (carry). Plus tard cette loi Cash and Carry, étendue aux armements, sera utile pour les démocraties, mais à l'origine cette loi a un caractère fortement restrictif. En janvier 1936, une autre loi avait également interdit tout prêt financier à un Etat belligérant. Toutes les précautions semblaient ainsi prises pour éviter le retour des mauvais jours et pour garantir la sécurité par la non-intervention dans le monde.

La sécurité en Amérique même repose sur d'autres bases. Il faut obtenir que le continent américain ne puisse être impliqué dans les rivalités européennes et qu'il assure par lui-même sa sécurité. La doctrine « l'Amérique aux Américains » reste d'actualité, mais pour qu'elle trouve une bonne application encore faut-il que les habitants du nouveau monde s'entendent entre eux. De meilleures relations entre les « gringos » et les Latino-Américains étaient indispensables. Une politique de bon voisinage s'imposait.

En Amérique latine, le prédécesseur de Roosevelt, H. Hoover, avait déjà tenté de se rapprocher des Américano-Latins, très sensibilisés à tout ce qui peut apparaître comme une réminiscence de la politique du « Big Stick ». Roosevelt, sur les conseils de C. Hull, veut aller encore plus loin dans cette volonté de réconciliation inter-américaine ; le nouvel hémisphère doit agir d'une même volonté et régler par lui-même ses problèmes (le chef du gouvernement canadien Mackensie King pousse également dans cette direction, cherchant à émanciper son pays de la tutelle britannique). Dans ces conditions, la politique yankee sera fondée sur deux novations : en Amérique centrale, les « Marines » vont être rappelés et les occupations de pays indépendants vont cesser ; en Amérique latine, le recours aux conférences inter-américaines pour régler les litiges et la proclamation d'une politique de non-intervention entre Etats américains feront passer de la méfiance à la confiance. En 1933, le Nicaragua, puis Haïti, occupés depuis 1915, voient partir les troupes yankees ; à Cuba, malgré les demandes de l'ambassadeur Sumner Welles (qui deviendra ensuite un des principaux conseillers du Président), Roosevelt se refuse à profiter des sempiternels rebondissements de la vie politique locale pour intervenir dans l'île, et, décision hautement symbolique, fait annuler l'amendement Platt qui depuis 1901 autorisait les Etats-Unis à intervenir directement en cas de menace pour leurs intérêts dans l'île (voir tome 1, p. 181) ; un nouveau traité américano-cubain signé en mai 1934 permet le maintien de la base de Guantanamo, mais incontestablement cette attitude nouvelle de compréhension rejaillit sur les relations inter-américaines.

Peu à peu les Etats d'Amérique latine, notamment l'Argentine qui fait souvent figure de leader anti-yankee (son ministre des Affaires étrangères Saavedra Lamas cherche à s'appuyer sur la S.D.N. pour contrer les ambitions du géant du Nord), apprécient la modération rooseveltienne ; à la conférence pan-américaine de Montevidéo en décembre 1933, la méfiance persiste encore et C. Hull, malgré toute sa bonne volonté, ne peut faire adopter ses projets commerciaux de libre-échange. En mai 1935, les Etats-Unis font partie des Etats médiateurs capables d'inciter la Bolivie et le Paraguay à trouver une solution négociée à leur conflit frontalier du Chaco (celui-ci dure sous des formes diverses depuis 1928-1929), après que la volonté yankee d'imposer un embargo sur les ventes d'armes à destination des deux pays en guerre a joué un rôle déterminant. En décembre 1936, le Président Roosevelt vient en personne assister à une nouvelle conférence inter-américaine à Buenos-Aires ; si les résolutions proposées par la délégation yankee sont encore écartées ou vidées de toute substance réelle, l'accueil triomphal réservé au Président témoigne d'un incontestable changement d'atmosphère. Aussi deux ans plus tard, à Lima, les vues des Américains sont-elles plus communes : par une déclaration de décembre 1938, tous les Etats américains affirment leur solidarité, leur décision d'une défense commune du continent et leur capacité à se concerter si un seul d'entre eux se sent menacé par une puissance étrangère.

La « politique du bon voisinage » portait ses fruits et l'on pouvait parler d'une communauté à l'échelle du continent américain.

Assurer la sécurité

L'évolution de la situation internationale pouvait évidemment expliquer le changement des attitudes américano-latines ; la tension grandissante en Europe, en Asie, pouvait inciter les Etats faibles à se chercher un « protecteur » surtout si celui-ci les laissait libre de leur conduite intérieure (les U.S.A. acceptent sans réactions violentes la nationalisation des pétroles mexicains par le Général Cardenas en 1938).

Or la fonction de leader du nouveau monde suppose des forces militaires conséquentes, notamment dans le domaine maritime. Dès son arrivée au pouvoir, Roosevelt, ancien secrétaire à la Marine, avait montré son intérêt pour la stratégie maritime ; mais en un premier temps, il avait préféré poursuivre la politique de limitation des armements, initiée lors de la Conférence de Washington en 1922 et prolongée par la Conférence de Londres en 1930. La flotte de guerre yankee n'avait même pas atteint le plafond fixé par les accords internationaux et il paraissait préférable de limiter les constructions futures plutôt que de se lancer dans de nouveaux armements. Le Japon est d'un avis contraire, souhaitant surtout obtenir la parité avec les deux puissances anglo-saxonnes ; aussi le renouvellement de l'accord de Londres, qui vient à expiration en 1936, paraît-il difficile à obtenir car ni les Britanniques, ni les Américains, tenus de disposer de flottes sur plusieurs océans, n'acceptaient une parité dont le Japon, intéressé seulement par l'Océan Pacifique, eût tiré un évident parti. Les discussions qui se déroulent à nouveau à Londres, en décembre 1935, entre les puissances navales (l'Allemagne qui a signé quelques mois plus tôt un accord particulier avec le Royaume-Uni, n'y participe pas) se terminent sans la participation japonaise ; l'Empire nippon a repris sa liberté d'action. Voici donc Roosevelt, qui avait fortement contribué à la tenue de cette conférence, incité à rechercher la sécurité de son pays et du continent américain par un renforcement conséquent de la flotte de guerre. Dès le printemps de 1936, le Président demande de prévoir un gros effort financier dans ce but ; les amiraux W. Standley et W.D. Leahy, commandants en chef de la flotte, sont des stratèges réalistes qui envisagent une collaboration avec les Britanniques, mais qui savent aussi le retard pris par leur pays. Aussi le milliard de dollars demandé par le Président au début de 1938 est-il accepté par le Congrès ; il pourra redonner dans quelques années une position sur mer en rapport avec les responsabilités régionales qui sont les leurs. De même, après Munich, Roosevelt obtient le vote d'un nouveau crédit d'un demi milliard de dollars pour moderniser l'aviation et une partie de l'armée de terre. Les Etats-Unis ne se préparent pas pour intervenir au loin ; ils songent à leur propre sécurité.

Les difficultés de la situation économique aux Etats-Unis peuvent également expliquer l'intérêt porté au réarmement par l'administration américaine. En 1937, la crise industrielle est forte, le chômage reprend et Roosevelt doit en 1938 reprendre une action étatique plus forte pour relancer certains secteurs industriels ; de fortes commandes militaires pourraient contribuer à la relance. Toutefois les préoccupations politiques et militaires ont certainement poussé Roosevelt à accélérer l'armement de son pays. Pensait-il déjà à une intervention armée dans un conflit européen de plus en plus prévisible ? En fait, pour beaucoup, les Etats-Unis sont en seconde ligne, et leur rôle serait plutôt celui d'un arsenal des démocraties. L'esprit des concitoyens de Roosevelt est encore trop obnubilé par la crise intérieure pour qu'ils acceptent de partager les difficultés des autres. La lente convalescence de ce pays douloureusement affecté par la misère, le chômage (10 millions de chômeurs à nouveau en 1938) au point de douter de lui-même, ne le prédispose pas à l'altruisme. Les troubles sociaux, raciaux (Noirs) préoccupent davantage les Américains que les navrantes nouvelles venues d'Europe. Des intellectuels, des savants réfugiés du vieux continent commencent à s'intégrer à ce pays neuf, mais leur influence culturelle demeure encore marginale avant les débuts de la guerre. Les écrivains américains qui sont marqués par le sort de l'Europe, tel Ernest Hemingway (*Pour qui sonne le glas*), sont rares, tout comme les cinéastes intéressés par les dangers venus d'Europe ; *Autant en emporte le vent,* énorme succès du cinéma holywoodien (1939), les films de John Ford, de Frank Capra, les comédies burlesques ont l'Amérique, son passé, sa vie quotidienne, pour sujets, avec le souci de reconstituer le mythe de la réussite yankee. Décidément l'Europe est lointaine. L'Atlantique est encore un océan beaucoup trop large pour que l'atlantisme puisse exister.

L'apaisement à l'américaine

Les Américains avaient d'ailleurs quelques raisons complémentaires de se sentir éloignés de l'Europe. Les Européens souhaitaient-ils leur intervention ? Il faut reconnaître que les responsables américains pouvaient s'interroger sur les vues réelles des démocraties occidentales. La France leur paraît à la fois symbole de décadence (le régime politique et ses hommes sont jugés lamentables) et symbole du maintien d'un ordre versaillais dangereux et dépassé. En outre l'obstination française à refuser tout paiement des dettes, même partiel, obscurcit les rapports franco-américains. Mais la Grande-Bretagne semble tout aussi incertaine. La politique d'apaisement suivie par Londres à l'égard de l'Allemagne nazie ne se fonde-t-elle pas sur d'égoïstes calculs ? Selon certains observateurs américains, les responsables britanniques seraient disposés à admettre la constitution d'un Mitteleuropa sous domination allemande dès lors que les intérêts britanniques seraient sauvegardés dans les mouvances traditionnelles du Royaume-Uni, le Commonwealth, l'Amérique latine, le Sud-Est asiatique. En outre, cette bonne volonté encouragerait les « modérés » de l'entourage hitlérien opposés aux « durs », racistes et bellicistes. Dans cette hypothèse les grands perdants seraient les Américains eux-mêmes, exclus ou marginalisés dans ces zones essentielles du commerce mondial.

En 1935 en effet, l'Europe représente 50 % des exportations mondiales et 55 % des importations mondiales, l'Amérique latine environ 8 % du commerce mondial, l'Asie environ 15 % de ce commerce, l'Amérique du nord 17 % des exportations et 13 % des importations mondiales. Si les Etats-Unis veulent développer leur commerce extérieur afin d'accélérer leur reprise économique, vers quels rivages se porter ? Le commerce extérieur ne joue pas dans l'économie yankee le même rôle que dans les économies des Etats européens ; toutefois n'est-il pas inquiétant de constater la baisse relative de la part yankee dans le commerce mondial depuis 1929 ? En 1929 les importations vers les U.S.A. représentaient 12,3 % des importations mondiales, en 1936 elles n'en font plus que 10,9 % ; les exportations fléchissent parallèlement de 15,8 % à 11,4 %. Un effort de promotion a été entrepris par l'Etat fédéral, relayé par certains experts du commerce : en 1934, la création de l'Export Import Bank, dirigée par G.N. Peek, avait pour but d'aider l'expansion commerciale yankee. Le renforcement du contrôle fédéral sur cette banque en 1936 permet à F.D. Roosevelt d'employer cette « arme financière » pour s'imposer davantage en Amérique latine ou en Extrême-Orient par une politique de prêts sélectionnés qui contournent les discriminations tarifaires. Déjà apparaissent bien des moyens d'ouverture des frontières douanières qui s'épanouiront après la Seconde Guerre mondiale. En 1936-1938, leur succès dépend encore du tout puissant partenaire britannique (cf. le tableau du commerce international, p. 222). Dans ces conditions, même si certains conseillers du Président, tel Sumner Welles ou Berles, secrétaire-adjoint du State Department, sont prêts à suivre la politique d'apaisement de Chamberlain, la perspective dominante chez les responsables américains est de contraindre les Britanniques à partager les inconvénients de l'apaisement en adoptant la politique de la « porte ouverte » en matière commerciale.

Depuis 1934, le Congrès a permis au Président de négocier des traités bilatéraux de commerce pouvant aboutir à des réductions tarifaires de 50 % maximum (Reciprocal Trade Agreement Act). Le Secrétaire d'Etat C. Hull voudrait user de cette loi pour élargir la pénétration commerciale de son pays dans certains Etats, en particulier au sein du Commonwealth, chasse gardée britannique. Il voudrait en outre favoriser, voire imposer, une détente politique internationale par un abaissement négocié des barrières douanières car il est persuadé de la nocivité du protectionnisme douanier. La puissance économique et financière des Etats anglosaxons au sein de l'économie mondiale ne devrait-elle pas faciliter les discussions pour un règlement pacifique des conflits internationaux, si la cause de ceux-ci repose surtout sur un déséquilibre entre pays riches et pays pauvres ? Les tableaux suivants expriment clairement la force relative des Puissances en ces années cruciales ; ils font ressortir la relative stabilité des moyens britanniques, encore ceux d'une grande puissance, l'affaiblissement caractérisé de la France, le maintien d'une puissance commerciale allemande (les très faibles réserves en or, au moins jusqu'au rapt de l'Anschluss, font du mark une monnaie artificielle), mais surtout *le poids grandissant des Etats-Unis.*

TABLEAU 16

LES ÉCONOMIES DES GRANDES PUISSANCES DANS LES ANNÉES TRENTE

1. FORCES COMMERCIALES

1. *Commerce global (en milliard de dollars-or)*

(A) = % de ce commerce par rapport au commerce mondial

		G.B.	(A)	U.S.A.	(A)	Allem.	(A)	France	(A)	Japon	(A)	Italie	(A)
1934	Import.	2,04	17,2	0,97	8,2	1,04	8,8	0,90	7,6	0,39	3,3	0,39	3,3
	Export.	1,18	10,5	1,24	11	0,97	8,6	0,70	6,2	0,37	3,3	0,26	2,3
1936	Import.	2,31	17,7	1,43	10,9	1	7,6	0,90	6,9	0,46	3,5	0,25	1,9
	Export.	1,29	10,3	1,40	11,2	1,13	9,55	0,55	4,4	0,45	3,6	0,22	1,7
1938	Import.	2,48	17,3	1,10	8	1,29	9	0,78	5,4	0,44	3,1	0,34	2,4
	Export.	1,35	10,1	1,80	13,4	1,25	9,1	0,51	3,9	0,44	3,3	0,32	2,4

2. *Part du commerce colonial et du commerce européen en 1938*

(en % par rapport au commerce total)

	Allemagne	France	Grande-Bretagne	Italie	Pays-Bas
Import. venant d'Europe	57 %	35 %	34 %	60 %	63 %
Export. vers l'Europe	72 %	55 %	37 %	60 %	77 %
Import. venant de colonies	—	37 %	42,7 %		8,1 %
Export. vers les colonies	—	48 %	43 %		8,2 %

2. Marché international des capitaux

1. *Les potentialités d'exportation des capitaux d'après les balances de paiements*

(en millions de dollars)

	U.S.A.	G.B.	France	P. Etats Eur. Occ.*
Période 1929-1933	− 1 734	− 844	+ 2 024	− 1 161
Période 1934-1938	+ 6 070	+ 1 163	− 2 289	+ 1 301

2. *Estimation des stocks de capitaux placés à l'étranger (en milliards de $)*

	U.S.A.	G.B.	Fr.	P.E.E.O.
Vers 1929/1930	15,67	17,08	4,2	
Vers 1934/1935	13,6	17	3,9	5,6

(Source : *Enquête du Royal Institute for International Affairs,* 1936).
* P. Etats Eur. Occ. = Petits Etats d'Europe occidentale (Belgique, Pays-Bas, Suisse, Suède).

3. *La répartition zonale des placements anglo-saxons en capitaux*

		vers fin 1930				en 1930	en 1935
G.B	Commonwealth	58,9 %	U.S.A.	Canada	25,2 %	27,6 %
	Europe	7,9 %		Europe	31,4 %	26 %
	Amérique du Sud	20,8 %		Amérique du Sud	19,4 %	21,5 %
	Amérique centrale	1,6 %		Amérique centrale	14 %	14,7 %
	Asie	6,7 %		Asie	6,5 %	6 %

A plusieurs reprises, en 1937, la diplomatie américaine, peut-être consciente de sa puissance, a cherché à obtenir la réunion d'une conférence internationale destinée à trouver un règlement pacifique des tensions. Les difficultés monétaires ou financières des vieux Etats pouvaient contribuer à normaliser les relations internationales. Ainsi, en septembre 1936, lorsque le gouvernement de L. Blum est acculé à la dévaluation du franc devant les fuites considérables de capitaux, qui n'ont pas cessé depuis le printemps 1935[1], il demande l'appui des Anglo-Saxons pour s'assurer d'une réelle stabilisation du franc à sa nouvelle valeur ; c'est l'occasion pour Washington d'une discussion à trois avec les Britanniques et les Français en vue d'aboutir à une nouvelle parité des devises, à un armistice monétaire et à un nouvel accord commercial international. Si les Français aux abois sont prêts à transiger, il n'en va pas de même pour les Britanniques inquiets d'un cours du dollar qui favoriserait trop le commerce rival. La signature de l'accord tripartite anglo-franco-américain (25 septembre 1936), ratifié ensuite par quelques Etats européens (Suisse, Pays-Bas), renforce la position américaine dans

---

1. Les difficultés de politique intérieure et le niveau trop élevé du franc expliquent ces fuites qui réduisent le stock d'or de la Banque de France, obligée de défendre la monnaie nationale, de 39 % en dix-huit mois.

la mesure où il oblige les contractants à promettre d'ouvrir leurs barrières douanières. Les temps semblent venus d'une négociation internationale qui partant des considérations économiques pourrait aboutir à garantir la paix.

Un certain nombre d'hommes d'affaires en Occident, notamment dans les secteurs bancaires rompus aux négociations internationales, pensent que la paix est menacée surtout parce que certains Etats désargentés sont incapables de financer leurs achats de matières premières et donc de contribuer à la relance du commerce international ; si des crédits leur étaient consentis, ils pourraient en échange mettre fin à leurs menaces de conquêtes, prévues souvent pour s'assurer des accès garantis à des matières premières. On « achèterait » ainsi la paix[2]. A la fin de l'année 1936 des hommes d'affaires et des politiques cherchent à concrétiser ces vues par une négociation discrète entre quelques responsables politiques et certains experts financiers ; une mission secrète est confiée à un ancien responsable politique belge, Paul Van Zeeland, également juriste international, afin de préparer l'organisation d'une grande conférence économique mondiale. Van Zeeland visite presque toutes les grandes capitales, Berlin et Rome compris, pour finir par rendre en 1938 un rapport désabusé, mais qui n'est pas sans préfigurer certains aspects de la future conférence de Bretton Woods de 1944.

Roosevelt pensait-il vraiment qu'il fut possible d'user d'arguments pacifiques à l'encontre de Hitler ? Le discours sybillin prononcé le 4 octobre 1937 à Chicago, en plein cœur d'une région isolationniste, discours dit de la Quarantaine (Roosevelt y évoquait la nécessité de mettre en quarantaine ceux qui refusaient une politique extérieure pacifique) était-il destiné à proposer un programme « d'achat de la paix » ? En tout cas, jusqu'en 1938, le Président se range beaucoup plus dans le camp des « apaiseurs » que dans celui des « résistants ». Après tout, en Grande-Bretagne la tendance dominante est celle des apaiseurs ; même si Roosevelt se fait une image fausse de la Grande-Bretagne, « par préjugé et ignorance » (D.C. Watt), jugeant celle-ci solidement argentée et superbement colonialiste (ce contre quoi Roosevelt s'élève nettement), il convient d'admettre qu'il adopte alors les idées dominantes de son entourage, très réservé sur l'opportunité de constituer un front contre les dictatures.

A la fin de l'année 1938, les relations anglo-américaines semblent pouvoir se modifier. Un nouvel accord commercial est enfin signé entre les deux Etats ; les Britanniques ont fait quelques concessions qui vont dans le sens d'une libéralisation des échanges entre la zone britannique et la zone américaine. Washington peut penser que ce geste constitue le premier pas vers une concertation renforcée, fondée sur des principes chers aux Américains ; cette entente anglo-saxonne devrait faire impression sur Berlin. Espoir de courte durée puisque Chamberlain est encore décidé à l'apaisement au début de 1939. Or cet apaisement « à la britannique » ne paraît pas une heureuse formule pour le Président, qui s'inquiète de plus en plus des menaces allemandes, sans doute davantage que la majorité de ses conseillers, ceux du State Department en particulier.

Le système relationnel européen fondé sur des rapports de force militaires et idéologiques est étranger aux concepts américains et mieux vaut donc se situer ailleurs, en attendant que les nécessités contraignent ces Européens à suivre des règles nouvelles. Le monde de demain est encore ignoré par les Européens ; l'intervention en Europe serait vaine. Les temps ne sont pas mûrs.

---

2. L'exemple du Cartel International de l'Acier montre que des accords larges sont possibles dans le monde des affaires : en février 1937 certains producteurs américains signent une convention avec les sidérurgistes européens, puis à nouveau en décembre 1937 ; enfin le 1er juillet 1938 un accord général élargit le Cartel aux Américains.

On le voit bien aussi à propos des idées de réformer la S.D.N. en 1938-1939 ; quoique pays non membre de cette organisation internationale, les Etats-Unis (qui siègent depuis 1933 à l'O.I.T.) ont conservé de l'idéal wilsonien l'espoir que la S.D.N. réformée pourrait servir utilement. En février 1939, C. Hull répond favorablement à la proposition de mener une enquête qui devrait déboucher sur un nouveau statut de l'organisation génevoise. Washington suggère de renforcer les institutions économiques et sociales en les émancipant de la tutelle du Conseil et de l'Assemblée. Les Etats-Unis sont-ils disposés à venir vraiment participer à une organisation internationale rénovée ? Le rapport rédigé au printemps 1939 par l'australien Stanley Bruce, à la demande du secrétaire général de la S.D.N., le français J. Avenol, semble aller sur certains points dans le sens des recommandations américaines. L'influence américaine contribuerait-t-elle à façonner la vie internationale de manière significative ? La guerre qui débute juste après la remise du rapport Bruce, stoppe toute cette évolution. Mais il n'est pas sans importance que les vues et les propositions venues d'outre-atlantique et qui trouveront à s'affirmer à la fin de la guerre, soient déjà élaborées à la veille du conflit. La gestation du monde nouveau a commencé ; pour l'instant les Etats-Unis ne sont pas encore en mesure d'imposer leurs idées ; ils se tiennent à l'écart. C'est aussi leur propre intérêt.

En somme, au moment où la tension monte en Europe entre les vieilles puissances traditionnelles, les futurs géants de l'après-guerre, symboles de nouveaux mondes, deviennent des *spectateurs* attentifs et intéressés mais restent à l'écart des turbulents Européens.

De crises en apaisements : 1938-1939

1937 : les choix silencieux

En apparence, l'année 1937 paraît un moment de répit en Europe après les coups de semonce de l'année 1936.

Certes la guerre civile espagnole continue, marquée par des affrontements de plus en plus sanglants, avec l'intervention aux côtés des troupes franquistes, de nombreux « volontaires » Italiens et Allemands (légion Kondor) d'antifascistes allemands, français, italiens, anglo-saxons au sein des Brigades Internationales, fer de lance de l'armée républicaine. Toutefois les batailles autour de Madrid, ou en Catalogne, ou en Pays-Basque, ne semblent pas en mesure d'entraîner une décision ; si le coût de cette guerre civile reste humainement élevé, elle n'influence pas la conduite générale des relations internationales. Banc d'essai d'armes nouvelles ou de tactiques nouvelles, la guerre d'Espagne conserve plus un caractère de symbole idéologique que de ressort majeur pour les stratégies des puissances européennes. Chacun sait bien que la fiction de la non-intervention permet de ravitailler en armes et en hommes les deux adversaires espagnols ; on veut seulement éviter un « dérapage » qui conduirait à un risque de conflit généralisé. Ainsi, après de nombreuses péripéties, la neutralisation de la mer Méditerranée est quasiment acquise lorsque l'Italie fasciste, la plus intéressée dans l'intervention directe, admet de cesser des actions de « piraterie » réalisées par des sous-marins « non identifiés » (après une conférence tenue à Nyon en Suisse, en septembre, où Français et Britanniques avaient décidé de faire patrouiller leurs flottes de guerre en Méditerranée pour protéger les flottes de commerce). En vérité, les espoirs mis par Mussolini dans l'intervention en Espagne sont à ce moment nettement déçus ; les « volontaires » fascistes ont subi une déroute sur le front de Guadalaraja au printemps 1937 ; l'armée italienne paraît incapable de compter vraiment dans les calculs des responsables européens. Mussolini a besoin d'un solide allié pour réaliser ses ambitions. Pour le réel meneur du jeu en Europe, Hitler, l'Espagne est un bon champ de manœuvres et une source intéressante de matières premières stratégiques (fer, pyrites, mercure, etc.). Elle devient aussi un moyen de s'affirmer comme le fer de lance du camp antibolchévik pour autant que l'Espagne républicaine est décrite par ses adversaires comme « bolchévisée » et soumise à la poigne stalinienne[1].

La propagande qui sert à magnifier l'appui nazi au général Franco (et dont celui-ci se méfie au moins autant que de l'amitié italienne), se retrouve dans les formes données à la participation nazie à l'Exposition Internationale de Paris, inaugurée au printemps 1937. Les visiteurs de l'Exposition sont frappés par le face à face de deux pavillons gigantesques qui semblent se défier, celui de l'Allemagne dont l'entrée est dominée par une gigantesque « svastika », celui de l'U.R.S.S. couronné à son sommet par le célèbre couple de la paysanne à la faucille et de l'ouvrier au marteau. Symbole de la lutte décisive de demain pour la domination en Europe ?

TABLEAU 17

PAUVRE ALLEMAGNE ET RICHES CAPITALISTES, OU LES PLACEMENTS A L'ÉTRANGER EN 1937[1]

(en millions de $)

	Avoirs à l'étranger	Avoirs étrangers dans le pays
Grande-Bretagne	22 905	1 297
Etats-Unis (en 1939)	12 500	12 800
Pays-Bas	4 818	21
France	3 859	559
Suisse	1 609	168
Belgique	1 253	435
Allemagne	626	2 748

Source : LEWIS, (American Foreign Investment Problems)

1. Voir page 50 (tableau 5) pour des placements à l'étranger, en 1914 et en 1929.

En réalité, Hitler a des vues beaucoup plus prosaïques en cette année 1937. Ses choix du lendemain sont déterminés sans abandon aux mythes de l'idéologie. On peut en trouver la preuve dans la conférence secrète, intime même, qu'il tient à quelques auditeurs privilégiés le 10 novembre 1937 ; le Führer explique ses vues à deux ministres (Guerre et Affaires étrangères) et aux trois chefs des armées (terre, mer, air), recueillies par un colonel Hossbach, d'où le titre donné à cet important document, « protocole Hossbach ». Le chancelier du Reich expose clairement l'impasse où se trouve l'Allemagne à ce moment, car d'un côté l'autarcie imposée à l'économie a ses limites et ne permettra jamais à l'Allemagne de se développer suffisamment ; d'un autre côté, l'Allemagne ne peut passer sous les fourches caudines des démocraties occidentales par la recherche pacifique de solutions financières et commerciales aux difficultés rencontrées par l'économie allemande.

Grande-Bretagne et France ne toléreront jamais la présence d'un colosse allemand au centre de l'Europe et seule la force militaire donnera à l'Allemagne le moyen d'imposer cette pré-

---

1. L'aide technique militaire soviétique fut déterminante pour l'armée républicaine ; elle fut partiellement payée par l'envoi d'or de la banque d'Espagne en U.R.S.S. Mais ce fut surtout l'aspect psychologique de l'aide soviétique qui fut alors retenu.

sence dominante. Il importe donc de poursuivre le réarmement allemand jusqu'à son terme, c'est-à-dire jusqu'en 1943, date à laquelle la balance penchera nettement du côté allemand. Cependant, l'utilisation de cette force armée peut être entreprise avant cette date, si des circonstances particulières interviennent. Hitler en prévoit deux possibles : une guerre civile en France qui ruine toute capacité française de résister aux actions allemandes, une guerre entre la France et une tierce puissance, en fait l'Italie mussolinienne, qui affaiblit considérablement le potentiel français susceptible d'être opposé à l'Allemagne. Dans les deux cas, l'Allemagne doit profiter de ces circonstances pour mettre fin à la menace tchécoslovaque et régler le problème autrichien. Au fond, Hitler a déjà en vue les deux actions qu'il entend mener à court terme, bien avant 1943, l'Anschluss et la destruction de la Tchécoslovaquie. Si la France peut être mise hors jeu, le risque est limité. Croit-il vraiment à la possibilité d'une guerre civile en France ? Le doute est permis, même si la décadence française est pour lui un fait déjà en marche. La guerre italo-française n'est guère plus probable (ses ministres n'y croient pas à ce moment) ; Hitler teste plutôt les réactions de ses interlocuteurs, tout en aboutissant à une évidence : la France n'est plus en mesure de peser vraiment dans l'évolution des rapports de force en Europe sans prendre appui sur la Grande-Bretagne, qui, du même coup, devient la pièce maîtresse de l'échiquier européen. Les relations anglo-allemandes sont fondamentales pour l'avenir de l'Europe.

Hitler semble encore hésiter sur la tactique à suivre vis-à-vis de Londres. Pour réaliser ses « coups » en Europe, le Führer peut-il se fonder sur la passivité anglaise ou escompter une résistance violente qui l'obligerait à un affrontement ? Selon la formule reprise par Ch. Bloch, fallait-il mener une politique « sans ou contre la Grande-Bretagne ? ». Le ministère des Affaires étrangères allemand (dirigé en 1937 par Von Neurath) incline à rechercher un accord avec Chamberlain ; l'ambassadeur à Londres, Joachim von Ribbentrop, déçu par l'attitude réservée des milieux dirigeants britanniques à son égard, pense au contraire que l'action allemande finira par susciter un conflit et qu'il faut s'y préparer. Sans avoir vraiment encore fait son choix, Hitler peut penser en cette fin d'année 1937 qu'un coup d'audace sera sans grands risque de réaction britannique. En novembre 1937, Lord Halifax, lord président du Conseil, est en effet venu à Berlin rencontrer les dirigeants allemands et il a fait preuve d'un grand esprit de conciliation envers les intentions allemandes concernant l'Europe centrale (un peu moins sur les désirs allemands de satisfactions dans les colonies). Si au début de l'année 1938, Hitler choisit Ribbentrop comme nouveau ministre des Affaires étrangères (4 février), ce n'est peut-être pas encore le signe d'un choix décisif, mais c'est déjà l'intention d'agir sans trop se soucier d'une résistance britannique[1].

L'Anschluss constituera un bon test sans risques réels. Londres ne bougera pas vraiment en cas de modifications en Europe centrale ; Paris isolé, est peut-être même consentant (des entretiens de responsables allemands avec Chautemps, Bonnet, Flandin peuvent donner à penser que les dirigeants français sont beaucoup plus résignés à perdre toute influence dans cette partie de l'Europe qu'ils ne le proclament) ; Mussolini est indifférent depuis qu'il a lié son destin à celui de l'Allemagne ; la Pologne convoitant sa part, l'U.R.S.S. mise hors-jeu , le coup peut être tenté sans attendre davantage. Les gains escomptables, tant financiers (la place de Vienne est encore importante) que militaires (tourner les fortifications de la Bohême, augmenter le nombre de divisions par l'intégration des Autrichiens et des Sudètes dans les forces armées allemandes) valent bien le petit risque encouru. Au début de l'année 1938, l'intervention allemande en Autriche devient presqu'un secret de Polichinelle. Seuls le moment et la méthode utilisée peuvent encore surprendre.

---

1. En outre, en se débarrassant des deux généraux (von Fritsch, von Blomberg) qui commandaient la Wehrmacht, au même moment, Hitler réduit l'armée allemande à l'obéissance servile.

Moins que d'autres, le gouvernement de Londres peut être surpris. On a déjà vu les raisons de la politique d'apaisement conduite par le gouvernement conservateur de N. Chamberlain (cf. chapitre 8, p. 198). En 1937, le calme relatif en Europe donne le temps de la réflexion aux dirigeants anglais. Or, les conditions internes et externes qui ont conduit à l'apaisement subsistent, intactes. Les trois centres de décision (Trésor, Armée, Diplomatie) persistent dans leur évaluation pessimiste. Si l'économie britannique connaît un certain redressement, celui-ci demeure encore trop précaire pour autoriser des dépenses élargies. Le Trésor continue donc à préconiser un budget de strict équilibre, sans pression inflationniste due à des commandes d'armes considérables ; les choix faits, le rythme du réarmement, ne seront pas remis en cause, d'où l'impossibilité pour la Grande-Bretagne d'assumer seule la défense de tous ses intérêts dans le monde, depuis l'Extrême-Orient jusqu'en Europe centrale. Ou bien Londres abandonne certaines zones jugées vitales, ce qui n'est pas admissible, ou bien il faut séparer les puissances menaçantes, Japon, Italie, Allemagne, en accordant à l'une d'entre elles quelques satisfactions, en attendant que les effets du réarmement redonnent de l'efficacité aux forces armées britanniques. Or, de l'avis des responsables militaires, réunis dans le Comité de Défense Impérial, ce temps n'est pas encore venu, ni même prévisible. Le pessimisme demeure la règle parmi les chefs militaires, conscients des limites de l'allié français, notamment en matière aérienne et bien décidés à ne pas laisser les forces armées britanniques entraînées dans un conflit sur le continent pour répondre aux vœux français. Comme Brian Bond l'a démontré, pendant l'année 1937 un large accord se dégage parmi les responsables financiers (John Simon), militaires (Leslie Hore-Belisha inspiré par l'expert Liddell Hart) pour préconiser une stratégie défensive et sans intervention sur le continent européen en matière militaire ; les chefs militaires minoritaires, opposés à cette stratégie sont « purgés » en décembre 1937. Comme les responsables du Foreign Office, notamment les ambassadeurs sur le continent, dont l'ambassadeur à Berlin, Henderson, adoptent les mêmes positions, on peut conclure que la politique menée par N. Chamberlain reflète bien l'état d'esprit dominant à Londres. Les ministères en charge des affaires économiques et sociales poussent également à l'apaisement par peur d'une crise sociale et politique interne, jugée bien plus pernicieuse pour le Royaume que les dangers externes. Même une personnalité comme Anthony Eden, secrétaire au Foreign Office depuis 1935 après avoir été ministre-délégué à la S.D.N., est acquis à une politique d'apaisement avec l'Allemagne ; ce sont ses divergences sur la tactique à suivre vis-à-vis de Mussolini qui l'opposent au Premier ministre N. Chamberlain. Eden écarté en février 1938, laisse la place à Lord Halifax tout à fait partisan d'un large apaisement avec les dictatures fascistes. En fait le cabinet britannique est solidaire ; le 8 décembre 1937, suivant les raisonnements des responsables de la défense, il prend la décision de maintenir la stratégie de l'apaisement.

Le nœud du problème passe par les relations anglo-allemandes. L'historien allemand B.J. Wendt a bien marqué que l'apaisement britannique comporte deux faces intimement liées, un aspect économique *et* un aspect politique. Le principal responsable de la politique extérieure, Neville Chamberlain, dont on a facilement fait, surtout en France, un pauvre « naïf » facilement grugé par Hitler, suit une ligne politique directement inspirée par son analyse de la situation économique-politique britannique. Déjà avant son accession au poste de Premier ministre, comme Chancelier de l'Echiquier, il avait le souci prédominant du rétablissement anglais dans les domaines commercial et financier ; sans le retour à l'aisance financière, c'est-à-dire sans le rééquilibrage de la balance des paiements par une amélioration de la balance commerciale, le déclin britannique paraît inévitable et le leadership américain certain. Or, l'Allemagne figure parmi les pays les plus liés au système commercial britannique ; certes, depuis la mise en place de la préférence impériale et des lois « protectionnistes » (1931-1932) le rôle de la Grande-Bretagne dans le concert commercial international a changé, elle est moins au centre des relations entre l'Europe continentale et le reste du monde ; toutefois, l'Allemagne conservant le troisième rang mondial dans le commerce international, il est délicat, voire dangereux, de restreindre les liens avec cet Etat, même si les restrictions et usages délictueux pratiqués par le régime nazi rendent sa fréquentation peu agréable. Dès 1933-1934, une régularisation des échanges a été accomplie par plusieurs accords signés avec l'Allemagne : accord sur les ventes de charbon (13 avril 1933), sur les dettes allemandes (25 juin 1934), et surtout sur le commerce anglo-allemand et le règlement des paiements (1er novembre 1934, confirmé à peu de choses près en juillet 1938). Grâce à ces accords, le commerce entre les deux pays est resté solide malgré les faibles capacités de paiement des Allemands ; l'un des principaux inspirateurs de Chamberlain, le responsable du secteur économique au Foreign Office, F.T. Ashton-Gwatkin, se félicite de l'accord commercial de 1934, à ses yeux aussi fondamental dans les relations anglo-allemandes que l'accord naval de 1935. D'une certaine manière, le rétablissement durable de la place de Londres dépend des relations avec Berlin. L'intérêt économique est ainsi évident. Mais il y a plus : persuadés que les dirigeants allemands sont divisés entre « modérés » et « fanatiques », Chamberlain et ses conseillers espèrent aider à la victoire des modérés par une politique de conciliation, qui incontestablement facilite la croissance allemande. L'apaisement peut briser l'autarcie et par contre-coup freiner le réarmement, si difficile à réaliser en Grande-Bretagne sans mettre en péril tout l'édifice économique et social. Au fond, selon les dirigeants britanniques, les raisons profondes d'un rapprochement anglo-allemand résident dans un mutuel avantage sur le terrain intérieur en évitant les tensions susceptibles de conforter la position des extrêmes. Ni autarcie, ni libéralisme outrancier.

Ces calculs reposaient sur une interprétation erronée de l'hitlérisme. La nature même du régime hitlérien avec un Führer jouant habilement des rivalités entre ses fidèles pouvait laisser place à une réelle interrogation des autres Etats sur les buts et moyens réels de l'hitlérisme. Cependant la principale faiblesse de la stratégie britannique provenait de son incapacité à mesurer le seuil au-delà duquel l'apaisement devenait plus qu'une illusion, un danger majeur. Peu à peu, au sein même des cercles dirigeants britanniques, certains commencèrent à douter de la réalité d'un apaisement avec Monsieur Hitler. Mais jusqu'au printemps 1939, Chamberlain s'enferma dans le postulat d'*un partage d'influence en Europe* avec Hitler ; or, pour son interlocuteur il s'agissait non de partage, mais d'exclusivité. Munich devait en administrer la meilleure preuve.

La reconstitution des Empires Centraux sous domination allemande

Lorsque la Première Guerre mondiale a éclaté, la force de l'Allemagne était épaulée par la force de l'Empire d'Autriche-Hongrie ; si, en définitive, la défaite avait été due partiellement à la défection de cet allié épuisé, il n'en restait pas moins que les forces coalisées de ces deux Empires avaient permis de tenir pendant longtemps devant les forces adverses. L'éclatement consécutif de l'Empire dualiste au profit des Etats nationaux en modifiant la carte de l'Europe centrale, n'avait pas modifié les données géostratégiques dans cette portion de l'Europe : pour assurer sa puissance sur l'Europe du milieu, le Mitteleuropa, l'Allemagne devait tenir fermement l'espace autrefois dépendant de Vienne et Budapest. Hitler, si proche de l'Autriche par ses origines et sa formation, ne devait certainement pas oublier ces perspectives. La réalisation du plan global de domination en Europe continentale passe par la reconstitution, même sous des formes nouvelles, de l'alliance des Empires centraux. C'est le premier temps de l'établissement de l'hégémonie allemande en Europe.

Deux étapes marquent la concrétisation de cette marche vers l'est : l'annexion de l'Autriche en mars 1938, le grignotage, puis l'absorption de la Tchécoslovaquie en deux phases, septembre-octobre 1938, mars 1939. Si l'on ajoute que la Hongrie de l'Amiral Horthy utilise la situation créée par Hitler pour satisfaire partiellement ses revendications nationales, en se liant étroitement du même coup au régime hitlérien, il est clair qu'au printemps 1939 l'alliance d'autrefois existe à nouveau. Elle porte même aussitôt ses fruits, comme avant 1914, lorsque la Roumanie avait accepté de graviter dans l'orbite austro-allemande : dès le 23 mars 1939, la Roumanie menacée d'une guerre avec la Hongrie, signe un accord commercial avec Berlin, qui consacre une dépendance certaine vis-à-vis de l'Allemagne. En mettant à sa merci la Pologne, quelques mois plus tard, Hitler retrouve tout ce qui avait fait la puissance allemande pendant la Première Guerre mondiale.

On ne retracera pas dans cet ouvrage le détail des crises qui ont jalonné l'année 1938 et l'année 1939. Ces crises sont bien connues et leur récit événementiel n'apporterait pas d'importantes lumières sur cette histoire des relations internationales. On se limitera à l'explication des méthodes employées par le principal meneur du jeu, Hitler, tout en essayant de saisir les raisons des choix faits par ses partenaires et le pourquoi d'une diplomatie, qualifiée ensuite de « décadente », mais qui, sur le moment, semble être largement approuvée par des opinions publiques surtout désireuses d'éviter le retour de la guerre. Il est vrai que vingt années dans la conscience et la vie des hommes sont un bien court moment et que le spectre de la guerre, une réalité douloureuse, incite à une recherche éperdue de la paix. Comprendre ne signifie pas juger.

Au début de l'année 1938, la voie est ouverte pour l'annexion de l'Autriche par l'Allemagne. La volonté d'apaisement britannique a été exprimée en février par l'ambassadeur à Berlin, Henderson, déjà acquis à une entente large avec Hitler ; Henderson a reçu instruction de son gouvernement de poursuivre le dialogue avec le Führer, y compris par des négociations dans le domaine colonial. En outre, Hitler, depuis le début novembre 1937, sait que Mussolini restera impassible devant un éventuel Anschluss. A cette date, en effet, l'Italie a rejoint l'Allemagne et le Japon dans le pacte anti-Komintern. Les motivations du Duce et de son gendre ministre des Affaires étrangères, G. Ciano, sont claires : engagé dans une active politique en Méditerranée lors de la guerre d'Espagne, le Duce est bien décidé à faire de cette « Mare nostrum » le centre de ses activités extérieures, facilitées par la bonne volonté de Chamberlain, soucieux de son côté de parvenir à un accord dans cette zone essentielle pour les routes maritimes britanniques. Du coup, l'Europe centrale ira vers son destin qui consiste à entrer dans l'orbite allemande. Dans un entretien avec Ribbentrop le 6 novembre 1937, Mussolini, après avoir constaté que l'Autriche est « un pays allemand de race, de langue et de culture », se déclare « las de monter la garde devant l'indépendance autrichienne, spécialement si les Autrichiens ne veulent plus de leur indépendance ». De fait, au sein du régime dictatorial autrichien, le chancelier Schuschnigg est de plus en plus isolé parmi les dirigeants opposés au rattachement à l'Allemagne ; les ralliements au parti nazi autrichien sont légion, d'autant plus que bon nombre d'Autrichiens espèrent trouver du travail dans une grande Allemagne où le chômage paraît en voie de disparition (les effets du réarmement sont nets en 1938 sur le marché du travail). Personne ne croit plus vraiment en l'indépendance de l'Autriche.

Le gouvernement français, qui avait tant contribué auparavant au maintien de cette indépendance, est lui-même consentant pour peu qu'on y mette les formes. Le Président du Conseil Camille Chautemps est résolu, depuis la fin de l'année 1937, à mettre fin à l'expérience du Front populaire en changeant de majorité parlementaire afin de s'opposer nettement aux mouvements de grève qui se développent alors en France. Il pourrait s'appuyer sur les tenants d'une nouvelle politique extérieure, celle d'un apaisement nuancé vis-à-vis de l'Allemagne, qui rassemble les modérés de droite et les radicaux centristes. Inspirés par P.E. Flandin, J. Caillaux, G. Bonnet (alors « exilé » comme ambassadeur à Washington) convaincus d'un possible rapprochement avec l'Italie fasciste, d'influents leaders politiques mêlent leurs convictions de politique intérieure fondées sur l'anticommunisme et le refus du Front populaire avec leurs conceptions d'un retrait des engagements antérieurs en Europe centrale et orientale. Comme Flandin le dira en février 1938 devant la Commission des Affaires étrangères de la Chambre, « nous n'avons plus les moyens démographiques, financiers, et surtout militaires d'une telle politique et nous devons cesser de nous opposer systématiquement à l'Allemagne ». La seule difficulté pour accomplir un complet retournement en politique extérieure est d'oser affirmer le contraire de toute la tradition « pro-versaillaise », défendue énergiquement par le centre et la droite depuis 1919 ; sans affirmer hautement cette ligne nouvelle, on peut s'y rallier discrètement. Le ministre des Affaires étrangères, Yvon Delbos, qui croyait encore à la nécessité de renforcer nos liens avec les Etats-clients (Pologne, Petite Entente) n'a-t-il pas constaté lors d'un voyage dans les capitales de ces pays, en décembre 1937, la froideur des entretiens et de l'accueil, sauf à Prague ? Résignation et déception chez Delbos, hâte de se dégager chez Chautemps.

Au début de l'année 1938, Hitler, qui suit attentivement le déroulement de la situation intérieure française, a pu noter la position « intenable » d'un gouvernement Chautemps, acculé à démissionner (ce sera chose faite le 9 mars). Un reclassement important est en gestation en France ; c'est donc le moment d'agir puisque la France est et sera immobilisée. Le 12 février, le Führer convoque Schuschnigg pour lui intimer violemment l'ordre de modifier le gouvernement autrichien en y faisant entrer comme ministre de l'intérieur le chef des nazis autrichiens, Seyss-Inquart. Le chancelier autrichien, sans soutien interne et externe réel, doit s'incliner. Il escompte peut-être gêner cette avancée nazie en organisant un référendum au sujet de l'indépendance autrichienne ; réponse insupportable pour Hitler. Par coups de téléphone interposés de Goering, le 11 mars, le Führer contraint Schuschnigg à retirer son projet, puis à démissionner au profit de Seyss-Inquart. L'affaire est bouclée en une journée. Le 13 mars deux lois, l'une allemande, l'autre autrichienne, consacrent juridiquement l'annexion. Symboliquement Hitler est reçu par une foule chaleureuse à Vienne et le 10 avril les peuples des deux pays ratifient le coup de force par un plébiscite où 97 % des votants donnent leur accord. Non seulement les nazis peuvent se saisir de plus d'un milliard d'or et de devises (la « place » de Vienne était un régulateur de toute l'économie de l'Europe centrale), mais le geste réussi incite les Allemands à se confier davantage en leur Führer et les autres Etats d'Europe centrale à se rallier au panache hitlérien. La victoire nazie est stratégique et mobilisatrice.

Dans ces conditions, Hitler peut encore aller de l'avant, sans perdre de temps. Fin avril 1938, Conrad Henlein, leader des nazis dans le territoire des Sudètes, qui avait commencé à émettre des revendications autonomistes au profit des Allemands des Sudètes à partir de 1935, intensifie brusquement ses revendications. La « question » tchèque est ainsi posée. Cette fébrilité nazie conduit à un échec, en un premier temps. Le premier ministre tchèque Edouard Bénès, tout en acceptant de négocier avec Henlein, bouscule le jeu allemand en mobilisant une partie de l'armée tchécoslovaque en mai 1938 ; il fait naître une tension intense alors que les esprits ne sont pas encore « préparés » à une nouvelle résignation. Le choix d'abandonner les alliances de revers n'étant pas encore définitivement pris du côté français, le nouveau Président du Conseil, Edouard Daladier[1] fait savoir que la France respectera ses

---

1. Après le bref intermède d'un second gouvernement Blum (18 mars-7 avril), Daladier forme le 12 avril un gouvernement avec Bonnet aux Affaires étrangères. C'est la fin de la majorité de Front Populaire.

engagements en cas de menace allemande vis-à-vis de Prague ; les Britanniques, tout en conseillant la conciliation à Bénès au sujet des revendications sudètes, sont choqués par la précipitation allemande et incitent les autorités berlinoises à la modération. Hitler se calme en apparence. « Hitler recule » titrent certains journaux occidentaux, au moment même où le Führer ordonne aux chefs des armées de préparer l'invasion de la Tchécoslovaquie pour le 1er octobre 1938 ! Complet contresens.

« Le chef d'œuvre de l'apaisement », la conférence de Munich

En vérité, la tactique hitlérienne repose, en 1938, sur un savant dosage entre une façade de bravade avec recours à la grandiloquence menaçante, ponctuée par des discours radiodiffusés tonitruants, et la réalité d'une négociation serrée avec *le* partenaire essentiel, Chamberlain qu'il faut conduire vers la renonciation, donc vers la défaite. L'attitude du Führer est peut-être la résultante de la double influence de son entourage. Après l'éviction des deux chefs traditionnels de la Wehrmacht, les généraux von Blomberg et von Fritsch, coupables d'être trop timorés, en février 1938, Hitler préfère suivre les conseils des « modérés », tel le secrétaire d'Etat aux Affaires étrangères, Ernst von Weizsäker, rallié au régime « par carriérisme et par nationalisme » (C. Bloch), qui suggère d'user de la « dissolution chimique » pour venir à bout de l'obstacle tchécoslovaque, c'est-à-dire de procéder par étapes négociées, tout comme les dignitaires nazis Goering et Goebbels sont encore partisans d'une négociation avec Londres au contraire du chef de la diplomatie, Ribbentrop, prêt à passer à l'action guerrière puisque celle-ci est inévitable à moyen terme. Pendant l'été 1938, Hitler avance ses pions à gestes mesurés dans une discussion purement diplomatique, neutralisant ses adversaires par ses modérations successives, par son art de fractionner ses revendications, toujours présentées comme les dernières qu'il va formuler pour satisfaire les justes revendications du peuple allemand, par son impatience lorsqu'il s'adresse aux petites puissances, au nombre desquelles il affecte de ranger le « vilain » Bénès. La discussion se situe entre les Puissances et non entre l'Allemagne et les Etats directement concernés. En même temps, la manipulation des foules par une propagande savante, remarquablement organisée, avec parades militarisées, travailleurs mobilisés, en gigantesques rassemblements dans le haut-lieu mythologique du nazisme, Nuremberg bains de foules électrisées, a un but bien précis : faire peur aux autres peuples déjà gangrenés par le pacifisme et désireux d'écarter le danger de guerre. On fait surgir la tension pour pouvoir ensuite créer la détente par de faux pas en arrière.

Si les méthodes hitlériennes se révèlent payantes en 1938, c'est aussi parce qu'elles correspondent aux calculs stratégiques des autres protagonistes. La violente crise qui abouti aux accords de Munich en septembre, permet d'éclairer les conceptions dominantes parmi les responsables des Puissances européennes. Distinguons bien responsables et opinions publiques. Les dirigeants rappellent sans cesse dans leurs discours et dans le secret des négociations qu'ils agissent « au nom de leur peuple » ; or, ils mènent leur action sans consultation réelle des représentants élus, sauf à faire ratifier ensuite leurs choix par manipulation de la presse ou par acclamations bruyantes ou par « lâche soulagement ». Jamais prise de décision et opinion publique n'ont été aussi peu liées. En période de crise, moment où il faut agir vite, peut-il en aller autrement ? Les peuples concernés, menacés de guerre immédiate, attendent la décision des chefs, en apparence libres de décider sur les seuls conseils des entourages (vingt à trente personnes dans chaque pays déterminent la ligne à suivre).

La crise de septembre présenta trois spécificités : sa soudaineté, sa brutalité, sa brièveté. Pour les contemporains tout ceci rappelait singulièrement la crise d'août 1914 que les responsables avaient tous connue. La guerre était en vue, les mobilisations avaient lieu, le temps pressait, les mentalités collectives sentaient la paix fuir en un instant ; ce retour vers un engrenage irréversible a sans doute beaucoup pesé dans les choix des protagonistes, revivant août 1914, mais en sachant la suite. Pendant le printemps et l'été 1938, le problème des Sudètes et celui de l'existence de la Tchécoslovaquie avaient agité chancelleries et organes d'opinion (dont la radio qui va tenir un rôle certain pendant la crise), mais on pouvait encore penser que le règlement des problèmes pourrait se faire grâce à une large négociation internationale, au moins entre Puissances.

Des incidents graves dans le territoire des Sudètes le 7 septembre, suivis d'un violent et belliqueux discours d'Hitler à Nuremberg le 12 septembre, lancent brutalement la crise. Sans vraiment se concerter avec Paris, Chamberlain s'estimant le seul véritable interlocuteur d'Hitler, accourt négocier à Berchtesgaden le 13 septembre : Hitler exige un plébiscite immédiat qui permettrait aux Sudètes de « rentrer » dans le Reich allemand, application du droit des peuples à disposer d'eux-mêmes (sic). En fait, à Londres, on ne veut pas d'une guerre perdue d'avance pour défendre un Etat sans vraie consistance. Venu se concerter avec les dirigeants britanniques à Londres les 18-19 septembre, Daladier, bien que conscient du « lâchage » français vis-à-vis de l'allié tchécoslovaque, se rallie aux vues de la « gouvernante anglaise » (F. Bédarida), nettement soutenues par son ministre des Affaires étrangères G. Bonnet. Les avis et informations données par les chefs militaires français aux responsables politiques insistent lourdement sur le déséquilibre existant entre les forces occidentales et les armées des dictateurs, notamment dans le domaine aérien. De plus, très secrètement, Bénès a fait savoir à Daladier qu'il pouvait envisager certaines cessions de territoires pourvu que le système défensif tchèque soit sauvegardé et qu'il soit « garanti » par les deux démocraties. Un compromis semble encore possible, négocié entre Hitler et Chamberlain, qui se retrouvent à Godesberg le 22 septembre. Or, Hitler revient à la manière forte : dans un délai de 6 jours, sans plébiscite, l'armée allemande occupera les territoires à majorité de population allemande ! « Diktat » s'exclame Chamberlain qui obtient le soutien du cabinet britannique pour une politique de fermeté ; à Prague on mobilise. Mais le 23 au matin Hitler « concède » un répit temporaire (il peut attendre jusqu'au 18 octobre pour agir) et répète qu'il tient à l'amitié britannique. Du coup, les responsables britanniques et français, reçus et informés par Londres le 25 septembre, sont divisés sur la conduite à suivre : de part et d'autre, les chefs militaires sont majoritairement pour la conciliation ; chez les politiques, transcendant les habituelles divisions politiques, « pacifistes » et « résistants » s'opposent au point de menacer la cohésion gouvernementale. Si Daladier paraît partisan d'une certaine fermeté, Chamberlain s'accroche à la conciliation, ce qui va permettre au 4e larron, B. Mussolini, prêt à soutenir les exigences allemandes, d'être l'initiateur d'un pseudo-compromis le 28 septembre, alors que les opinions publiques sentent de plus en plus le conflit inévitable. Une conférence des quatre Puissances devra régler et le cas tchécoslovaque et la paix en Europe, hors la présence des Tchèques et celle des Soviétiques.

Les quatre se rencontrent à Munich le 29 septembre et concluent le 30 à 1 heure du matin un accord qui entérine les revendications allemandes, sans réelles garanties sur le sort futur de la Tchécoslovaquie. Le 30 au matin, Chamberlain, dans une négociation directe avec

Hitler, signe un autre accord de non-agression et de consultation. Ainsi, sans combats, Hitler s'empare de tous les territoires dits des Sudètes. « C'est la paix pour notre temps » balbutie Chamberlain à sa descente d'avion, « tu feras bientôt la guerre » confesse Daladier à son fils en rentrant à la maison. Tandis que la population allemande satisfaite par cette paix glorieuse et la Wehrmacht éblouie par l'audace hitlérienne sont prêtes à suivre le Führer, les divisions entre Munichois et anti-Munichois s'accentuent en Occident ; de son côté, Staline observe les succès des dictatures.

Trois facteurs semblent avoir été déterminants lors de cette crise : la prise en compte des intérêts nationaux majeurs, l'évaluation réciproque des forces armées et de la cohésion morale chez chacun, la vision de l'avenir à moyen terme et du caractère de la guerre future.

Les intérêts nationaux majeurs pour les quatre Puissances se retrouvent dans une même perspective générale concernant l'Europe, *seul continent alors véritablement en cause*. Un nouvel accord sur la répartition des zones d'influence au sein du vieux continent permet de recentrer les politiques extérieures de chacun. Cependant il existe une singulière différence entre celui qui obtient satisfaction immédiatement et ceux qui espèrent tirer profit demain de cette entente au sommet. Seule l'Allemagne est aussitôt gagnante. Au-delà du cas tchécoslovaque, elle voit ses intérêts spéciaux reconnus en Europe orientale. Tel est le sens de l'accord anglo-allemand ; puis, au début décembre 1938, lors d'une visite de Ribbentrop à Paris, G. Bonnet aligne la position française sur celle des Britanniques en reconnaissant la prééminence allemande dans ces régions. Puisque la trop puissante Allemagne doit trouver une sphère d'activité et des moyens de faire tourner son économie rationnellement, les Anglo-Français sont prêts à lui laisser la direction des opérations dans cette zone, sous réserve de la prise en considération de leurs propres intérêts financiers et commerciaux. Contrairement à l'explication « économiste » parfois avancée des accords de Munich, les hommes d'affaires français n'ont pas retiré leur capitaux des entreprises qu'ils avaient créées, *avant* Munich, mais *après* Munich et encore partiellement (l'Union Européenne vend les Usines Skoda en décembre 1938). Londres, notamment la City, escompte la modération allemande en Europe orientale ; un partage des intérêts économiques est conciliable avec une supériorité politique de l'Allemagne dans l'Europe danubienne et balkanique. Après que les Allemands ont orienté leurs activités économiques vers ces territoires depuis le début des années trente pour répondre à la crise, il n'en résulte pas que les Occidentaux soient minoritaires au plan des affaires, même si le commerce allemand est devenu dominateur dans les Balkans (cf., tableau 18, p. 237). Pour prix de sa neutralité agissante, l'Italie, forte du soutien allemand, espère pouvoir contrôler la Méditerranée sans faire la guerre, car Mussolini, réaliste, mesure la faiblesse véritable de sa puissance militaire. Les manifestations tapageuses à la Chambre des Corporations ou sur le Forum antique, la manipulation de journaux étrangers, en France notamment, par les officines de la Propagande fasciste masquent mal le niveau encore chancelant de la Puissance italienne. Prudent malgré les apparences, le Duce espère tirer parti de la neutralité orientée qui en fait le fidèle second de l'agissant Führer, sans l'obliger à s'engager complètement. Attentif, Mussolini guette l'occasion favorable pour satisfaire ses propres ambitions. Pour prix de sa compréhension forcée, la France, tout au moins Bonnet et ses partisans qui ont barre sur la politique extérieure, espère se faire garantir ses frontières orientales et son « rayonnement » vers ses colonies africaines. On ne peut parler de « repli » impérial, mais on envisage surtout une réorientation de l'axe essentiel de la stratégie française en direction de l'Europe occidentale et de l'Afrique du nord. Cette stratégie suppose deux conditions remplies : d'une part la modération allemande en Europe qui éviterait un choc frontal, étant admis que la France ne joue plus le rôle du « gendarme versaillais », d'autre part l'atténuation des ambitions italiennes en Méditerranée. C'est beaucoup demander. Pour prix de son réalisme conciliateur, la Grande-Bretagne, tout au moins ceux qui croient encore avec Chamberlain en la capacité de faire triompher les modérés au sein des responsables nazis, espère aboutir à la signature d'un nouvel accord de Locarno, satisfaisant le vieux dogme de la politique britannique en Europe, l'absence d'hégémonie d'*un* Etat sur le continent. Afin d'obtenir un tel résultat, la tactique des responsables britanniques consiste à sauvegarder la liberté d'action du Royaume-Uni en refusant de se lier les mains par des engagements avec les Etats d'Europe orientale, voire avec la France ; cette liberté de choix peut inciter Hitler à la réflexion.

TABLEAU 18

L'INFLUENCE ÉCONOMIQUE DES PUISSANCES EN EUROPE ORIENTALE VERS 1937-1938

(en %)

	①	②	③	①	②	③	①	②	③	①	②	③	①	②	③
	Bulgarie			Pologne			Roumanie			Tchécoslovaquie			Yougoslavie		
Grande-Bretagne	1,1	5	13,8	5,5	11,9	**18,3**	**40**	9,5	8,7	**30,8**	6,3	8,7	17,3	7,8	7,4
France	9,2	1,1	1,6	**27,1**	3,2	4,1	22,8	6,2	5,8	21,4	5,3	3,8	**27,5**	1,7	5,4
Allemagne	9,3	**62,2**	**47,1**	13,8	**14,5**	14,5	3,2	**28,7**	**18,9**	7,2	**15,5**	**13,7**	6,2	**32,4**	**21,7**
Italie	**13,2**	5,3	4,2		2,6	4,5		4,4	6,6		2,3	3	3,1	8,2	9,4
U.S.A.	11,1	2,2	3,8	19,2	1,5	8,4	7,1	3,9	1,7	3,5	8,8	9,3	12	6	4,8

① Part de l'investissement dans le total des investissements étrangers des sociétés par actions.

② Part dans les importations commerciales de chaque Etat.

③ Part dans les exportations commerciales de chaque Etat.

Sources : travaux de A. TEICHOVA et Ph. MARGUERAT.

La « naïveté » des tactiques anglo-françaises provient d'un calcul pessimiste du rapport des forces militaires en présence. On a déjà souligné l'évaluation sombre de la puissance militaire des « alliés » occidentaux face à la puissance militaire allemande. A Londres comme à Paris, les chefs militaires ont tendance à souligner le retard pris dans le domaine aérien, avec l'idée que l'aviation allemande serait capable dès le début des combats de terroriser les populations civiles, donc d'affaiblir la résistance déjà faible de peuples pacifistes. Le réarmement étant encore insuffisant, il devient primordial de « gagner du temps » ; Daladier en particulier considère que seul l'appui américain pourrait équilibrer la surpuissance allemande ; or, on est encore loin d'un possible engagement américain. Certains responsables pensent également que l'emploi par Hitler de la menace de guerre relève d'un « bluff », qu'il faudrait mettre à jour par une réponse ferme, mais a-t-on en face les moyens de risquer la paix sans avoir la garantie de pouvoir tenir au cas où le Führer dirait vrai ? Si les dirigeants britanniques, y compris au sein du Foreign Office où prédominent les tenants de l'apaisement comme Alexander Cadogan, sous-secrétaire permanent ou William Strang, chargé des « Affaires allemandes », demeurent persuadés que leur pays est une Puissance réelle surtout avec le soutien des Dominions (eux mêmes enclins à l'apaisement), il en va différemment en France où le poids de l'Empire, même s'il est alors complaisamment magnifié dans la presse, par la radio ou par le cinéma, ne suffit pas à convaincre la majorité des dirigeants de la permanence de la Puissance française[1]. Le déclin français paraît une donnée évidente chez ceux qui préconisent l'apaisement. Sans doute les chefs militaires français se disent préparés à un affrontement, pour autant que la démographie, l'économie, la conscience nationale le permettent ; les restrictions mentales, les non-dits, les mises en garde feutrées abondent. On reste frappé par le décalage entre les déclarations résolues faites pour soutenir le moral des Français et les convictions profondes d'un rapport des forces par trop inégal. Bien avant Munich, G. Bonnet explique à un journaliste que, « C'est très joli de s'instituer le gendarme de l'Europe, mais encore faut-il avoir pour cela autre chose que des pistolets à amorce, des menottes en paille et des prisons en carton », tandis qu'un autre ministre Georges Mandel, pourtant résolu à l'action, tempête, « la France est malade de frousse, malade d'égoïsme, malade de vieillissement bourgeois ». Le constat d'impuissance de l'Etat-major français est complet ; « la puissance militaire française instantanée telle qu'elle est évaluée par le haut commandement français en ce printemps 1938, débouche... sur une totale impuissance : la puissance militaire française n'est déjà plus mondiale (elle ne peut défendre son Empire) et elle n'est européenne que dans la mesure où elle est au moins assistée par l'Angleterre. » (J. Delmas). Cette vision pessimiste des capacités militaires françaises est d'ailleurs partagée par bon nombre de responsables étrangers ; plus ou moins consciemment, on s'efforce de prévoir ce que sera l'Europe où la France ne serait plus une Grande Nation.

Il est évidemment difficile pour l'historien de savoir ce que les contemporains de la conférence de Munich pensaient de leur avenir lointain, tant le risque d'une nouvelle guerre civile européenne balayait toute appréciation générale. Mais il semble bien que beaucoup de gens aient pris conscience d'une prochaine mutation de la carte de l'Europe fondée sur le nouveau rapport des forces militaires, des forces morales, des forces économiques. Cependant l'accouchement de cette nouvelle Europe fait avec douleur, dépendra aussi du caractère de la guerre future. Celle-ci sera-t-elle courte, décisive, ou bien longue, multiple en ses moyens ? Hitler parie sur la « Blitzkrieg » ; les Britanniques sur la longue durée. Double pari antagoniste.

1939 : l'année des double-jeux

Les accords signés à Munich par les quatre Puissances, qui ont mis l'U.R.S.S. alliée de la Tchécoslovaquie hors du jeu (on a déjà vu que l'U.R.S.S. y trouve confirmation de sa juste ligne de « neutralité »), ont abouti à deux résultats majeurs :

1. Le triomphe de la direction nazie à l'intérieur comme à l'extérieur de l'Allemagne.

L'opposition intérieure allemande est en effet muselée, incapable de contrecarrer un chef, réalisateur d'une superpuissance nationale. Du coup les « indésirables » sont châtiés sans pitié (massacres de Juifs lors de « la nuit de cristal » du 10 novembre 1938) ; la mentalité collective allemande partiellement réticente avant Munich suit désormais son Führer, y compris pour les risques de guerre. Les responsables nazis, du type modéré à la façon de Goering, sont résolus à l'usage de la force.

---

1. Avec retard mais détermination, le gouvernement Daladier s'efforce de renforcer l'image de la France à l'étranger. La propagande magnifie l'Empire colonial et l'Armée, intimement réunis. Le cinéma français sacrifie volontiers aux thèmes de l'exotisme rénovateur, de la regénérescence de l'homme plongé dans le « bled » ; le pacifisme de « la Grande Illusion » (1936) fait place à la soif d'action des « Trois de Saint-Cyr » (1939). « L'Empire, chasse gardée de la force française, est comme le dernier exutoire d'une utilité contestée ou cantonnée. » (Pascal Ory).

A l'extérieur, chacun se presse pour rallier le camp du vainqueur. Certains se servent de l'appui allemand pour faire triompher leurs revendications : les Polonais obtiennent la cession de Teschen par les Tchèques dès le 2 octobre 1938 ; les Hongrois par l'arbitrage de Hitler-Mussolini, décrété à Vienne le 2 novembre, récupèrent une bonne partie de la Slovaquie peuplée partiellement de Hongrois. Dans la foulée, le gouvernement de l'amiral Horthy copie la législation antisémite des nazis afin de mieux s'intégrer à une Europe nouvelle en gestation.

C'est peut-être cette place privilégiée de la Hongrie qui retient la Roumanie du roi Carol et de son ministre Antonescu de suivre aussi complètement Hitler, bien que les intérêts économiques allemands se voient reconnaître une place privilégiée en ce pays. De même la Yougoslavie, qui a accepté le principe de la porte ouverte pour le commerce allemand, souhaite l'amitié allemande, mais Hitler n'entend pas se créer des difficultés avec son ami Mussolini pour complaire à Belgrade. En Espagne, où la guerre continue sans décision encore très nette, le général Franco accepte d'augmenter les concessions faites aux Allemands sur le terrain industriel-minier afin d'obtenir un renforcement de l'aide militaire allemande ; la Légion Kondor joue un rôle important au début de l'année 1939 pour la bataille décisive en Catalogne. En mars 1939, Franco triomphe enfin, et signe le 27 mars le pacte anti-komintern. Ralliement prudent, peut-être, mais geste significatif. (En février, la Hongrie avait également adhéré à ce pacte).

2. La France sort abaissée de cette crise, abaissée aux yeux des autres, abaissée aux yeux de bon nombre de ses habitants.

Les anciens alliés d'Europe orientale ont tous disparu ; pour garder des relations convenables, la France devra désormais payer le prix fort : à la Turquie, il faut céder le sandjak d'Alexandrette pour acquérir une neutralité bienveillante (accord du 23 juin 1939) ; avec les Etats encore indépendants de l'est européen, il faut offrir des avantages financiers ou commerciaux substantiels (mission Alphand) sans avoir la garantie que nos obligés en gardent de la reconnaissance. De toute manière, la croyance en la puissance militaire française est très amoindrie. L'image de la France est considérablement ternie : elle n'a pas été capable de faire honneur à ses alliances et elle a accepté Munich avec ce « lâche soulagement », indigne d'un grand peuple.

A l'intérieur même de la France, Munich entraîne également bien des réactions négatives. Les acclamations de la foule le long du parcours suivi par Daladier à son retour de Munich ne doivent pas masquer le trouble profond ressenti par beaucoup de Français devant cette reculade. Dans la conscience collective française, Munich est en train de devenir comme un révélateur de ce qu'il faut accepter ou refuser quand on est une puissance ou que l'on croit encore l'être. Munichois et antimunichois n'ont pas fini de s'affronter. A court terme, responsables et opinion publique s'interrogent sur la validité et la signification de Munich. Pour ceux qui ont voulu Munich, plus qu'ils ne l'ont subi, la logique de ce choix conduit à une réorientation de la vie politique française, tant à l'extérieur qu'à l'intérieur du pays : la collaboration avec les puissances totalitaires, avec utilisation de l'antibolchévisme comme facteur fédérateur, devient un objectif, même si on ne l'avoue pas pleinement ; après tout, pourquoi ne pas suivre la voie tracée par Mussolini et Franco ? A l'opposé, les « résistants » aux totalitarismes, à gauche comme à droite, sont persuadés qu'une entente avec les dictatures signifie l'abaissement définitif de la France. Les uns pensent qu'il faut encore gagner du temps pour avoir la capacité de reconstituer une forte armée française (calcul de Daladier semble-t-il) ; les autres espèrent que le front anglo-français enfin réalisé permettra de construire le barrage nécessaire. Une fois encore la solution des problèmes passe par l'alliance avec Londres. On peut provoquer le redressement britannique par quelque ruse (ainsi en mars 1939 Paris lance l'idée que les Allemands vont intervenir aussitôt en Roumanie pour hâter la réaction anti-allemande de Chamberlain) ou en montrant notre détermination à refuser toute concession à l'Italie[1]. Mais fondamentalement, le sort de la France dépend des dispositions britanniques.

On est donc ramené au schéma antérieur. Quand les dirigeants britanniques admettront-ils que le seuil de tolérance est dépassé par Hitler ? Le 17 mars 1939, après l'occupation brutale des restes de la Tchécoslovaquie, la « Tchéquie » par les Allemands, le Premier Britannique, dans un discours prononcé à Birmingham, annonce que ce serait une très grande faute de supposer que, par pur pacifisme, « cette nation a tellement perdu toute fierté qu'elle n'irait pas jusqu'au tréfonds de sa puissance pour résister à tout défi qui lui serait porté. » Un tournant vient de se produire. La politique extérieure de Chamberlain se fonde désormais sur un double objectif : d'une part, faire comprendre à Hitler que le temps des concessions est fini, d'autre part, tenter de gagner le maximum de temps pour accroître les capacités militaires de la Grande-Bretagne dans une guerre de plus en plus prévisible. Ces objectifs supposent une tactique habile. D'un côté, affirmer clairement le soutien britannique aux Etats européens menacés par Hitler, y compris par l'octroi d'une garantie pour leur intégrité territoriale, engager des pourparlers préventifs avec tous ceux qui pourraient encore freiner les ardeurs hitlériennes. De l'autre côté, ruser avec l'Allemagne pour la tenir en lisière en profitant d'éventuelles envies de collaboration économique. Pour réussir ces manœuvres, il fallait des adversaires indécis, des partenaires conciliants. En 1939, Hitler est décidé à la guerre, Mussolini s'impatiente, Staline laisse monter les enchères, Roosevelt est au-delà des océans.

Après avoir hésité sur la direction de son attaque, à l'Ouest ou à l'Est, Hitler a choisi en avril 1939 de porter ses coups contre la Pologne. Dès lors, toute la stratégie des Puissances consiste à savoir comment les voisins réagiront, étant entendu que Londres et Paris ont clairement marqué leur intention de soutenir un Etat peu sympathique politiquement (la dictature polonaise des Colonels a mauvaise presse) mais dernier maillon d'une chaîne capable d'enserrer l'Allemagne. C'est dire que l'U.R.S.S. passe au premier plan. Pour les Français héritiers de la vieille alliance franco-russe, l'hésitation n'est guère de mise même si le bolchévisme est chose affreuse (c'est la position de Daladier et de son principal inspirateur Alexis Léger, secrétaire général du Quai d'Orsay) ; il faut à tout prix signer un accord militaire avec Moscou afin, au moins, d'inspirer les craintes d'un second front aux Allemands. Pour les Britanniques, cette alliance avec le diable, même en usant d'une grande cuillère, ne vaut pas mieux qu'une alliance avec l'autre diable nommé Hitler ; parler avec Moscou soit, mais parler simplement pour gagner du temps, sans volonté d'arriver vraiment à un accord. Au surplus, la Pologne, objet du litige, refuse et refusera toujours une collaboration avec le vieil ennemi russe. Dans ces conditions, les difficiles, longues, discussions anglo-franco-soviétiques entre avril et août 1939, pour intéressantes qu'elles fussent pour saisir les capacités imaginatives des diplomates en charge de ce dossier, sont rideaux de fumée.

La principale erreur des alliés occidentaux est d'avoir cru que l'antagonisme idéologique germano-soviétique interdirait toujours aux deux dictateurs de s'entendre, et que, du coup, ils pourraient mener en bateau un Staline constamment dépeint par Hitler comme la perversion absolue. Staline attend son heure ; lorsque le dirigeant nazi aura admis que la conquête de la Pologne serait grandement facilitée par une entente germano-soviétique, l'antibolchévik n° 1 sera bien obligé de traiter avec lui. Après avoir hésité, Hitler, en juin, admet en effet, l'utilité d'une démarche que Ribbentrop ne cesse de préconiser. Sous le couvert de négociations commerciales, les premiers pas du rapprochement sont accomplis en juin-juillet ; puis en août vient le moment crucial où il faut franchir le gué pour atteindre l'entente politique, condition

---

1. Mussolini réclame bruyamment des satisfactions en Afrique (Tunisie, Djibouti).

d'une neutralité payante pour les deux. Le 3 août, Hitler, qui a décidé d'en finir avec la Pologne le 1er septembre 1939, fait savoir à Molotov par son ambassadeur qu'il est prêt à une normalisation et à une amélioration des relations germano-soviétiques, sur la base du traité de 1926.

Les dirigeants soviétiques hésitent encore, tout en étant persuadés que rien ne sortira des interminables négociations politiques anglo-franco-soviétiques ; mais peuvent-ils oublier les agressions japonaises en Mongolie et ne pas chercher à se couvrir lorsque les Occidentaux ont proposé des entretiens militaires ? Le 12 août, les missions militaires anglaise et française sont enfin arrivées à Moscou ; or le 14 août, celles-ci se voient poser la question « cardinale » par le chef de la délégation soviétique Klim Vorochilov : les Occidentaux sont-ils prêts à imposer aux Polonais le droit de passage des troupes soviétiques en Pologne en cas de conflit avec les Allemands ? Daladier est prêt à contraindre les Polonais, Chamberlain l'est beaucoup moins. L'embarras allié donne la mesure de l'impréparation alliée. Aussi, lorsque le 14 août, de l'autre côté, Ribbentrop fait annoncer à Motolov que la politique germano-russe est « parvenue à un tournant historique » et qu'il est prêt à venir immédiatement pour opérer un changement dans les relations entre ces deux pays, Molotov devient « accommodant » et disposé à signer un pacte de non-agression. Dès lors, la manœuvre est en marche. Hitler, pressé par le temps, force le mouvement. Le 19 août, décision suprême qui fixe le destin de la Pologne et l'issue de la crise, Staline accepte la venue de Ribbentrop à Moscou. Le 22 août, le ministre allemand arrive et le 23, dans la nuit, signe le fameux accord germano-soviétique. Il s'agit, d'une part, d'un pacte de non-agression conclu pour 10 ans et, d'autre part, d'un protocole secret délimitant les sphères d'influence réciproques dans les pays baltes, la Pologne et la Bessarabie. La voie est libre pour l'attaque allemande sur la Pologne.

Surpris totalement malgré quelques signes avant-coureurs de ce retournement, les Occidentaux vont-ils néanmoins maintenir leur position de solidarité avec la « pauvre Pologne » ? Mussolini, qui a fait main basse sur l'Albanie en mai 1939, mais qui connaît l'impréparation militaire de son pays, espère pourvoir rejouer la partition chantée à Munich, celle de l'honnête courtier prêt à la bonne transaction au profit de tous et de lui en particulier. En fait, si Bonnet en France est enclin à transiger encore, Daladier et surtout les Britanniques savent qu'un nouveau recul n'apporterait rien de plus. Peut-être le risque d'une guerre sur deux fronts peut-il freiner Hitler, si celui-ci ne fait que « bluffer » comme le pense l'ambassadeur de France à Berlin, Coulondre ? Donc, sans enthousiasme, avec résignation, Londres, puis Paris décident d'honorer leurs engagements[1]. La guerre commence lorsque les armées allemandes envahissent la Pologne le 1er septembre et que le 3 septembre les alliées occidentaux régularisent la situation par deux déclarations de guerre à l'Allemagne.

Cette guerre débute en réalité dans l'ambiguïté d'un double jeu réciproque : Hitler n'a pas, à court terme, l'intention d'attaquer à l'Ouest, donc restera inactif sur ce front ; les Français n'ont pas l'intention d'envoyer un corps expéditionnaire au secours de la Pologne, ni même de monter à l'ouest une offensive résolue ; les Britanniques se préparent surtout à contrer une attaque aérienne sur Londres. Seuls les Polonais connaissent vraiment les horreurs de la guerre-éclair. En deux semaines leur sort est réglé. Mais alors faut-il continuer cette étrange guerre ?

---

1. A l'instar de G. Bonnet, une partie des dirigeants politiques français considère que la décision d'entrer en guerre est une erreur.

Pourquoi ne pas revenir à la table de négociation ? Un nouveau concert européen est-il réalisable ? Pressé de tirer parti du nouveau rapport des forces, Staline a rapidement modifié sa ligne de neutralité « bienveillante » ; dès le 9 septembre Molotov a annoncé à Berlin l'intervention soviétique en Pologne, ce qui est chose faite le 17 septembre. Du coup, le 25 septembre, Staline peut proposer un nouveau « partage » de la Pologne ; le 28 septembre, un traité de « délimitation des frontières » et « d'amitié » est signé, accompagné de protocoles annexes qui marquent une parfaite collaboration quant au sort des Polonais et des populations soumises. De la neutralité, Staline est passé à l'entente cordiale ! Fort logiquement, les deux compères annoncent dans une déclaration mutuelle qu'une guerre entre l'Allemagne et les Anglo-Français n'a plus de sens, puisque « le gouvernement du Reich allemand et le gouvernement de l'U.R.S.S. ont, au moyen du traité signé ce jour, réglé définitivement les problèmes créés par la désintégration de l'Etat polonais, posant ainsi les bases solides d'une paix durable en Europe orientale » (sic). La guerre est-elle finie avant d'avoir commencé ?

C'est en tout cas une curieuse période qui se clôt à la fin de septembre 1939. Par sa tactique de coups de force limités, Hitler est parvenu déjà à une imposante remise en ordre de la carte européenne. Il doit sa réussite à son audace, à sa puissance militaire supposée, aux contradictions qui ruinent les stratégies occidentales. Mais il les doit aussi à sa vision étroitement européenne des objectifs à atteindre. Or, en face, son principal challenger la Grande-Bretagne est fidèle à une vision mondiale du rapport des forces. Par une guerre courte, Hitler peut arriver à son but en Europe, mais les enjeux sont plus vastes et risquent de déboucher sur une guerre longue, mondiale. L'Allemagne y est-elle prête ? En usant des antagonismes intérieurs, des luttes politiques nationales, les dictateurs avaient facilement emporté la première manche, puisque les pacifismes et les défaitismes faisaient cause commune au sein des démocraties. Mais cette guerre civile européenne pouvait-elle durer sur ces seules bases ?

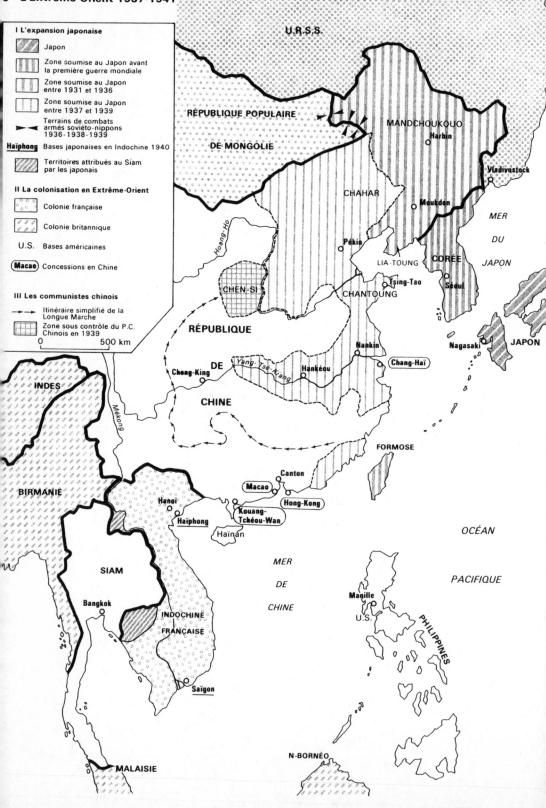

5 - L'Extrême-Orient 1937-1941

I L'expansion japonaise

- Japon
- Zone soumise au Japon avant la première guerre mondiale
- Zone soumise au Japon entre 1931 et 1936
- Zone soumise au Japon entre 1937 et 1939
- Terrains de combats armés soviéto-nippons 1936-1938-1939
- **Haïphong** Bases japonaises en Indochine 1940
- Territoires attribués au Siam par les japonais

II La colonisation en Extrême-Orient

- Colonie française
- Colonie britannique
- **U.S.** Bases américaines
- **Macao** Concessions en Chine

III Les communistes chinois

- Itinéraire simplifié de la Longue Marche
- Zone sous contrôle du P.C. Chinois en 1939

0   500 km

U.R.S.S.

RÉPUBLIQUE POPULAIRE
DE MONGOLIE

MANDCHOUKOUO

Harbin

Vladivostock

CHAHAR

Moukden

MER
DU
JAPON

Pékin

LIA-TOUNG

CORÉE

Tsing-Tao

Séoul

CHEN-SI

CHANTOUNG

RÉPUBLIQUE

Nankin

Nagasaki

JAPON

DE

Cheng-King

Yang-Tsé-Kiang

Hankéou

Chang-Haï

CHINE

INDES

Hoang-Ho

FORMOSE

Mékong

BIRMANIE

Hanoï

Canton

Macao

Hong-Kong

Haïphong

Kouang-Tchéou-Wan

Haïnan

OCÉAN

MER

DE

CHINE

PACIFIQUE

SIAM

Manille

U.S.

PHILIPPINES

Bangkok

INDOCHINE
FRANÇAISE

Saïgon

N-BORNÉO

MALAISIE

10. Les débuts d'une guerre et la fin d'une Europe 1939-1941

La guerre d'Europe, « déchaînée » par les attaques hitlérienne et stalinienne contre la Pologne en septembre 1939, se juxtapose à celle d'Asie, ouverte depuis quelques années par l'agression japonaise contre la Chine. Mais ces deux guerres parallèles ne font pas encore une guerre mondiale. Il faut attendre 1941, avec l'invasion de l'U.R.S.S. par les armées allemandes et surtout l'attaque nippone contre la base américaine de Pearl Harbor qui déclenche l'entrée en guerre des Etats-Unis, pour voir la jonction et la mondialisation des deux conflits. Commence alors pour les relations internationales une ère fondamentalement nouvelle : désormais, l'Europe n'est plus ce qu'elle était ; le centre de gravité des décisions vitales pour l'univers ne se situe plus, comme c'était le cas depuis plusieurs siècles, à Paris ou à Londres, mais essentiellement à Washington, déjà à Moscou, et — jusqu'en 1945 seulement — à Berlin et à Tokyo. Le tournant de 1941 est si important que cette date a été choisie pour clore ce volume et introduire le suivant. Certes, l'analyse de la guerre de 1939-1945 s'en trouve ainsi interrompue. Mais l'objectif du présent ouvrage est moins de raconter le détail des événements militaires que de dessiner les grands traits de l'histoire internationale. Or dans ce domaine, l'unité de la période 1914-1941 est facile à démontrer.

Les enjeux internationaux de la drôle de guerre (septembre 1939 - mai 1940)

L'origine de l'appellation « drôle de guerre » n'est pas claire. Certains l'attribuent à Roland Dorgelès, alors correspondant d'un journal sur le front. D'autres pensent qu'elle a pour origine un contresens phonétique : les Britanniques parlaient et parlent encore de « phoney war », de « guerre bidon », ce qui, mal retranscrit en « funny war » et traduit, a donné l'expression française que la tradition a retenue. Peu importe, les deux locutions, par des mots différents désignent la même réalité : entre la défaite polonaise de septembre 1939 et l'offensive allemande du 10 mai 1940, il ne se passe rien sur le front occidental ; c'est une drôle de guerre en ce sens qu'elle ne ressemble pas à une vraie guerre, mais c'est une drôle de guerre qui n'a rien de drôle. Si, pendant tous ces mois, des millions de soldats restent l'arme au pied, si le premier mort français de l'armée de terre ne tombe que le 6 décembre 1939, presque par hasard au cours d'une patrouille, cette longue attente n'est pas exempte de tristes incertitudes, de peurs et d'angoisses. Le rapport des forces en présence commande à bien des égards du côté franco-britannique cette stratégie de l'inaction, ainsi que l'état de la psychologie collective.

Les forces en présence

En *forces réelles,* immédiatement mobilisables, la puissance allemande est nettement prépondérante. Une attaque frontale et immédiate du Reich par les Français et les Britanniques risque donc de tourner à la catastrophe. De même, les alliés espèrent qu'Hitler décidera l'offensive le plus tard possible.

Leurs infériorité ne se trouve d'ailleurs pas dans tous les domaines et elles est moins manifeste qu'en 1938 au moment de Munich. Voilà pourquoi la déclaration de guerre a paru cette fois possible. Les effectifs, sur le papier du moins, ne font pas problème. Même si la Grande-Bretagne vient à peine de rétablir la conscription et ne peut envoyer au secours de son allié que quatre divisions, la France peut aligner presque autant d'hommes que la Wehrmacht. On compte surtout sur la protection de la frontière du Nord-Est par la ligne fortifiée Maginot, construite entre 1930 et 1935 : on pense qu'elle permet de concentrer plus de troupes sur la frontière ouverte du Nord. Pour de nombreux matériels, la situation est tout à fait convenable. Le réarmement est loin d'être achevé dans les deux pays, mais il a commencé plus tôt qu'on ne l'a dit, avec un décalage relativement faible sur celui de l'Allemagne. Du côté français, il est entrepris un peu anarchiquement en 1934, vigoureusement relancé par le Front populaire en septembre 1936 et intensifié en 1938. En Angleterre, Chamberlain, malgré sa politique d'appaisement ou précisément à cause d'elle, a tenu par prudence à ne pas sacrifier les forces militaires. Comme chancelier de l'Echiquier, puis comme Premier ministre, il a mesuré l'importance du réarmement. Sur mer, la supériorité alliée est spectaculaire : l'Angleterre et la France peuvent aligner 514 navires de guerre contre 104 unités allemandes, et la Kriegsmarine n'a pas (encore) suffisamment de submersibles pour lancer une guerre sous-marine. Dans le domaine des armements terrestres, l'artillerie lourde n'est pas surclassée, à la différence de 1914. Pour les chars, il y a égalité quantitative entre matériels français et allemands, voire supériorité qualitative pour les premiers.

TABLEAU 19

FORCES EN PRÉSENCE EN SEPTEMBRE 1939

	Grande-Bretagne	France	Allemagne
Divisions combattantes	4	110 dont 90 en métropole (2 776 000 hommes sur 5 millions mobilisés)	103 2 600 000 hommes
Divisions blindées		1 en formation	5
Pièces d'artillerie		16 850	6 916
Chars		2 946	2 977
Canons antichars		4 350	11 200
Avions (en ligne) :			
chasseurs	605	560 dont 416 modernes	900
Bombardiers	497	346 (aucun moderne)	1 620
Renseignement	275	348 dont 47 modernes	708
Total avions	1 377	1 254 dont 463 modernes	3 228

En revanche, par erreur de conception, la France et l'Angleterre manquent cruellement de canons antichars et de canons antiaériens. Plus dramatiquement ressenti par les responsables alliés est le retard de l'aviation. L'Allemagne compte 2,5 fois plus d'appareils que la France, et l'écart est plus grand si on ne tient compte que des matériels modernes. Les faiblesses de l'Armée de l'Air ne sont pas dues, comme on le dit trop souvent, à un réarmement trop tardif. Au contraire, le premier plan de renouvellement date de 1934. Mais, il adresse une commande trop importante — plus de 1 000 avions — pour les capacités de l'industrie aéronautique française de l'époque. Celle-ci, encore artisanale, sort avec trop de lenteur, en 1937-1938 seulement, des modèles vieux de quatre ans ou plus, souvent mal conçus, qui finissent par être périmés. En nationalisant et en concentrant les entreprises en 1936, le Front populaire contribue à revitaliser considérablement ce secteur industriel. Les deux années perdues sont décisives. Dotées d'un outillage moderne, les usines vont pouvoir lancer la construction en série, mais à la fin 1938 seulement. L'Allemagne a débuté en même temps que la France en 1934, mais ne mettant pas « la charrue devant les bœufs » et ayant modernisé immédiatement son appareil de production, elle est arrivée à ce stade de la série dès 1936. Ce retard aéronautique, qui avait pesé lourd dans l'acceptation par Daladier de la capitulation de Munich, ne laisse pas encore d'inquiéter les responsables au moment où les hostilités sont déclarées. Ils ont cependant de bonnes raisons de penser qu'il sera comblé : l'économie française connaît en 1939 un relèvement spectaculaire, que l'on ne voyait pas poindre un an plus tôt et la machine industrielle bat son plein. L'essentiel est qu'à l'abri de la ligne Maginot la France puisse compter sur un répit.

D'après Daladier, cet état momentané d'infériorité durera jusqu'en 1941, date à laquelle l'industrie sera totalement rénovée. Une fois passé ce cap difficile et dangereux, les Alliés, imprégnés par les souvenirs de 1914-1918, parient sur une guerre longue, et ils ne doutent pas qu'ils sont en mesure de la gagner. Par leurs *forces potentielles,* par l'addition de leurs populations, de leurs richesses économiques, de leurs réserves d'or, de leurs ressources coloniales, les deux pays marquent, en effet, une nette supériorité sur l'Allemagne. Les gouvernements de Paris et de Londres peuvent donc penser raisonnablement que le temps travaille pour eux. « Nous vaincrons, parce que nous sommes les plus forts », tel est le slogan le plus répété au début du printemps 1940. Il est urgent d'attendre que les potentialités soient transformées en puissance réelle. De fait, le calcul n'est pas si erroné. Le boom de l'aéronautique française est tel que, pendant le premier semestre 1940, son rythme de croissance est supérieur à celui de tous les pays.

Une Drôle de guerre pour tenir une guerre longue

Dans ce contexte, la stratégie franco-britannique de guerre consiste à tout entreprendre... pour éviter de la faire. Pour être longue, la guerre ne doit pas se transformer en boucherie comme en 1914-1918. Elle peut se gagner avec « des armes non sanglantes », pour reprendre une expression d'Edmond Giscard d'Estaing dans la *Revue de Paris* en décembre 1939 : grâce à la maîtrise des mers et à un blocus imposé à l'Allemagne, la France et l'Angleterre peuvent acculer celle-ci à la ruine, à la pénurie totale et à l'effondrement. Comme l'écrit au même moment Francis Williams, le directeur du *Daily Herald,* la pression économique peut rendre inutiles les grands affrontements sur les champs de bataille. Dans cet ordre d'idées, les Franco-Britanniques, riches en or, sont singulièrement avantagés par la décision des Américains du 4 novembre : les lois de neutralité sont modifiées, l'embargo sur les ventes d'armes est levé et la vente de matériels militaires aux belligérants est autorisée à condition qu'ils paient au comptant — en dollars ou en métal précieux — (*cash*) et qu'ils assurent eux-mêmes le transport (*carry*)[1]. Cette mesure montre déjà que les alliés peuvent compter sur des forces mondiales, alors que Hitler en est réduit à puiser dans des ressources seulement continentales. Afin d'être en meilleure position pour imposer au Reich une longue guerre d'usure économique, les deux pays font tout pour ralentir la baisse de l'encaisse métallique des Banques de France et d'Angleterre, pour préserver ce « trésor de guerre » qui constitue, aux yeux des champions de la stratégie attentiste, la « quatrième arme », au moins aussi importante que l'armée, la marine et l'aviation. Pour ce, Paris et Londres renforcent entre eux leurs liens commerciaux et financiers. Dès le 17 novembre, il est décidé de confier à Jean Monnet la présidence du Comité de coordination des programmes et des achats alliés. Il s'agit avant tout de planifier les importations et d'éviter les doubles emplois. Un tel organisme existait lors du dernier conflit, mais n'avait été mis en place que très tardivement. Une autre décision spectaculaire est prise : après l'accord du 4 décembre 1939, chacun peut puiser sans limite dans les ressources métropolitaines et coloniales de son allié sans transfert d'or, l'apurement des comptes devant se faire un an après la fin des hostilités. Toute une réorientation du commerce est ainsi amorcée au profit de la zone sterling et de l'Empire français, afin de diminuer les achats dans les pays à devises fortes. De ce point de vue, la vision mondiale des rapports de force est neuve ; l'affrontement dépasse le cadre européen.

A cette stratégie économique et politique de guerre longue, correspond une stratégie militaire défensive. Rien ne doit être entrepris qui puisse provoquer une offensive allemande sur le front occidental. Des attaques aériennes sont bien lancées contre l'Allemagne, mais pour lancer les tracts, non des bombes. La drôle de guerre tourne parfois à la « guerre des confettis ». Cela ne signifie pas que les Franco-Britanniques renoncent complètement à l'action, mais celle-ci dans leur esprit doit rester périphérique et s'adapter à la doctrine de la guerre de siège, de la guerre d'usure économique. Au sein du Conseil suprême interallié, qui réunit les principaux responsables politiques et militaires des deux pays, on ne manque pas toujours d'imagination. De nombreuses propositions sont lancées, surtout par les Français, soucieux de détourner les coups du territoire national. Dès la seconde séance, celle du 22 septembre, Daladier parle d'ouvrir un second front de revers contre l'Allemagne et suggère l'installation d'une tête de pont à Salonique, comme en 1915. Puis, dans le cadre de la stratégie de guerre d'usure et d'étranglement économique, on envisage de couper la route du fer suédois qui, transitant par la Norvège, alimente 43 % des aciéries allemandes. De même, les autorités françaises envisagent en janvier, et proposent en mars 1940, de tarir la source d'approvisionnement de l'Allemagne en pétrole soviétique, par une attaque contre Bakou. Quant aux Britanniques, ils émettent l'idée de bombarder la Ruhr ou de jeter des mines flottantes dans le Rhin (plan *Royal Marine*) afin de boucher la principale artère économique du Reich. Chaque fois que l'un de ces projets est proposé par l'un des alliés, il est refusé par l'autre, à l'exception de l'opération en Norvège qui verra le jour en avril 1940. Les travaux de François Bédarida décrivent bien ce « blocage réciproque des initiatives » qui renforce le caractère défensif d'une stratégie globalement attentiste. Celle-ci est également confirmée par la doctrine et l'organisation tactique des armées. Les conseils du colonel de Gaulle ne sont pas suivis, la chose est trop connue pour être développée longuement. Les chars sont dispersés tout le long des frontières, fondus dans la masse des armées défensives. Les unités blindées autonomes sont très peu nombreuses, créées à contrecœur, comme pour sacrifier à la mode. En septembre 1939, l'armée française compte 3 divisions légères mécaniques, et une seule division cui-

---

1. Cette clause est apparue pour la première fois dans la loi américaine du 1er mai 1937 ; à l'époque, elle ne concernait que les produits stratégiques, la loi prévoyant alors un embargo complet sur les ventes d'armements à tout Etat belligérant (cf. p. 218).

rassée, d'ailleurs incomplète ; en mai 1940, au moment de l'offensive allemande, seulement deux divisions cuirassées supplémentaires ont été formées, alors que la Wehrmacht peut aligner 10 *Panzerdivisionen*. Les matériels, de bonne qualité, sont conçus pour accompagner l'infanterie, encore considérée comme la « reine des batailles », pour marcher à son pas et faire de courtes étapes. Ainsi les chars sont dotés de trop petits réservoirs d'essence pour se livrer à des manœuvres offensives.

Les buts de guerre alliés non plus ne sont pas offensifs. La France et la Grande-Bretagne ont déclaré les hostilités pour imposer à l'Allemagne l'abandon de ses conquêtes. Se tenant à cet objectif, elles refusent l'offre de paix proposée par Hitler le 6 octobre 1939. Daladier et Chamberlain répondent qu'ils exigent la fin des agressions et la réparation des torts faits à la Tchécoslovaquie et à la Pologne. Ceci n'empêche pas les Français de profiter des circonstances pour imposer un nouveau gouvernement polonais en exil, plus conforme à leurs vues : Beck doit laisser le pouvoir au Général Sikorski. Bref, ils veulent que l'Europe retrouve son équilibre, que leurs pays retrouvent sur le continent leur influence, leurs intérêts et leur puissance. Mais, tout défensifs qu'ils sont, ces objectifs auraient dû déterminer une autre doctrine militaire. De même qu'il n'a pas été possible de sauver Prague en temps de paix, de même il n'a pas été question de voler au secours de Varsovie une fois la guerre déclarée. Déjà depuis de nombreuses années, la France n'avait ni les moyens de sa diplomatie ni une doctrine militaire conforme à ses alliances avec les pays d'Europe centrale. La contradiction se trouve maintenant à l'échelle franco-britannique. Chamberlain la résout en affirmant que « le seul moyen de sauver la Pologne, c'est de gagner la guerre. » En d'autres termes, Français et Britanniques n'adaptent pas leur stratégie à leurs buts de guerre, mais font dépendre leurs objectifs de paix de leur conception de guerre longue.

Cela va si loin que l'étroite solidarité commerciale et financière nouée par les Alliés à la fin 1939 n'est pas seulement considérée comme un moyen de vaincre économiquement l'Allemagne, mais comme un but et un idéal, d'où devra surgir après la victoire un modèle pour *la construction de l'Europe*. Daladier le 29 décembre appelle de ses vœux une organisation fédérale dont le point de départ serait la coopération franco-britannique, « qui pourrait... servir d'assise à d'autres nations ».

Ce nouveau but de guerre ne doit pas cacher les divergences entre les deux pays. Alors que la Grande-Bretagne fait avant tout la guerre à Hitler, la France la fait à l'Allemagne. Chamberlain souhaite une Europe paisible, délivrée de tout risque d'agression et donc de l'hitlérisme, mais il déclare ne pas en vouloir au peuple allemand et ne dénie pas au Reich la place qui lui revient de droit sur le continent, à condition qu'il renonce à tout esprit de conquête. Les Français au contraire, au nom de leur principe de sécurité, veulent la ruine définitive de la puissance allemande. Le contentieux passé entre Paris et Londres n'a donc pas disparu.

La stratégie de Blitzkrieg

Hitler n'a évidemment pas tous ces problèmes d'alliance. Le Japon est lointain et poursuit son avance en Chine. L'Italie, bien que liée à l'Allemagne par un « pacte d'acier », n'est pas entrée en guerre ; quant à l'U.R.S.S., elle est tout juste un partenaire de fortune auquel le Führer se garde bien de dévoiler ses arrière-pensées. D'ailleurs celles-ci, nombreuses et changeantes, sont encore difficiles à appréhender par l'historien. Si les buts de guerre du chef nazi, soigneusement cachés, peu évidents pour les contemporains, nous apparaissent maintenant presque clairement — la conquête d'un espace vital, la domination de l'Europe, et, peut-être dans ses rêves les plus secrets, celle du monde —, il n'en est pas de même pour la programmation de toutes ces ambitions. Obsédé par son atroce et implacable logique raciste, visionnaire au long cours, Hitler sait résolument quels objectifs il poursuit, à la différence des Français et des Britanniques ; tacticien hors-pair, il a longtemps et admirablement réussi à se plier aux circonstances du court terme, et, tel Horace contre les Curiaces, à diviser ses adversaires potentiels (Polonais contre Tchèques en 1938), à n'en affronter qu'un petit nombre à la fois ; mais piètre stratège politique, comptant trop sur ses intuitions et sur son étoile, il change souvent de plan : c'est au niveau du moyen terme qu'il pèche, tant la planification de ses actes prend un tour fluctuant.

Dans *Mein Kampf* (1925), et dans son « second livre » écrit en 1928, il envisageait comme préalable à toute action une « explication définitive avec la France », puis, en alliance avec la Grande-Bretagne ou en ayant obtenu sa neutralité, la conquête à l'Est du *Lebensraum*, aux dépens de l'U.R.S.S. et la mainmise sur tout le continent. Nous savons par les historiens allemands et par la synthèse magistrale écrite par Charles Bloch, qu'Hitler ne se limitait pas à ces deux étapes. D'après des conversations qu'il eut ultérieurement avec ses collaborateurs, il prévoyait comme troisième phase l'acquisition d'un Empire colonial en Afrique, si possible en accord avec les Anglais ou contre eux ; dans un quatrième stade — ce serait probablement la mission de la génération future — aurait lieu le grand affrontement avec les Etats-Unis ; enfin, il n'est pas exclu de penser qu'il caressait un cinquième rêve, le partage du monde entre l'Allemagne et le Japon, voire la domination exclusive de l'univers par la « race supérieure ». Peu importe ici ses visions très lointaines. D'emblée, son action en 1939 aboutit à un télescopage des premières étapes, la guerre avec l'Angleterre venant plus tôt que prévu. Suivant la ligne Ribbentrop et n'écoutant plus les conseils de Gœring, il s'entend avec les Soviétiques pour attaquer la Pologne et prend le risque d'un conflit avec les Anglais. Il espérait bien que ces derniers ne respecteraient pas la garantie récente donnée à Varsovie qu'ils étaient matériellement incapables d'honorer. Une fois la Pologne liquidée, cette stratégie a l'avantage de lui éviter la guerre sur deux fronts — sa hantise après l'expérience de 1914-1917. Mais, rompant avec ses conceptions antérieures, il s'est mis en situation de lutte avec deux grandes puissances à la fois, dont la première puissance maritime du monde. Peut-être est-ce là, avec le recul, son heureuse erreur. A moins d'écraser rapidement l'Angleterre ou d'obtenir son retrait du conflit, l'Allemagne ne peut plus envisager seulement une suite de guerres courtes, mais se condamne à une guerre longue à laquelle son économie n'est pas préparée. Son réarmement est intensif, mais il mord encore superficiellement sur les activités et ne donne pas lieu à une véritable économie de guerre. Les stocks ne sont pas constitués en suffisance. Le Reich ne pourra pas soutenir longtemps un siège ou un blocus.

Sur le moment, Hitler n'a cure de tous ces inconvénients, car sa stratégie militaire peut compenser les risques de sa stratégie politique. Il s'agit pour lui d'échapper au piège de la guerre d'usure, de profiter d'une façon décisive de la supériorité qu'il sait provisoire de son pays, et de frapper ses ennemis un à un, comme déjà il a su le faire en temps de paix. La méthode de la *Blitzkrieg,* de la guerre-éclair, convient tout à fait. Elle a déjà fait merveille aux dépens de la pauvre Pologne. L'armée est motorisée, donc rapide comme la foudre ; mécanisée, dotée d'un puissant fer de lance grâce au regroupement de ses divisions blindées, elle est capable, avec l'appui de l'aviation, de briser les lignes ennemies en n'importe quel point choisi à l'avance, le *Schwerpunkt,* là où se trouve le maillon faible du front linéaire de l'adversaire. Celui-ci, étourdi et paralysé par l'effet de surprise, assiste impuissant à la désintégration totale de son système militaire. Dès lors il suffit que le gros de la Wehrmacht s'engouffre dans les brèches et occupe tout le territoire convoité. Ces campagnes fulgurantes aboutissent à peu de frais à la victoire totale, et permettent au Reich de vivre sur le pays : l'économie de pillage compense l'absence de véritable économie de guerre et la guerre de conquêtes continentales constitue une réponse à la guerre de blocus maritime imposée par les Alliés. Après son succès contre les Polonais, et après avoir fait ses offres de paix, Hitler compte retourner ses armes contre la France. Mais le mauvais temps l'oblige à différer l'offensive au printemps. Pour lui, la drôle de guerre n'est pas une stratégie, mais une attente imposée par la météorologie.

Le rôle de la psychologie collective

L'opposition entre toutes ces conceptions n'est pas seulement une divergence intellectuelle entre militaires ; elle procède aussi d'une mentalité et d'une psychologie différentes. D'un côté, en Allemagne, l'audace tactique et stratégique est le miroir d'un profond désir de revanche, du culte de la force et de l'offensive développé par le régime nazi ; de l'autre, la doctrine militaire française, la volonté d'utiliser des armes économiques « non sanglantes », cette idée de belligérance sans vraie bataille reflètent le vieillissement et la division du pays.

Pourtant, l'opinion publique française, naguère munichoise dans sa majorité, s'est ralliée sans difficulté à la guerre en septembre 1939. Il n'est pas vrai, comme ont voulu le faire croire les défenseurs de Vichy, que les Français y soient entrés malgré eux. D'après un sondage effectué en août, 76 % des personnes interrogées répondent affirmativement à la question de savoir s'il faut empêcher l'Allemagne, au besoin par la force, de s'emparer de Dantzig. Comme pour l'économie, on assiste à un réveil spectaculaire de l'opinion depuis Munich. Ce retournement est bien mis en lumière par les travaux de Jean-Louis Crémieux-Brilhac. Le « défaitisme » de 1939 est autant un mythe que l'enthousiasme de « la fleur au fusil » prêté aux combattants de 1914. De même qu'il n'y a pas eu, comme l'a bien démontré Jean-Jacques Becker, débordement de joie à l'aube du premier conflit, de même il n'y a pas eu refus de se battre au début du second. Dans les deux cas, il vaut mieux parler de résolution tranquille.

Evidemment, celle-ci n'est pas de force égale entre les deux époques : si, en 1939, le moral des troupes est bon, si l'espoir de vaincre anime les Français, ceux-ci n'en sont pas moins hantés par les images de carnage du conflit précédent. La résignation, la tristesse, la peur aussi, atténuent la fermeté des sentiments. Si le patriotisme nouveau l'emporte sur le « lâche soulagement » de la fausse paix de 1938, il ne recouvre que partiellement l'épaisse couche sédimentaire pacifiste accumulée depuis vingt ans, au temps où l'Allemagne paraissait moins dangereuse. D'autre part, les Français ne sont pas vraiment remis de leurs querelles antérieures. A l'extrême droite et aussi dans une partie de la droite, certains continuent de se demander si l'on ne se trompe pas de guerre ou d'ennemi : s'attaquer à Hitler c'est s'en prendre à celui qui défend le mieux l'Europe contre le Bolchévisme ou c'est le risque de retour du Front populaire. A gauche, les communistes, jusqu'alors les plus fervents combattants du fascisme et du nazisme, se mettent en marge de la nation : un moment décontenancés par le pacte Ribbentrop-Molotov (leur députés votent les crédits de guerre le 2 septembre et de nombreux militants quittent le parti), ils se reprennent, adoptent la ligne de Moscou et se mettent à dénoncer la guerre, qui, cessant tout d'un coup d'être « patriotique », est qualifiée d'« impérialiste ». La « chasse aux sorcières » que leur livre le gouvernement, achève de les isoler. On est loin de l'union sacrée de 1914. Toutes ces divergences ont, sans doute, empêché que des buts de guerre soient clairement définis devant l'opinion. Parler du combat contre le fascisme, c'est indisposer la droite — et irriter Mussolini que l'on veut ménager — ; insister sur la lutte contre l'Allemagne éternelle, c'est heurter les sentiments humanistes de la gauche. Bref, au fur et à mesure que la France s'enfonce dans l'inaction, elle risque de ne plus savoir pourquoi elle est en guerre et pourquoi elle se bat. Au fil des mois, cette inaction finit par peser sur le moral des troupes et de l'arrière. D'où les pressions de Daladier puis de son successeur Reynaud pour imposer des opérations périphériques : agir pour mettre fin à la torpeur, mais loin de la patrie pour ne point la meurtrir à nouveau.

Anglophilie et anglophobie recoupent ces divisions françaises. La première domine nettement au sein de l'opinion qui accepte le conflit. Le second sentiment, minoritaire, règne dans quelques salles de rédaction, dans certains salons parisiens tenus par Mesdames de Crussol ou de Portes, égéries ministérielles et rivales qui « inspirent » Daladier et Reynaud. Il affecte tous ceux qui sont hostiles à la guerre, qui accusent la « perfide Albion » d'avoir entraîné la France dans un piège horrible, et qui sont sensibles à la propagande de *Radio-Stuttgart* : « L'Angleterre entend se battre jusqu'au dernier Français ».

La cohésion nationale est bien plus forte en Grande-Bretagne. Si l'éveil de l'esprit public contre le danger hitlérien fut plus lent qu'ailleurs, il n'en a été que plus fort et a soudé l'opinion autour d'un objectif plus clairement défini qu'en France. La guerre apparaît d'abord aux Britanniques comme plus idéologique que nationale et cet état d'esprit dure tant que la patrie n'est pas en danger ou perçue comme telle. D'après un sondage effectué au début des hostilités, 91 % des personnes interrogées désignent Hitler comme l'ennemi, et 6 % seulement le peuple allemand. Il y a évidemment derrière ces réponses un optimisme certain : les Anglais ont l'impression d'avoir pour eux le droit et le temps ; ils ont aussi l'espoir de voir le Führer lâché par ses compatriotes.

Il est vrai que la guerre est loin d'être accueillie avec joie en Allemagne, autant qu'on puisse le savoir, car il est difficile de connaître l'opinion d'un pays qui vit sous un régime totalitaire. La tristesse prévaut, l'inquiétude aussi : les officiers supérieurs de la Wehrmacht, comme les Britanniques, ont une haute idée de l'armée française et craignent la témérité du Führer. Malgré tout, la résignation et la discipline l'emportent. Les premières victoires en Pologne rassurent et réchauffent le moral des troupes.

Manœuvres diplomatiques et guerres du Nord

Finalement, il y a peu d'Etats dans le monde impliqués directement dans la guerre en septembre 1939 : la France, l'Angleterre, l'Allemagne, la Pologne, l'U.R.S.S. en principe neutre, mais qui intervient contre les Polonais, le Japon et la Chine. Les *Etats-Unis* regardent d'un œil bien lointain les deux conflits d'Europe et d'Asie. Le cœur de l'opinion et du gouvernement, très hostiles au nazisme, penche nettement pour la France et l'Angleterre. Mais cet amour pour les démocraties européennes reste très platonique : jamais l'isolationnisme américain n'a été aussi fort. Dès le 5 septembre 1939, Franklin Roosevelt proclame la mise en vigueur des lois de neutralité et de l'embargo. La décision d'étendre à la vente d'armements le 4 novembre la clause *cash and carry* répond à tous les vœux contradictoires de l'Amérique. Tout à la fois, cette disposition avantage les pays dont elle partage les idéaux, permet à l'industrie de faire des affaires, provoque la reprise des activités et la baisse du chômage après la terrible dépression des années 1930, sans que les Etats-Unis soient impliqués dans l'engrenage qui les a menés à la guerre en 1917 : la France et l'Angleterre payant au comptant, les Américains comptent bien éviter l'accumulation de créances qui pourrait les inciter à voler au secours de leurs débiteurs en cas de grave menace militaire ; n'assurant pas le transport des marchandises, ils espèrent n'exposer aucune de leurs vies, aucun de leurs navires à une éventuelle guerre sous-marine allemande. Les *casus belli* semblent ainsi supprimés. On le voit, là encore, les souvenirs de la Première Guerre mondiale ont profondément marqué les esprits.

En Europe, les Etats restés à l'écart de la guerre sont évidemment l'objet de toutes les sollicitudes de la part de ceux qui la font. *L'Italie* se déclare en situation de « non-belligérance ». Mussolini rappelle en effet à Hitler qu'il lui faut attendre deux ou trois ans pour que son pays soit en mesure d'honorer le pacte d'acier. Les Franco-Britanniques, soulagés et obsédés par le souvenir du conflit précédent. se mettent à rêver : le gouvernement de Rome pourrait se préparer, comme en 1914-1915, à changer de camp. A ce sujet, trois politiques différentes se dessinent à Paris, comme à Londres. Les « apaiseurs », Laval et de Monzie, veulent « acheter » l'Italie par la cession de territoires. Au Quai d'Orsay, au contraire, surtout après le départ le 13 septembre 1939 de Georges Bonnet, partisan de la paix à tout prix, dans l'entourage d'Alexis Léger, secrétaire général du ministère, on est partisan d'une ligne dure : « l'hostilité déclarée de Mussolini » est préférée « à sa neutralité malveillante », car elle faciliterait l'entrée en guerre de la Turquie et des pays du Sud-Est européen aux côtés de la coalition. Les gouvernements français et britannique optent rapidement pour la voie médiane : ne rien faire pour provoquer l'Italie, mais ne rien lui céder.

La *Belgique* poursuit la politique inaugurée en 1936, lorsque revenant à sa neutralité traditionnelle, elle avait mis fin à son alliance de 1920 avec la France. Cette position désavantage les Franco-Britanniques. Persuadés que l'Allemagne violera ce territoire, comme en 1914, ils auraient souhaité y entrer préventivement pour organiser une ligne plus courte et plus facile à défendre que la frontière franco-belge. Le gouvernement Pierlot ne veut pas en entendre parler, de peur qu'une telle intervention ne déchaîne l'offensive allemande. Il est décidé que les Alliés ne pénétreraient en Belgique qu'à la demande de Bruxelles.

La *Roumanie* et la *Grèce* à qui la France et la Grande-Bretagne ont accordé en avril 1939 leur garantie, sont en droit de se demander ce qu'elle vaut, après que la Pologne, bénéficiaire de la même protection, a disparu de la carte. La Roumanie, ainsi que la *Yougoslavie,* adoptent une politique prudente et veillent à ne pas mécontenter l'Allemagne. A cause de sa position stratégique, la *Turquie* intéresse les Alliés qui font tout pour éviter la situation de la Première Guerre mondiale lorsque l'Empire ottoman était dans le camp allemand. Par l'accord du 23 juin 1939, la France lui avait même cédé le sandjak d'Alexandrette, territoire situé au nord-ouest de la Syrie, ce qui mécontente les Syriens. Une alliance à trois est même signée, une fois les hostilités déclarées avec l'Allemagne, le 19 octobre : le traité anglo-franco-turc prévoit une assistance mutuelle contre toute agression en Méditerranée orientale. Pourtant l'U.R.S.S. venait de se mettre en frais pour obtenir un pacte avec la Turquie. Staline et Molotov avaient invité Saradjoglou, le ministre des Affaires étrangères qui, parti le 21 septembre, devait séjourner trois semaines à Moscou. Rien ne fut conclu, car le chef de la diplomatie turque refusa les demandes soviétiques, à savoir le changement du statut des Détroits et leur fermeture aux navires alliés. Il reste de cette visite que la Turquie se montre prudente dans ses engagements avec les Franco-Britanniques qui, aux termes du traité du 19 octobre, ne peuvent la contraindre à aucune action contre l'U.R.S.S.

L'*Union soviétique,* en effet, poursuit deux objectifs à l'abri des accords qu'elle a signés avec l'Allemagne le 23 août et le 28 septembre : renforcer la sécurité de ses frontières et rendre réelle la zone d'influence que lui reconnaissent les dits accords — Pologne orientale, Etats baltes, Finlande, et éventuellement Bessarabie. Grâce à Hitler, Staline a l'opportunité de désintégrer le « cordon sanitaire » fabriqué par les Occidentaux à l'issue du conflit précédent. Après le partage effectif de la Pologne, tout est fait par l'U.R.S.S. pour assurer la sécurité de Léningrad du côté du Golfe de Finlande. Elle impose aux Etats baltes des traités d'assistance mutuelle. L'Esthonie signe le 28 septembre, la Lettonie le 5 octobre et la Lithuanie le 10 octobre. Les deux premiers sont obligés de céder des bases navales et aériennes aux Soviétiques. Ceux-ci renouvellent leur geste habile de 1920 et restituent Vilno à la Lithuanie aux dépens de la Pologne.

L'U.R.S.S. adresse aussi des demandes à la Finlande : cession d'une base (Hanko) et d'îles dans le golfe, d'une bande de territoire faisant reculer la frontière à 70 km de Léningrad. Le 13 novembre, le gouvernement de Helsinki fait part de son refus. La réaction soviétique est spectaculaire. Le 30 novembre, l'Armée rouge entre en Finlande. Un gouvernment finlandais « rouge » est constitué par Moscou. Dans cette « guerre d'hiver » qui dure plus de trois mois, l'armée finlandaise se bat vaillamment, retardant l'avance soviétique. Cette intervention militaire crée à Stockholm, à Londres, à Paris, une émotion bien plus grande que l'attaque de la Pologne le 17 septembre. La S.D.N., dont l'influence déclinait depuis qu'elle avait prouvé son impuissance face aux attaques japonaise de 1931 et italienne de 1935, sort brusquement de sa torpeur. Elle condamne l'U.R.S.S. comme agresseur et décide son exclusion le 14 décembre.

Dans cette affaire, le rôle de la France est essentiel. Engourdie par la drôle de guerre, l'opinion française semble se réveiller, moins contre l'adversaire déclaré, l'Allemagne, que contre ce Goliath qui cherche à écraser David : l'U.R.S.S. Celle-ci, parce que lointaine et militairement fragile, fait moins peur. En outre la « défection » d'août 1939 et l'anticommunisme qui suit le retournement soviétique, ont fortement discrédité l'image de l'U.R.S.S. en France. Beaucoup de pacifistes de droite, qui critiquaient la déclaration de guerre du 3 septembre, voient dans les Soviétiques les seuls ennemis qui vaillent la peine d'être combattus. Pour sauver la Finlande, et empêcher que l'inaction n'assoupisse les esprits, Daladier est favorable à une intervention militaire contre les Russes. Il propose qu'on profite d'une telle opération pour couper les Allemands de leur approvisionnement en minerai de fer suédois, vital pour leur sidérurgie. C'est alors aussi que prennent forme le projet bombardement de Bakou et les plans les plus fous d'offensive combinée dans le Grand-nord et dans le Caucase. Après une discussion qu'il fait traîner en longueur pendant plus de trois mois, Chamberlain coupe court à ces audaces françaises lors du Conseil Suprême interallié du 5 février 1940. Il refuse que les Franco-Britanniques se mettent en guerre contre une deuxième grande puissance en Europe. Préférant ménager l'avenir, il espère que s'opèrera un jour un renversement d'alliances. D'accord avec Daladier pour rompre avec l'inaction qui pèse sur le moral des troupes et de l'arrière, il donne sa préférence à une opération en Norvège du Nord, à Narvik, par où transite le fer suédois à destination de l'Allemagne ; secondairement, cette intervention pourrait servir de base à des secours envoyés au Finlandais. Le gouvernement français s'incline. Mais les préparatifs ne sont pas terminés lorsqu'intervient le 12 mars la victoire soviétique sur la Finlande. Lasse d'attendre un secours des Alliés, pressée par ses voisins scandinaves de faire la paix, la « petite Finlande » préfère négocier. Staline, désireux de ne pas laisser pourrir la situation, accepte la « modération » : l'U.R.S.S. gagne l'isthme de Carélie avec Viborg.

Dix jours plus tard, Daladier, affaibli par cette affaire, démissionne. Paul Reynaud qui lui succède passé pour être un homme de décision, un Clemenceau moderne. En réalité, sa politique est dans la droite ligne de celle de son prédécesseur. De nombreux historiens ont montré comment les deux hommes se rejoignent, découvrant chez le premier plus de résolution, chez le second plus de tergiversations, qu'on n'en avait soupçonné à l'époque. Au Conseil suprême interallié du 28 mars 1940, le premier auquel assiste Reynaud, deux grandes décisions sont prises. La France et la Grande-Bretagne se promettent l'une à l'autre de ne conclure aucun armistice ou traité de paix séparément, et s'engagent à maintenir, après le conflit, leur communauté d'action dans tous les domaines. Ainsi sont confirmés tout à la fois l'alliance de guerre et les buts de paix. La deuxième décision a été de couper la route du fer suédois, non plus par un débarquement à Narvik, mais par le mouillage de mines dans les eaux territoriales norvégiennes.

Après plusieurs mois d'hésitations, les Franco-Britanniques prennent enfin une initiative, prévue pour le 8 avril. Mais, coup de théâtre, à peine ont-ils commencé l'opération qu'ils trouvent devant eux les Allemands qu'ils voulaient surprendre ! En effet, Hitler, qui avait depuis longtemps pris conscience de l'importance de la route du fer et préparé depuis décembre une intervention militaire pour la défendre, avait été plus rapide et plus résolu qu'eux. Au jour J qu'il a fixé au 9 avril, la *Wehrmacht* envahit le Danemark et la Norvège. Les Alliés, revenant brusquement à leur plan antérieur, font débarquer un corps expéditionnaire. Faute d'aviation, celui-ci est mis en difficulté. Certes, il réussit le 28 mai à conquérir Narvik. Mais il est trop tard. Les troupes franco-britanniques doivent rembarquer, car la vraie guerre a commencé ailleurs, en France, où se noue un drame d'une toute autre ampleur.

La défaite française et son retentissement européen et mondial

Le 10 mai 1940, a commencé la plus foudroyante des *Blitzkrieg,* qui a abouti en six semaines à l'effondrement de la France et provoqué toute une série de ruptures.

Les ruptures de 1940

La première rupture est celle du front militaire. Hitler lance son offensive au moment où la machine industrielle de guerre française et britannique bat son plein. Si le retard des Alliés dans le domaine aéronautique est loin d'être rattrapé, si l'aviation allemande domine encore en nombre, cette supériorité est menacée, puisque la production franco-britannique dépasse désormais celle du Reich. Pour le Führer, il est urgent de mettre fin à la drôle de guerre qui, à terme, risque de profiter à ses adversaires. Les Allemands entrent d'abord en Hollande et en Belgique. Sur l'ordre du général Gamelin, en accord avec les autorités de Paris et de Londres, les armées françaises et britanniques se précipitent à leur rencontre, tombant dans le piège qui leur est tendu. Car la véritable attaque a lieu dans les Ardennes que traversent les *Panzerdivisionen* du général Guderian. Le 13 mai, la brèche est ouverte à Sedan. Les troupes allemandes s'y engouffrent, et, au lieu de foncer sur la région parisienne comme en 1914, obliquent vers l'Ouest, amorçant un ample mouvement de « coup de faux » jusqu'à l'estuaire de la Somme, pour encercler les forces alliées qui se sont engagées en Belgique. Tout le corps expéditionnaire britannique et une partie des Français réussissent dans des conditions dramatiques à embarquer à Dunkerque pour gagner l'Angleterre (28 mai-4 juin). Il est dès lors facile à l'armée allemande de prendre à revers les troupes de la ligne Maginot puis de déferler vers le Sud. Weygand qui a remplacé Gamelin au commandement suprême ne peut empêcher le désastre. Paris tombe le 14 juin. Quatre jours plus tôt, Mussolini, craignant d'être exclu du partage des dépouilles et n'écoutant pas les conseils de Ciano, entre en guerre et assène « un coup de poignard à un homme déjà à terre » (André François-Poncet).

La seconde rupture est la dislocation de tout un pays. Un gigantesque exode de 7 à 8 millions de civils encombre les routes et marque l'effondrement moral de la France. Le ressort du gouvernement se rompt également. Le 5 juin, Paul Reynaud nomme bien le général de Gaulle sous-secrétaire d'État à la Guerre, mais il désigne aussi à la vice-présidence du Conseil le maréchal Pétain. Ce dernier, soutenu par Weygand, est très tôt partisan de l'armistice avec l'Allemagne. Paul Reynaud est d'accord pour cesser les combats en métropole mais non la guerre. Il préfère une capitulation militaire, qui n'engage que l'armée, à un armistice qui est un acte de gouvernement et qui met fin aux hostilités. Il souhaite, en effet, que les autorités politiques respectent l'accord franco-britannique du 28 mars et continuent la lutte en Afrique du Nord. La discussion se prolonge au fil des Conseils des ministres qui se tiennent d'abord en Touraine, puis à Bordeaux. C'est là que Reynaud ne réussissant pas à imposer son point de vue démissionne le 16 juin. Pétain lui succède et un premier armistice est signé avec les Allemands à Rethondes le 22 juin, un second avec les Italiens à Rome le 24 juin, les deux entrant en vigueur le 25 à 0 h 35. Les conditions des vainqueurs ne paraissent pas trop dures, ne semblent pas à la mesure de leur victoire. La France échappe à l'occupation totale : elle est divisée en plusieurs zones, la zone d'occupation allemande — les trois cinquièmes du territoire —, une petite zone d'occupation italienne dans une partie des Alpes françaises, et, au Sud, une zone dite libre qui reste sous l'administration du gouvernement français. Celui-ci prend en charge l'entretien des troupes d'occupation. L'armée doit être démobilisée et livrer son matériel. Mais l'Empire colonial reste intact, et les Allemands s'engagent à ne pas utiliser la flotte française : les navires doivent cependant rallier leurs ports d'attache pour y être désarmés.

Mussolini est étonné et mécontent : pourquoi ménager un pays qui s'est littéralement effondré ? Lors d'une entrevue à Munich, le 18 juin Hitler lui explique qu'il préfère un gouvernement français en France, acceptant l'armistice, à un gouvernement français réfugié à Londres, refusant des clauses trop dures, laissant aux occupants la responsabilité de l'administration, et emmenant avec lui sa marine de guerre, qui accroîtrait considérablement la puissance navale et la capacité de résistance des Anglais. De fait, l'armistice neutralise aussi l'Empire dont la plus grande partie fidèle au maréchal Pétain, ne peut servir de base aux Britanniques. Quant à l'arrivée du « vainqueur de Verdun » au pouvoir, elle rassure les Français en plein désarroi, les soulage et les déculpabilise face à l'acceptation de la défaite : pourquoi résister, puisqu'un homme si glorieux s'est lui-même résigné ? Dans ce domaine également, les forces morales françaises sont rompues et neutralisées. Le choc militaire, psychologique et politique est tel que la IIIe République elle-même se brise et vole en éclats. Née de la défaite de Sedan en 1870, le régime meurt des suites d'une seconde défaite à Sedan en 1940. Le Parlement réfugié à Vichy vote les pleins pouvoirs constituants à Pétain le 10 juillet. « L'Etat français » inaugure une « révolution nationale » antirépublicaine.

La France est le seul pays vaincu en 1940 à avoir conclu un armistice. La Hollande avait choisi la solution de la capitulation militaire, et la famille royale, le gouvernement, se considérant toujours en guerre, avaient rallié la capitale britannique. La Belgique avait signé le 28 mai une reddition ; certes Léopold III restait dans son royaume, mais le gouvernement avait gagné Londres. Ce qui était valable pour des petits pays, ne le semblait pas pour la France, dans l'esprit des nouveaux responsables politiques. La vision géopolitique de Pétain et de Laval, dont les sentiments sont nourris par une anglophobie profonde, est toute gallocentriste et continentale : pour eux, la défaite de la grande puissance française ne peut que signifier la fin de la guerre, l'effondrement de l'Angleterre et la victoire totale de l'Allemagne. Ils veulent donc ménager celle-ci pour que la France ait une chance de garder son rang dans « l'Europe nouvelle » qui se prépare. Percevant le conflit qui s'achève comme une simple péripétie dans les duels traditionnels entre Français et Allemands, gagnés tantôt par les uns, tantôt par les autres, ils rompent avec la stratégie de guerre longue formulée dès l'automne 1939. Evidemment, les événements semblent parler pour eux. C'est paradoxalement le général de Gaulle, pourtant en désaccord avec Daladier en matière de doctrine militaire, qui, contre vents et marées, reprend la stratégie politique de l'ancien président du Conseil et continue de croire à la guerre longue. Dans son appel lancé de Londres le 18 juin, il clame qu'on peut encore compter sur les deux empires coloniaux et sur les ressources infinies de « l'immense industrie des Etats-Unis », montrant une perception toute planétaire : « Cette guerre n'est pas limitée au territoire malheureux de notre pays. Cette guerre n'est pas tranchée par la bataille de France. Cette guerre est une guerre mondiale... »

L'Angleterre, plus tôt encore, a fait cette distinction entre la « bataille » et la « guerre ». Elle l'a établie dès les premiers jours de l'offensive allemande. Le 16 mai déjà, après la percée de Sedan, les Britanniques perdent brutalement confiance dans les capacités de riposte de l'armée française. Churchill, nouveau Premier ministre, succédant à Chamberlain, est en effet atterré, lorsque demandant à Gamelin : « Où sont les réserves ? », il entend comme réponse : « Il n'y a plus de réserves ». Considérant dès lors que tout est perdu sur le front continental, il prend une décision lourde de conséquences pour les relations entre les deux alliés : les réserves manquantes en hommes, en armes et en avions sur le continent devront être constituées au nom de l'alliance sur le sol britannique et ne pas être gaspillées dans un combat dont l'issue ne fait plus de doute. Dans cette optique, l'évacuation de Dunkerque, qui assurément manque de gloire, constitue un succès et même un exploit technique : la marine anglaise, sous les bombes allemandes, espérait sauver 45 000 hommes seulement ; or la totalité des 200 000 Britanniques sont rapatriés, 120 000 Français sont embarqués ; restent sur les plages 40 000 soldats français, capturés par la Wehrmacht. Contrairement à ce qu'on a dit, cette tragédie n'a pas provoqué une vague d'anglophobie en France. L'entente entre les marins reste bonne et la rupture sentimentale entre les deux opinions publiques intervient plus tard. Mais cet épisode commence à révéler un divorce intellectuel et stratégique entre les responsables alliés. En ce début de juin 1940, les Britanniques sont doublement soulagés : globalement délivrés du piège militaire continental, ils prennent concrètement conscience des faiblesses du Reich. Dunkerque a prouvé l'inexistence de la Kriegsmarine et les limites de l'efficacité de la Luftwaffe, qui, tenue en échec par les Spitfire et les Hurricane, connaît là sa première défaite majeure. Tout n'est pas perdu pour l'Angleterre.

Dès lors, les enjeux de la bataille de France ne peuvent pas être les mêmes pour les deux alliés. Significative est la première rencontre le 9 juin entre Churchill et le général de Gaulle venu lui demander des avions au nom du gouvernement français. Le compte rendu de la conversation se trouve dans les archives du Quai d'Orsay : « Le second considère que toutes les forces disponibles doivent être engagées dans la bataille actuelle, le premier qu'il faut distinguer entre la bataille et la guerre et donc qu'il ne faut pas compromettre, dans la bataille d'aujourd'hui, un instrument de combat qui sera essentiel demain. Sans les industries du Royaume-Uni, dont la protection ne peut être assurée que par l'aviation de chasse britannique, la continuation de la guerre deviendra difficile. »

Au fond, Churchill se trouve confronté à un dilemme : comment sortir du continent sans que la France sorte de la guerre ? Il tente d'aider ses partenaires, juste assez pour éviter l'effondrement moral qui les pousserait à traiter avec l'Allemagne, sans se priver des armes nécessaires pour la défense des îles britanniques. Neuf jours plus tard, lorsque la bataille est perdue et qu'il reste à espérer que la guerre ne l'est pas, de Gaulle reprend à son compte cette célèbre distinction, que lui a donc soufflé le Premier ministre anglais.

En fait Churchill ne réussit pas à empêcher la défection de la France. Sa politique d'égoisme national devait servir à terme la cause de la guerre longue et élargie. Mais sur le moment, elle contribue plutôt à la démoralisation des décideurs français. En aucune façon, le projet d'Union franco-britannique de dernière minute, de fusion des deux nations et des deux gouvernements, inspiré par Jean Monnet, hâtivement approuvé à Londres, et proposé à Paris le 16 juin, ne permet à Paul Reynaud de triompher des partisans de l'armistice. Lorsque celui-ci est signé, Churchill, conscient comme Hitler de l'enjeu de la flotte française, ne se satisfait pas des garanties données par l'Allemagne à la France. Il veut à tout prix éviter que les navires de guerre français ne rentrent dans leurs ports d'attache et ne tombent entre les mains ennemies. Le

3 juillet, à Mers-el-Kébir près d'Oran, l'amiral Gensoul, approuvé par Darlan, rejette l'ultimatum de l'amiral anglais Sommerville lui enjoignant soit de se rallier à la flotte britannique, soit d'appareiller sous son escorte vers les Antilles françaises ou les Etats-Unis. La Royal Navy tire et coule plusieurs bâtiments. Dans cette tragédie, 1 200 marins français trouvent la mort. Le gouvernement Pétain réplique par la rupture des relations diplomatiques. Mais ce drame provoque une rupture bien plus profonde, la rupture sentimentale entre les deux peuples, qui intervient avec un décalage de quelques semaines par rapport au divorce qui avait déjà séparé les gouvernements et les Etats-Majors. « Comme nous nous aimions ! », telle est la superbe litote écrite par François Mauriac dans *Le Figaro* du 15 juillet. On a souvent dit que l'attitude anglaise a été une erreur politique dans la mesure où, par l'anglophobie suscitée, elle a facilité l'adhésion des Français aux vues du maréchal Pétain et favorisé au sein du nouveau régime les extrémistes. Il faut sans doute dépasser ce point de vue gallocentriste. Dans la situation de solitude où ils se trouvent en ce début d'été 1940, les Britanniques ne font plus dans le sentiment et considèrent que pour leur propre survie la puissance de feu de la marine de leur ancienne alliée, si elle est utilisée par l'ennemi, est bien plus dangereuse que les états d'âme de l'opinion française ou les agissements d'un gouvernement de toute façon impuissant. Churchill entend aussi, au propre et au figuré, brûler ses vaisseaux, ou plutôt ceux des autres, pour rendre impossible tout recul, tout revirement de l'Angleterre. Le chef du gouvernement britannique veut administrer à Hitler, à Pétain, à ses compatriotes et peut-être à lui-même, la preuve de sa résolution.

La France, un enjeu dans la guerre anglo-allemande

Après sa défaite, la France n'est plus une puissance, mais un enjeu. Sa flotte et son Empire, en principe épargnés, constituent encore un potentiel, mais peuvent surtout devenir des atouts pour les belligérants. Seuls face aux puissances de l'Axe, les Anglais ne font pas confiance dans le gouvernement du maréchal. Après avoir vainement espéré le ralliement d'un quelconque homme politique de renom, ils doivent se contenter le 28 juin de reconnaître le général de Gaulle comme « chef de tous les Français libres ». Cet ancien sous-secrétaire d'Etat du dernier gouvernement Reynaud est presque un inconnu pour les Français et son appel lancé dix jours plus tôt à la B.B.C. ne fut entendu en France que par un petit nombre. Presque tous les soldats français stationnés en Grande-Bretagne, et ils sont nombreux, ceux des missions militaires, ceux qui sont revenus de Narvik ou qui ont été embarqués à Dunkerque (ces derniers sont près de 120 000), préfèrent retourner dans leurs foyers. A ce réflexe peut-être naturel s'ajoute l'effet de Mers-el-Kébir. 7 000 hommes seulement choisissent de rester et d'entrer dans les *Forces françaises libres,* que les accords Churchill-De Gaulle du 7 août permettent de financer et d'organiser. L'espoir du Premier ministre britannique est de voir de nombreuses colonies françaises se rallier au mouvement gaulliste. Dans le Pacifique, les Nouvelles-Hébrides, la Polynésie, la Nouvelle-Calédonie répondent à l'appel. En Afrique Equatoriale Française, après le ralliement du Tchad, du Cameroun, du Congo, de l'Oubangui-Chari, seul le Gabon reste fidèle à Vichy. Ces débuts prometteurs persuadent De Gaulle d'agir et d'organiser en Afrique Occidentale Française un débarquement pour susciter l'adhésion de ce vaste territoire à la cause de la France libre. Churchill approuve le projet et décide d'expédier une escadre anglo-gaulliste pour s'emparer de Dakar. L'opération à laquelle le général de Gaulle participe personnellement se heurte à la résistance des forces vichyssoises et aboutit à un échec complet le 24 septembre. L'A.O.F., l'Afrique du Nord, l'Indochine, le reste de l'Empire et le Levant refusent la « dissidence ».

Ce revers sérieux intervient en pleine bataille d'Angleterre. Depuis le 13 août, l'Allemagne jette à partir des aérodromes français, belges et hollandais le gros de son aviation sur la Grande-Bretagne. L'objectif est de détruire la chasse de la *Royal Air Force* afin de rendre possible une invasion des îles britanniques. Il est possible que Hitler n'ait pas trop cru dans les chances de succès d'un tel débarquement. Le 31 juillet, il avait déjà révélé aux responsables de son armée sa grande ambition, la destruction de l'U.R.S.S. Il semble donc reléguer au second plan la lutte contre les Anglais et espère toujours s'entendre avec eux. Avec la bataille d'Angleterre il tente en réalité de contraindre le gouvernement britannique à la paix et à la coopération avec l'Allemagne. Dès le 7 septembre d'ailleurs, la *Luftwaffe* s'engage dans un autre type d'opération : le bombardement massif de Londres — le *Blitz* —, pour désorganiser la vie de la capitale et démoraliser la population. Les dégâts causés sont importants, mais les chasseurs britanniques, plus maniables, bien guidés par les premiers radars, détruisent en 80 jours 2 265 appareils allemands. Quant à l'opinion publique, galvanisée par les dicours de Churchill, elle connaît un véritable sursaut patriotique. La guerre change presque de signification et prend un tour plus concret : les Anglais la font non seulement contre Hitler et le nazisme, mais aussi contre l'Allemagne. A la fin octobre, le Führer, qui veut épargner ses forces aériennes pour la future campagne de Russie, met fin à la bataille d'Angleterre.

C'est dans ce contexte de lutte pour la survie de son pays et après l'échec de Dakar que Churchill décide d'assouplir sa politique à l'égard de Vichy. La tâche n'est pas facile, car il y a dans la France contrôlée par l'Allemagne, même parmi ceux qui ont accepté l'armistice, de nombreuses divergences. Mettons à part les authentiques « *collaborationnistes* » qui, partageant les idées fascistes ou nazies, souhaitent l'installation de « l'ordre nouveau » hitlérien et la collaboration totale avec l'occupant ; regroupés à Paris autour de Jacques Doriot et de Marcel Déat, critiquant la « timidité » de Vichy, ils sont moins utiles à la cause allemande que les « *vichyssois* » proprement dits, parce qu'ils sont moins crédibles auprès de la population française. Le prestige du maréchal Pétain qui pour un temps retient nombre de Français d'entrer en résistance, nombre de colonies d'entrer en « dissidence », est un capital à haut rendement pour Hitler. Il n'empêche qu'à Vichy autour du chef de « l'Etat Français », plusieurs clans s'affrontent et au moins deux ou trois politiques étrangères s'opposent en 1940, bien décrites par Jean-Baptiste Duroselle. La plupart des hommes de Vichy envisagent bien une collaboration d'Etat avec Berlin. Il s'agit moins chez eux d'un choix idéologique que d'un pari politique et militaire : l'Allemagne gagnera la guerre ; il faut donc lui faire des concessions pour que la France puisse garder son rang dans l'Europe hitlérienne. C'est en particulier la position de Laval, vice-président du Conseil, qui entend entamer une vaste négociation avec le Reich et multiplier auprès de lui les gages de bonne foi en adoptant une politique antibritannique. Au contraire, le général Weygand, ministre de la Défense jusqu'au 5 septembre, puis commandant en Afrique du Nord, veut que l'on s'en tienne à l'armistice et que l'on refuse toute concession supplémentaire, ainsi que Charles-Roux, secrétaire général du Quai d'Orsay, qui, doutant que l'Angleterre soit vaincue, préconise de rester en relation avec elle. Baudouin, le ministre des Affaires étrangères se situe entre ces deux tendances ; il envisage une collaboration limitée pour obtenir l'adoucissement des charges de l'occupation, en veillant néanmoins à ce que cette politique ne facilite pas les opérations allemandes contre la Grande-Bretagne. Le maréchal semble hésiter et pratique pendant l'été et l'automne 1940 un jeu de bascule entre ces tendances. Mais le fléau de sa balance finit par pencher nettement d'un seul côté.

Toute une série de contacts secrets sont noués entre les Britanniques et Vichy. Les conversations entre les ambassadeurs des deux pays à Madrid, Hoare et La Baume, en septembre-octobre, les entretiens que le professeur Rougier a successivement avec Pétain le 20 septembre, Churchill le 25 octobre et Pétain à nouveau le 10 novembre — conversations dont la portée a d'ailleurs été exagérée par le protagoniste —, la correspondance entre Halifax et le professeur Chevalier par l'intermédiaire du diplomate canadien Pierre Dupuy en décembre, tournent autour des mêmes objectifs. Les Anglais et les « modérés » de Vichy cherchent un *modus vivendi.* Les Britanniques, qui savent depuis l'affaire de Dakar qu'ils ne peuvent soulever l'Empire en faveur de de Gaulle, demandent l'engagement du gouvernement français à ne pas céder la flotte ou les colonies au Reich, à ne pas tenter la reconquête des territoires dissidents ; en échange, ils se proposent d'assouplir le blocus maritime qu'ils imposent à la France. Pétain est visiblement intéressé par cette dernière mesure qui permettrait d'atténuer la pénurie alimentaire et économique, de rendre moins dure la vie quotidienne des Français dont il se veut avant tout le protecteur. Mais il ne peut accepter ce qui de près ou de loin ressemblerait à une reconnaissance de la « rébellion » gaulliste. Attentif à toutes ces négociations, il refuse néanmoins de donner une réponse positive aux propositions britanniques. Il espère peut-être que les Anglais, qui sont demandeurs, seront obligés par intérêt, d'adoucir le blocus, même si aucun accord n'est signé.

Vichy s'engage en fait nettement plus dans l'autre voie, celle de la collaboration et ne se limite pas à la simple application de l'armistice. Laval réussit à organiser le 24 octobre à Montoire la rencontre entre Pétain et Hitler. A Hendaye, la veille, celui-ci rencontre Franco, qui, déçu de ne pouvoir obtenir plus d'avantages coloniaux de la part du Führer pour le prix de son entrée en guerre, refuse finalement de prendre les armes aux côtés de l'Axe, alors que cette perspective l'avait tenté après la défaite française. Pétain ne souhaite pas non plus entrer dans une coalition contre la Grande-Bretagne, mais à Montoire, il se déclare prêt à « prendre en considération le principe d'une coopération avec l'Allemagne. » C'est essentiel aux yeux du maître du IIIᵉ Reich qui, constatant l'échec de la bataille d'Angleterre et envisageant de plus en plus sérieusement d'attaquer l'U.R.S.S., souhaite être rassuré sur ses arrières. Il lui faut surtout obtenir l'appui de l'économie française. Cette entrevue provoque la démission de Baudouin et de Charles-Roux. Le poste de ministre des Affaires étrangères est attribué à Laval. Le 30 octobre, Pétain s'adressant aux français va très loin : « C'est librement que je me suis rendu à l'invitation du Führer... C'est dans l'honneur et pour maintenir l'unité française, une unité de dix siècles, dans le cadre d'une activité constructive du nouvel ordre européen, que j'entre aujourd'hui dans la voie de la collaboration. » Il espère ainsi préserver l'avenir et « alléger les souffrances » présentes du pays. De fait, la France accorde sans rien recevoir. L'Alsace-Lorraine est annexée, l'économie est mise au service de l'Allemagne et les derniers vestiges de l'impérialisme français en Europe centrale sont démantelés : Laval cède les intérêts dans les mines yougoslaves de Bor et dans les sociétés pétrolières de Roumanie. Il livre aussi l'encaisse or de la Belgique qui avait été confiée à la Banque de France en mai 1940. Pour quelle contrepartie ?... le retour des cendres du duc de Reichstadt, l'Aiglon, le fils de Napoléon...

Le 13 décembre, Pétain semble donner un coup de frein à la collaboration en renvoyant Laval, au moment où celui-ci semble envisager la reconquête des colonies passées à la dissidence. S'agit-il pour le chef de l'Etat Français d'assigner une limite à la coopération franco-allemande, d'empêcher qu'elle ne se transforme en alliance et de montrer aux Britanniques que, s'il ne signe pas les projets d'accord négociés avec eux, il les respecte ? Après la chute de Laval, la nomination de Chevalier comme ministre de l'Instruction publique, un des artisans de ces négociations entre Vichy et les Anglais, a pu apparaître comme le signe d'un revirement. En fait l'esprit versatile du vieux maréchal ne modifie pas vraiment le cours des choses. Les successeurs de Laval ont continué sa politique. D'abord timidement avec le triumvirat Flandin-Huntziger-Darlan : si on accepte en janvier 1941 l'arrivée d'un ambassadeur des Etats-Unis à Vichy, l'amiral Leahy, si on laisse Weygand signer avec l'Américain Murphy un accord de ravitaillement de l'Afrique du Nord, on fait tout pour rassurer les Allemands. Puis, plus résolument, après la démission de Flandin le 9 février 1941, lorsque Darlan est nommé vice-président du Conseil. Le style change, mais non le fond. La collaboration d'Etat, moins « servile », davantage marchandée, reste le principe fondamental de la diplomatie d'un pays qui a perdu dans les relations internationales son statut de sujet et qui est réduit à la situation d'objet et de jouet pour les occupants.

Nouvelle donne mondiale et nouvelle carte européenne

La chute et l'abaissement de la France, c'est aussi la rupture d'un ordre, celui du vieux système européen des puissances. Une des principales clés de voûte étant cassée, tout l'édifice risque de s'écrouler. Un vide est créé dans le monde, que l'Allemagne ne comble pas partout.

Si le Moyen-Orient et l'Empire français constituent de nouveaux enjeux, en Extrême-Orient, le Japon s'empresse d'avancer ses pions aux dépens des pays vaincus par l'Allemagne : en août-septembre, il impose aux autorités de Vichy l'entrée de ses troupes au Tonkin et le droit d'y utiliser les aérodromes ; il cherche en même temps à obtenir des privilèges économiques dans les Indes néerlandaises. A n'en point douter, les événements de 1940 favorisent les bellicistes qui entrent en force dans le nouveau gouvernement formé le 16 juillet par le prince Konoye — Matsuoka aux Affaires étrangères et surtout le général Tojo à la Guerre — et confirment la nouvelle orientation impérialiste nippone : la formation d'un Grand Empire, non plus contre l'U.R.S.S., mais dans les mers du Sud où serait constitué une « sphère de co-prospérité asiatique » dominé par le Japon.

On a du mal aussi à imaginer le retentissement de la défaite française aux Etats-Unis. Les Américains, traumatisés, prennent conscience du double danger qui soudainement s'est rapproché d'eux. Ils sentent bien que de l'autre côté de l'Atlantique, entre les Ardennes et les Pyrénées, une première ligne de défense, certes lointaine, mais essentielle, a cédé ; que de l'autre côté du Pacifique, la puissance japonaise est décidemment devenu bien menaçante. Le comité créé en mai 1940 par White, un journaliste du Kansas, *Committee to defend America by aiding the Allies* rassemble environ 800 000 personnes. L'isolationnisme des Américains est nettement ébranlé. Mais il est loin d'être mort. En septembre, pendant la campagne présidentielle, est fondé le comité *America First* qui recueille un nombre équivalent d'adhésions et qui entend empêcher tout engagement direct ou indirect du pays dans la guerre. En fait, la majorité de l'opinion se situe entre isolationnistes et interventionnistes. Selon un sondage effectué à l'automne, 75 % sont favorables à une assistance économique à la Grande-Bretagne, mais 83 % refusent toute perspective d'intervention dans le conflit. Roosevelt pencherait plutôt pour les positions du Comité White et prend des décisions importantes. Mais, il tient compte de l'opinion, et, briguant un troisième mandat présidentiel, fait sans précédent aux Etats-Unis, il se montre prudent dans son action. En juillet, il cède à l'Angleterre cinquante destroyers, en échange de l'utilisation par les Américains de bases britanniques à Terre-Neuve, aux Bahamas et aux Bermudes ; il prend des mesures d'embargo sur l'acier, les ferrailles et les essences d'aviation à destination du Japon. En septembre, est institué le service militaire. Comme le dit Churchill, les Etats-Unis passent de la « neutralité à la non-belligérance ». Roosevelt n'engage pas plus loin son pays et se fait rassurant pendant la campagne électorale, puisqu'il promet aux mères américaines qu'il n'enverra pas les « boys » combattre dans une « guerre étrangère ». Malgré tous les efforts des isolationnistes, il est facilement réélu. Dès lors sa marge de manœuvre est élargie.

En U.R.S.S., la victoire de Hitler est jugée trop rapide. Elle effraie Staline et perturbe ses plans. Il espérait entre Français et Allemands une guerre longue qui épuisât les adversaires et laissât un répit pour le réarmement soviétique. Avec l'effondrement français, il éprouve soudainement un sentiment d'angoisse : l'U.R.S.S. reste la seule grande puissance du continent face au Reich, qui sort du conflit plus fort et plus dangereux que jamais. Le télégramme de félicitations que Molotov envoie à Hitler après la chute de Paris dissimule mal l'embarras des responsables du Kremlin. Staline s'empresse de renforcer les positions de son pays en Europe de l'Est, en utilisant au plus vite, quand il en est encore temps, toutes les possibilités que lui offrent les accords signés entre Moscou et Berlin sur les zones d'influence réciproques. Dans cette perspective, la défaite de la France et l'isolement de la Grande-Bretagne présentent au moins pour lui un avantage : ces puissances ne sont pas en mesure de l'empêcher d'agir dans cette partie du monde. C'est tout un remaniement de la carte européenne qui s'effectue en août 1940 et ces changements préludent à ceux de l'après 1945. Dès la mi-juin, des ultimatums sont adressés aux trois Etats baltes, déjà occupés par des troupes soviétiques depuis l'automne 1939. Les gouvernements de ces pays démissionnent et sont remplacés par des gouvernements prosoviétiques qui demandent leur rattachement à l'U.R.S.S. : en août, trois nouvelles républiques soviétiques sont créées. Dans la lancée, Staline procède à une autre série d'annexions, aux dépens de l'ancienne alliée de la France, la Roumanie, qui avait d'ailleurs bénéficié aussi de la garantie britannique. Les Russes s'emparent de la Bessarabie, dont ils n'avaient jamais accepté la perte au lendemain du premier conflit mondial, mais aussi la Bukovine du Nord avec la ville de Czernovitz dont le cession n'avait pas été prévue par les accords Ribbentrop-Molotov. En août cette région est transformée en République soviétique de Moldavie. En moins d'un an, l'Union a gagné 23 millions d'habitants : 13 en Pologne orientale, 10 dans les pays baltes et aux dépens de la Roumanie. Hitler veut visiblement arrêter toute nouvelle avance soviétique en Europe. Le 22 septembre 1940, les troupes allemandes s'installent en Finlande, sous prétexte d'assurer une meilleure communication avec le nord de la Norvège.

La Bulgarie et la Hongrie profitent aussi de la défaite française pour arracher encore quelques dépouilles à l'Etat roumain et obtenir la révision des traités de Neuilly et du Trianon de 1919-1920. La première obtient le 22 août la Dobroudja méridionale. La seconde, qui, le 2 novembre 1938, au lendemain de Munich, avait déjà bénéficié d'un premier arbitrage italo-allemand lui accordant le sud de la Slovaquie, se voit concéder par le « deuxième arbitrage de Vienne » du 30 août 1940 les deux tiers de la Transylvanie roumaine. Le gouvernement soviétique, non consulté, proteste vivement et réclame la Bukovine du Sud. L'inquiétude de Staline grandit lorsque, pour toute réponse, l'Allemagne et l'Italie donnent leur garantie aux nouvelles frontières de la Roumanie et que le nouveau Premier ministre roumain, un homme d'extrême droite, le général Antonescu, laisse le 11 octobre la Wehrmacht entrer dans son pays. Le contrôle de l'Europe danubienne et balkanique, en devenant un enjeu fondamental pour la sécurité soviétique, pour l'approvisionnement de l'Allemagne en pétrole roumain et pour les ambitions italiennes, donne lieu à de nouvelles rivalités, à une tension croissante entre Berlin et Moscou, à des points de friction entre Berlin et Rome.

Mussolini et Ciano espèrent en effet asseoir l'influence italienne dans le sud-est européen et en Méditerranée. Le Duce entend mener « une guerre parallèle », avec ses propres moyens et objectifs. Rasséréné par la défaite française, mais déçu de n'y avoir pas gagné en acquisitions coloniales, il envisage dès juillet-août 1940 d'arracher l'Egypte à la Grande-Bretagne et d'attaquer la Grèce. La première aventure commence en septembre lorsque l'armée italienne, partie de Libye, envahit le territoire égyptien. Puis le 28 octobre, Mussolini lance ses troupes à l'assaut de la Grèce sans en référer à ses alliés, rendant la monnaie de leur pièce aux Allemands, qui ne l'avaient pas davantage consulté quelques jours plus tôt lors de leur entrée en Roumanie. De toute façon, il fait comme s'il avait les mains libres après la signature le 27 septembre 1940 à Berlin du pacte tripartite.

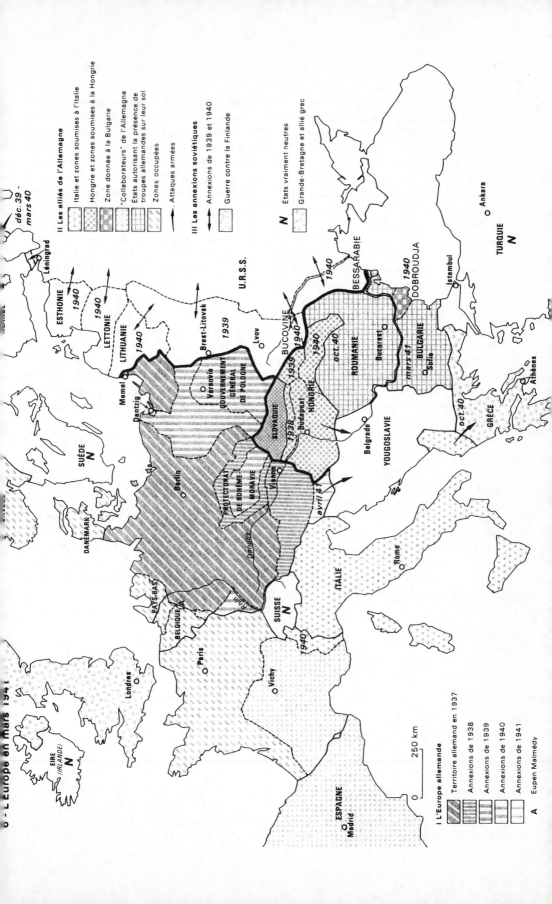

L'Europe en Mars 1941

déc. 39 - mars 40

II Les alliés de l'Allemagne

- Italie et zones soumises à l'Italie
- Hongrie et zones soumises à la Hongrie
- Zone donnée à la Bulgarie
- "Collaborateurs" de l'Allemagne
- États autorisant la présence de troupes allemandes sur leur sol
- Zones occupées
- Attaques armées

III Les annexions soviétiques

- Annexions de 1939 et 1940
- Guerre contre la Finlande

- N États vraiment neutres
- Grande-Bretagne et allié grec

I L'Europe allemande

- Territoire allemand en 1937
- Annexions de 1938
- Annexions de 1939
- Annexions de 1940
- Annexions de 1941
- A Eupen Malmédy

EIRE (IRLANDE) N

Londres

PAYS-BAS

BELGIQUE A

Paris

Vichy

ESPAGNE

Madrid

250 km

0

SUÈDE N

DANEMARK

Berlin

SUISSE N

ITALIE

Rome

Rhin

Danube

1940

Memel

Dantzig

Varsovie

GOUVERNEMENT GÉNÉRAL DE POLOGNE

Brest-Litovsk

1939

Lvov

PROTECTORAT DE BOHÊME MORAVIE

Vienne

SLOVAQUIE

1938

Budapest

HONGRIE

avril 41

Belgrade

YOUGOSLAVIE

oct. 40

GRÈCE

Athènes

Léningrad

ESTONIE

1940

LETTONIE

1940

LITHUANIE

1940

U.R.S.S.

BUCOVINE

1939 1940

1940

oct. 40

ROUMANIE

Bucarest

mars 41

BULGARIE

Sofia

BESSARABIE

1940

DOBROUDJA

1940

Istambul

TURQUIE N

Ankara

Ce pacte, très important, reflète bien la situation de l'Europe et du monde après la chute de la France. Les trois puissances qui font de la conquête le ressort de leur politique extérieure décident quasiment de se partager le monde. A l'Allemagne et à l'Italie revient la mission de créer un ordre nouveau en Europe ; au Japon de poursuivre ce même objectif dans « la plus grande Asie orientale ». Les trois Etats se promettent mutuelle assistance si l'un d'entre eux est attaqué par une puissance non impliquée dans la guerre européenne ou asiatique. Contrairement au pacte anti-Komintern, cet accord ne vise pas l'U.R.S.S., mais plutôt les Etats-Unis. C'est du moins le point de vue des Japonais qui demandent même que les Soviétiques rallient le camp des conquérants pour la signature d'une alliance quadripartite. Ribbentrop, qui donne toujours priorité à la lutte contre l'Empire britannique, est du même avis, car il rêve d'un immense bloc continental euro-asiatique s'étendant de Madrid à Tokyo, englobant les trois grandes puissances alliées, l'Espagne de Franco, la France de Pétain et l'U.R.S.S. de Staline. Invité à Berlin le 12 et 13 novembre, Molotov se voit proposer par les dirigeants allemands une sphère d'influence en Perse, en direction des mers chaudes et de l'Inde. La négociation échoue, car Staline ne cherche pas une expansion en Asie. Pour longtemps désormais, sa grande obsession est la sécurité du territoire soviétique en Europe de l'Est et il refuse d'être détourné de cet objectif. Il met ses conditions à l'adhésion au pacte tripartite : que les troupes allemandes se retirent de Finlande et que la Bulgarie soit reconnue comme faisant partie de la « zone de sécurité » soviétique. Hitler ne fait aucune réponse et se satisfait quelques jours plus tard du ralliement de la Hongrie, de la Roumanie et de la Slovaquie au pacte tripartite. Pour la plus grande inquiétude des dirigeants du Kremlin, ces pays deviennent officiellement des satellites de l'Axe.

Les discussions germano-soviétiques n'ont d'ailleurs plus d'utilité pour le Führer, sauf à créer une manœuvre de diversion propre à endormir la vigilance de Staline. Sa vision est en effet différente de celle de son ministre des Affaires étrangères. Le Führer pense revenir à son plan primitif : après « l'explication définitive » avec la France, il compte amorcer ce qu'il considérait initialement comme la seconde phase, celle de la conquête du *Lebensraum* et de l'U.R.S.S. La bataille d'Angleterre le persuade que l'affrontement avec les Britanniques est intervenue trop tôt et qu'il ne réussira pas à les vaincre dans l'immédiat. Soucieux aussi de ne pas se laisser entraîner dans une guerre avec l'Amérique, autre étape qu'il prévoit pour plus tard, il demande aux Japonais de ne pas provoquer prématurément les Etats-unis. En fait, malgré ses grandes victoires militaires de 1941, il ne maîtrisera plus tout à fait ni le calendrier ni la situation politiques à l'échelle mondiale.

L'année 1941 ou le tournant du siècle

En 1941, interviennent plusieurs événements fondamentaux qui changent pour longtemps la vie internationale : la faillite financière de l'Angleterre, l'attaque allemande contre l'U.R.S.S. et l'attaque japonaise contre les Etats-Unis. La guerre s'élargit et devient vraiment mondiale. Les rapports de force dans le conflit et dans le monde changent en profondeur.

La fin de la puissance britannique et le prêt-bail américain (mars)

Dès la fin 1940, la guerre s'étend à la Méditerranée, avec les attaques italiennes contre l'Egypte et la Grèce. Ces initiatives tournent vite à l'échec. D'un côté de la mer, les Grecs emportent aussitôt des victoires militaires et consolident leurs positions grâce à l'aide d'un petit corps expéditionnaire britannique, conformément à la garantie qui avait été donnée par Chamberlain. De l'autre, les Anglais repoussent les armées de Mussolini en Libye à partir du mois de décembre. En janvier 1941, ils commencent la conquête de l'Afrique orientale italienne.

Aussi Hitler est-il obligé de réagir et d'intégrer à sa propre guerre contre la Grande-Bretagne ce qui devait être la « guerre parallèle » menée par la seule Italie. La Méditerranée devient dès lors le théâtre de sa « stratégie périphérique » contre des ennemis qu'il n'a pu vaincre de front. En février, il envoie l'*Afrikakorps* commandé par le général Rommel, qui à son tour fait reculer les Britanniques. Dans l'Atlantique, la bataille fait rage. L'accroissement des constructions d'*U-Boote* et l'occupation des ports et des aérodromes français améliorent considérablement la position stratégique de l'Allemagne. La Grande-Bretagne subit des pertes massives en navires marchands que n'arrivent pas à compenser ses constructions navales ; son ravitaillement est compromis.

Obligée de transporter elle-même les marchandises qu'elle importe aux Etats-Unis, elle doit aussi les payer au comptant, en vertu de la règle du *cash and carry*. Pour trouver les devises nécessaires, elle a dû puiser considérablement dans ses réserves d'or et liquider une bonne partie de ses investissements à l'étranger. En décembre 1940, on évalue à 2 milliards ses avoirs aux Etats-Unis, alors que les commandes en cours passés à ce pays dépassent 5 milliards. L'Angleterre est au bord de la faillite ; les Américains risquent de perdre tout à la fois un énorme débouché pour leur production industrielle et le dernier rempart de la démocratie qui s'est révélé efficace contre les visées hégémoniques hitlériennes. Que peuvent-ils faire ? Prêter de l'argent ? L'affaire des dettes de la guerre précédente a laissé un souvenir cuisant. Pourtant, de plus en plus, l'opinion fait la différence entre les deux conflits. Tout à fait allergique à l'idéologie nazie, elle prend conscience que l'Angleterre ne se bat pas seulement pour sa puissance, qui est d'ailleurs passablement rognée, mais pour des valeurs et une civilisation communes. Les dernières traces de jalousie anglophobe disparaissent. L'idée d'une aide massive à ce peuple qui résiste seul à l'Axe fait son chemin, à condition que cette assistance soit *short of war* — n'aille pas jusqu'à la guerre —. Aux Etats-Unis, des affiches de propagande probritanniques couvrent les murs. Churchill y clame : « *Give us the arms, we'll do the job !* » (Donnez nous les armes, nous ferons le travail). Depuis sa réélection en novembre, Roosevelt est d'ailleurs décidé à aller plus loin dans son engagement aux côtés des Anglais. Le 17 décembre 1940, à la radio, il prépare l'opinion à sa grande idée. Il ne faut pas vendre le matériel envoyé là-bas, ni faire l'avance de l'argent pour assurer sa vente ; il faut le prêter. Et d'utiliser une image qui resta célèbre : « Si la maison de mon voisin brûle et qu'il a besoin de mon tuyau d'arrosage, je ne vais pas lui dire : il vaut 15 dollars, payez-les moi avant de vous en servir. Je le lui prêterai et il me le rendra après, ou il me remboursera ». Le 29 décembre, dans une « causerie au coin du feu » à la radio, il déclare : « Nous devons être le grand arsenal de la démocratie ». C'est dire que préparation idéologique et mobilisation industrielle vont de pair, que le réarmement américain, au service de l'Angleterre, se fait désormais intensif et aux dépens de la production civile. Avec la fin du « *business as usual* », les Etats-Unis entrent en économie de guerre avant même d'être en guerre.

Le montage financier est dressé par la loi prêt-bail (*lend-lease*) qui est adoptée par le Congrès malgré les combats d'arrière-garde des isolationnistes, et promulguée le 11 mars 1941.

Cette loi ne se contente pas d'en finir avec la règle du paiement au comptant. Elle autorise le Président à prêter, à louer ou à vendre des produits militaires ou stratégiques à tout pays dont il estime la défense vitale pour celle des Etats-Unis. Une réciprocité est établie, le pays bénéficiaire devant livrer dans la mesure de ses possibilités des fournitures aux Américains. Le remboursement après la guerre est prévu de la façon suivante : soit la restitution des articles non détruits, soit le paiement, soit le remboursement en nature « ou en tout autre avantage direct ou indirect que le Président jugera satisfaisant ». Dans un premier temps, un somme globale de 7 milliards de dollars est ainsi mise à la disposition des Anglais. L'Oncle Sam ouvre donc son tiroir-caisse et sa loi est la moins sordide qui soit (*The most unsordid act* écrit son historien, Warren F. Kimball) puisqu'elle ouvre une ligne de crédit dont tout le monde sait déjà qu'elle équivaudra à une assistance quasi gratuite. Mais, pour tenir compte des ultimes résistances isolationnistes, Roosevelt n'accorde son aide au vieux lion britannique qu'après lui avoir limé les dernières griffes de sa puissance financière. En effet, pour bénéficier de cette aide, Londres doit au préalable liquider et utiliser ses avoirs aux Etats-Unis et puiser dans ceux qu'elle détient en Amérique latine. D'autre part, le Président entend bien demander aux Anglais qu'ils s'engagent à mettre fin après la guerre à leurs pratiques discriminatoires en matière commerciale et monétaire. Cela signifierait la fin de la « préférence impériale » au sein de l'Empire et du Commonwealth et celle de la zone sterling. Les Américains avaient considéré le « bloc d'Ottawa », lorsqu'il s'était mis en place en 1932, comme aussi dangereux que le bloc autarcique allemand, ce qui avait partiellement expliqué leur neutralisme et leur politique d'*appeasement* pendant les années 1930. A la faveur du nouveau conflit, ils peuvent renouer avec leur doctrine de Porte ouverte, c'est-à-dire la disparition des zones d'influence, la destruction des cloisons économiques qui se sont dressées plus nombreuses lors de la grande dépression, la libre ouverture du monde à leurs produits et à leurs capitaux. Avant même d'être belligérants, les Etats-Unis détiennent là leurs buts de guerre.

Par le prêt-bail, ils manifestent à la fois leur générosité, leur sens des intérêts bien compris, leur force et leur volonté de puissance. Ce système constitue une révolution diplomatique qui annonce d'autres formules qui apparaîtront après 1945, tel le Plan Marshall. Comme le souligne Jean-Baptiste Duroselle, « à côté de la diplomatie d'égal à égal apparaît une diplomatie de l'assistance, nécessairement inégale », où le bénéficiaire devient dépendant du donateur. Ce n'est pas la première fois qu'*un grand pays* détient l'arme économique, base de nombreux impérialismes antérieurs. Les Etats-Unis eux-mêmes avaient déjà pu jouer de loin un rôle d'arbitre en Europe pendant les années 1920 grâce à la diplomatie du dollar. Mais, jamais cette arme ne fut absolue, avec le pouvoir de placer *un autre grand pays* en situation de *dépendance* politique. En 1941, une toute nouvelle notion est en germe, celle de *superpuissance,* une nouvelle réalité, celle de la superpuissance américaine. Les Etats-Unis ont en effet bientôt la capacité et la volonté de surpasser les grandes puissances traditionnelles et de leur en imposer dans tous les domaines. Premier signe que cette année-là constitue le tournant du siècle dans les relations internationales.

L'U.R.S.S. envahie (juin)

Au moment où elle se voit accorder le prêt-bail, l'Angleterre vit ses moments les plus sombres depuis la bataille aérienne de l'année précédente. L'U.R.S.S. aussi a des raisons de s'inquiéter, car Hitler accumule les victoires diplomatiques et militaires.

En février, la Bulgarie, après de longues hésitations, adhère au pacte tripartite, comme l'avaient fait les Hongrois et les Roumains quelques mois plus tôt. En Yougoslavie, le régent, le prince Paul, est sur le point de céder aux même pressions, lorsque le jeune roi Pierre II le renvoie et procède à un coup d'état pro-britannique. Aussitôt, le 6 avril, les troupes allemandes attaquent le pays qui se décompose littéralement, avec la formation d'une grande Croatie gouvernée par Ante Pavelitch, chef des « oustachis », avec le partage des autres dépouilles entre le Reich, l'Italie, la Hongrie, la Bulgarie, la restauration du Monténégro. Seule une petite Serbie faussement indépendante est maintenue autour de Belgrade. La Wehrmacht en profite pour courir au secours des Italiens en Grèce d'où elles chassent les Anglais et dont on détache la Macédoine et la Thrace — sauf Salonique — au profit de la Bulgarie. Dans cette région d'Europe, c'est la grande revanche des vaincus de la deuxième guerre balkanique de 1913 et de la première guerre mondiale.

De l'autre côté de la Méditerranée, Rommel poursuit son avance en Egypte. En Irak, le parti pro-allemand de Rachid Ali prend le pouvoir en avril 1941 et s'attaque aux bases britanniques. En mai, Darlan, confirmé dans sa conviction d'une victoire hitlérienne, autorise, avec l'accord de Pétain, les avions allemands à se servir des aérodromes syriens et fait envoyer des armes aux rebelles irakiens. Il signe même à la fin du mois les « Protocoles de Paris ». Le premier confirme sa collaboration à partir de la Syrie, le second met Bizerte à la disposition de la *Kriegsmarine,* et le troisième permet aux *U-Boote* à venir se ravitailler à Dakar. Même si les deux derniers accords ne sont pas ratifiés — car Weygand persuade le maréchal de ne pas le faire —, le succès de Hitler est considérable, puisque son influence gagne en profondeur au Moyen-Orient, un des bastions de l'influence de la Grande-Bretagne. Celle-ci réagit : le 8 juin, ses troupes envahissent la Syrie, avec un contingent de Forces Françaises Libres, et l'armée de Vichy, battue, doit signer un armistice le 14 juillet.

Mais en ce mois de printemps 1941, c'est un épisode de la bataille de l'Atlantique qui a le plus affecté l'opinion britannique, la plongeant dans une profonde dépression collective. Le *Bismark,* énorme cuirassé déplaçant 41 700 tonnes, fierté de l'amiral Raeder, réussit le 21 mai avec le *Prinz Eugen* à sortir du port norvégien de Bergen, à surprendre la vigilance de la *Royal Navy,* à contourner l'Islande par le détroit qui sépare celle-ci du Groënland — le détroit de Danemark —, à la sortie duquel l'attendent, le 24 mai à l'aube, dépêchés d'urgence par une route plus courte, le *Prince of Wales* et le *Hood.* Celui-ci, superbe croiseur de bataille de 41 000 tonnes de déplacement, le plus beau fleuron de la marine britannique, est coulé dès la cinquième salve, avec ses 1 419 marins dont il ne reste que 3 survivants. L'émotion est telle que Churchill ordonne à tous ses vaisseaux de guerre et au porte-avions l'*Ark Royal* de prendre en chasse le *Bismarck* qui, touché par un obus lors de l'engagement précédent, retraverse lentement l'océan en direction d'un port français. Il faut la mobilisation de presque toutes les forces navales et aéronavales anglaises pour venir à bout du mastodonte allemand. Attaqué, harcelé, bombardé, il continue d'avancer, malgré l'incendie à bord, et de se défendre avec sa puissante artillerie. Mais une meute de destroyers lui donne le coup de grâce le 27 mai à 400 milles au large de Brest. Pendant cette semaine tragique, les Britanniques, haletants, se sont demandés s'ils étaient en train de perdre la maîtrise des mers. Cette bataille et cette course effrénée, qui ont remué la psychologie collective des Anglo-Saxons remis en cause leur sécurité, marquent en réalité la fin d'une époque, celle de la primauté des grands cuirassés, au profit des porte-avions et des forces aéronavales.

Pour Hitler, dont la vision géopolitique est pour le moment plus continentale que maritime, plus européenne que mondiale, cette affaire est tout à fait secondaire. Laissant Raeder et Ribbentrop à leurs jeux de bataille navale et diplomatique, il s'apprête à prendre « la plus difficile décision de sa vie ». Telle est la formule qu'il emploie dans sa lettre du 21 juin 1941 à Mussolini pour annoncer que commencerait le lendemain l'assaut contre l'U.R.S.S. Le *plan Barba-rossa,* qui, définitivement fixé par l'instruction du 18 décembre 1940, devait entrer en vigueur le 15 mai 1941, a été retardé par le déclenchement de la guerre balkanique. A la lumière de la nouvelle conjoncture, ses objectifs sont multiples : écraser par une nouvelle *Blitzkrieg* les Soviétiques, décourager l'Angleterre en la privant de son dernier allié potentiel sur le conti-nent et créer un immense espace vital pour l'Allemagne. Elle pourra y puiser les réserves nécessaires à la préparation d'une éventuelle guerre d'usure contre les Britanniques et contre leur arsenal américain. Cette opération enfin soulagera les Japonais au Nord et leur laissera la voie libre pour une expansion au Sud et dans le Pacifique contre les positions anglo-américai-nes. Si Hitler revient à ses idées d'origine définies par *Mein Kampf,* le contexte est différent. La nouvelle attitude des Etats-Unis lui fait bien pressentir une accélération de l'histoire qui risque de précipiter les étapes ultérieures. Surtout, il se réconcilie avec lui-même, avoue-t-il au Duce, et se délivre de « cette torture mentale » que lui faisait éprouver l'association avec Staline. L'heure de l'affrontement ultime a sonné entre bolchévisme et fascisme, les deux grandes idéologies que la première guerre mondiale avait propulsées sur le devant de la scène. En même temps qu'il se mondialise, le nouveau conflit donne tout son sens politique à la guerre civile européenne. Sur le continent, les « collaborationnistes », voire des « attentis-tes » qui, jusqu'alors, ne souhaitaient pas spécialement la victoire du Reich, saluent la « croi-sade » qui est lancée contre le communisme. Bientôt l'Espagne de Franco et la France de Pétain envoient des volontaires sur le front russe aux côtés des Allemands. Même le pape Pie XII a la légèreté de parler dans son allocution radiodiffusée du 29 juin « d'un courage généreux au service de la défense des fondements de la civilisation chrétienne et d'une espé-rance assurée de son triomphe ». De l'autre côté, les communistes entrent dans la Résistance, lui donnant une dimension et une signification nouvelles.

Staline savait la fatalité de cette guerre, mais non son imminence. Sachant que son pays n'y était pas prêt malgré les efforts de réarmement, il avait tout fait pour prolonger l'entente avec Hitler, pratiquer l'*appeasement* à la soviétique, allant jusqu'à reconnaître les dernières avan-cées diplomatiques et militaires allemandes dans le Sud-Est européen. Il n'avait emporté qu'un succès : lors de la visite à Moscou de Matsuoka, le ministre nippon des Affaires étrangè-res, un pacte de non-agression et de neutralité fut signé le 13 avril entre l'U.R.S.S. et le Japon. Les deux pays y avaient intérêt, l'un pour éviter de faire la guerre sur deux fronts en cas d'attaque allemande, l'autre pour avoir les mains libres dans la Grande Asie orientale. Il y avait là dans la grande stratégie hitlérienne une contradiction qu'il ne maîtrisait pas. Furieux, le Führer ne changea pas ses plans pour autant. D'ailleurs, Staline ,qui recevait pourtant de nombreux renseignements sur la prochaine agression de l'Allemagne, refusait de concentrer les troupes pour ne pas précipiter l'événement, et lui simplifiait la tâche.

Quelques jours après le 22 juin, le dispositif militaire de l'U.R.S.S. vole en éclats après l'entrée des armées allemande, finlandaise, roumaine, et hongroise. Prostré, Staline disparaît pendant quelques jours. Le 3 juillet, il se reprend, prononce une allocution à la radio, annon-çant la gravité de la situation et appelant avec des accents plus patriotiques que révolutionnai-res le peuple russe à résister à l'assaut. Mais ses soldats, au nombre de 2 680 000, ne disposent que de 1 475 blindés récents et de 1 540 appareils modernes. Ne pouvant rien contre la coali-tion entre le Reich et ses statellites qui aligne 5 500 000 hommes, 3 710 chars et 4 980 avions, ils reculent sur toutes les lignes. Les Républiques baltes et la Biélorussie sont submergées. En septembre, la Wehrmacht et ses alliés sont devant Léningrad au nord, et Kiev au sud.

Dès le 23 juin, Churchill proclame le soutien de l'Angleterre aux Russes et le 13 juillet est signé à Moscou un traité d'alliance anglo-soviétique. Roosevelt envoie à la fin juillet son ami

Hopkins s'enquérir des besoins de l'armée rouge. Rassuré sur la volonté de résistance de Staline et de Molotov, il décide le 30 octobre d'inclure l'U.R.S.S. dans le système du prêt-bail. La grande alliance s'ébauche donc.

Les Etats-Unis dans la mêlée (décembre)

L'attaque allemande décide les Japonais à agir. Cela ne se fait pas sans divergence au sein du gouvernement. Matsuoka, pourtant le signataire du pacte avec l'U.R.S.S., préconise l'entrée en guerre contre celle-ci, aux côtés de l'Allemagne. Mais le prince Konoye l'écarte du gouvernement au cours du remaniement ministériel du 16 juillet 1941 et préfère atteindre une nouvelle étape dans l'expansion vers le Sud. Quelques jours plus tard, le Japon procède à l'occupation totale de l'Indochine, que Vichy doit accepter. Le gouvernement américain prend des sanctions en interrompant les exportations de pétole aux Japonais et en gelant leurs avoirs investis aux Etats-Unis.

Ce nouveau contexte renforce les liens anglo-américains. Churchill et Roosevelt se rencontrent au sud de Terre-Neuve. Les conversations ont lieu entre le 9 et le 12 août tantôt sur le *Prince of Wales,* qui a transporté le Premier britannique, tantôt sur l'*Augusta,* le croiseur sur lequel est arrivé le Président américain. Roosevelt rassure Churchill sur une question essentielle : au cas où le Japon déclencherait la guerre, entraînant les Etats-Unis dans le conflit, priorité serait donnée à la lutte contre l'Allemagne. D'autre part, une déclaration est signée, puis publiée le 14 août. Cette Charte de l'Atlantique définit en huit points les principes communs que les deux gouvernements voudraient voir appliqué par le monde dans « un avenir meilleur ». On peut ainsi les résumer :

1. aucun agrandissement territorial pour l'un ou l'autre pays,
2. aucune modification territoriale qui ne soit conforme à la volonté des peuples intéressés,
3. le droit des peuples de choisir leur forme de gouvernement et le rétablissement des droits souverains des nations qui en ont été privées par la force,
4. le libre accès de tous les Etats, vainqueurs ou vaincus, au commerce et aux matières premières dans le cadre des « obligations existantes » (ce qui permet aux Anglais de sauver la préférence impériale),
5. la collaboration économique et sociale la plus complète entre les nations,
6. l'établissement d'une paix fondée sur la sécurité des nations, sur la libération des hommes de la peur et du besoin, « après la destruction finale de la tyrannie nazie »,
7. liberté de circulation sur les mers et les océans,
8. l'établissement d'un système permanent de sécurité générale et désarmement.

Ce texte a eu un grand retentissement dans le monde, dans l'Europe occupée, mais aussi dans les pays colonisés, ce que redoutait Churchill qui entendait limiter l'application du point n° 3 au vieux continent. Quant à la mention « après la destruction finale de la tyrannie nazie », elle engage les Etats-Unis, alors que juridiquement ils ne sont pas belligérants.

Il semble donc que Roosevelt soit décidé à sauter le pas et qu'il attende la première occasion pour entrer officiellement dans la guerre. Mais il préfère « être poussé dans le conflit ». Il refuse de rencontrer le prince Konoye qui espérait obtenir diplomatiquement la levée de l'embargo pétrolier. Le maintien de cette mesure gêne le Japon et pousse les bellicistes à réclamer la conquête des Indes néerlandaises, riches en hydrocarbures. La chute de ce nationaliste relativement modéré en est hâtée. C'est le général Tojo, ferme partisan de la guerre, qui le remplace le 16 octobre à la tête du gouvernement. D'ultimes propositions sont faites

aux Etats-Unis, repoussées par le président, qui réclame le 26 novembre, avant toute négociation, le départ des Japonais de Chine et d'Indochine. La réplique nippone, c'est le 7 décembre
1941, l'attaque aérienne de la base de Pearl Harbor, dans les îles Hawaï, où se trouve l'essentiel de la flotte américaine du Pacifique. Sept cuirassés coulés, quatre-vingt-six navires perdus
et plus de trois mille hommes tués ou blessés. Le 11 décembre, l'Allemagne et l'Italie déclarent la guerre aux Etats-Unis.

Si Roosevelt cherchait un *casus belli,* pour faire accepter par son opinion publique l'entrée
de l'Amérique dans le conflit, il pensait à une initiative armée japonaise dans les Philippines
ou dans les Indes néerlandaises. Il ne pensait pas à une agression aussi meurtrière, aussi loin
des bases nippones. Quant aux responsables de Tokyo, qui viennent de conquérir la maîtrise
de l'océan Pacifique, ils ne doutent pas de leur victoire : l'image qu'ils ont des Américains,
faussée par leur idéologie et leur façon d'interpréter le cinéma hollywoodien, est celle d'un
peuple de comédie musicale, un peuple matérialiste, léger, incapable de résister et de se sacrifier pour la patrie...

Désormais, la guerre est vraiment mondiale. L'Amérique, qui prend pleinement la charge
des deux conflits asiatique et européen, devient le véritable centre de l'univers. Elle assume
maintenant une responsabilité internationale dont elle ne se départira plus jusqu'à nos jours.
En ce sens, 1941 est le tournant du siècle dans les relations internationales : pour la première
fois depuis 1900, mis à part les années 1917-1920, il y a adéquation entre la puissance économique des Etats-Unis et le rôle politique qu'ils acceptent de jouer. L'U.R.S.S. aussi, au moment
de Pearl Harbor en décembre 1941, se révèle comme un géant. Elle réussit à arrêter l'avance
allemande aux portes de Moscou, prouvant ainsi, à l'orée de l'hiver russe, que Hitler vient de
perdre sa première *Blitzkrieg.* L'Allemagne se voit imposer la guerre longue à laquelle elle est
mal préparée. La fusion des conflits que le Führer voulait éviter est faite. Tout n'est pas perdu
pour lui, si avec ses alliés, il emporte des victoires décisives avant que le potentiel des géants
ne se transforme en forces réelles. Mais s'il n'y parvient pas, la défaite totale est à l'horizon.

La période 1914-1941 forme un tout. C'est une guerre civile européenne, qui commence
avec la grande cassure de 1914 et qui oppose d'abord dans un grand conflit meurtrier les
nations du vieux continent entre elles. Les traités de 1919 traduisent les nouveaux rapports de
force et la poussée des « jeunes » nationalismes ; l'Europe se fragmente davantage. Après les
révolutions russes de 1917, allemandes et hongroise de 1918-1919, avec la naissance du fascisme en Italie, l'affrontement continue sous une autre forme, tendant à déchirer chacune de
ces nations européennes et donnant une dimension internationale à chacune de ces querelles
intestines. Intervient une courte trêve entre 1924 et 1929 favorisée par la prospérité et le fragile arbitrage du dollar, trêve pendant laquelle le mythe de l'unité européenne ou celui de la
réconciliation franco-allemande semble démontrer que les Européens peuvent avoir en commun des ambitions pacifiques. Mais, la grande dépression des années 1930 vient rompre les
équilibres sociaux, affaiblir les démocraties, exaspérer dans les pays vaincus ou frustrés un
nationalisme que le pacifisme des anciens vainqueurs ne réussit pas à apaiser. C'est l'heure des
dictatures. La plus grande partie de l'Europe en est couverte. Or le ressort de ces dictatures
est l'ambition extérieure, et leur champ d'action, l'Europe. Bref, cette guerre européenne de
trente ans, ouverte, puis larvée, puis ouverte encore en 1939, est au centre de l'univers et le
fait trembler.

En 1941, elle n'est pas finie, elle atteint même son paroxysme. Pourtant, les pendules, passablement déréglées par le conflit de 1914-1918, commencent à être remises à l'heure : les pays européens, dont le déclin relatif avait été révélé par cette Grande Guerre, mais qui continuaient à gérer la planète, cessent — exceptée l'Allemagne hitlérienne encore au sommet de son triomphe — de jouer un rôle démesuré par rapport à leur puissance réelle. Avec l'effondrement de la France en 1940, c'est le commencement de la fin de la vieille Europe ; c'est, pêle-mêle, l'effondrement de certaines conceptions politiques, intellectuelles et militaires, la fin du rôle des salons parisiens, la disparition d'un impérialisme bancaire style « Belle Epoque », la ruine du prestige d'une métropole dans ses colonies. En 1941, la faillite financière et le déclin naval de l'Angleterre remettent en question pour longtemps l'indépendance de l'Europe. Avec la destruction de l'Allemagne en 1945, il n'y aura plus de grande puissance en Europe occidentale.

Au contraire, les deux géants, l'américain et le soviétique, qui, en politique extérieure, n'avaient pas utilisé à plein leurs possibilités après 1918, qui avaient suivi leur intérêt égoïste malgré la puissance économique mondiale du premier ou la volonté idéologique internationaliste du second, se trouvent en 1941 catapultés malgré eux dans la guerre, jetés sur le devant de la scène mondiale pour la dominer ensemble pendant cinq décennies. En 1941, tout n'est pas vraiment perceptible, car le tournant international du siècle précède le tournant militaire de la guerre : il faut en effet attendre les premières défaites de l'Axe de 1942-1943, en Afrique du Nord, dans le Pacifique, à Stalingrad, pour que l'esquisse de la nouvelle hiérarchie entre les puissances devienne réalité, pour que les deux nouveaux mondes soient en mesure de dompter la turbulente Europe, pour qu'un troisième monde, celui des dominés, ose rêver à son émancipation. Ce que les contemporains, préoccupés du quotidien d'une guerre totale, ne distinguent pas vraiment, devient avec le recul du temps une vérité d'évidence : d'un monde où l'Europe était reine, on en vient à un monde où l'Europe va subir la loi des Autres. Singulière mutation !

Orientation bibliographique

Généralités *(ouvrages couvrant toute la période)*

BAUMONT M., *La faillite de la Paix, 1918-1939*, 2 vol., Paris, PUF, coll. « Peuples et civilisations », 4ᵉ et 6ᵉ éd., 1967-1970.
COURTOIS S., WERTH N. (et *alii*.), *Le Livre noir du communisme : crimes, terreur et répression*, Paris, R. Laffont, 1997.
DI NOLFO E., *Storia delle relazioni internazionali 1918-1992*, Rome, Editori Laterza, 1994.
DUFOUR J.-L. et VAÏSSE M., *La guerre au XXᵉ siècle*, Paris, Hachette, coll. « Carré-Histoire », 1993.
DUROSELLE J.-B., *Le drame de l'Europe de 1919 à nos jours*, Paris, Imprimerie nationale, 1969.
DUROSELLE J.-B., *Histoire diplomatique de 1919 à nos jours*, Paris, Dalloz, 9ᵉ éd., 1985.
GERBET P. (avec la participation de V.Y. GHEBALI et M.-R. MOUTON), *Le rêve d'un ordre mondial, de la SDN à l'ONU*, Paris, Imprimerie nationale, 1996.
GUILLAUME P. et DELFAUD G., *Nouvelle Histoire économique*, t. 2, *Le XXᵉ siècle*, Paris, A. Colin, 1977.
LEON P., *Histoire économique et sociale du monde*, t. 5 (sous la direction de G. DUPEUX), *Guerres et crises 1914-1947*, Paris, A. Colin, 1976.
LEVILLAIN Ph. et VIGEZZI B. (éd.), *Opinion publique et Politique extérieure 1915-1940*, Ecole française de Rome, 1984.
MILZA P., *De Versailles à Berlin 1919-1945*, Paris, Masson, 4ᵉ éd., 1979.
MILZA P., *Les relations internationales de 1918 à 1939*, Paris, A. Colin, 1995.
RENOUVIN P., *Histoire des relations internationales. Les crises du XXᵉ siècle*, t. VII, *1914-1929*, t. VIII, *1929-1945*, Paris, Hachette, 1957-1958, nouvelle édition, vol. 3, 1994.
WATT D.C., *Too Serious a Business, European armed forces and the approach to the 2nd World War*, Londres, Temple Smith, 1975.
La Société des Nations : rétrospective, ouvrage collectif, Berlin-New York, De Gruyter, 1983.
« Bank and industry in the Interwar Period », *The Journal of European economic History*, 1984, n° spécial, vol. 13, n° 2, Rome.

Politiques extérieures *(grands pays ou grandes régions du monde)*

Allemagne

BLOCH Ch., *Le IIIᵉ Reich et le monde*, Paris, Imprimerie nationale, 1986.
HILDEBRAND, *Deutschen Aussenpolitik. Kalkul oder Dogma*, Stuttgart, Kohlhammer, 4ᵉ éd., 1980.
HILLGRUBER A., *Deutsche Grossmacht und Weltpolitik im XIX und XX Jahrhundert*, Düsseldorf, 1977.
POIDEVIN R., *L'Allemagne et le monde*, Paris, Masson, 1983.
WAHL A., *L'Allemagne de 1918 à 1945*, Paris, A. Colin, 1993.

France

AGERON Ch.-R., *France coloniale ou Parti colonial ?*, Paris, PUF, 1978.

BARIETY J. et POIDEVIN R., *Les relations franco-allemandes, 1815-1975*, Paris, A. Colin, 1977.

BERSTEIN S., *Les Radicaux français dans l'entre-deux-guerres*, 2 vol., Paris, FNSP, 1980-1981.

BOUVIER J., GIRAULT R. et THOBIE J., *L'impérialisme à la française, 1914-1960*, Paris, La Découverte, 1986.

DOISE J. et VAÏSSE M., *Diplomatie et outil militaire*, Paris, Imprimerie nationale, 1987, rééd., Le Seuil, coll. « Points-Histoire », 1992.

FRANK R., *La hantise du déclin. Le rang de la France en Europe 1920-1960 : finances, défense et identité nationale*, Paris, Belin, 1994.

JEANNENEY J.-N., *François de Wendel en République*, Paris, Le Seuil, 1976.

LEVY-LEBOYER M., *La position internationale de la France*, Paris, Mouton, 1977.

MARSEILLE J., *Empire colonial et capitalisme français, histoire d'un divorce*, Paris, A. Michel, 1984.

PROST A., *Les anciens combattants et la société française 1914-1939*, 3 vol., Paris, FNSP, 1977.

TACEL M., *La France et le monde au XXe siècle*, Paris, Masson, 1989.

Grande-Bretagne

BARNETT C., *The Collapse of British Power*, Londres, 1972.

BOND B., *British Military Policy between the Two World Wars*, Oxford, Clarendon Press, 1980.

CEADEL M., *Pacifism in Britain 1914-1945 : The Defining of a Faith*, Oxford, Clarendon Press, 1980.

DILKS D. (ed.), *Retreat from Power. Studies in Britain's Foreign Policy of the 20th Century*, I, *1906-1939*, Londres, 1981.

HOLLAND R., *The Pursuit of Greatness. Britain and the World Role, 1900-1970*, Londres, Fontana Press, 1991.

LERUEZ J. et SUREL J., *Le Royaume-Uni au XXe siècle*, Paris, Ellipses, 1997.

MARX R., *La Grande-Bretagne et le monde au XXe siècle*, Paris, Masson, 1986.

MEDLICOTT W.N., *British Foreign policy since Versailles*, Londres, Methuen, 1968.

WAITES N., *Toubled Neighbours. Franco-British Relations in the XXth Century*, Londres, 1971.

Italie

DE FELICE R., *Mussolini*, Turin, 1965-1991.

MIEGE J.-L., *L'impérialisme colonial italien de 1870 à nos jours*, SEDES, 1968.

MILZA P. et BERSTEIN S., *Le fascisme italien 1919-1945*, Paris, Le Seuil, 1980.

MILZA P., *L'Italie fasciste devant l'opinion publique française, 1920-1940*, Paris, A. Colin, 1967.

SERRA E. et DUROSELLE J.-B., *Italia e Francia dal 1919 al 1939*, Milan, Franco Angeli éd., 1981.

Etats-Unis

ARTAUD D., *La fin de l'innocence, les Etats-Unis de Wilson à Reagan*, Paris, A. Colin, 1986.

DUROSELLE J.-B., *De Wilson à Roosevelt. Politique extérieure des Etats-Unis, 1913-1945*, Paris, A. Colin, 1961.

KASPI A., *Franklin Roosevelt*, Paris, Fayard, 1988.

WATT D.C., *Succeeding John Bull, America in Britain's place 1900-1975*, Cambridge Univ. Press, 1984.

U.R.S.S.

CARRERE D'ENCAUSSE H., *L'Union soviétique de Lénine à Staline, 1917-1953*, Paris, éd. Richelieu, 1972.

GIRAULT R. et FERRO M., *De la Russie à l'U.R.S.S.*, Paris, Nathan, 2ᵉ éd., 1985.

HASLAM J., *Soviet Foreign Policy*, 3 vol., Londres, 1983-1992.

LARAN M. et VAN REGEMORTER J.-L., *Russie-U.R.S.S., 1870-1970*, Paris, Masson, 2ᵉ éd., 1985.

LEVESQUE J., *L'U.R.S.S. et sa politique internationale de Lénine à Gorbatchev*, Paris, A. Colin, 1988.

REY M.P., *De la Russie à l'Union soviétique : la construction de l'Empire, 1462-1953*, Paris, Hachette, 1994.

SHEINIS Z., *Maxim Litvinov*, Moscou, Progress Publishers, 1990, (trad. anglaise).

TUCKER R.-C., *Stalin in Power. The Revolution from above 1928-1941*, New York, 1990.

ULAM A., *Expansion and coexistence, the History of Soviet Foreign Policy from 1917 to 1967*, Londres, 1968. *Histoire de la politique extérieure de l'U.R.S.S., 1917-1945*, éd. de Moscou, 1971.

VAN REGEMORTER J.-L., *La Russie et le monde au XXᵉ siècle*, Paris, A. Colin, 1995.

VOLKOGONOV D., *Staline, triomphe et tragédie*, Paris, Flammarion, 1989.

Europe

BOSSUAT G., *Les fondateurs de l'Europe*, Paris, Belin, 1994.

GIRAULT R. (sous la direction de), *Identité et conscience européennes au XXᵉ siècle*, Paris, Hachette, 1994.

GIRAULT R. et BOSSUAT G. (sous la direction de), *Europe brisée, Europe retrouvée. Nouvelles réflexions sur l'unité européenne au XXᵉ siècle*, Paris, Publications de la Sorbonne, 1994.

KAELBLE H., *Vers une société européenne 1880-1980*, Paris, Belin, 1988.

MUET Y., *Le débat européen dans l'entre-deux-guerres*, Paris, Economica, 1997.

RÉAU E. (du), *L'idée d'Europe au XXᵉ siècle*, Bruxelles, éd. Complexe, 1996.

Mondes extra-européens

Empires coloniaux

AGERON C.-R., *La décolonisation française*, Paris, A. Colin, 1994.

GRIMAL H., *La Décolonisation 1919-1963*, Paris, A. Colin, 1965.

MICHEL M., *Décolonisations et émergence du Tiers Monde*, Paris, Hachette, 1993.

REINHARD W., *Petite histoire du colonialisme*, Paris, Belin, 1997.

THOBIE J., MEYNIER G., COQUERY-VIDROVITCH C. et AGERON C.-R., *Histoire de la France coloniale 1914-1990*, t. 2, Paris, A. Colin, 1990.

Extrême-Orient et Asie du Sud-Est

ABBAD F., *Histoire du Japon (1868-1945)*, Paris, A. Colin, 1992.

CHESNEAUX J. et LE BARBIER F., *Histoire de la Chine*, t. 3, *La marche de la révolution, 1921-1949*, Paris, Hatier, 1975.

DEVILLERS Ph. (et *alii.*), *L'Asie du Sud-Est*, 2 vol., Paris, Sirey, 1970.

LOUIS W.R., *British Strategy in the Far East, 1919-1939 ; Imperialism at Bay*, Oxford, 1971.

NISH I., *Japanese Foreign policy, 1869-1942*, Londres, 1977.

REISCHAUER O. (éd.), *Histoire du Japon et des Japonais*, t. 1, Paris, Le Seuil, 1973.

RENOUVIN P., *La question d'Extrême-Orient, 1840-1940*, Paris, Hachette, 1954.

RICHER Ph., *L'Asie du Sud-Est*, Paris, Imprimerie nationale, 1981.

THORNE Ch., *The Limits of Foreign Policy. The West, the League and the Far Eastern Crisis, 1931-1933*, Londres, 1972.

VIÉ M., *Le Japon et le monde au XXe siècle*, Paris, A. Colin, 1995.

WANG N., *L'Asie orientale du milieu du XIXe siècle à nos jours*, Paris, A. Colin, 1993.

Amérique latine

DABÈNE O., *L'Amérique latine au XXe siècle*, Paris, A. Colin, 1997.

MANIGAT L., *Evolution et révolutions, l'Amérique latine au XXe siècle, 1889-1929*, Paris, éd. Richelieu, 1973.

RIADO P., *L'Amérique latine de 1870 à nos jours*, Paris, Masson, 1980.

ROLLAND D., *Le Brésil et le monde*, Paris, L'Harmattan, 1998.

Moyen-Orient

DERRIENNIC J.-P., *Le Moyen-Orient au XXe siècle*, Paris, A. Colin, 1980.

FLEURY A., *La pénétration allemande au Moyen-Orient 1919-1939 : le cas de la Turquie, de l'Iran et de l'Afghanistan*, Genève, IUHEI, 1977.

LAURENS H., *L'Orient arabe (1798-1944). Formation des idéologies et des Etats*, Paris, A. Colin, 1993.

MAJID M. A., *L'émergence d'un Etat à l'ombre d'un Empire : Irak- Grande-Bretagne*, Paris, Publications de la Sorbonne, 1996.

NOUSCHI A., *Luttes pétrolières au Proche-Orient*, Paris, Flammarion, 1970.

PICAUDOU N., *La Décennie qui ébranla le Moyen-Orient, 1914-1923*, Bruxelles, éd. Complexe, 1992.

TERNON Y., *Les Arméniens, histoire d'un génocide*, Paris, Le Seuil, 1977.

THOBIE J., *Ali et les 40 voleurs, impérialisme et Moyen-Orient de 1914 à nos jours*, Paris, Messidor, 1985.

Afrique

COQUERY-VIDROVITCH C. (et *alii.*), *L'Afrique et la crise de 1930*, Paris, 1978.

Chapitres 1 et 2

BECKER J.-J., *Les Français dans la Grande Guerre*, Paris, R. Laffont, 1980.
BECKER J.-J., *La Première Guerre mondiale*, Paris, M.-A., 1985.
BECKER J.-J., *L'Europe dans la Grande Guerre*, Paris, Belin, 1996.
DUROSELLE J.-B., *La Grande Guerre des Français (1914-1918)*, Paris, Perrin, 1994.
FEJTÖ F., *Requiem pour un Empire défunt. Histoire de la destruction de l'Autriche-Hongrie*, Paris, Lieu commun, 1988.
FISCHER F., *Les buts de guerre de l'Allemagne impériale, 1914-1918*, Paris, Trévise, 1970.
GUILLEN P., *La France et l'Italie pendant la première guerre mondiale*, Presses Universitaires de Grenoble, 1973.
MAYER A., *Politics and Diplomacy Peacemaking, Containment and Counterrevolution at Versailles 1918-1919*, New York, 1967.
MICHEL B., *La chute de l'Empire austro-hongrois, 1917-1918*, Paris, R. Laffont, 1991.
MIQUEL P., *La paix de Versailles et l'opinion publique française*, Paris, Flammarion, 1972.
PEDRONCINI G., *Les mutineries de 1917*, Paris, PUF, 1983.
RENOUVIN P., *La crise européenne et la première guerre mondiale*, Paris, PUF, 1962.
RENOUVIN P., *11 novembre 1918, l'armistice de Rhetondes*, Paris, Gallimard, 1968.
RENOUVIN P., *Le traité de Versailles*, Paris, Flammarion, 1969.
SOUTOU G.-H., *L'Or et le Sang : les buts de guerre économiques de la Première Guerre mondiale*, Paris, Fayard, 1989.
WINTER J.M., *The Experience of World War I*, Oxford, Equinox, 1988 (traduction et adaptation française : *La Première Guerre mondiale*, Sélection du Reader's Digest, 1990).

Sur les Etats-Unis

BURK K., *Britain, America and the Sinews of War, 1914-1918*, Londres, G. Allen, 1985.
KASPI A., *Le temps des Américains, 1917-1919*, Paris, Publications de la Sorbonne, 1976.
NOUAILHAT Y.-M., *France et Etats-Unis, août 1914-avril 1917*, Paris, Publications de la Sorbonne, 1979.
PARRINI C., *Heir to Empire, U.S. Economic Diplomacy. 1916-1923*, Pittsburgh Univ. Press, 1969.

Sur la Russie

CARLEY M.J., *The French Government and the Russian Civil War, 1917-1919*, Montréal, 1983.
FERRO M., *La révolution de 1917*, 2 vol., Paris, Aubier, 1967-1978.
HOGENHUIS-SELIVERSTOFF A., *Les relations franco-soviétiques, 1917-1924*, Paris, Publications de la Sorbonne, 1981.
KOSYK W., *La politique de la France à l'égard de l'Ukraine, mars 1917-février 1918*, Paris, Publications de la Sorbonne, 1981.
ULLMAN R.H., *Anglo-Sovietic Relations, 1917-1921*, 3 vol., Princeton, 1961-1968.

Chapitre 3

Relations internationales et immigration

PONTY J., *Les travailleurs polonais en France, 1919-1939*, thèse, Paris I, 1985.

SCHOR R., *L'Opinion française et les étrangers, 1919-1939*, Paris, Publications de la Sorbonne, 1985.

XXᵉ siècle, Revue d'Histoire, n° spécial « Etrangers, immigrés, Français », n° 7, juillet-septembre 1985.

Economie et relations internationales

BUSSIÈRE E., *Paribas, l'Europe et le monde 1872-1992*, Anvers, Mercator, 1993.

ROWLAND B.A., *Balance of Power or Hegemony : The Inter-War Monetary System*, New York, 1976.

Numéros spéciaux de la revue *Relations internationales* : n° 16, hiver 1978, « Protectionnisme et relations internationales » 2 ; n° 43, automne 1985, « Energie et relations internationales. »

GIRAULT R., « Economie et politique internationale : diplomatie et banque pendant l'entre-deux-guerres », *Relations internationales*, n° 21, printemps 1980.

Culture, science et sport

CAIN J., ESCARPIT R. et MARTIN H.-J. (éd.), *Le livre français*, Paris, Imprimerie nationale, 1972.

COOMBS Ph., *The Fourth Dimension of Foreign Policy : Educational and Cultural Affairs*, New York, 1964.

DOLLOT L., *Les relations culturelles internationales*, Paris, PUF, coll. « Que sais-je ? », n°1142, 1968.

MILZA P., « Fascisme et relations internationales », *Relations internationales*, n° 21, printemps 1980.

TUDESQ A. et ALBERT P., *Histoire de la radio-télévision*, Paris, PUF, coll. « Que sais-je ? », n° 1904, 1981.

Numéros spéciaux de la revue *Relations internationales* : n° 2, nov. 1974, « Mentalités collectives et relations internationales. » N° 24, hiver 1980, et n° 25, printemps 1981, « Culture et Relations internationales. » N° 38, été 1984, « Sport et relations internationales. » N° 46, été 1986, « Science, techniques et relations internationales. »

Images de l'Autre

CROUZET F., *De la supériorité de l'Angleterre sur la France. L'économique et l'imaginaire XVIIIᵉ-XXᵉ siècle*, Paris, Perrin, 1985.

FRANK R. (sous la direction de), *Images et imaginaire dans les relations internationales de 1938 à nos jours*, Cahiers de l'IHTP, n° 28, juin 1994.

GUYARD M.F., *L'image de la Grande-Bretagne dans le roman français*, Paris, 1954.

KUPFERMAN F., *Au pays des Soviets. Le voyage français en Union soviétique 1917-1939*, Paris, 1979.

PISTORIUS G., *L'image de l'Allemagne dans le roman français entre les deux guerres*, Paris, 1964.

VAÏSSE M., *Le Pacifisme en Europe des années 1920 aux années 1950*, Bruxelles, Bruylant, 1993.

Chapitre 4

Puissances, ambitions, impérialismes

ARTAUD D., *La reconstruction de l'Europe (1919-1929)*, Paris, PUF, coll. « Dossiers Clio », 1973.
ARTAUD D., *La question des dettes interalliées et la reconstruction de l'Europe (1917-1929)*, thèse multigraphiée, Université de Lille III, 1976.
BARIETY J., *Les relations franco-allemandes après la première guerre mondiale 1918-1924*, Paris, Pedone, 1977.
BOUVIER J., GIRAULT R. et THOBIE J., *L'impérialisme à la française, op. cit.*, (voir : politiques extérieures de la France).
DUROSELLE J.-B., « Qu'est-ce qu'une grande puissance ? », *Relations internationales*, n° 17, printemps 1979.
NOUSCHI A., « L'Etat français et les pétroliers anglo-saxons : la naissance de la Compagnie française des pétroles 1923-1924 », *Relations internationales*, n° 7, automne 1976.
SOUTOU G.-H., « L'impérialisme du pauvre : la politique économique du gouvernement français en Europe centrale et orientale de 1918 à 1929 », *Relations internationales*, n° 7, automne 1976.

Rapports entre politique intérieure, société et politique extérieure

MAIER Ch., *Recasting Bourgeois Europe*, Princeton Univ. Press, 1975.

La nouvelle diplomatie

BULLEN R. (ed.), *The Foreign Office, 1782-1982*, Univ. Publ. of America, 1984.
CRAIG G., GILBERT F., *The Diplomats 1919-1939*, Londres, rééd., 1968.
Numéros spéciaux de la revue *Relations internationales* : n° 31, automne 1982, et n° 32, hiver 1982, « Les formes nouvelles de la diplomatie. »
Sur la SDN, (voir : Généralités) et :
PIETRI N., *La reconstruction économique et financière de l'Autriche par la SDN*, thèse en 5 vol., Paris I, 1981.

Chapitres 5 et 6

Europe centrale et orientale

CONTE F., *Un révolutionaire diplomate : Christian Rakovski. L'Union soviétique et l'Europe, 1922-1941*, Paris, Mouton, 1978.
GORODETSKY G., *The Precarious Truce, Anglo-Soviet Relations 1924-1927*, Cambridge Univ. Press, 1977.
ROLLET H., *La Pologne au XXe siècle*, Paris, Pédone, 1984.
WANDYCZ P., *France and her Eastern Allies 1919-1925*, Minneapolis Univ. Press, 1962.
WANDYCZ P., *Soviet-Polish relations 1917-1921*, Cambridge (Mass.), 1969.
Institut d'études slaves : *La guerre russo-polonaise de 1919-1920*, Colloque, 1975.

La France, l'Allemagne, et les Anglo-Saxons

Outre les travaux de D. ARTAUD et de J. BARIETY, déjà cités :

BERSTEIN S., *Edouard Herriot ou la République en personne*, Paris, FNSP, 1985.

FREYMOND J., « Gustav Stresemann et l'idée d'une Europe économique 1925-1927 », *Relations internationales*, n° 8, 1976.

FRITSCH-BOURNAZEL R., *Rapallo, naissance d'un mythe*, Paris, FNSP, A. Colin, 1974.

JACOBSON J., *Locarno Diplomacy, Germany and the West 1925-1929*, Princeton Univ. Press, 1972.

L'HUILLIER F., *Dialogues franco-allemands 1925-1933*, Publications de la Faculté des Lettres de Strasbourg, 1971.

LEFFLER M.P., *The Elusive Quest : America's pursuit of European stability and French security, 1919-1933*, Univ. of North Carolina Press, 1979.

LINK W., *Die amerikanishe Stabilisierungspolitik in Deutschland 1921-1932*, Düsseldorf, Droste, 1970.

MAXELON M.O., *Stresemann und Frankreich*, Düsseldorf, Droste, 1972.

SCHUKER S.A., *The End of French Predominance in Europe. The financial crisis of 1924 and the adoption of the Dawes Plan*, Univ. of North Carolina Press, 1976.

SILVERMAN D.P., *Reconstructing Europe after the Great War*, Harvard Univ. Press, 1982.

THIMME A., *Gustav Stresemann. Eine politische Biographie*, Hannover (Norddeutsche), 1957.

ZIMMERMANN L., *Deutsche Aussenpolitik in der Ära der Weimarer Republik*, Göttingen, 1958.

Numéro spécial de la revue *Relations internationales*, n° 13, printemps 1978, « La politique économique extérieure de la France. »

Chapitre 7

Politiques extérieures des grands Etats

ADAMTHWAITE A., *The Making of the Second World War*, Londres, G. Allen, 1977.

BECKER J. et HILDEBRAND (ed.), *International Beziehungen, in der Weltwirtschaftskrise, 1929-1933*, Munich, Vogel, 1980.

BENNETT E.W., *German Rearmament and the West, 1932-1933*, Princeton Univ. Press, 1979.

BENNET E.W., *Germany and the Diplomacy of the Financial Crisis*, Harvard Univ. Press, 1962.

BOCK H.M., MEYER-KALKUS R. et TREBITSCH M. (éd.), *Entre Locarno et Vichy. Les relations culturelles franco-allemandes dans les années 1930*, 2 vol., Paris, CNRS, 1993.

DALLEK R., *Franklin Roosevelt and American foreign Policy 1932-1945*, Oxford Univ. Press, 1979.

FOHLEN C., *L'Amérique de Roosevelt*, Paris, Imprimerie nationale, 1982.

MÜLLER K.J., *Armee, Politik und Gesellschaft in Deutschland, 1939-1945*, Paderborn, 1979.

VAÏSSE M., *Sécurité d'abord. La politique française en matière de désarmement (9 décembre 1930-17 avril 1934)*, Paris, Pedone, 1981.

La crise économique mondiale

GALBRAITH J.K., *La crise économique de 1929. Anatomie d'une catastrophe financière*, Paris, Payot, 1970.
KINDLEBERGER C.H., *The World in Depression 1929-1939*, Berkeley, California Press, 2ᵉ éd., 1986.

La politique extérieure nazie

Outre l'ouvrage de BLOCH Ch. déjà cité :
La France et l'Allemagne 1932-1936, ouvrage collectif, Paris, CNRS, 1980.

JACOBSEN H.A., *Nationalsozialistiche Aussenpolitik 1933-1938*, Francfort, 1968.
MICHALKA W., *Nationalsozialistiche Aussenpolitik*, Paderborn, 1978.
MICHALKA W., *Ribbentrop und die Weltpolitik*, Munich, 1980.
STEINERT M., *Hitler et l'Allemagne nazie*, Paris, éd. Richelieu, 1972.
THAMER H.U., *Verführung und Gewalt, Deutschland 1933-1945*, Berlin, Siedler V., 1986.

Chapitre 8

ADAMS F.C., *Economic Diplomacy. The Export-Import Bank and American Foreign Policy, 1934-1939*, Missouri Press, 1976.
ADAMTHWAITE A., *France and the Coming of the Second World War*, Londres, Frank Cass, 1977.
BACHOUD A., *Franco*, Paris, Fayard, 1997.
COINTET J.-P., *Pierre Laval*, Paris, Fayard, 1992.
COWLING M., *The Impact of Hitler British Politics aval British policy 1933-1940*, Cambridge Univ. Press, 1975.
CROUY-CHANEL E. (de), *L'autre visage de Saint John Perse, Alexis Leger*, Paris, Picollec, 1989.
DUROSELLE J.-B., *La Décadence, 1932-1939. Politique étrangère de la France*, Paris, Imprimerie nationale, 1979.
FRANK R., *Le prix du réarmement français, 1935-1939*, Paris, Publications de la Sorbonne, 1982.
JACKSON J., *The politics of depression in France 1932-1939*, Cambridge Univ. Press, 1985.
JEANNENEY J.-N., *Georges Mandel*, Paris, Le Seuil, 1991.
HERMET G., *La Guerre d'Espagne*, Paris, Le Seuil, 1989.
KENNEDY P.M., *The Rise and Fall of British Naval Mastery*, Londres, McMillan, 2ᵉ éd., 1983.
MANIGAND C., *La Carrière politique d'Henry Jouvenel*, thèse de doctorat, IEP de Paris, 4 vol., dactyl., 1996.
MILZA P., *Les fascismes*, Paris, Imprimerie nationale, 1985, rééd., Paris, Le Seuil, coll. « Points-Histoire », 1991.
MOMMSEN W., KETTENACKER L., (ed.), *The Fascist Challenge and the Policy of Appeasement*, Londres, G. Allen-Unwin, 1983.
PEDEN G.C., *British Rearmament and the Treasury, 1932-1939*, Scottish Academic Press, 1979.

PIKE D. W., *Les Français et la guerre d'Espagne,* Paris, PUF, 1973.
SCHIRMANN S., *Les relations économiques et financières franco-allemandes 1932-1939,* Paris, CEFF, 1995.
VILAR P., *La guerre d'Espagne,* Paris, PUF coll. « Que sais-je ? », 1987.
WENDT B.J., *Economic Appeasement, Handel und Finanz in der britischen Deutschlandpolitik, 1933-1939,* Düsseldorf, 1971.
YOUNG R.J., *In Command of France. French Foreign Policy and Military Planning. 1933-1940,* Harvard Univ. Press, Cambridge (Mass.) et Londres, 1978.
Les relations franco-britanniques de 1935 à 1939, ouvrage collectif, Paris, CNRS, 1976.
Les relations franco-allemandes entre 1933 et 1939, ouvrage collectif, Paris, CNRS, 1977.

Chapitre 9

STEINERT M., *Hitler,* Paris, Fayard, 1992.

Sur la Puissance

GIRAULT R. et FRANK R. (éd.), *La puissance en Europe, 1938-1940,* Paris, Publications de la Sorbonne, 1984.
DI NOLFO E., RAINERO R. et VIGEZZI B. (éd.), *L'Italia e la politica di Potenza in Europa, 1938-1940,* Milan, Marzorati, 1985.
KNIPPING F. et MÜLLER K.J. (ed.), *Macht und Machtbewusstsein in Deutschland am Vorabend des Zweiten Weltkrieges,* Paderborn, 1984.

Sur les politiques extérieures et les crises.

BOUILLON J. et VALETTE G., *Munich 1938,* Paris, A. Colin, 2ᵉ éd., 1986.
DILKS D., *Neville Chamberlain,* Cambridge, CUP, 1984.
HILDEBRAND K. et WERNER K.F. (ed.), *Deutschland und Frankreich, 1936-1939,* Munich, 1981.
MACDONALD C.M., *The United States, Britain and Appeasement,* Londres, 1981.
MARGUERAT Ph., *Le Troisième Reich et le pétrole roumain,* Genève, 1977.
MARTEL G. (ed.), *The Origins of the Second World War Reconsidered. The A.P. Taylor debate after twenty-five years,* Londres, 1986.
OFFNER A.A., *American Appeasement. United Foreign Policy and Germany, 1933-1938,* Cambridge, (Mass.), 1969.
PONS S., *Stalin e la guerra inevitabile,* Torino, Einaudi, 1995.
RÉAU E. (du), *Edouard Daladier (1884-1970),* Paris, Fayard, 1993.
STEINERT M., *Les origines de la seconde guerre mondiale,* Paris, PUF, 1974.
TEICHOVA A., *An Economic Background to Munich, International Business in Czechoslovakia, 1919-1938,* Cambridge Univ. Press, 1974
WEINBERG G.L., *The Foreign Policy of Hitler's Germany, Starting World War, 1937-1939,* Chicago, 1980.
« Munich 1938. Mythes et réalités », *Revue des Etudes slaves,* n° spécial, LII, 1979.

Chapitre 10

AZÉMA J.-P. et BÉDARIDA F. (sous la direction de), *1938-1948. Les années de tourmente de Munich à Prague. Dictionnaire critique*, Paris, Flammarion, 1995.

CATALA M., *Les relations franco-espagnoles pendant la Deuxième Guerre mondiale : rapprochement nécessaire, réconciliation impossible, 1939-1944*, Paris, L'Harmattan, 1997.

COUTAU-BÉGARIE H. et HUAN C., *Darlan*, Paris, Fayard, 1989.

DURAND Y., *Les causes de la Deuxième Guerre mondiale*, Paris, A. Colin, 1992.

DURAND Y., *Histoire générale de la Deuxième Guerre mondiale*, Bruxelles, éd. Complexe, 1997.

DUROSELLE J.-B., *L'Abîme 1939-1945*, Paris, Imprimerie nationale, 1982.

FERRO M., *Pétain*, Paris, Fayard, 1987.

KEEGAN J., *The Second World War*, Londres, Hutchinson, 1989.

MASSON Ph., *Une guerre totale, 1939-1945. Stratégie, moyens et controverses*, Paris, Tallandier, 1990.

MICHEL H., *La seconde guerre mondiale*, 2 vol., Paris, PUF, coll. « Peuples et civilisations », 1969.

MICHEL H., *La deuxième guerre mondiale commence*, Bruxelles, éd. Complexe, 1980.

WRIGHT G., *L'Europe en guerre 1939-1945*, Paris, A. Colin, 1971.

Dictionnaire de la seconde guerre mondiale, Paris, Larousse, 1979-1980.

1939-1940

BÉDARIDA F., *La stratégie secrète de la drôle de guerre*, Paris, FNSP, 1979.

CRÉMIEUX-BRILHAC J.-L., *Les Français de l'an 40*, 2 vol., Paris, Gallimard, 1990.

CRÉMIEUX-BRILHAC J.-L., *La France libre, de l'appel du 18 juin à la Libération*, Paris, Gallimard, 1996.

JAKOBSON M., *The Diplomacy of the Winter War : An Account of the Russo-Finnish Conflict 1939-1940*, Cambridge (Mass.), Harvard Univ. Press, 1961.

KERSAUDY F., *Stratèges et Norvège 1940. Les jeux de la guerre et du hasard*, Paris, Hachette, 1977.

LAUNAY M., *L'armistice de 1940*, Paris, PUF, coll. « Dossiers Clio », 1972.

MICHEL H., *La Drôle de guerre*, Paris, Hachette, 1971.

Français et Britanniques dans la Drôle de guerre. Actes du Colloque franco-Britannique tenu à Paris du 8 au 12 décembre 1975, Paris, CNRS, 1979.

1940-1941

BÉDARIDA F., *La bataille d'Angleterre*, Bruxelles, éd. Complexe, 1986.

HILLGRUBER A., *Hitlers Strategie : Politik und Kriegsführung 1940-1941*, Francfort, 1965.

KIMBALL W.F., *The Most Unsordid Act, Lend Lease 1939-1941*, Baltimore, John Hopkins Press, 1969.

LANGER W.L., GLEASON S.E., *The Undeclared War 1940-1941*, New York, 1953.

PESCHANSKI D. (éd.), *Vichy 1940-1944. Archives de guerre d'Angelo Tasca*, Paris-Milan, CNRS, Feltinelli, 1986.

Index

Table des cartes

Tableaux

Armand Colin
34 bis, rue de l'Université
75007 Paris
N° 21877/1
Dépôt légal : juillet 1998

Achevé d'imprimer sur les presses de la
SNEL S.A.
Rue Saint-Vincent 12 – B-4020 Liège
tél. 32(0)4 344 65 60 - fax 32(0)4 343 77 50
juin 1998 - 9397